Schnizlein, Adalbert

Die Flora von Bayern

Schnizlein, Adalbert

Die Flora von Bayern

Inktank publishing, 2018

www.inktank-publishing.com

ISBN/EAN: 9783747762882

Die

FLORA von BAYERN

nebst

den angrenzenden Gegenden von Hessen, Thüringen, Böhmen, Oestreich und Tyrol sowie
von ganz Würtemberg und Baden.

Ein Entwurf

des Inhaltes mit übersichtlicher Anordnung der
unterscheidenden Merkmale aller

Blüthenpflanzen,

welche

in diesen Ländern wild wachsen und auch zum Nutzen
oder Vergnügen allgemeiner gepflanzt werden;

bearbeitet

von

Adalbert Schnizlein,

Dr. Ph.

Privat-Docent an d. k. Universität Erlangen, der k. k. leop.-car.
Akademie d. Nat. F., d. k. bot. Ges. in Regensburg u. m. a. g.
Ges. Mitglied.

Erlangen

Verlag von Carl Heyder.

1847.

Seiner Königlichen Hoheit

dem

durchlauchtigsten Kronprinzen

MAXIMILIAN

von Bayern,

dem hohen Beschützer der lieblichen Wissenschaft

in höchster Verehrung

allerunterthänigst gewidmet

vom

Verfasser.

Ueber Absicht, Inhalt und Einrichtung.

Der Pflanzenfreund unseres Landes wünscht bei kleinen Reisen, Spazirgängen und in vielen andern Fällen zu Hause, von einer vorliegenden Pflanze oft nur schnell zu wissen, ob sie diejenige wirklich sey, für welche er sie hält, da man sich nicht gleich des Unterschieds von einer ähnlichen Art erinnert, oder man kennt sie dem Namen nach noch gar nicht und wünscht diesen so zu erfahren.

Hiezu gehört ein bequemes Buch nach zweckmässiger Methode eingerichtet.

Jener Forderung haben mehrere s. g. Taschenbücher abzuhelfen gesucht, doch wie mir scheint ohne wirklichen Erfolg, sie fielen nemlich alle zu gross aus für einen lokalen Zweck, für den allgemeinen aber unzweckmässig wegen der Methode.

Bei einem örtlichen Zweck muss man in jenen Büchern die Hälfte oder noch mehr von Pflanzenbeschreibungen, oder eine zahllose Angabe von Wohnorten derselben herumtragen und die fragliche Pflanze aus einer grossen Reihe heraussuchen, von denen die Mehrzahl einem vielleicht nie vor Augen kommt, es entstehen dann noch andere Schwierigkeiten, Zeitverlust und endlich Unlust zur Bestimmung. Da aber der lokale Zweck ein von selbst nothwendiger ist, weil zuerst die nächste Umgebung gekannt seyn muss, so muss und wird es auch stets Lokalfloren geben, welche nicht blos Wohnortsverzeichnisse sind.

Da wir nun noch gar keine Flora von Bayern in seinem Umfang als Königreich haben, u. nur diejenige

Schrank's von 1789 vorhanden ist, welche einige
Gegenden des früheren Bayern's begreift, diese
aber schon 1811 von Schultes als „längst ver-
altet" bezeichnet wurde, wesshalb auch Bayern bei
pflanzengeographischen Zusammenstellungen bisher
völlig ignorirt werden musste, während alle andern Theile Deutschlands reichlich vertreten waren,
so werden genug Gründe vorhanden seyn, diesen
Versuch nicht nur zu rechtfertigen, sondern ihn
auch als nothwendig erscheinen zu lassen. Möchte
er des Beifalls der vielen Pflanzenfreunde Bayerns
und der Nachbarländer sich würdig zeigen, die
Anfänger zu weiteren Schritten in der Wissenschaft
aufmuntern und sie ihnen erleichtern, von den Ken-
nern aber mit Nachsicht aufgenommen werden!

Es will diese Flora keineswegs eine solche
seyn, wie sie die Wissenschaft im vollen Sinn for-
dern dürfte, wo nämlich die Darstellung des For-
menkreises der Arten bei den gegebenen Verhält-
nissen des Landes, die neue Begründung oder Ein-
ziehung von Gattungen und Arten, so wie die Dar-
legung der geographischen Vertheilung u. s. w. das
Wesentliche sind, denn erstere Beziehungen sind
nicht Absicht, letztere ist, wenn man ehrlich seyn
will, zur Zeit noch unmöglich; auch sind nicht
eine möglichst grosse Anzahl von Wohnorten der
Arten angegeben, weil diess, so lange kein Schluss
daraus gezogen werden kann, ohne Nutzen wäre
und das Buch völlig seinem Zweck entgegen nur
dick machen würde, sondern sie soll nur das seyn,
was der Titel sagt und was weiter unten auseinander gesetzt ist.

In Bezug auf den Inhalt sind folgende Grund-
sätze berücksichtigt. Es werden aufgeführt:

1) Alle wildwachsenden bisher wirklich gefundenen Arten des Königreichs
Bayern diess- und jenseits des Rheins, deren
Wohnorts-Angabe hinlänglich bestätigt ist. Dieselben sind mit fortlaufenden Nummern bezeichnet
und nur einige wenige Seltenheiten der Rheinpfalz
sind auch mit dem Zeichen der folgenden Reihe

versehen. Dieser Inhalt gründet sich theils auf eigene Erfahrung, da ich in mehreren der verschiedensten Gegenden selbst gesammelt habe, theils erhielt ich von Freunden aus andern Gegenden Exemplare und Nachrichten, unter letzteren sind besonders die in einem vollständigen Manuscript über die Flora von Würzburg, von Prof. S c h e n k dortselbst mitgetheilten, mit besonderem Dank zu erwähnen, theils endlich wurden die bereits veröffentlichten Angaben von Z u c c a r i n i, F ü r n - r o h r und C. F. F c h u l t z, so wie die Angaben in K o c h's Synopsis benützt; Niederbayern ist mir am unbekanntesten geblieben. Die bei solchen beigesetzten Worte „hie und da" bedeuten so viel als „selten" aber doch an mehreren Orten bereits gefunden, g e n a n n t e Wohnorte bezeichnen die mir bisher als einzig bekannten, also so viel als sehr selten.

2) sind diejenigen Arten aufgenommen und mit dem * bezeichnet, welche entweder in den N a c h - b a r l ä n d e r n vorkommen und von denen es wahrscheinlich ist, dass sie auch einmal innerhalb der staatlichen Grenzen Bayerns vorkommen können, oder solche, welche nahe verwandt mit bekannten Arten sind und also um der V e r w e c h s l u n g oder des Unterschiedes willen Rücksicht verdienen. Hiedurch ist zugleich eine Flora von Würtemberg, Baden, Rheinhessen, dem südwestlichen Thüringen u. s. w. enthalten, in der etwa nur die einzelnsten Seltenheiten fehlen dürften.

3) Die l a n d w i r t h s c h a f t l i c h g e b a u t e n, nicht zugleich wild vorkommenden A r t e n sind mit dem C., d. h. cultivirt bezeichnet.

4) Die allgemeinsten Z i e r p f l a n z e n unserer öffentlichen Haus - und herrschaftlichen Lustgärten, weil dieselben oft zunächst zu Gebote stehen und weil es Vielen erwünscht seyn möchte, ihren Character oder selbst nur ihre Stellung im System oder richtigen Namen zu erfahren, sind mit h, hortensis, d. h. Gartenpflanze bezeichnet. Es ist zwar schwer, hier eine Grenze zwischen den nothwendigen

und nur angenehmen zu finden, doch zog ich sie
lieber zu eng als zu weit, um das Volumen nicht
zu sehr zu vermehren; wem selbst von den Gegebenen ein Theil zu viel scheint, den werden sie
nicht sehr beschweren, dem Anfänger und Lieb-
haber jedoch bisweilen nützlich oder angenehm seyn.

Bei der Annahme aller Arten habe ich fast
ohne Ausnahme die von Koch in der 2ten Ausgabe der Synopsis florae germanicae aufgestellten
Ansichten befolgt, weil es hier nicht Absicht ist,
deren Werth zu untersuchen.

Mit den angegebenen Zwecken wollte ich aber
noch andere verbinden. Es scheint mir von wis-
senschaftlicher Seite als eine Hauptaufgabe einerseits, nicht nur die specifischen Merkmale aufzu-
finden, sondern sie auch practisch zu machen, so
wie anderseits die Erkenntniss zu erleichtern und
zwar durch eine zweckmässigere Methode, welche ich die kritische nennen und hier zugleich
mehr einführen helfen möchte.

Es ist diess eine Pflicht, weil die Artenkennt-
niss als Grundlage aller weiteren Studien ausserdem viele Zeit raubt, welche für die höbere
Forschung verloren geht, so dass man zu ihr gar
nie gelangt oder zum Mindesten nicht einmal
für die Kryptogamen Zeit gewinnen kann. Die
beschreibende Botanik muss in Inhalt und Form
eine andere werden, als sie bisher war, und in
letzter Beziehung sich theilen in Beschreibung im
engeren Sinn und in Unterscheidungslehre; die
bisherigen sogenannten Diagnosen gehören weder
zu der einen noch zu der andern Art, und eben
darin liegt ihre Untauglichkeit.

Die diagnostische oder kritische Methode ist
das letzte Resultat der klaren Kenntniss des Stoffs.
Ihre Form ist die tabellarische Unterordnung der
Merkmale, und nur erst wenn diese sich bis zum
letzten Glied herausstellen lässt, kann man hof-
fen, über die immer grösser werdende Menge der
Arten leichter Herr und der zahllosen Wiederho-
lungen in den Diagnosen ähnlicher Arten, los zu

werden. Diess haben schon längst die besten Monographien von R o b. B r o w n, J u s s i e u, B e n t h a m, M e i s s n e r u. A. gezeigt und das Resultat ihrer Untersuchungen in dieser Weise zusammengestellt, auch sind bereits von letzterem alle Gattungen der Erde auf diese Weise bearbeitet worden und R o e m e r unternimmt es in ähnlicher Weise für alle Arten.

Das Ziel der Namenkenntniss auf die möglichst schnelle Weise zu erreichen, hat zwar schon L a m a r c k (1805) versucht und hiefür die sogenannte analytische Methode erfunden; dieselbe ist auch vielfach, besonders in Frankreich, angewendet worden, allein sie steht der vorhin erwähnten gewiss nach. Die analytische Methode erfüllt ihren Zweck allerdings vollkommen, aber auf eine äusserst langweilige und geistlose Weise, weil sie zu mechanisch verfährt, weil aller natürliche Zusammenhang zerrissen wird und keine übersichtliche Form darbietet. Sie muss allerdings allen Zusammenhang aufgeben, denn sonst ist sie gehindert, consequent zu verfahren; allein der Zweck wird nicht verloren bei der andern Methode und bei den Gattungen sogar noch schneller erreicht unter der gewiss leichten Vorbedingung, dass man die Merkmale einer gewissen Menge von Abtheilungen, und zwar hier das sogenannte System von Linné, auswendig weiss. Ich gehe daher, bei der Bestimmung der Gattungen, davon aus, dass dieses System aus diesem und mehreren andern guten Gründen nie ganz in den Winkel geworfen werden dürfe, besonders wo es sich um Anfänger handelt. Man muss aber hierbei nur wissen, wofür man es zu halten hat, nämlich nicht für ein System der Natur, wo jedes Wesen und jeder Character in seinen Beziehungen zu allen andern gedacht ist, auch ist es kein Klassensystem, wie das sogenannte natürliche, sondern nur eine klassificirte Methode. Werden hier alle sogenannten Ausnahmen gehörig eingeschaltet, so wird der Anfänger ganz leicht zum Gattungsnamen gelangen. Die gleichzeitige

Anwendung der diagnostischen Methode wird aber
sowohl hier, als insbesondere bei den Arten noch
den Vortheil vor der analytischen haben, dass sie
sicherer führt und dass, wenn man auch gefehlt
hat, es viel leichter ist, zur Quelle des Fehlers
zurückzukehren, als dort, wo man nach einmal
eingeschlagener Wahl jählings zum entferntesten
Abweg geführt wird. Bei der tabellarischen Unterordnung werden überhaupt die Stufen mit einem
Blick aufgefasst, es bieten sich die Haupt- und
Nebenmerkmale zugleich dar und man braucht
nicht wie dort den Character in ein einziges Merk-
mal zu setzen. .

Ferner suchte ich noch zwei Absichten zu erreichen; erstens die oft fast sinnlosen*) und gerade deswegen schwer verständlichen Ausdrücke
der sogenannten Terminologie zu vermeiden. Hierbei habe ich auch die deutsche Sprache vorgezogen, theils deshalb, weil sie viel bildsamer als die
lateinische und diese keineswegs immer kürzer ist,
theils weil auch andere Nationen ihre eigene Sprache
gebrauchen, wenn sie nicht für die Welt schrei-
ben, und endlich auch, weil ich die Erfahrung
gemacht habe, dass junge Leute, welche so eben
von den höchsten lateinischen Schulen und den
ersten Klassikern herkommen, doch das Latein
der Botaniker kaum verstehen oder anders deuten;
zweitens habe ich versucht, einige herkömmliche
falsche Bezeichnungen ausser Gebrauch zu bringen
und die Sachen möglichst so auszudrücken, wie
sie wirklich sind und nicht wie sie scheinen. Es
ist höchte Zeit, die Blätter der Weisstanne nicht
mehr als zweizeilig zu bezeichnen, Monotropa,
Neottia nidus avis u. a. nicht mehr blattlos zu
nennen, den Blüthenstand von Sparganium nicht
mehr Aehre und den bei Mentha eben so zu heissen, nicht immer und immer an der Wurzel Blätter wachsen zu lassen und bei Blättern die Faser-
bündel, welche doch nur Stützen für die Laub-

---

*) Z. B. Spire aus dem versetzten Wort Rispe.

masse abgeben, Adern, Nerven und Venen zu
nennen, die Blumen, deren Form, gewiss wie Alles in der Natur, so und nicht anders, d. h. nach
einer Regel bestimmt ist, nicht so oft unregel-
mässig zu schelten, kurz Form und Wesen nicht
unaufhörlich zu verwechseln. Wohl mögen auch
mir noch manche Herkömmlichkeiten und Ungleich-
heiten mit untergelaufen seyn, doch war ich be-
müht, die auffallendsten zu vermeiden.
Deswegen muss ich einige der von mir ge-
brauchten Ausdrücke erklären. Gleichmässig
nenne ich eine Blume, deren Blätter vom Mittelpunct aus gleiches Maas der Grösse haben, also
gleich lang sind, was man bisher regelmässig
nannte; gleichartig bezieht sich auf die Art
des Gewebes oder die Feinheit der Theile, z. B.
zwischen Kelch und Krone; gleichförmig bezieht sich nur auf die Gestalt; Blume im Allgemeinen ist die Gesammtheit der Blüthendecken,
oder diese allein, wenn sie einfach ist; Stock
nenne ich unentwickelte oder verkürzte Stengel-
glieder, in welchem gleichsam Alles verschlossen
und verstockt ist, der sogenannte Wurzelhals, der
die sogenannten Wurzelblätter, also Stockblätter,
trägt; Rippen nenne ich bei den Blättern, was
als Adern und Nerven bisher bezeichnet wurde
u. s. w.; andere hie und da vorkommende Ausdrücke werden an sich selbst erklärlich seyn, ohne
ihre früheren Ansdrücke zu kennen.
Bei einer Arbeit, wie die vorliegende, liegt
es in der Natur der Sache, dass vorhandene
umfassende Werke benützt werden müssen. Die
verdienstvollen Resultate, welche der Scharfsinn
der Verfasser aufgestellt hat, sind häufig nur in
die für unsern Zweck nöthige Form gebracht; dass
aber hierzu nicht eine blose Umsetzung ausreiche,
wird Jeder, der mit der Sache bekannt ist, wissen, da das Beste nur vielfache eigene Erfahrung
thun kann. Für Beurtheiler habe ich nur die
Bitte, eine oder die andere der grösseren Gattungen zuvor nach Koch umzusetzen, hiermit meine

Anordnung zu vergleichen und eine bessere mitzu-
theilen.

Die Natur zu vergleichen und aus ihr selbst
zu schöpfen, habe ich so wenig als möglich ver-
säumt, und bei meinen practischen Anleitungen
der Pflanzenbestimmung mit den Studirenden habe
ich manche der Schwierigkeiten für Anfänger kennen gelernt und auf solche Rücksicht genommen.
Bei allen den sogenannten schwereren Gattungen, wie Alsine, Senecio, Centaurea, Carduus,
Rumex, Iris, Pedicularis, Campanula u. s. w., lag
mir die ganze Formenreihe aus dem Herbarium
vor, und es entstanden hieraus Gruppen, je nach
der Allgemeinheit der Merkmale, sehr oft fielen
dieselben gerade so aus, wie bei Koch oder A.,
weil auch dort Naturtreue ihren Werth begründet;
oft genug wird man diese Prüfung an der Natur
wieder erkennen, eben so oft aber auch Abweichungen von dem genannten und andern Schriftstel-
lern finden. Bei vielen kleinen Gattungen konnte
aber Koch's Eintheilung unverändert angewendet
werden. — Bei der vielleicht schwierigsten aller
Gattungen, der Weide (Salix), habe ich einen
Versuch gewagt, den mir die Nothwendigkeit auf-
erlegte, nämlich ein völliges Abweichen von Koch's
so naturgemässer Gruppirung, weil es hiernach,
wie noch mehr bei seinen Nachschreibern, unmöglich ist, eine Art zu bestimmen, ohne männliche
und weibliche Blüthen-, Frucht- und Laubexem-
plare zugleich vor sich zu haben. Da es aber oft
vorkommt, dass in weiten Gegenden nur männliche oder nur weibliche Stämme wachsen, so
muss man jeden derselben auch einzeln bestimmen können. Ich habe alle von Herrn Geheimen
Hofrath Koch in der Synopsis beschriebenen Arten von ihm selbst freundlichst mitgetheilt erhalten und diese Originalexemplare gebraucht; auch
hatte derselbe die Güte, meinen Entwurf selbst
durchzusehen, ich bitte, denselben nachsichtig
zu beurtheilen oder mich mit einem bessern zu
belehren. — Auch die werthvollen Schriften von

Spenner, Doell, Cosson und Neilreich wurden hie und da zu Rathe gezogen.

Die Charactere der Gattungen sind nicht immer nach dem Linne'schen Sinn zu nehmen, sondern es sind natürliche Charactere, d. h., es ist zu Hilfe genommen, was sich darbot, um dem Anfänger zum Gattungsnamen zu verhelfen; denn wenn man z. B. die Frucht nicht hat, so ist häufig Sicherheit genug in den Blättern oder anderen Theilen; man vergleiche z. B. Hottonia und Lysimachia. Auch hier wird man viele Abweichungen von Koch, insbesondere bei den Umbelliferen, finden. Dass man auch diöcische Gattungen nach den weiblichen Stämmen finden kann, wird nützlich seyn; auch ist die Einrichtung, dass der Anfänger die Frage, in welche Linne'sche Klasse eine Gattung gehöre, leicht lösen kann, so wie die Hinweisungen bei den Gattungen auf den Text, eine Bequemlichkeit welche Werke, wie z. B. Koch's Synopsis, nicht bieten. Eben so habe ich eine Consequenz verlassen, welche in jenem Werke und im Taschenbuch befolgt ist, dass nämlich bei Gattungen mit nur einer Art keine weiteren Merkmale, als eben die der Art, beigesetzt sind; hier aber sind, so sehr ich in den Uebersichten die Worte gespart habe, doch bei solchen einige Merkmale angegeben, welche nicht überflüssig seyn werden und die wenigstens zur grösseren Sicherheit dienen.

In Beziehung auf den Gebrauch beim Bestimmen möchte ich endlich für Anfänger bemerken, dass sie recht genau und sicher verfahren sollten, besonders die Abtheilungen des Gegensatzes stets berücksichtigen, und nur nach der Gesammtheit der Merkmale entscheiden.

Um den Character der Familien und Gattungen in seinem Zusammenhang aufzufassen, ein Erforderniss, welches erst den Schluss einer eben so angenehmen wie nützlichen Anschauung der Pflanze macht, ist, bis es ein dafür eigens bestimmtes Buch giebt, entweder Koch's Synopsis, oder wenn deren Preis sie unzugänglich macht, vorzüglich Döll's rheinische Flora nachzulesen.

Ich bitte nun alle Freunde der Pflanzen unseres Vaterlandes, mich durch **recht viele** und besonders durch genaue **Mittheilungen** ferner zu belehren, damit einst eine Flora, wie sie des schönen Landes würdig ist, hervorgehen kann.

Erlangen, im November 1846.

A. Schnizlein.

Erklärung der Abkürzungen.

1. Für die Theile der Pflanzen in deren Beschreibungen.

Die Hauptwörter sind mit grossen, die davon abgeleiteten Bei- und Bestimmungswörter mit kleinen Buchstaben ausgedrückt. Die Artikel, Einheit und Mehrheit, so wie einzelne hier nicht aufgeführte Endsylben werden aus dem Sinn des Ganzen leicht erklärlich sein.

Bltt. Blatt.	lg. lang.
bl. blätterig.	m. mal.
Bd. oder bd. Boden, in Frucht-	o. od. ob. oben.
boden.	od. oder.
Blm. Blume.	R. od. rd. Rand randig. od. rund.
Blth. Blüthe.	r. recht, besonders in aufrecht,
blth. blüthig.	senkrecht u. s. w.
Blthstd. Blüthenstand.	S. Same.
Btl. Beutel.	Stgl. oder St. Stengel.
ch. chen, die Verkleinerungs-	Stbfd. Staubfaden.
Sylbe.	Std. Stand, besonders in Blü-
d. dend, das Particip.	thenstand.
entf. entfernt.	std. ständig.
f. förmig oder fach, je nach	St. Stiel.
dem Sinn.	sp. spitzig od. spitz od. gespitzt.
Fr. Frucht.	spr. springend z. B. aufspringend.
frb. farbig.	thl. theilig, z. B. 3theilig.
gedr. gedrückt.	n. unten oder und.
ges. gesetzt.	v. von.
h. haarig.	verk. verkehrt.
H. Hülle oder Haare.	verw. verwachsen.
K. Kelch.	w. wachsend.
Kn. oder kn. Knoten, besonders	W. Wurzel.
in Fruchtknoten.	Z. od. z. Zahn, Zipfel, zahnig;
Kr. Krone oder Blumenkrone.	nach einer Zahl, zählig.
l. lieb, die Endsylbe.	zus. zusammen.

2. Für die Stand- und Wohnorte.

Abhg. Abhänge.	Ka.-F. Kalk- ⎫ Formation.
Ak. od. Ack. Aecker.	Ki.-F. Kiesel- ⎭
Alp. Alpen.	L.W. Laubwald.
B. Bäche.	M. Mauern.
Bg. od. Brg. Berge.	Q. Quellen.
Eb. Ebene.	Str. Strassen.
Fcht. feucht.	Schtt. Schatten od. schattig.
F. Felsen.	Sch. Schutt.
Fl. Flüsse.	T. Teiche.
Grt. Gärten.	Th. Thon.
Grb. Gräben.	Trft. Triften.
Gbsch. Gebüsch.	trck. trocken.
Hd. Haiden.	W. Wälder.
Hg. Hügel.	w. wässrig od. bewässert.
Hk. Hecken.	Ws. Wiesen.

Namen der Wohnorte werden in leicht verständlicher und üblicher Weise zur selten, wo Raum fehlte, abgekürzt, z. B. Nördl. Nördlingen, Geg. Gegend u. s. w.

3. Der nach den Gattungs- und Artennamen aufgeführten Schriftsteller.

Anet-orum.
Ait-on.
All-ioni.
Andrz-ejowski.
Ard-nin.
Bartl-ling.
Beauv-Palisot de Beauvois.
Br. od. A. Br. Alexander Braun.
Br. u. D. Braun und Döll.
Baumg-arten.
Balb-is.
Bell-ardi.
Bess-er.
Bernh-ardi.
Bir-ia.
Borkh-ausen.
Bönningh. v. Bönninghausen.
Camp-der.
Cass-ini.
Cav-anilles.
Clairv-ille.
Coult-er.
Crtz. Crantz.
Curt-is.
Cust-er.
Dub-y.
DC. DeCandolle
Drss. Desrousseaux.
Desf-ontaines.
Desp-ortes.
Desv-aux.
Dougl-as.
Ehrh-ardt.
F. u. M. Fischer u. Meyer.
Fk. Funk.
Fr-ies.
Flk. Flörke.
Gay. —
Grtn. Gärtner.
Gand-in.
Gml-Gmelin.
Good-enough.
Gou-au.
Gun-ner.
Guthn-ick.
Godr-on.
Hr. Heer.
Hgtsch. Hegetschweiler.
Hartm-Hartmann.
Hay-ne.
Hk-Haencke.

l'Her-itier.
Hoffm-ann.
Hpp. Hoppe.
Host. —
Huds-on.
Haw-Haworth.
Jacq-Jacquin.
K. od. Kch. Koch.
Kth. Kunth.
Krk. Krocker.
Lg. Lang.
Lam-arck.
Lap-eyrouse.
Leers. —
Lehm-ann.
Less-ing.
Lej-eune.
Lighf-oot.
Lindl-ey.
L.-Linne.
Lois-eleur.
MB. Marschall Biberstein.
Med-ikus.
M. u. K. Mertens u. Koch.
Mich-aux.
Mill-er.
Mnch. Mönch.
Mik-an.
Monn-ier.
Murr-ay.
Nutt-al.
Ns. Nees von Esenbeck.
Nestl-er.
Pall-as.
Panz-er.
Pers-oon.
Pf. Pfeiffer.
Poir-et.
Poll-ich.
Prsl. Presl.
Red-outé.
Ram-ond.
Retz-ius.
Rchb. Reichenbach.
Reich-ert.
R. Br. Robert Brown.
Rbtsch. Rebentisch.
Rich-ard.
R.-Risso.
R. u. S. Römer u. Schultes.
Rth. Roth.

Sab - ine.   Sutt - on.
Salisb - ury.   Sw - artz.
Saut - er.   Tsch. Tausch.
Sav - i.   Tea - ore.
Schff. Schäffer.   Trtt. Trattinick.
Schld. v. Schlechtendahl.   Thll. Thuillier.
Sehk - uhr.   Trin - ius.
Schl - eicher.   Tournf. Tournefort.
Sch. u. Sp. Schimper u. Spenner.   Vahl —
Schrb - Schreber.   Vent - enat.
Schrd. Schrader.   Vill - ars.
Schrk. v. Schrank.   Whlbg. Wahlenberg.
Schlz. Schultz.   W. K. v. Waldstein n. Kitaibel.
Schmt. Schmitt.   Wallr - oth.
Schw. u. K. Schweigger u. Körte.   Web - er.
Scop - oli.   Weig - el.
Ser - inge.   Wender - oth.
Sieb - er.   Wib - el.
Sims —   Wigg - ers.
Sm - ith.   Willd - enow.
Sond - er.   Wim. u. G. Wimmer und Gra-
Soy. W. Soyer Willemet.   bowski.
Seid - el.   With - ering.
Senb - ert.   Fl. W. Flora der Wetterau.
Sib - thorp.   ... nach d. Synonym des Gat-
Spr - engel.   tungsnamens bedeuten, dass
St. Hil - aire.   der Name der Art hiezu gleich
Sol - ander.   bleibt.
Strbg. Sternberg.

Gattungsnamen,
welche von Personen entlehnt sind.

Es ist eine grosse Erleichterung für das Gedächtniss und Verständniss der Pflanzennamen, ihren Ursprung und Bedeutung zu wissen; viele sind alt - lateinisch, ohne Beziehung auf Eigenschaften, die meisten sind nach solchen aus dem Griechischen zusammengesetzt, einige aber sind von Naturforschern u. s. w. entlehnt; da die letzteren an sich die unverständlichsten sind, so setze ich sie hierher, um nicht in ihnen solche jener andern zu vermuthen.

Bartsia.   Kohlrauschia.
Cherleria.   Kochia.
Cortusa.   Koehleria.
Farsetia?   Lavatera.
Fuchsia.   Leersia.
Emilia.   Linnaea.
Gaya.   Listera?
Galinsoga.   Lloydia?
Goodyera?   Lonicera.
Hottonia.   Mönchia.
Hutchinsia.   Moehringia.
Isnardia.   Molinia.
Jurinea.   Montia.
Knautia.   Neslia?

Richardia.
Rudbeckia.
Scheuchzeria.
Sennebiera.
Sessleria.
Sherardia.
Sibbaldia.
Soyeria.
Sturmia.

Swertia.
Tofjeldia?
Tozzia.
Tradescantia.
Trinia.
Wahlenbergia.
Willemetia.
Zannichellia.
Zinnia.

Uebersicht
des Inhaltes an Arten.

Einheimische $\left\{\begin{array}{l}\text{Ausschliesslich im dies-} \\ \text{seitigen Bayern:} \\ \text{Alpenpflanzen} \quad . \quad 340 \\ \text{Im Flach- u. Ge-} \\ \text{birgsland} \quad . \quad . \quad 125 \\ \text{Ausschliesslich in Rhein-} \\ \text{bayern *)} \quad . \quad . \quad . \quad . \quad . \quad 77 \\ \text{Gemeinschaftliche Arten} \quad 1241\end{array}\right.$ 465

1783

Verwandte und aus den Nachbarländern
mit dem ° bezeichnete 118

Culturpflanzen $\left\{\begin{array}{l}\text{welche nicht zugleich wild} \\ \text{wachsen} \quad . \quad . \quad . \quad . \quad . \\ \text{welche zugleich einhei-} \\ \text{misch sind, 20.}\end{array}\right.$ 112

Gartenpflanzen 250

Summe aller aufgeführten Arten 2263

*) Zu diesen kommen eigentlich noch 14, welche in dieser
Flora nur mit dem * bezeichnet sind; dann andere, etwa 20
bis 24, welche in der Flora der Pfalz von F. W. Schultz aufgeführt werden, hier aber entweder unter den Koch'schen Arten
mitbegriffen sind (wegen der eigenen Ansicht des Verfassers
über gewisse Arten: Viola, Cerastium, Orobanche und mehrere
vermuthliche Bastardformen von Cirsium, Hieracium, Verbascum u. s. w.), oder welche theils wegen des zweifelhaften Wer-
thes als Art oder ihres nicht mehr hereingehörigen Wohnortes
ganz weggelassen sind. Jene Localflora ist ohnehin für ihren
Zweck unentbehrlich, und es genügt, hier auf jene aufmerksam
zu machen.

Ueberhaupt können in solchen Sachen keine so reinen
Grenzen gezogen werden und es bleiben Zahlenresultate stets
schwankend; es sind aber auch solche Ansprüche, wenn ihre
Differenz nicht über 1 Procent geht (also hier etwa bei 17—20
Arten), für das Ganze ohne Wichtigkeit.

Bestimmung der Gattungen

mittels des

System's von Linné.

Die Zahl ohne Klammer ist dieselbe als diejenige, welche die Gattung im Text hat, von den in Klammern eingeschlossenen weisst die erste auf die Classe, die folgende auf die Ordnung dieser Uebersicht hin, in welche dieselbe nach dem Linné'schen System eigentlich gehört und bezeichnet zugleich die Gattung als s. g. Ausnahme.— Die Gattungen stehen in denj. Classen (ausgenommen die Compositae, Gramineae, Chenopodieae, Viola, Impatiens und einige andere), in welche sie Linné selbst in der 6. Ausgabe der „Genera plantarum, Holmiae 1764" stellte.

Classe I.

Ordnung 1. Ein Fruchtknoten und Narbe.

A. Ohne Blumenkrone.

a) Kraut.

Kelch nur als Rand oben am Frkn. HIPPURIS 157

Kelch vierspaltig, Frkn. frei . Alchemilla (4.1)

b) Grasförmige Pflanze . . . Eriophorum (3.1)

B. Mit Blumenkrone.

a) Staubfäden u. Beutel frei.

Blume röhrig, fünftheilig, mit einem Sporn; Frkn. unterständig; Same mit einer Haarkrone .

. . . . CENTRANTHUS 229.a.

b) Staubfäden u. Beutel an ein (s. g.) Blumenkronblatt verwachsen; Blmkrone aus 8 verschiedenartigen Bltt. bestehen . . CANNA 481.a.

**2

Ordnung 2. Zwei Narben.
A. Kräuter.
Blätter gegenüberstehend, gekreuzt; Frucht
4samig . . . . CALLITRICHE 158
Blätter spiralständig.
Frucht flach linsenförmig, mit einem Rand .
. . . . CORISPERMUM 412
Frucht ey- od. kugelförmig . . . BLITUM 416
B. Gräser (Festuca myurus u. bromoides, Cla-
dium; 3. Cl. 2. Ordn.)

Ordnung 3.
Drei oder vier getrennte Fruchtknoten . . . .
. . . . Zannichellia (21)

Classe II.

Ordnung 1. Ein Stempel.
A. Blüthe ohne Blumenkrone od. Kelch.
a) *Wasserpflanzen ohne Blätter* . . LEMNA 454
b) *Landpflanzen.*
† *Baum.*
Blthstd. rispenf. vor d. Ausbruch der (gefieder-
ten) Blätter blühend . . . . FRAXINUS 3/8
Blthstd. ährenf., vor d. Ausbruch der (einfa-
chen) Blätter blühend . . . . . Salix (22.1)
†† *Kraut.*
Kelch 4theilig, Frucht ein mehrsamiges Schöt-
chen . . . . Lepidium (15.1)
Kelch 5theilig; Frucht einsamig . . Blitum (13)
††† *Grasartige Pflanzen mit knotenlosem Stengel.*
(Rhynchospora, Scirpus, Cladium. Cl. 3. 1.)
B. Blüthe mit Blumenkrone.
a) *Blume oberständig.*
Aus 2 Blumenkronblättern . . . CIRCAEA 154
Verwachsen, röhrenförmig . Valerianella (3.1)
b) *Unterständig.*
† *Gleichmässig.*
° Blätter einfach.
Frucht beerenartig (Strauch) . LIGUSTRUM 316
Frucht kapselartig, 2samig (Strauch) Syringa 316.a.

Frucht kapselartig, mehrsamig (Kraut) . . .
. . . . Veronica s. unten.
** Blätter gefiedert . . . . . *JASMINUM* 317.a.
†† *Blume ungleichmässig* (lippen- od. rachen-
förmig).
° Fruchtknoten einfächerig.
α Mit 1 freiem mittelständigen Samenträger.
Kelch 5theilig (Bltt. ganz). . PINGUICULA 391
Kelch 2theilig (Bltt. vielfach-zerschlitzt) . .
. . . . , . . UTRICULARIA 392
β Mit drei seitlichen Samenträgern, Staubfäden
ohne Träger . . . . Orchideae(20)
** Fruchtknoten zweifächerig, vielsamig.
Narbe ungetheilt.
Blume ausgebreitet, flach, Blüthenstiel ohne
Vorblättchen . . . . . . VERONICA 355
Blume schuhförmig, ungleich gross . . .
. . . . *CALCEOLARIA*349.a.
Narbe zweilappig; Blüthenstiel mit 2 Vorblätt-
chen, Blume röhrig . . . . GRATIOLA 351
°°° Fruchtknoten 4samig.
Kelch 5zähnig getheilt.
Blüthenstand quirlförmig.
Blumenkrone zieml. gleichmässig LYCOPUS 368
Blumenkrone rachenförmig; Staubbeutel —
eingeschlossen . . . . *MONARDA*368.b.
Blüthenstand ährenförmig . . VERBENA 390
Kelch 2lippig.
Staubfäden in der Mitte mit 1 Zahn, länger
als d. Oberlippe der Blm. *ROSMARINUS*368.a.
Staubfäden unten mit 1 Anhängsel, in die
obere Lippe eingeschlossen . . SALVIA 369

Ordnung 2. Zwei Griffel od. Narben.

Gräser . . . . . (Bromus, Hiërochloë, Anthoxanthum. 3. 2.)
Kraut (klein); Fruchtknoten oberständig; Blumenkrone fehlt . . . . . . Scleranthus(10.2)

Classe III.

Ordnung 1. Ein Stempel.

A. Blume ungleichartig (d. h. aus Kelch u. Blumenkrone bestehend).

a) Fruchtknoten unterständig.

† *Blumenkrone 5spaltig.*

Kelch als Haarkrone, Blumenkrone am Grund sackförmig . . . . . VALERIANA 229
Kelchzähne krautig (klein) VALERIANELLA 230
Blumenkrone 4spaltig.
Trichterförmig, Kelchzähne sehr klein .
. . . . Asperula (4.1)
Radförmig, Kelchzähne deutlich Galium (4.1)

b) Fruchtknoten oberständig.

Kelch 2theilig; Blumen röhrig . Montia (3.3)

B. Blume gleichartig (Perigon).

a) Fruchtknoten unterständig.

† *Dreizählig (6theilig).*

* Aeusserer Kreis der Blmbltt herabgebogen, innerer aufgerichtet, Narben blumenblattartig . . . . IRIS 484

°° Blmbltt. alle trichterförmig zusammengeneigt.
Blätter reitend schwertförmig; Blumen fast 2lippig . . . . GLADIOLUS 483
Blätter linienf., Narben oben verbreitert; Blumenblätter unten in eine Röhre verwachsen . . . . CROCUS 482

†† *Vier- od. 5zählig; Bltt. lineal-lanzettf.* .
. . . . Thesium (5.1)

b) Fruchtknoten oberständig.

Staubfäden unten verwachsen; Fr. schlauchf., Blth. einzeln (sehr klein). POLYCNEMUM 413
Staubfäden frei, Blthstd. knäuelf. Amarantus (5.2)
- - Blthstd. rispenf.; Bltt. grasähnlich . . . . Juncus (6.1)

c) Blume haarförmig od. verkümmert, spelzblüthig (d. h. mit grossen Deckbltt. versehen).

✢ *Besondere Blüthenstände 2zeilig.*

Aus 12 bis 30 Deckbltt., alle mit Blth.; Blthstandhülle krautig . . . . . CYPERUS 507

25

Aus 6—9 Deckbltt., die 2 od. 3 untern kleiner
u. ohne Blth ; allgem. Hülle häutig SCHOENUS 508
† *Besonderer Blüthenstand spiralig.*
• Untere Deckbltt. grösser, 1 oder 2 derselben
ohne Blth.
α Blumenhaare kürzer als die Deckblätter.
Griffel am Grund knollig-erweitert (abglie-
dernd) jeder Blüthenstand auf 1 besondern
Stengel . . . . HELEOCHARIS 511
Griffel am Grund nicht erweitert (nicht ab-
gliedernd); mehrere Blüthenstände auf 1
Stengel . . . . SCIRPUS 512
β Blumenhaare länger als die Deckblätter. . .
. . . . ERIOPHORUM 513
•• Untere Deckblätter kleiner als die oberen.
α Blüthenstand ährig kopfförmig.
Griffel am Grund nicht erweitert (nicht abglie-
dernd); Frucht ohne Haare . . CLADIUM 509
Griffel am Grund knollig erweitert (abgliedernd);
Frucht von Haaren umgeben . . . . . .
. . . . RHYNCHOSPORA 510
β Blüthenstand einseitig-ährig, lang gestreckt .
. . . . Nardus (3.2)

Ordnung 2. Zwei Griffel od. Narben.
(Gräser.)

I. Blüthenstand eingeschlechtig gesondert, d. weibl.
unten (ährenf.), d. männl. oben (rispenf.) ZEA 515.a.
II. Blüthenstand mit lauter Zwitterblüthen od. nur
in d. einzelnen Aehrchen eingeschlechtigen Blüthen.
A. Aehrchen nur mit einer Zwitterblüthe,
bisweilen begleitet, von 1 od. 2 männlichen Blüthen, oder 1—mehr unentwickelten Blümchen.
a) *Aehrchen in lineal. Aehren geordnet, welche
am Gipfel des Stengels eine mehr od. weniger
strahlenförmige Rispe bilden.*
Aehrchen paarweise, d. eine sitzende zwitterig,
das andere gestielte männl. od. leer; Aehren
sehr sammethaarig . . . ANDROPOGON 516
Aehrchen alle zwitterig, Aehre wenigst. ob. kahl.

26

Aehrchen vom Rücken her zusammengedrückt
(Pflanze einjährig mit büscheliger Wurzel)
. . . . DIGITARIA. PANICUM (z. Theil) 517
Aehrchen von der Seite zusammengedrückt
(Pflanze ausdauernd mit kriechendem Erd-
stock) . . . . CYNODON 525
b) Allg. Blüthenstand rispig od. ährenf.
† *Balg fehlend*;
Narbe 1, fadenf., sehr lang . . NARDUS 557
Narben 2; Aehrchen von der Seite zusammen-
gedrückt . . . . LEERSIA 526
‡‡ *Bälge 2, gleich od. ungleich gross; Narben 2.*
° Narben sitzend od. auf kurzem Griffel, aus d.
untern Hälfte od. d. Mitte des Aehrchens her-
vortretend.
α Aehrchen eine allgem. Aehre bildend, zu 3 in
d. Ausbuchtungen d. Axe sitzend, welche in
derselben Richtung verbreitert ist HORDEUM 555
β Aehrchen gestielt, eine ährenf. seltener trau-
benf. Rispe bildend.
Aehrchen mit 1 männl. Blüthe begleitet.
Männl. Blüthe u n t e r der weiblichen . . .
. . . . ARRHENATHERUM 539
Männl. Blüthe o b e r h a l b der weiblichen . .
. . . . HOLCUS 538
Aehrchen ohne männl. Blth. aber mit bisweilen
leeren Bälgen.
Spelzen eng um den Fruchtknoten eingerollt,
d. untere mit am Grund gedrehter äusserst
langer Granne . . . . STIPA 531
Spelzen kahnförmig, lose, d. untere ohne od.
mit gerader nicht gedrehter Granne.
Aehrchen vom Rücken her zusammengedrückt;
Fr. eng von d. Spelzen umschlossen MILIUM 530
Aehrchen von d.Seite zusammengedrückt; Fr. lose.
Spelze am Grund od. überall haarig, begrannt.
Am Grund haarig . . CALAMAGROSTIS 529
Auf dem Rücken haarig LASIAGROSTIS 532
Spelzen kahl od. am Grund sehr kurzbaarig.
Ohne Granne, Spelzen elliptisch, am Rücken
gewölbt . . . . MELICA 542

Mit od. ohne Granne, am Rücken gekielt.

Untere Spelze gross . . . . AGROSTIS 527

Untere Spelze klein . . . . . APERA 528

°° Narben an langen Griffeln aus d. Gipfel od.
oberen Hälfte des Aehrchens hervorstehend.

α Aehrchen vom Rücken her zusammengedrückt;
untere Spelze meist sehr klein.

Aehrchen von einer borstigen kammf. Hülle
umgeben . . . . SETARIA 516

Aehrchen ohne Hülle, mit 3 Bälgen (d. 3te
einer unentwickelten Blüthe gehörend) .

. . . . PANICUM 517

β Aehrchen seitlich zusammengedrückt.

Blüthe von 1 od. 2 leeren begrannten od. ge-
wimperten Spelzen begleitet.

Leere Blüthen jede aus einer begrannten
Spelze bestehend, welche länger als die
entwickelte Blüthe ist; Staubfäden 2. .

. . . . ANTHOXANTHUM 521

Leere Blüthen jede als eine od. 2 kleine
lang gewimperte Schuppen; Staubfäden 3.

. . . . . , ... PHALARIS 519

Blüthe ohne leere Spelzen.

Bälge an d. untern Theil verwachsen, obere
Spelze fehlend, Griffel 1 ungetheilt . .

. . . . ALOPECURUS 522

Bälge frei, Spelzen 2; Griffel 2, getrennt.

Bälge kaum gekielt, Narben fadenförmig;
Aehrchen fast 1seitig in schmaler allgemeiner Aehre . . . CHAMAGROSTIS 524

Bälge gekielt, zugespitzt od. abgestutzt - zugespitzt, Narben federig; Aehrchen in ährenf. od. walzenf. Rispe. . . PHLEUM 523

B. Aehrchen mit 2 od. mehreren Zwitterblüthen, ohne od. mit leeren Blüthen,
selten mit männlichen.

a) *Aehrchen gestielt, selten sitzend; allgemeiner
Blüthenstand locker od. gedrängt, rispenförmig, trauben- od. ährenförmig.*

† *Balg viel kürzer als das Aehrchen.*

° Unteres od. die 2 unteren Blüthchen männlich.

†† *Bälge sehr gross, fast das ganze Aehrchen
einhüllend.*
* Narben fadenf. aus dem Gipfel hervorragend;
allgem. Blüthenstand kugel-eyf. oder walzlich
. . . . SESLERIA 533
** Narben federig, aus dem Grund d. Aehrchens
.* hervorragend; allgem. Blüthenstand locker.
α Untere Spelze mit einer keulenf.-gliedf. Granne
auf dem Rücken . . . CORYNEPHORUS 537
'β Untere Spelze ohne oder mit einfacher nicht
gliederförmigen Granne.
Untere Spelze auf dem Rücken meist mit einer am Grund gedrehten oder knief.-geboge-
nen Granne; allgem. Blthstand locker-rispig;
Untere Spelze 2zahnig od. spaltig; Aehrchen
oft hängend . . . . AVENA 540
Untere Spelze ungleich-abgestutzt, 3—5zah-
nig; Aehrchen nie hängend . . . AIRA 536
Untere Spelze ohne oder aus der Ausrandung
mit einer sehr kurzen Granne.
Ohne Granne ganz oder schwach-3spitzig;
Aehrchen 2blüthig.
Spelzen gewölbt; Aehrchen mit 1 keulenf.
leeren Blüthe; allgem. Blüthenstand traubig
. . . . Melica (542)
Ausgebissen oder 2spaltig, mit od. ohne Gr.
aus der Ausrandung; Aehrchen 2—6blüthig.
Alle Blüthen des Aehrchens vollk.; Spelze gekielt; allg. Blthstd. ährenf.-rispig KOELERIA 535
Die oberste Blüthe d. Aehrchens leer; Spelze
gewölbt; allg. Blthstd. traubig oder traubig-
rispig . . . . TRIODIA 541
*b) Aehrchen sitzend, jedes auf einem Vor-
sprung der Axe des allgemeinen einfach-
ährenförmigen Blüthenstandes.*
† *Aehrchen mit dem Rücken der Axe zuge-
kehrt; oberer Balg an den seitlichen Aehrchen meist fehlend* (nur am endständigen
Aehrchen vorhanden) . . . . . LOLIUM 556
†† *Aehrchen mit der Seitenfläche nach der
Axe gerichtet; Bälge 2.*

° Bälge quer vor die Seite des Aehrch. gestellt
. . . . ELYMUS 554
°° Bälge in derselben Richtung wie die Blüth-
chen, zweizeilig;
Aehrchen 3—5- od. mehrblüthig TRITICUM 553
Aehrchen mit 2 vollk. Blth. u. 1 lang-gestiel-
ten endständigen leeren Blüthe, obere Spitze
gewimpert . . . . SECALE 553.a.

Ordnung 3. Drei oder vier Griffel oder Narben.
A. Mit 3 Griffeln oder Narben.
a) *Kräuter.*
† *Blumenkrone freiblätterig.*
Laubblätter paarweise gegenständig, gekreuzt:
Holosteum, Arenaria, Stellaria in Cl. 10.
Laubblätter scheinbar zu 4 quirlständig . .
. . . . POLYCARPON 169
†† *Blumenkrone verwachsen* . . . MONTIA 165
b) *Grasartige Gewächse:* Arten von Cyperus,
Cladium, Scirpus . . . . (3. 1)
B. Mit 4 Griffeln.
Blüthen ungleichartig, 3zählig.
Kleines Kräutlein mit gegenständig-gekreuzten
Blättern . . . . Elatine (S. 1)
Blume gleichartig, 5zählig; Blumenbltt. gekielt;
Frucht 1fächrig, vielseitig . Polycarpon s. ob.

Classe IV.

Ordnung 1. Ein Griffel oder Narbe.
A. Blume ungleichartig (d. h. Kelch u. Krone).
a) *Blumenkrone verwachsen-blätterig.*
† *Unterständig, frei.*
° Frucht einsamig.
Blumenkrone etwas lippenförmig; Blüthenstand
kopfförmig . . . . . . GLOBULARIA 405
Blumenkrone trichterf.; Blüthenstand spärlich-
ährig (Wasserpflanze) . . Littorella (21.4)
°° Frucht vielsamig.
α Rundum aufspringend.
Narben fadenf.; Blthstd. ährenf. PLANTAGO 406

XXX

radförmig; Fruchtknoten ohne Griffel, 4samig
(Strauch) . . . . ILEX 315
b) Freiblätterig.
† *Fruchtknoten 8fächerig.*
Kelch ganz . . . . Linum (5. 5)
Kelch gespalten; Blüthe sehr klein RADIOLA 99
†† *Fruchtknoten 1fächerig.*
Kapsel 4klappig . . . . Sagina (10.4)
Kapsel 8klappig oder 8zähnig . . MOENCHIA
B. Blume gleichartig, einfach (Perigon).
Wasserpflanze. Blthstd. ährenf. POTAMOGETON 451

Classe V.

Ordnung 1. Ein Griffel oder Narbe.
I. Blume ungleichartig *(d. h. Kelch u. Kr.).*
A. Blumenkrone unterständig,
a) verwachsenblätterig.
† *Früchte nussartig, zu 4, je 1samig* (oder
zu 3 je 2samig).
° Schlund der Blumenröhre glatt oder ohne
Schuppen.
α Saum etwas zweilippig; Staubbeutel hervor-
ragend . . . . ECHIUM 340
β Saum fast gleichmässig; Staubbeutel einge-
schlossen.
Kelch glockig, nur oben 5theilig PULMONARIA 341
Kelch bis fast zum Grund 5theilig.
   Staubbeutel unten abgerundet; Schlund der
   Blume haarig . . . LITHOSPERMUM 342
Staubbeutel unten pfeilförmig; Schlund kahl.
Früchte zu 2 verwachsen, je 2samig . .
. . . . CERINTHE 339
Früchte 4, frei, je 1samig . ONOSMA 338 a
°° Schlund der Blumenröhre durch Schuppen mehr
oder weniger geschlossen.
α Staubfd. mit einem hornf. Fortsatz nach aus-
sen und unten; Blmbltt. zugespitzt BORAGO 335
β Staubfd. ohne Fortsatz; Blmbltt. abgerundet.
Kelch zusammengedrückt (an der Frucht
ungleichgross-getheilt) . . . ASPERUGO 331

Kelchzipfel gleichgross, Grund walzlich.
Früchte hackig-dornig,
dreieckig, am Rand hackig-dornig, an der
Innenseite weit mit dem Griffel ver-
wachsen . . . . ECHINOSPERMUM 332
flach-gedrückt, überall stachlig . . . .
. . . . CYNOGLOSSUM 333
Früchte glatt oder grubig.
Schuppen des Schlundes lanzettlich . .
. . . . SYMPHYTUM 339
Schuppen des Schlundes abgerundet.
Kronröhre gebogen . . . LYCOPSIS 337
Kronröhre gerade.
Frucht erhaben, um den Nabel mit ei-
nem Wulst . . . . . ANCHUSA 336
Frucht plattgedrückt, napfförmig, mit
häutigem einwärts-gebogenem Rand .
. . . . . . OMPHALODES 334
Frucht am Nabel ausgehöhlt MYOSOTIS 343
†† *Frucht eine einfächerige Kapsel, mit freiem*
mittelständigem Samenträger.
* Kapsel rundum aufspringend. .
Mit geradem Rand; Blumenblätter ungetheilt
. . . . ANAGALLIS 395
Mit gekerbtem Rand oder kurzen Zähnen;
Blmbltt. am Rand zerschlitzt SOLDANELLA 401
** Kapsel in Klappen aufspringend.
α Kelch röhrig oder glockenförmig.
Kapsel 2klappig, je 2theilig; Staubfäden bo-
denständig . . . . CORTUSA 400
Kapsel deutlich 5- oder 10spaltig.
Kronröhre am Schlund eingeschnürt; Kapsel
vielsamig . . . . ANDROSACE 397
Kronröhre am Schlund nicht eingeschnürt .
. . . . PRIMULA 398
β Kelch bis auf den Grund gespalten.
Blumenkrone lang-röhrig, mit flachem Rand;
Kapsel nicht vollständig aufspringend; Laub-
blätter fiederspaltig . . . . HOTTONIA 399
Blumenkrone radf.; Kapsel vollständig auf-
springend; Laubbltt. ungetheilt LYSIMACHIA 394

Blumenkrone tief 5spaltig, zurückgeschlagen; Blü-
then einzeln . . . . CYCLAMEN 402
††† *Frucht kapselartig, einfächerig, mit*
wandständigen Samenträgern.
° Staubbeutel frei.
Blumenkrone radf.; Narbe 2theilig (schwim-
mende Wasserpflanze) LIMNANTHEMUM 321
Blumenkrone und Narbe ebenso, (Land-
pflanze) . . Swertia u. Gentiana (5. 2)
Blumenkrone trichterf.; Narbe ungetheilt;
Blätter 3zählig . . . MENYANTHES 320
°° Staubbeutel an der Narbe angeheftet . .
. . . . Cynanchum (5. 2)
†††† *Kapsel 2- bis 5fächerig.*
° Staubbeutel nach dem Verblühen gedreht
. . . . ERYTHRAEA 326
°° Staubbeutel nicht gedreht.
α Kelch bis auf den Grund getheilt.
Blätter wechselständig;
Staubfäden zum Theil zottig-haarig . .
. . . . VERBASCUM 349
Staubfäden kahl,
Beutel hervorstehend; Fruchtknoten 2-
fächerig . . . . *PHACELIA* 327e
Beutel eingeschlossen; Fruchtknoten 4-
fächerig . . . . HELIOTROPIUM 330
Blätter gegenständig;
Schlund der Blumenkrone nackt; Same
nackt . . . . VINCA 319
Schlund der Blumenkrone mit Züuglein;
Staubbeutel eingeschlossen, mit Anhäng-
seln; Same mit Haarschopf *NERIUM* 319a
β Kelch verwachsen, glocken- bis röhrenf.
Fruchtknoten 2fächerig, zweisamig . . .
. . . . CONVOLVULUS 328
Fruchtknoten 2fächerig, vielsamig.
Kelch abfallend . . . . . DATURA 343
Kelch bleibend;
Kapsel klappig-aufspringend;
Staubfäden gleich-lang, am Grund der
Blumenkrone eingefügt *NICOTIANA* 347a

°°°

Staubfäden ungleich-lg., in der Mitte der
Blumenkrone eingefügt . *PETUNIA*347 b
Kapsel mit einem Deckel rundum auf-
springend . . . . . HYOSCYAMUS 347
Fruchtknoten 3—4 fächerig.
Blumenkrone gross, trichterförmig;
Samen wenige; Narbe kopfförmig, kör-
nig; Stbfd. eingeschlossen *PHARBITIS*328.a.
Samen viele; Narbe 2lappig; Staubfäden
hervorragend . . . . *QUAMOCLIT*328.b.
Blumenkrone klein oder glockenförmig.
Blätter zusammengesetzt;
Ungleich-gefiedert; jedes Fr.-Fach mit meh-
reren Samen . . . POLEMONIUM 327
Bltt. gleich-gefiedert; Stiel in eine Wick-
elranke endend; Blume glockenförmig
. , ... *COBAEA*327.c.
Blätter einfach;
Fr. mit nur 1 Samen in jed. Fach *PHLOX*327.a.
Frucht mehrsamig in jedem Fach.
Narbe 2spaltig; Samen viele, mitten-
ständig . . . . *GILIA*327.b.
Narbe 3spaltig; Samen wandständig;
Blumenkr. glockig; Staubfäden einge-
schlossen . . . . *NEMOPHILA*327.d.
°°° Staubfäden unter dem Fruchtknoten (nicht
der Blumenkrone) eingefügt; Frucht meist 4-
fächerig; Samenträger mittelständig AZALEA 310
†††††† *Frucht beerenartig.*
° Staubbeutel längs-aufspringend.
  α Blumenröhre offen;
  Blumenkrone radförmig;
  Staubfäden kurz; Kelch verwachsen, sehr
  gross, die reife Frucht ganz einschlies-
  send . . . . PHYSALIS 345
  Staubfäden (od. vielmehr) Beutel lang,
  an der Spitze verwachsen . . . . .
  . . . . . . *LYCOPERSICUM*344.a.
  Blumenkrone glockenförmig;
  Kelch langzipflich, die reife Beere nicht
  einschliessend . . . . . ATROPA 346

°°°3

Blätter spiralstd.; Blm. zweiklappig Atriplex (5. 2)
- - Blm. 5theilig *CELOSIA* 409.a.
† *Blume lang-röhrig, um Grund eine Schein-
frucht bildend, gliedernd-abfallend* . . .
● . . . . *MIRABILIS* 408.a.

Ordnung 2. Zwei Griffel.
I. Blume gleichartig (Perigon), einfach.
1. Bäume.
Blume glockig, 4—5zähnig; Frucht mit häutigem Rand . . . . ULMUS 433
Blume 5—6theilig; Frucht pflaumenartig, 1-
samig . . . . *CELTIS* 432.c.
2. Kräuter.
A. Blüthen zum Theil getrennt-ge-
schlechtig, bei den weiblichen Blüthen
zweiklappig, zusammengedrückt . . . . .
. . . . ATRIPLEX 417
B. Blüthen zweigeschlechtig; Blume
5-, 3- oder 2theilig.
a) Blume krautig.
† *Am Grund röhrig, mit dem Fruchtkno-
ten verwachsen* . . . . . . *BETA* 416.a.
†† *Nicht röhrig, frei.*
° Auf dem Rücken eine Falte oder Höcker.
Keim spiralf.; Samenschale häut. SALSOLA 410
Keim hufeisenf.; Samenschale knorpelig
. . . . KOCHIA 414
°° Auf dem Rücken kein Höcker; Frucht
einsamig.
Samen niederliegend (horizontal) . . .
. . . . CHENOPODIUM 415
Samen aufrecht (od. nur einige derselben
niederliegend) . . . . . . Blitum (1. 2)
b) Blume häutig.
° Frucht einsamig.
Staubfäden verbreitert, 3zinkig; Griffel
2theilig; Blthstd. kopff. *GOMPHRENA* 409.b.
Staubfäden einfach, fadenf. AMARANTUS 409
°° Frucht mehrsamig, ringsum aufspringend
. . . . Celosia (5. 1)

40

II. Blume ungleichartig (Kelch und Krone).
1. Blumenkrone unterständig.
A. Blattlose schlingende Pflauze; Blm.
4- oder 5zählig; Kapsel rundum aufspringend
. . . . Cuscuta (4.2)
B. Beblätterte Pflanze.
a) Krautartig; Blume verwachsenblätterig.
   ᵃ Staubbeutel ohne Träger, an der Narbe
   angefügt.
   Nebenkrone verwachsen . CYNANCHUM 318
   Nebenkrone frei.
   Staubbeutel hängend . . *ASCLEPIAS* 318.a.
   Staubbeutel aufrecht, mit häutigem An-
   hängsel; Blume offen, fleischig *HOYA* 318.b.
 ** Staubfäden an der Blumenröhre stehend.
   Blumenbltt. am Grund mit einer bewimperten
   Honiggrube . . . . . . SWERTIA 323
   Blumenbltt. ohne Honiggrube; Griffel und
   Narben deutlich . . . . . GENTIANA 324
b) Holzgewächs.
   Bltt. gefiedert; Blume ungleichartig, doppelt;
   Frucht aufgeblasen-häutig . . Staphylea (5.3)
2. Blumenkrone oberständig; Kelch mit
   d. Fruchtkn. verwachsen (meist sehr klein).
§. Der besondere Blüthenstand kopfför-
   mig oder doldenförmig, auf einfachen,
   gabelästigen oder 3theiligen Zweigen
   (wovon der eine der endständige ist).
A. Blumenblätter herzf. oder ausgeran-
   det; Kelch deutlich laubartig.
   Frucht hackig-dornig, dicht. H1—3, h1—3ᵃ)
   . . . . SANICULA 177
   Fr. schuppig-berippt, hohl, H3, hx ASTRANTIA 178
   Fr. schuppig, ohne bemerkl. Rippen (Blüthen-
   standaxe spreublätterig; Blüthenstand kopff.)
   Ho, hx . . . . ERYNGIUM 179

---

*) H bedeutet allgemeine Hülle, h besondere Hülle; x be-
deutet vielblätterig; 0: fehlend, v bedeutet halbherum gewachsen; die Zahl bezieht sich auf die Blättchen der Hülle.

B. Blumenblätter lanzettf.; Kelch sehr klein; Frucht von der Seite zusammengedrückt; Blüthenstand wenigblüthig, bisweilen quirlig . . HYDROCOTYLE 176

§§. Der besondere Blüthenstand doldenförmig, auf doldenförmig-stehenden Zweigen (Doppeldolde).

A. Keine besondere Hülle an d. Döldchen.

a) Blumenblätter herzf. oder ausgerandet; Frucht von der Seite zusammengedrückt.

† *Blüthen zwitterig oder einhäusig-eingeschl.*

Rinnen mit 3 Oelstriemen; Blumenblätter ungleichmässig; H0, h0 . . **PIMPINELLA** 186

Rinnen mit 1 Oelstrieme: Blumenbltt. gleichmässig; H1, h0 . . . . . . **CARUM** 185

Rinnen ohne Oelstrieme; Blumenbltt. gleichmässig; H0, h0 . . . . **AEGOPODIUM** 184

†† *Blüthen eingeschlechtig, 2häusig;* H0, h0—1 . . . . **Trinia** s. unt.

b) Blumenblätter länglich-rund, ganz.

† *Frucht eyrund, vom Rücken her flach; Kelchzipfel undeutlich.*

Seitenrippen vom Rand weiter entfernt als die gleich-weit abstehenden Rückenrippen, jene mit dem Rand verschmelzend; H0, h0 . . . . **PASTINACA** 204

Seitenrippen nicht in den Rand übergehend; H0, h0; Blumenbltt. gelb . . **ANETHUM** p.111.

†† *Frucht länglich-rund oder eyrund, von der Seite her etwas zusammengedrückt;*

auf dem Querschnitt rund; Rippen stumpfkielig; H0, h0. Blmbltt. gelb *FOENICULUM* p.114.

Rippen dick, hohl; Rinnen ohne Striemen; Fr. eyrund (Pfl. 2häusig); H0, h0 **TRINIA** 181

Rippen zart, fadenf.; Rinnen 1striemig; Fruchthalter ungetheilt; H0, h0 . . . **APIUM** 180.a.

B. Besondere Hülle an den Döldchen immer vorhanden.

a Blumenblätter herzförmig oder ausgerandet.

1) Kelch kleinzähnig.

a) *Frucht mit* **8** *flügelförmigen ganzrandigen*
Rippen; Hx, hx . . . . LASERPITIUM[207]
b) *Frucht vom Rücken her flach-zusammen-*
gedrückt;
   Striemen u. Rippen ungleich weit, keulenf.;
   Rand der Frucht zusammengepresst! Blu-
   menblätter ungleich; H0, hx HERACLEUM[205]
   Striemen fadenf.;
   Rand der Frucht verdickt . TORDYLIUM[206]
   Rand nicht verdickt; Rippen gleich-weit .
   . . . . Peucedanum s. unt.
c) *Frucht länglich-rund, gewölbt, stachelig.*
† *Eyweiss, eingerollt oder rinnig.*
  ° Stacheln auf jeder Riefe 1reihig; H0, h3—5
  . . . . CAUCALIS[210]
  °° Stacheln auf jeder Riefe 3reihig.
    Eyweiss, rinnig; H0v, h3—5 . TORILIS[212]
    Eyweiss, eingerollt; H2—4, h5—7 TURGENIA[211]
†† *Eyweiss, flach.*
  Stacheln 1reihig auf jeder Riefe; Hx, hx
  . . . . DAUCUS[209]
  Stacheln 3reihig auf jeder Riefe ; H5, h5—8
  . . . . ORLAYA[208]
d) *Frucht gewölbt-länglichrund, kahl.*
† *Von der Seite zusammengedrückt.*
  ° Rinnen 3striemig.
    Rippen fädlich; Striemen verborgen; Hx, hx
    . . . . BERULA[187]
    Rippen flach, stumpf; Striemen oberfläch-
    lich; Hx, hx . . . . SIUM[188]
  °° Rinnen 1striemig.
    Eyweiss (auf dem Querschnitt) rund; Frucht
    rundl., zweiknopfig; H0v, hx . CICUTA[180]
    Eyweiss, an der Innenseite flach; Frucht
    länglich; H6—8, h6—8 . . FALCARIA[183]
†† *Nicht seitlich zusammengedrückt.*
  ° Rinnen 1striemig; Fruchthalter angewach-[190]
    sen; H0, hx . . . . . . OENANTHE
  °° Rinnen 3striemig; Rippen sehr flach; Grif-
    fel aufrecht, Hx, hx . . ATHAMANTHA[195]

b. *Blumenblätter elliptisch od. lanzettf., bisweilen an der Spitze eingeschlagen.*
1. Laubblätter ungetheilt, gerad-rippig,
Blumenblätter gelb.

Frucht breit zusammengedrückt; Rippen kantig
Stempelscheibe flach. H0—5, h5 BUPLEURUM 189

2. Laubblätter fiedertheilig-zusammen-
gesetzt.

a) *Kelch* 5*zähnig.*

† *Eyweiss* (*auf d. Querschnitt*) *an d. Ver-
bindungsfläche flach.*

Frucht v. d. Seite zusammengedrückt, Rippen fädlich, Rinnen 1 striemig, Blmbltt.
mit einer kl. Spitze. H1—6, h3—6. .
. . . . HELOSCIADIUM 192

Frucht vom Rücken her zusammengedrückt.
Striemen der Berührungsfläche oberfläch-
lich, Rippen fädlich, gleich; Blumbltt.
mit d. Spitze eingebogen (bisweilen fast
ausgerandet) . . . PEUCEDANUM 201

Striemen der Berührungsfläche verdeckt;
übrigens wie vorige . THYSSELINUM 202

Frucht rundlich; Blumenblätter stumpf.

Kelch kurz-zahnig, welkend; Riefen
fädlich od. gekielt, Rinnen 1 striemig.
H0, hx . . . . SESELI 192

Kelch lang-zahnig, abfallend. Hx, hx
. . . . LIBANOTIS 193

†† *Eyweiss* (*auf d. Querschnitt*) *rinnig od.
eingerollt.*

Rippen gekerbt-flügelig, hohl; Blmbltt. aufrecht. Hx, hx . PLEUROSPERMUM 218

b) Kelch ohne deutliche Zähne.

† *Blumen gelb.*

Frucht eyrund, seitlich zusammengedrückt,
Rippen stumpf, Rinnen 1 striemig. H1—2,
hx . . . . PETROSELINUM 180.b.

†† *Blumen weiss.*

* Frucht geflügelt.

Blumenbltt. ohne Zipfel; Fr. vom Rücken her
zusammengedrückt Hx, hx LEVISTICUM 198.a.

Blumenbltt. mit einem Zipfel einwärts gebogen;
Randrippen breiter, abstehend. Eyweiss lose.
H1—3, hx . . . . . ARCHANGELICA199.a.
wie vorige, aber das Eyweiss anliegend u.
Hx, hx . . . . ANGELICA 199
*² Frucht nicht geflügelt, von der Seite zusam-
mengedrückt.
Blüthen zwitterig: Rippen d. Fr. gleich, gekielt; Blmbltt. ohne Zipfel. Hv, hx MEUM 197
Blüthen getrennt zweihäusig, Blumenblätter
mit eingeschl. Zipfel, Rinnen ohne Striemen. H0, h0—1 . . TRINIA (s. vorne)

Ordnung 3. Drei Griffel oder Narben.

A. Blume oberständig,
radförmig od. röhrig; Frucht: Beere, 1 fächerig
. . . . VIBURNUM 224
radförmig; Frucht: Beere 3fächerig SAMBUCUS 223
B. Blume unterständig.
a) Holzgewächs.
Frucht: Steinbeere 1 fächerig . . . RHUS105.a.
Frucht: Kapsel,
aufgeblasen, 3fächerig; Samen steinhart,
nackt . . . . STAPHYLEA103.a.
b) Kräuter.
† Blätter spiralständig.
Frkn. 1eyig, Fr. nicht aufspr. CORRIGIOLA 166
Frkn. vieleyig, Frucht: Kapsel. . Drosera(5.5)
†† Blätter gegenständig.
* Ohne Nebenblättchen.
Blumenblätter frei,
gezähnelt; Kapsel 6zähnig . Holosteum(10.3)
ganzrandig od. ausgerandet; Kapsel 3klap-
pig . . . . Alsine (8.2)
Blume verwachsenblätterig, röhrig Montia (3.3)
°° Mit Nebenblättchen.
Griffel sehr kurz . . . . . Polycarpon (3.3)
Griffel ziemlich lang . . . Lepigonum(10.2)

Ordnung 4. Vier Griffel od. Narben.

Blüthendecke mit einer drüsenwimperigen Neben-

Classe VI.

Ordnung 1. Ein Griffel (Narbe bisweilen 3 lappig
        od. 3 spaltig).
I. Blume ungleichartig, doppelt (d. h. Kelch u.
  Krone);
A. unterständig, frei.
  a) Vierblätterig.

Mit einem Sporn; Staubfäden in 2 Bündeln . . . . Corydalis(17.1)
Ohne Sporn; Frucht: Schötchen Lepidium(15.2)
b) *Sechsblätterig*; Fr. beerenartig BERBERIS 19
c) *Dreiblätterig.*
Laubblätter gegenständig, quirlig . Elatine(8.3)
Laubblätter wechselständig, Staubfäden haarig
. . . . TRADESCANTIA 504.a
B. Blumenkrone auf dem Kelch stehend.
a) *Kelch röhrig.* Blmbltt. ansehnlich, länger
als d. Kelch, Griffel fadenförmig Lythrum(11.1)
b) *Kelch glockenförmig*; Blmbltt. kleiner als d.
Kelch (od. ganz fehlend), Narbe sitzend PEPLIS 161
II. Blume gleichartig (Perigon) zart, doppelt.
A. Fruchtknoten unterständig.
a) *Blätter netzrippig, gestielt* (Schlingstrauch)
. . . . Tamus(22.6)
b) *Blätter parallel-rippig, scheidig* (Zwiebel-
gewächs).
† *Blumenblätter frei.*
gleichgross . . . . LEUCOJUM 486
ungleichgross, die inneren kleiner, zusammen-
geneigt . . . . GALANTHUS 486.a.
†† *Blumenblätter in eine Röhre verwachsen,*
am Schlund mit einem Kranz . NARCISSUS 485
B. Fruchtknoten oberständig.
a) *Blumenblätter frei.*
† *Staubfäden in d. Axe der aufrecht stehenden*
Beutel eingefügt.
* Griffel fehlend (Narbe also sitzend).
Blüthenstand einzel- od. 2blüthig, Kapsel viel-
samig . . . . TULIPA 492
Blüthenstand ährenförmig, seitenständig, Fr.
nicht aufspringend . . . . . ACORUS 459
** Griffel deutlich.
Frucht: Kapsel; Blthstd endständig GAGEA 497
Frucht: Beere ; Blthstd achselständig, Blüthen-
stiel gekniet . . . . STREPTOPUS 458
†† *Staubfäden am Rücken der (später hän-*
genden) Beutel eingefügt.
* Narbe 3theilig.

Blume auf gegliedertem Stiele; Frucht: Beere
. . . . ASPARAGUS 487
Blumenstiel nicht gegliedert.
Blume zart, farbig, am Grund mit einer
Honigstelle;
Honigstelle länglich, zertheilt; Kapsel
stumpfkantig . . . . FRITILLARIA 493
Honigstelle rund; Kapsel geflügelt. . .
. . . . PETILIUM 493.a.
Blume spreuartig-trocken, bräunlich.
Kapsel 1—3samig . . . . . LUZULA 506
Kapsel vielsamig . . . . . . JUNCUS 505
°° Narbe stumpflappig od. verschmolzen-rundlich.
α Blumenblätter mit einer Honigstelle.
Honigstelle rinnenförmig, Blumenbltt. an der
Spitze mehr od. w. zurückgebogen LILIUM 494
Honigstelle als halbmondf. Querfalte, Blmbltt.
gerade, ausgespreitet . . . . LLOYDIA 494.a.
β Blumenblätter ohne Honigstelle.
Blüthenstiel gegliedert; Fruchtkn. von den pfrie-
menf. bodenständigen Staubfd. nicht bedeckt;
Samen eckig . . . . . ANTHERICUM 495
Blüthenstiel nicht gegliedert.
Staubfd. auf d. Fruchtbd. stehend, unten ver-
breitert; Samen rund ORNITHOGALUM 496
Staubfd. am Grund der Blumenblätter stehend.
Blüthenstand ährig od. traubig, ohneScheiden.
Staubfäden frei (Blumen blau) SCILLA 498
Staubfäden verwachsen . . EUCOMIS 498.a.
Blüthenstand dolden- od. kopfförmig, mit
Scheiden; Samen eckig . . . ALLIUM 499
h) *Blumenblätter am Grund mehr od. weniger*
verwachsen.
† *Frucht beerenartig* . . . CONVALLARIA 490
†† *Frucht kapselartig.*
° Blüthenstand ährig-traubig.
Frkn. walzenrundlich; Blume trichterförmig .
. . . . HYACINTHUS 501.a.
Frkn. 3kantig.
Blume krugförmig . . . . . MUSCARI 501
Blume röhrig-trichterförmig . . FUNKIA 500.a.

** Blüthenstand rispenförmig.
Blume trichterförmig; Staubfäden gebogen. .
. . . . HEMEROCALLIS 500
III. Blüthendecke gleichartig (Perigon) einfach,
5zählig.
Kraut. Fruchtknoten dreieckig Polygonum (8.1)
Baum. Fruchtknoten rund . . Elaeagnus (4.1)

Ordnung 2. Zwei Griffel.

A. Kräuter.
Blüthen getrennt-geschlechtig, Blume 4blätterig
mit 2 grösseren Bltt.; Frucht nussartig mit
Flügelrand . . . . OXYRIA 419
Blüthen zwitterig, Blthstd. ährenförmig; Blumen-
blätter 5, gleichgross . . . Polygonum (8.1)
B. Baum.
Blume 4—5blätterig; Fr. pflaumenartig Celtis (5.2)

Ordnung 3. Drei Griffel.

Blüthendecke gleichartig (Perigon), doppelt.
A. Blätter parallel rippig; (Blume unterständig.)
    a) *Blumenblätter in eine lange Röhre ver-*
        wachsen . . . . . . COLCHICUM 502
    b) *Blumenbltt. nur am Grund verwachsen*
        oder frei.
    † *Fruchtknoten in einen Griffel übergehend.*
    Frkn. nur am Grund verwachsen; Samen
        eckig, flügelig . . . . VERATRUM 503
    Frkn. bis zur Mitte verwachsen; Samen wal-
        zenförmig; unter der Blume eine 3zähnige
        Hülle . . . . TOFIELDIA 504
    Frkn. ganz verwachsen . . Polygonum (8.1)
    †† *Fruchtknoten ohne Griffel (Narbe sitzend).*
    Frkn. frei, Narben seitlich nach aussen ge-
        richtet . . . . . SCHEUCHZERIA 449
    Frkn. an ein Mittelsäulchen verwachsen, bei
        der Reife von unten an sich ablösend;
        Narben büschelig . . . TRIGLOCHIN 450
B. Blätter netzrippig, gestielt.
    a) *Blume oberständig* (Schlingstrauch) Tamus(22.6)

b) Blume unterständig.
  Frkn. 3kantig, mit gestielten pinself. Narben;
  (Blätter spiralständig) . . . . RUMEX 418
  Frkn. rund, mit sitzenden Narben (Blätter ge-
  genständig) . . . . Elatine (S.3)

Ordnung 4. Sechs u. mehr Griffel od. Narben.
Blätter gestielt, mit 1 Fläche versehen; Frkn.
  viele; Blm. mit K. u. Kr.; Stbfd. 6 . ALISMA 446
Blätter ungestielt, fleischig; Blm. mit K. u.
  Kr.; Staubfäden 12 . . . . Sempervivum(12.2)
Blätter stielförmig,scheidig; Blume gleich-
  artig, Staubfäden 6 . . . Triglochin s. ob.

Classe VII.

Ordnung 1. Ein Griffel.

A. Baum. Blumenkrone ungleichmässig, 5zählig,
  freiblätterig, Staubfäden auf einem grundständigen
  Ring; Fruchtknoten 3fächerig . AESCULUS 95.b.
B. Kräuter.
  a) Blüthendecke doppelt, gleichmässig, meist
    7zählig, verwachsenblätterig; Staubfäden auf
    der Blumenkrone . . . . . TRIENTALIS 393
  b) Blüthendecke einfach.
    Narben 2 (Bltt. gegenstd) . Scleranthus(10.2)
    Narben 3(Bltt. wechselst.)Polygonum s. unten
  c) Blüthendecke fehlend, Blthstd. ährenf., ober-
    wärts eingeschlechtig, mit einem allgemeinen
    Deckblatt (Scheide) gestützt . . . Calla(20 5)

Ordnung 2. Zwei od. drei Griffel.

Zwei Griffel; Blmbltt. verwachsen . Gentiana (5.2)
Drei Griffel; Blmbltt. frei . . . . Stellaria(10.3)

Classe VIII.

Ordnung 1. Ein Griffel.

I. Blüthendecke fehlend; Fr. beerenart. Calla(20.5)
II. Blüthendecke (Blume) einfach, gleichartig (Perigon), unterständig.

****

L

*b) Stanbfäden oberstdg. : Kelch mit d. Frucht-
knoten verwachsen.*
† *Frucht kapselartig.*
Samen an der Spitze mit einem Haarschopf
(Blume nie gelb) . . . . EPILOBIUM 151
Samen ohne Haarschopf (Blume gelb) . .
. . . . OENOTHERA 152
† *Frucht beerenartig* (vielsamig).
Kelch farbig: Narbe rundlich . FUCHSIA 151a

Ordnung 2. Zwei oder drei Griffel.
A. Blüthendecke ungleichartig, freibltt.
a) Kelchzipfel 4zählig: Blätter gekreuzt-gegen-
ständig . . . . MOEHRINGIA 84
b) Kelch 5zählig.
† *Blätter wechselständig:* Frucht hackig-stache-
lig . . . . Agrimonia(11.2)
†† *Blätter gegenständig.*
Blumenblätter zweispaltig . . . . Silene(10.3)
Blumenblätter ungetheilt . . . Arenaria(10.3)
B. Blüthendecke gleichartig, einfach.
a) Baum; Frkn. zweiflügelig . . . . Ulmus(5. 2)
b) Kräuter;
Blattgrund mit stiefelf. Scheiden; Frucht drei-
kantig, nussartig . . . . Polygonum(8. 1)
Blattgrund ohne Scheiden; Frucht kapselartig:
Blüthenstd ebenstraussf.; Endblüthe 5zählig
. . . . Chrysosplenium(10.2)

Ordnung 3. Vier Griffel.
A. Fruchtknoten frei.
Blätter quirlständig (meist zu 4); Blumenblätter
fadenf.; Frucht: Beere . . . . . . PARIS 489
Blätter gekreuzt; Blumenblätter rund; Frucht:
Kapsel . . . . ELATINE 91
B. Kelch mit dem Fruchtkn. verwachsen.
a) Blätter spiralständig (wenige).
† *Fruchtknoten vereinigt.*
Blumenkrone verwachsenblätterig: Blüthenstd.
kopfförmig . . . . ADOXA 22
Blmkr. freiblttr. Epilobium u. Oenothera.(8. 1)

†† *Fruchtknoten getrennt* . . . Rhodiola(22.7)
b) *Blätter quirlständig:* Blüthen getrennt - geschlechtig; Blüthenstand quirlig-ährig, Narben sitzend (Wasserpflanze) . Myriophyllum(21.5)

Classe IX.

Griffel 6; Blumen fast gleichartig, 3zählig, freiblättr.; Kapseln getrennt (Wasserpfl.) BUTOMUS 448
Griffel 2; Blume ungleichartig, verwachsenblättr ; Kapsel verwachsen (Landpfl.) . . Gentiana(5.2)

Classe X.

Ordnung 1. Ein Griffel.
A. Blumenkrone verwachsenblätterig.
a) *Holzgewächse.*
† *Blumenkrone trichterförmig.*
   Scheidewände der Frucht aus dem Rand der
   Klappen . . . . . RHODODENDRON 311
†† *Blumenkrone kugelig-glockig.*
° Frucht: Kapsel mit Scheidewänden aus der
   Mitte der Klappen . . . . ANDROMEDA 307
°° Frucht: Beere,
   glatt, mit 5 je 1samigen verhärteten Fächern
   . . . . ARCTOSTAPHYLOS 306
   mit vielsamigen weichen Fächern Vaccinium(s. 1)
b) *Kräuter.*
   Kelch halb-unterständig; Blumenkrone fehlend
   . . . . Chrysosplenium(s. 2)
B. Blumenkrone freiblätterig.
a) *Kelch verwachsen-blätterig.*
† Blume gleichmässig; Staubfäden auf den Rand
   eines unterständigen Ringes; Frucht 5fächerig
   . . . . LEDUM 312
†† Blume ungleichmässig (Schmetterlingsf.); Frkn.
   einfächerig.
      Blüthenstand büschelf.: Bltt. einf.; Schiffblättch. frei . . . . . CERCIS p. 76
      Blüthenstand rispig; Bltt. gefiedert; Schiffblättch. verwachsen . . SOPHORA p. 75

*** 2

b) Steinfrucht saftig.
Kern tiefgeschlängelt-runzlig u. löcherig. .
. . . . PERSICA 129.ᴬ
Kern glatt od. flach runzlig, ohne Löcher
mit 2 Randrinnen . . . . . PRUNUS 130

Ordnung 2. Zwei bis fünf Griffel.
A. Blumenkrone u. Kelch oberständig.
a) Frucht mit Steinkernen.
† *Kelchzipfel laubartig, gross;* Frucht 5samig,
Scheibe zwischen d. Kelchgrund sehr gross .
. . . . MESPILUS 146
†† *Kelchzipfel klein.*
Fr. 1 — 3samig, Scheibe klein; Steinkerne
frei . . . . CRATAEGUS 144
Fr. 3 — 5samig, Steinkerne unter sich zusam-
menhängend, nicht mit zwischenliegendem
Fleisch, wandständig . . COTONEASTER 145
b) Frucht apfelartig (d. h. mit pergamentartiger
Innenwand).
† *Fächer 2samig* . . . . PYRUS 148
†† *Fächer mehrsamig;* Fr. aussen wollig, In-
nenwand derb . . . . . . CYDONIA 147
c) Frucht beerenartig (d. h. ohne harte Innen-
schichte).
Blumenbltt. elliptisch, aufrecht; Fruchtfächer
unvollständig-2spaltig . . . . ARONIA 149
Blumenbltt. rundlich (eyförmig) ausgebreitet;
Fruchtfächer fast verschwunden SORBUS 150
B. Blumenkrone u. Kelch unterständig.
Kelch 5theilig, Kapselfrüchte zu mehreren, je
2 — 6samig . . . . SPIRAEA 131
C. Ohne Blumenkrone; Fruchtknoten 1. frei
. . . . Poterium(10.5)

Ordnung 3. Mehr als 5 Griffel.
A. Kelch aus 5Zipfeln gebildet.
a) Fruchtknoten innerhalb der becherf. Hülle
(s. g. Kelch) eingeschlossen . . . ROSA 140
b) Fruchtknoten auf einem gewölbten Frucht-
boden.

Fr. saftig mit kurzem kahlem Griffel auf kegelförmigem Fruchtboden . . . . . RUBUS 134
Fr. trocken mit haarigem langem Griffel auf
halbkegelförmigem Fruchtboden . DRYAS 132
c) *Fruchtkn. auf flachem od. vertieftem Frboden.*
Frkn. mehreyig . . . . S p i r a e a(12.2)
Frkn. 1 eyig: Blmbltt. rundlich . . K e r r i a p. 79
B. Kelch mit 8 od. 10 Zipfeln (wovon die ab-
wechselnden kleiner sind und aussen stehen).
a) *Griffel endständig, gekniet, nach dem*
Verblühen nachwachsend . . . . GEUM 133
b) *Griffel seitenständig, welkend.*
Fruchtboden saftig . . . . FRAGARIA 135
Fruchtboden trocken-schwammig, Fr. glatt;
Blumenblätter spitz . . . . COMARUM 136
Fruchtboden hart, Fr. runzlig; Blumenbltt.
zugerundet od. ausgerandet POTENTILLA 131

Classe XIII.

Ordnung 1. Eine od. mehrere Narben, ganz oder
fast ohne Griffel.
A. Blume gleichmässig.
a) 4blätterig.
† *Kelch 2blätterig.*
* Narbe zweilappig; Fr. schotenförmig, mit wenigen Samen.
Scheidewand unvollständig, Klappen von
unten nach oben aufspringend; Blüthenstd.
doldenförmig . . . . CHELIDONIUM 24
Scheidewand vollständig, Klappen von oben
nach unten aufspringend; Blüthen einzeln
. . . . GLAUCIUM 23
** Narbe strahlig; Fr. keulenf. od. eyf.-rundl.
mit sehr vielen Samen, Scheidewände unvollständig zahlreich . . . . . PAPAVER 22
†† *Kelch 4blätterig:* Fr. beerenartig; Staub-
beutel an einem verbreiterten Mittelband . .
. . . . ACTAEA 17
b) *Blume 5blätterig.*
Blumenblätter in der Knospe klappig-geschlos-

sen; Frkn. 5fächerig; Frucht uussärtig, 1—2-
samig . . . . TILIA 96
Blumenblätter in der Knospe gedreht-geschlos-
sen; Frkn. 1fächerig; Frucht 3klappig, wand-
ständig-samentragend. vielsamig . . . .
. . . . HELIANTHEMUM 62
c) *Blumenkrone mehrblätterig.*
  Kelch 5blätterig, rundlich (innerseits gelb);
  Blmbltt. kürzer als der Kelch . NUPHAR 21
  Kelch 4blätterig, elliptisch (innerseits weiss);
  Blmbltt. so lang als der Kelch NYMPHAEA 20
B. Blume ungleichmässig (am Grund eines
  Blattes mit einem Sporn) . . Delphinium

Ordnung 2. Zwei bis viele Narben auf eben so
vielen, mehr oder weniger deutlichen Griffeln und
freien Fruchtknoten.
A. Fruchtku. mehr eyig; Fr. aufspringend.
a) *Blume ungleichmässig.*
† *Kelch kronenartig, gefärbt.*
  Hinteres Kelchblatt helmförmig ACONITUM 16
  Hinteres Kelchblatt gespornt DELPHINIUM 15
†† *Kelch krautig; Narben 3* . . . Reseda(11.3)
b) *Blume gleichmässig, 5- bis mehrblttr.*
÷ *Blume ungleichartig* (Kelch und Krone).
  Frkn. getrennt je 1fächerig; Blumenbltt. gross,
  ohne Honiggrube . . . . . · PAEONIA 18
  Frkn. verwachsen, 3fächerig . Hypericum (18)
†† *Blume gleichartig* (Kelch zart, meist farbig).
* Innere Blumenbltt. viel kleiner als die äussern,
  erstere unten mit einer Honiggrube.
  Blmbltt. nach hinten gespornt AQUILEGIA 14
  Blmbltt. breit-elliptisch, zweispaltig; Honig-
  grube mit einem schuppenförmigen Deckel
  . . . . NIGELLA 13
  Blmbltt. schmal, flach . . . TROLLIUS 10
  Blmbltt. röhrig,
  Kelch stehen bleibend; Fruchtku. sitzend
  . . . . · . HELLEBORUS 12
  Kelch abfallend; Fruchtknoten gestielt .
  . . . . · ERANTHIS 11

" Innere Blumenblätter fehlend . . CALTHA 9
B. Fruchtknoten 1—2eyig; Frucht nicht
aufspringend.
  a) Blume gleichartig (Perigon), *kronartig-
  zart.*
  † *Laubblätter spiralständig: Blumenknos-
  pendeckung dachartig.*
    Unter der Blume eine Hülle; Blume 6blät-
    terig, länger als die Staubfäden; Frucht-
    boden kegelförmig . . . ANEMONE 4
    Unter der Blume keine Hülle; Blume (Pe-
    rigon) 4blätterig, kürzer als die Staub-
    fäden; Fruchtboden flach THALICTRUM 3
  †† *Laubblätter gegenständig; Blumenknos-
  pendeckung klappig; Fr. lang-geschnabelt.*
    Blume einfach (Krone fehlend) CLEMATIS 1
  *b) Blume ziemlich gleichartig; Knospen-
  deckung klappig.*
  † *Fruchtboden kegel- oder kopfförmig.*
    Strauch: Blumenkrone kürzer als der Kelch
    . . . . ATRAGENE 2
    Kräuter: Blumenblätter länger als der Kelch,
    ohne Honigstelle . . . . . · ADONIS 5
    mit einer Honigstelle . . RANUNCULUS 8
  †† *Fruchtboden walzenf.-verlängert: Blumenblätter mit Honigstelle.*
    Nagel der Blumenbltt. länger als d. Platte;
    Fruchtknoten 1samig; Kelch am Grund
    sackig . . . . Myosurus (5. 6)
    Nagel der Blumenbltt. kürzer als d. Platte;
    Frkn. 2samig, gespornt CERATOCEPHALUS 7

Classe XIV.

Ordnung 1. Fruchtknoten 2- oder 4theilig; Frucht
nussartig.
§. Griffel endständig   Verbena (2. 1)
§§. Griffel eingesenkt zwischen dem 4-
theiligen Fruchtknoten.
I. Blumenkrone (scheinbar) einlippig), (die
obere Lippe sehr kurz).

Staubfäden mit der Spitze zusammengeneigt
. . . . SATUREJA 371,a.
†† *Kelch* 2*lippig.*
* Staubbeutel an einem viereckigen Mittelstück;
Staubfäden zusammengeneigt.
Blthstd. mit borstenf. Hülle CLINOPODIUM 373
Blthstd. ohne Hülle . · . CALAMINTHA 372
Staubfäden gerade vorgestreckt, auseinander
stehend . . . . THYMUS 371
°° Staubbeutel mit der Spitze aneinander ge-
stellt, unten spreitzend; Kelch oberseits flach
. . . . MELISSA 373.a.
*b) Staubfäden gleichlaufend neben einander,
an die Oberlippe angedrückt.*
† *Oberlippe* 4*spaltig; Unterlippe ungetheilt*
. . . . OCYMUM 365.a.
. †† *Oberlippe ausgerandet, flach; Kronröhre
ohne Haarleiste.*
* Mittelzipfel der Unterlippe rundlich ausgehöhlt,
gekerbt . . . . NEPETA 374
°° Mittelzipfel der Unterlippe flach (Staubbeutel
paarweise kreuzförmig nebeneinander).
Kelch walzenförmig . . . . GLECHOMA 375
Kelch weit-glockig, gelappt-lippig MELITTIS 377
††† *Oberlippe hohl oder gewölbt, ganz oder
ausgerandet.*
° Kelch 2lippig.
Lippen ungezahnt, die obere nach aussen eine
Querfalte bildend . . . SCUTELLARIA 386
Lippen gezahnt.
Kelch walzenrund, oben 3zähnig oder ganz,
unten 2zähnig . . DRACOCEPHALUM 376
Kelch oben flach, nach dem Verblühen zu-
sammengedrückt . . . . PRUNELLA 387
°°° Kelch gleichmässig-5zahnig.
1) Unterlippe der Blumenkrone ohne Seiten-
zipfel oder als kleine Zähne vorhanden . .
. . . . LAMIUM 378
1) Unterlippe der Blumenkrone mit 3 spitzigen
Zipfeln . . . . . . GALEOBDOLON 379
3) Unterlippe d. Blumenkrone stumpf, 3lappig.

α Kronröhre innen ohne Haarleiste.
Staubbeutel in Klappen aufspr. GALEOPSIS 380
Staubbeutel längs aufspringend;
Frucht oben zusammengedrückt und abge-
rundet . . . . BETONICA 382
Frucht oben mit 8kantig berandeter Fläche
abgestutzt . . . . . CHAITURUS 385.a.
β Kronröhre innen mit einer Haarleiste.
Früchte oben abgerundet.
Staubfäden nach dem Verblühen auswärts
gebogen . . . . STACHYS 381
Staubfäden nach dem Verblühen gerade .
. . . . '. . BALLOTA 384
Früchte oben mit 8kantig berandeter Fläche
abgestutzt; Unterlippe bald zusammenge-
rollt . . . . LEONURUS 385

Ordnung 2. Fruchtknoten ungetheilt; Frucht kap-
sel- oder beerenartig (meist viele Samen enthaltend, Griffel gipfelständig).

I. Pflanzen ohne grüne Blätter (schma-
rotzend); Frucht einfächerig; Samenträger wand-
ständig.
Blumenkrone (rosenfrb.) bei der Fruchtreife
völlig abfallend; Drüsen am Grund des
Fruchtknotens frei . . . . LATHRAEA 359
Blumenkrone (gelb-röthl.) bei der Fruchtreife
mit theilweise stehen bleibendem Grunde;
Drüse an dem Fruchtknoten mehr oder we-
niger angewachsen . . . OROBANCHE 358
II. Pflanzen mit grünen Blättern.
A. Fruchtknoten (scheinbar-) einfächerig;
Samenträger mittenständig.
Blume lippenförmig; Staubbeutel durch ein
Mittelstück getrennt; Kelch 5thl. LINDERNIA 356
Blume fast gleichmässig; Staubbeutel 1fäche-
rig; Kelch 5zahnig . . . . LIMOSELLA 357
B. Fruchtknoten deutlich zweifächerig.
a) Kelch 5zahnig.
† Frucht immer oder meist einsamig,

kapselartig, aufspringend; Blüthenstand traubig
. . . . TOZZIA 360
nussartig; Blüthenstand kopff. Globularia(4.1)
†† *Frucht 2samig*, in zwei Theile zerfallend
. . . . LIPPIA 390.a.
††† *Frucht vielsamig*, nicht zerfallend . . .
. . . . LANTANA 390.b.
° Samenträger dünn; Kelch aufgeblasen, dünn;
Samen netzförmig-grubig, mit einer Furche .
. . . . PEDICULARIS 362
°* Samenträger dick auf d. Mitte d. Scheidewd.
α Blumenkr. glockenf.-röhrig: Narbe 2klappig.
Staubfäden alle 4 vollk. vorhanden; Kelch
röhrig-kantig; Kapsel fachspaltig MIMULUS 351.a.
Staubfäden nur 2 mit Beutel, die andern
sehr klein, ohne Beutel.
Kraut: Kelch walzl., 5theilig. Gratiola(2.1)
Baum: Kelch 2lippig . . . CATALPA 326.a.
β Blumenkrone kugelig-krugförmig, 2lippig;
Staubbeutel am breiten Mittelband befestigt
. . . . SCROPHULARIA 350
b) Kelch 4zahnig.
† *Samen flach, mit einem einfachen Haut-
rand: Kelch aufgeblasen, zahlreich* . . .
. . . . RHINANTHUS 363
†† *Samen walzlich, ohne Hautrand.*
* Samen wenige (1—2), glatt MELAMPYRUM 361
°° Samen zahlreich, gerieft.
Oberlippe der Blume gewölbt, ganzrandig;
Samen auf der einen Seite mit mehreren
Flügelriefen . . . . . . BARTSIA 364
Oberlippe der Blume gestutzt oder ausge-
randet: Samen mit mehreren schwachen
Längsriefen . . . . . EUPHRASIA 365
*c) Kelch 4theilig: Unterlippe d. Blume schuh-
förmig* . . . . Calceolaria(2.1)
d) Kelch bis auf den Grund 5theilig.
† *Staubfäden 4, jeder mit einem Beutel.*
° Kronröhre offen; Saum abstehend,
ohne Sporn glockig, schiefrandig, ohne Staub-
fadenrudiment . . . . . . DIGITALIS 352

** Kronröhre geschlossen durch die nach innen
höckerige Unterlippe,
  am Grund höckerig; Kapsel mit Löchern
  aufspringend . . . . ANTIRRHINUM 353
  am Grund gespornt; Kapsel klappig aufspringend . . . . LINARIA 354
†† *Staubfäden 5, wovon 1 ohne Beutel.*
Samen zusammengedrückt, mit Hautrand . .
  . . . . CHELONE p. 206
Samen eckig, ohne Flügel. PENTASTEMON p. 206
C. Fruchtknoten 3 fächerig, unterständig,
  mit 4 Deckblättchen umgeben; Frucht
  eine trockene Beere . . . . LINNAEA p. 126
D. Fruchtknoten 4 fächerig, je einsamig,
  2 der Staubfäden meist ohne Beutel Verbena (2.1)
  4 Staubfäden mit Beuteln; Frucht pflaumenartig
  . . . . CLERODENDRON 3r0.c.

Classe XV.

Ordnung I. Frucht ein Schötchen (d. h. eben so
lang oder nur 1—2 mal länger als breit).
I. Frucht den Samen nicht ausfallen las-
send, meist mit dicken rundlichen Fächern (Gliedern).
A. Blumenkrone weiss; Frucht 2 samig;
seitlich zusammengedrückt, ohne Flügelrand . . . . SENEBIERA 56
B. Blumenkrone gelb oder weissgelb.
a) Frucht mit kugelichen Fächern.
Frucht kugelf. oder kantig-eckig, 1 samig, 1-
fächerig . . . . NESLIA 59
Frucht birnf., 3 fächerig, nur das unterste Fach
mit 1 Samen . . . . . . MYAGRUM 58
Frucht 2 gliederig quertrennend, das unterste
Fach stielf., das oberste eyf.; Samenfaden
sehr kurz . . . . RAPISTRUM 60
b) Frucht von der Seite zusammengedrückt-
geflügelt;
keilf.-schmal, 1 samig . . . . . ISATIS 57

Fruchtfächer 6 u. mehrsamig, Blumenblätter
2spaltig . . . . FARSETIA 41
b) Staubfäden ohne Zahn.
Frucht birnf., Scheidewand nach d. Abspringen
der Klappen ohne Griffel . . CAMELINA 46
Frucht kugelig, Scheidewand mit bleibendem
Griffel . . . . COCHLEARIA 45

Ordnung 2. Frucht eine Schote
(d. h. vielmal länger als breit).
I. Frucht nicht aufspringend sondern
quer abgliedernd; Same nicht ausfallend .
. . . . RAPHANUS 61
II. Frucht aufspringend: Same ausfallend.
1) Samen in jedem Fach in 2 Reihen liegend.
A. Schote lineal, flach zusammenge-
drückt, Klappen flach . . . . TURRITIS 30
B. Schote elliptisch, zusammengedrückt,
eckig, mit gewölbten Klappen.
Klappen ohne Rippe, Samen nicht genau in
2 Reihen, Schote bisweilen sehr kurz . .
. . . . NASTURTIUM 28
Klappen mit einer Rippe, Samenlappen rinnig-
gefaltet . . . . DIPLOTAXIS 39
2) Samen in jedem Fach in einer Reihe geordnet.
A. Narbe an der Schote aus 2 nebeneinander stehenden aufrechten Plättchen
gebildet.
Plättchen auf d. Rücken flach . HESPERIS 33.a
Plättchen auf dem Rücken gewölbt oder ge-
hörnt . . . . MATTHIOLA p. 14
B. Narbe an der Schote stumpf-ausge-
randet od. kurzlappig.
*a) Klappen ohne Mittelrippe od. nur unten
eine Spur davon.*
Samenlappen an beiden Seiten umgeknickt;
Kelch zusammengeneigt (unterirdischer
Stock kriechend, beschuppt) DENTARIA 33
Samenlappen flach; Kelch offenstehend
(kein unterird. Stock) . CARDAMINE 32

b) Klappen mit 1, 2 *od.* 3 *zarten Längsrippen.*
† *Samenlappen flach, nebeneinanderliegend*
(0=).
° Narbe tief 2spaltig mit zurückgebogenen Lappen . . . . CHEIRANTHUS 27
°° Narbe abgerundet od. ausgerandet.
Schote walzenförmig od. eckig-rund (Blumen
gelb) . . . . BARBAREA 29
Schote stark zusammengedrückt(Blumen weiss
oder roth). . . . . ARABIS 31
†† *Samenlappen flach, aufeinanderliegend* (0||).
Schote walzenrund od. 6 eckig, Klappen mit
3 Längsrippen (Drüsen 4) . SISYMBRIUM 34
Schote vierkantig, Klappen mit 1 Längsrippe
(Drüsen 2) . . . . ERYSIMUM 35
††† *Samenlappen rinnig gefaltet* (0⊳⊳).
Samen eyrund od. länglich-rund, etwas platt;
Klappen 1 rippig . . . . ERUCASTRUM 38
Samen kugelig.
Klappen d. Frucht 1 rippig . . BRASSICA 36
Klappen 3rippig, oben in einen flachen Schnabel endigend . . . . SINAPIS 37

Classe XVI.

Ordnung 1.   Mit 5 Staubbeuteln.

A. Ein Griffel.
a) Blumenkrone verwachsenblütterig.
† *Samenträger frei, mittelständig.*
Kapsel ringsum aufspringend . . Anagallis(5.1)
Kapsel zähnig aufspringend . Lysimachia(5.1)
†† *Samenträger wandständig.*
Frkn. 2 je einfächerig, Staubbeutel den Blumenzipfeln gegenüberstehend Cynanchum(5.2)
Frkn. vereinigt; Staubbeutel gebogen oder an
einer Säule angewachsen (Bryonia, Cucurbita od. Cucumis(21)
b) Blumenkrone freiblütterig (5zählig).
Schnabel der Frucht nach der Reife spiralig
zurückgerollt . . Geranium s. 3te Ordn.

°°°°°2

Classe XVII.

Ordnung 3. Zehn Staubbeutel.

I. Staubfäden alle verwachsen (bei Anthyllis ist aber bisweilen einer auch frei).

1) Blumenblättchen 5.

A. Flügelbättchen der Blumenkrone am Grund quergefältelt.

   a) *Griffel eingebogen; Blätter stachlig* ULEX 106
   b) *Griffel* (*bei der Blüthezeit*) *schneckenförmig eingerollt* . . . . SAROTHAMNUS 107
   c) *Griffel aufsteigend.*
   † *Schiffchen stumpf.*
   Narbe schief nach innen gerichtet GENISTA 108
   Narbe schief nach aussen gerichtet CYTISUS 109
   †† *Schiffchen zugespitzt, geschnäbelt* . . .
   . . . . LUPINUS 109.a.

B. Flügelblättchen der Blmkrone nicht gefältelt.
   Kelch 5 zähnig, aufgeblasen, bei der Frucht geschlossen u. diese gestielt ANTHYLLIS 111
   Kelch 5 theilig, bei der Frucht offen u. diese sitzend . . . . ONONIS 110

2) Blumenblättchen nur 1 (d. Fahne) vorhanden; Frucht kurz . . . . Amorpha p. 68

II. Von den Staubfäden einer frei, die andern verwachsen.

1) Blätter unpaarig gefiedert.

A. Hülse einfächerig,
   a) *aufgeblasen - häutig; Samen rund.*
   † *Griffel behaart,* Narbe nach innen COLUTEA p. 67
   †† *Griffel kahl,*
   Kelch 5 zähnig, Narbe endständig . PHACA 118
   Kelch 5 spaltig, Staubfäden oben verbreitert; Samen eckig . . . . CICER p. 71
   b) *zusammengedrückt,*
   † *vielsamig,*
   stets flach, mit Randkiel, Fahne zurückgerollt . . . . ROBINIA p. 86
   †† *wenigsamig* ohne Randkiel, Fahne vorgestreckt, Kelch 2 lippig . . GLYCYRRHIZA p. 67
   c) *rundlich*, gestreift, Fahne zurückgeschlagen, Kelch nicht 2 lippig . . . . . GALEGA 121

B. Hülse der Länge nach zweifächerig
oder fast zweifächerig.
Schiffchen stumpf abgerundet ASTRAGALUS 120
Schiffchen unterhalb des Endes mit einer Krautspitze . . . . OXYTROPIS 119
2) Blätter gleichpaarig gefiedert, Hauptrippe bisweilen in eine Krautspitze od. Ranke endigend.
A. Hülse nicht gliederförmig.
  a) *Strauch;* Griffel kahl, Kelch krugförmig;
  Samenlappen dünn; Hülse zusammengedrückt,
  später rundlich, vielsamig . . CARAGANA p. 63
  b) *Kraut;* Samenlappen dick.
  † *Griffel 3eckig zusammengedrückt, unterseits
  mit einer Rinne* . . . . PISUM p. 73
  †† *Griffel flach zusammengedrückt,*
  ringsum, aber nach innen stärker haarig; Blättchen einfach gefalzt . . . . . ERVUM p. 73
  innen bartig, gewunden; Blattrippe rankig. .
  . . . . LATHYRUS 127
  innen bartig, nicht gewunden; Blattrippe ohne
  Ranke . . . . OROBUS 128
  ††† *Griffel rundlich,* gerade, oberwärts nach
  vorn od. ringsum gleichstark behaart VICIA 126
B. Hülse gliederförmig, hart, 1 od. mehrfächerig, nicht aufspringend.
  † *einsamig, dornig* . . . ONOBRYCHIS 125
  †† *mehrsamig.*
    c Schiffchen nicht geschnabelt.
    Staubfäden pfriemenförmig. HEDYSARUM 124
    Staubfäden nach oben verbreitert; Hülse zu-
    sammengedrückt . . . . ORNITHOPUS 122
    cc Schiffchen geschnäbelt.
    Hülse oberseits bogig-ausgerandet, sichelf.
    . . . . HIPPOCREPIS 123
    Hülse perlschnurförmig; Kelchzähne ver-
    wachsen . . . . CORONILLA 121
3) Blätter zu dreien.
  a) *Ohne Nebenblättchen,* Schiffchen gedreht .
  . . . . PHASEOLUS p. 75
  b) *Mit Nebenblättchen.*

† *Hülse gedreht od. spiralförmig gebogen* . .
. . . . MEDICAGO 112
†† *Hülse ziemlich kurz* (1:3) 1—4*samig.*
Staubfd. verbreitert, an d. Blumenblttch. an-
gewachsen, Blüthenstand kopf- oder dicht
ährenförmig . . . . . . TRIFOLIUM 114
Staubfd. pfriemenförmig von den Blumenblät-
tern frei . . . . MELILOTUS 113
†† *Hülse lang* (1:6), *viel-* (12) *samig.*
° Schiffchen stumpf; Hülse flach, gebogen . .
. . . . TRIGONELLA 112.a
°° Schiffchen geschnäbelt; Hülse gerade.
Hülse rundlich vorn zusammengedrückt, beim
Aufspringen gewunden . . . . . LOTUS 116
Hülse mit 4 Kanten od. Flügeln . . . .
. . . . TETRAGONOLOBUS 117
Hülse aufgeblasen wenigsamig; Klappen nicht
gedreht; Flügelblättchen der Blumenkrone
gewölbt . . . . DORYCNIUM 115

Classe XVIII*).

Holzgewächs. Frucht beerenartig . CITRUS 96.a
Kraut. Blume 5zählig, Staubfäden in 3 oder 5
Büschel verwachsen; Frucht: Kapsel, 3fächerig
. - . . . . HYPERICUM 97

Classe XIX.

Ordnung 1**).

Alle Blüthchen zungenförmig (einseitig gespalten).
A. Fruchtkrone fiederborstig.
b) Fruchtboden spreuschuppig.
Spreublättchen des Fruchtbodens abfallend . .
. . . . HYPOCHOERIS 288

---

*) Nach Linné werden d. Ordnungen dieser Kl. nach den
Staubbeuteln bestimmt, es ist diess aber zu ungenau.
**) Die Ordnungen werden jetzt allgemein nicht mehr nach
der ursprünglichen Bestimmung Linné's begrenzt.

h) Fruchtboden nackt (od. nur am Rande der
Grübchen mit kleinen Börstchen versehen).
† *Hüllkelch einfach gereiht, die Blättchen
desselben gleichartig.*
Die Federhaare der Fruchtkrone ineinander
gekreuzt . . . . . . TRAGOPOGON 285
†† *Hüllkelch dachziegelig od. mit Aussenhüll-
blättchen versehen.*
° Federhaare der Frkr. ineinandergekreuzt.
Fr. am Grund in einen hohlen erweiterten
Stiel verlängert, welcher so lang u. dick ist
als die Frucht . . . . PODOSPERMUM 287
Fr. ohne, jenen Stiel unten nur mit einem Wulst,
(sonst wie vorige Gattung) SCORZONERA 286
°° Federhaare frei.
α Fruchtkrone aller Früchte haarförmig.
Frkr. hinfällig, die Borsten am Grund verwachsen; Fr. nicht verlängert od. oben ein-
geschnürt . . . . PICRIS 284
Frkr. bleibend, Borsten am Grund frei, Fr.
lang zugespitzt . . . . . LEONTODON 283
β Fruchtkrone der Randfr. kronenf. THRINCIA 282
B. Fruchtkrone einfach haar- od. bor-
stenförmig, Fruchtboden nicht spreu-
blätterig.
*a) Frucht geschnäbelt, d. Schnabel am Grund
mit Schuppen od. einem Ring umgeben.*
† *Blüthen wenige (7—12) in 2 Kreisen .*
. . . . CHONDRILLA 291
†† *Blüthen in mehreren Kreisen.*
Krönchen am Schnabelgrund gekerbt . . .
. . . . WILLEMETIA 289
Krönchen am Schnabelgrund schuppig-stachlig
. . . . TARAXACUM 290
*h) Frucht ohne Schnabel od. derselbe ohne
Ring od. Schuppen am Grund.*
† *Frucht flach zusammengedrückt,*
* Vorwärts zugespitzt verschmälert LACTUCA 293
°° Nicht verschmälert zugespitzt.
Blumen blau; Fruchtkrone brüchig, mit
Krönchen . . . . . . MULGEDIUM 295

Blumen gelb; Fruchtkrone biegsam-weich ohne
Krönchen . . . . SONCHUS 294
† *Früchte ziemlich oder ganz walzenförmig*
ohne Schnabel.
° Blüthenkörbchen 3—5blüthig PRENANTHES 292
°° Blüthenkörbchen reichblüthig.
Haare der Fruchtkrone nicht brüchig, in mehr-
facher Reihe.
Haare gleichdünn, sehr weiss . CREPIS 296
Haare nach unten verdickt . SOYERIA 297
Haare der Fruchtkrone brüchig, gelbl.-weiss,
meist in einfacher Reihe . . HIERACIUM 298
C. Fruchtkrone fehlend, spreuf. od. als
ein niederer Rand vorhanden.
a) Fruchtboden spreublätterig.
† *Blättchen des Blüthenkörbchens bei der*
Reife zusammengebogen; Frucht abfallend
10streifig; Frkr. 5kantig . . ARNOSERIS 280
†† *Blättchen des Blüthenkörbchens bei der*
Reife unverändert, aufrecht stehend.
Frucht mit vielen (20) Riefen LAPSANA 278
Frucht mit wenigen (5) Riefen APOSERIS 279
b) Fruchtboden ohne Spreublttch., gruhig.
Blättchen des Hüllkelchs breit, angedrückt;
Frkr. 2reihig schuppig . . . CICHORIUM 281
Blättchen des Hüllkelches schmal, abstehend;
Frkr. einreihig-schuppig, an den mittleren
Früchten mit 2—4 Borsten. . . TOLPIS 295.a

Ordnung 2.
Alle Blümchen röhrenförmig.
1) Blüthen alle zwitterig.
A. Blüthenstand ohne allgemeine Hülle°)
. . . . ECHINOPS 268
B. Blüthenstand mit allgemeiner Hülle
(Hüllkelch).
a) Fruchtboden nackt.
α Blüthen gleichförmig.

---

*) Bildete bei L. die Ordn. Polygamia segregata.

† *Hülle einfach-reihig; Staubbeutelröhre hervorstehend.*
Griffel auswärts-narbig . ADENOSTYLES 236
Griffel pinselig - narbig; Narbe keilf. - endigend ; Fr. 5eckig, steif-wimperig EMILIA 264
†† *Hüllkelch dachziegelig.*
Narben lang-fädlich; Staubbeutelröhre eingeschlossen; Blumen 5zähnig; Blätter gegenständig. . . . . EUPATORIUM 235
Narben kurz-zugespitzt, gegeneinander gebogen; Blumenzipfel umgebogen _ LINOSYRIS 240
β Blüthen ungleichf. (die äusseren kleiner).
Frucht eckig, mit breiter Scheibe am Griffel
. . . . TANACETUM 257
Frucht rundlich-walzenf.. mit kleiner Scheibe
. . . . ARTEMISIA 256
b) Fruchtboden tief-grubig: Haare der Frkr.
am Grund verwachsen, abfallend; Hüllblätter
stachelspitzig . . . . . ONOPORDON 271
c) Fruchtboden spreublätterig oder borstig.
α Fruchtkrone ästig-borstig, unten in einen Kreis
verwachsen; Frucht haarig . . . CARLINA 273
β Fruchtkrone einfach-borstig, unten verwachsen;
Frucht kahl.
† *Borsten einf.-haarig, etwas rauh* CARDUUS 270
†† *Borsten fiederhaarig.*
Staubfäden frei.
Hüllbittch. in einen Dorn zugesp.' CIRSIUM 269
Hüllbittch. ausgerandet mit 1 Dorn CYNARA 269.b.
Staubfäden verwachsen; Hüllblätter in einen
Dorn endigend . . . . . . SILYBUM 269.c.
γ Fruchtkrone einfach-borstig, an einem endständigen Knöpfchen und mit demselben abfallend . . . . JURINEA 276
δ Fruchtkrone in einzelnen Borsten abfallend;
Hüllbltt. in eine hackig-gekrümmte Spitze endigend . . . . LAPPA 272
ε Fruchtkrone bleibend,
Borsten fiederhaarig . . . . SAUSSUREA 274
Borsten einfach, die der innern Reihe länger; Frucht zusammengedr. SERRATULA 275

ζ Fruchtkrone fehlend; Frucht 4kantig: Nabel
 seitlich . . . . CARTHAMUS276.a.
2. Randblüthen weiblich; Mittenblüthen
 zwitterig.
A. Hüllkelch einfach, mit Aussenkelch.
 Narben gleich-dick, lang gespalten; allg. Blthstd.
 endständig-1kopfig . ., . . . HOMOGYNE 237
 Narben keulenf., kurz gespalten; allgem. Blthstd.
 ährig-traubig . . . . PETASITES 239
B. Hüllk. dachziegelf., äussere Blättchen
 allmählig kleiner.
 a) Fruchtboden spreublätterig: Hüllblätter
  krautig oder nur am Rand häutig; Blüthen
  zwischen den Hüllbltt. stehend . FILAGO253
 b) Fruchtboden nackt.
 † Griffelblüthen ungespalten,
  wenige in einfachem Kreis HELICHRYSUM255
  mehrere in mehrreihigen Kreisen; Köpfch.
  bisweilen zweihäusig . . GNAPHALIUM254
 †† Griffelblüthen nach innen aufgespalten.
 * Hüllkelch vielreihig-dachziegelf., halbkugelig
  . . . . Conyza s. unt.
 ** Hüllkelch 1—2reihig, gleich, walzenförmig.
  mit kleinen Aussenblättchen Senecio s. unt.
  ohne Aussenblättchen . Cineraria s. unt.
3. Randblümchen ohne Griffel.
A. Fruchtboden spreublätterig-borstig.
 a) Frucht seitlich angeheftet (kahl).
  Frkr. gleichmässig haarförmig oder fehlend .
  . . . . CENTAUREA277
  Frkr. ungleichmässig . . . . . . CNICUS269.a.
 b) Frucht in der Mitte angeheftet; die Früchte
  der Mitte haarig; Spreublätter 3zahnig . . .
  . . . . XERANTHEMUM297.a.
B. Fruchtboden schuppig.
 Fruchtkrone aus 2 rückwärts hackigen Dornen
 gebildet . . . . Bidens s. unt.
4. Blümchen u. Blüthenstände getrennt-
 geschlechtig.
 Hülle 2blätterig, die Frucht ganz einschlies-

send, sehr gross, aussen hackig-stachlig
. . . . XANTHIUM 299

Ordnung 3.

Blumen des Umkreises zungenf. (d. h.
einseitig aufgeschlitzt), die der Mitte röhrig.
1. Fruchtboden nackt (wenigstens in d. Mitte).
A. Fruchtkrone fehlend.
  a) *Hüllkelch aus 2 Reihen Blättch. bestehend.*
    Hüllblätter flach; Griffel einfach-flaumig; Blm.
    verschieden-farbig . . . . . BELLIS 243
    Hüllblätter kahnförmig; Griffel pinselig; Blm.
    gleichfarbig (Blumenrohr gebogen) MADIA 251.a.
  b) *Hüllkelch mehrreihig.*
  † *Früchte gerade.*
  ° Ungeflügelt oder nur 2flügelig.
    Fruchtboden hoch-kegelf., hohl MATRICARIA 260
    Fruchtboden gewölbt oder flach.
      Kraut: Hüllschuppen schwach-trockenrandig
      . . . . . . CHRYSANTHEMUM 261
      Holzgewächs: Hüllschuppen breit-trocken-ran-
      dig (Frbod. bei gefüllten Blumen etwas
      spreublätterig) . . . . PYRETHRUM 219.a.
  °° Dreiflügelig (d. h. die Randfr.), Flügel in eine
    Spitze endigend . . . . . . PINARDIA 260.a.
  †† *Früchte gebogen* . . . . CALENDULA 267
B. Fruchtkrone aus 5 einfachen Grannen
  bestehend; Hüllblättch. verwachsen TAGETES 251.f.
C. Fruchtkrone zahlreich-haarig.
  a) *Frucht zusammengedrückt* (Rand-
    blumen bläulich u. röthlich, innere gelb).
    Randblumen sehr schmal-zungenf., mehrrei-

---

*) Diese Gattung und ihre Verwandten sind hier als der Sy-
nopsis folgend aufgestellt, aber Pyrethrum nach DeCandolles
Begriff auch hieher gesetzt, dieser schliesst aber mehrere Arten
Chrysanthemum ein und ist daher hier nur von den angeführten
Arten giltig. Diese ungemein schwierigen und bestrittenen Gattungen sind besonders betrachtet in der vortrefflichen Abhandlung
von C. H. Schultz Bip. „Ueber die Tanaceteen, Neustadt a. H. 1844".

Frucht nicht geschnabelt, am Rand etwas geflügelt; Dorne aufwärts stachelig   COREOPSIS251.d.
B. Fruchtkrone als 2—3 abfallende Spreu-
schuppen . . . . - HELIANTHUS252.a.
C. Fruchtkrone abgestutzt od. mit kreis-
förmigem Rand.
  a) *Staubbeutel ohne Anhängsel.*
  † *Frucht ohne Flügel.*
  * Hüllblättchen frei.
    Gartenpflanze.
    Fruchtboden kegelförmig . . RUDBECKIA251.c.
    Wildwachsend.
    Platte der Randblm. rundl.-eyf. ACHILLEA 258
    Platte der Randblm. schmal-elliptisch bis lineal
    . . . . ANTHEMIS 259
  ** Hüllblättchen der innern Reihe verwachsen.
    Frucht gerade; Griffel einfach . . DAHLIA251.b.
    Frucht gekrümmt; Griffel pinselig CALLIOPSIS251.b.
  †† *Frucht doppelt-geflügelt.*
    Randblm. weiss, innere gelb . ANACYCLUS259.b.
    Randblm. u. Mittelblm. gelb; Hülle lang (nur
    die Randfrüchte geflügelt) . XIMENESIA251.g.
  b) *Staubbeutel am untern Ende mit 2 An-*
  hängseln.
    Randfrucht 3kantig; Blumenröhre unten ver-
    engert . . . . . . BUPHTHALMUM 247
D. Fruchtkrone grannenförmig . ZINNIA251.e.
E. Fruchtkrone vielblätterig, gesägt .
    . . . . , GALINSOGA 251

Classe XX.

Ordnung 1. Ein Staubbeutel (in 2 getrennte Mas-
      sen getheilt).
I. Lippenblatt der Blume mit 1 Sporn.
A. Fruchtknoten gedreht.
  a) *Lippe bandförmig-verlängert, ungetheilt.*
    Sporn fadenf., sehr lang . PLATANTHERA 465
    Sporn beutelförmig, kurz COELOGLOSSUM 464
  b) *Lippe dreilappig, der Mittellappen biswei-*
  len 3spaltig,

† *die Lappen anfangs spiraliz - eingerollt,*
dann gedreht . . . HIMANTOGLOSSUM 463
†† *die Lappen gefaltet, dann ausgebreitet.*
Pollenstielchen und Pollenmassen blosliegend
. . . . GYMNADENIA 462
Pollenstielchen frei, unten in eins verwachsen, in ein 1fächeriges Beutelchen eingeschlossen; Lippe gedreht . ANACAMPTIS 461
Pollenstielchen frei, in einem 2fächerigen Beutelchen; Lippe nicht gedreht . . ORCHIS 460

B. Fruchtknoten nicht gedreht.
a) Lippe zwar breiter, aber nicht länger als
die anderen Blumenblätter.
† *Sporn sehr kurz.*
Blume glockenf.-offen; Lippe aufwärts gerichtet . . . . NIGRITELLA 466
Blume vorgestreckt-offen; Lippe abwärts gerichtet . . . . . CORALLORRHIZA 478
†† *Sporn so lang als die Lippe,* diese gestielt,
mit der Griffelsäule parallel (Pflanze ohne
Laubblätter) . . . . . . LIMODORUM 470. a.
b) Lippe grösser als die übrigen Blumenbltt.;
Sporn kurz, aufgeblasen (Pflanze ohne Laubblätter) . . . . EPIPOGIUM 471

II. Lippenblatt der Blume ohne Sporn.
A. Lippe (an d. aufgeblühten Blume) abwärts
stehend: Pollenmassen aus getrennten Körn-
chen bestehend oder durch Schleim zusammengeklebt.

a) Fruchtknoten gedreht.
† *Alle Blumenbltt. glockig-zusammengeneigt.*
Pollen zusammengeklebt;
Pollenstielchen sehr gross, bloss-liegend: Lap-
pen der Lippe ausgebreitet . HERMINIUM 470
Pollen pulverig; Lippe eingeschnürt, hinten
sackförmig . . . CEPHALANTHERA 472
†† *Blumenblätter helmf. zusammengeneigt.*
* Mittellappen der Lippe sehr gross . . . .
. . . . CHAMAEORCHIS 468
** Lippe schmal 4lappig, flach.

Ordnung 4. Sechs Staubbeutel.
Blume gleichartig (Perigon) verwachsenblätterig,
unten röhrig-flaschenförmig . ARISTOLOCHIA 425

Ordnung 5. Viele Staubbeutel.

Blüthenstandscheide eingerollt . . . . ARUM 457
Blüthenstandscheide flach . . . . . CALLA 458

Classe XXI.

Ordnung 1. Ein Staubbeutel.
A. Blätter mit Scheiden (Blüthen einzeln
achselständig).
Staubbeutel gestielt; Frkn. mit erweiterten
Narben . . . . ZANNICHELLIA 452
Staubbeutel ungestielt; Frkn. mit pfriemlichen
Narben . . . . Najas(22.1)
B. Blätter ohne Scheiden,
spiralig stehend; Blth. zahlreich, je mit einer
Schuppe gestützt, in einer becherf. am Rand
5drüsigen Hülle, auf deren Grund der lang-
gestielte 3fächerige Frkn. steht Euphorbia(11.3)
gegenständig; Blume (oder Vorblättchen) schup-
penf., zart, 2blätterig; Fruchtkn. 4fächerig .
. . . . Callitriche(1.2)

Ordnung 2. Zwei Staubbeutel.
Baum.
Blüthenstand in spiraligen Aehren (Zapfen);
männl. abfallend, mit schuppenf. Staubbeutel-
trägern, weibl. mit je 2 Eiern am Grund einer Schuppe; Same geflügelt PINUS s. unten.
Wasserpflanze ohne Blätter . . . . . Lemna(2.1)

Ordnung 3. Drei Staubbeutel.
1. Kräuter.
A. Blätter (grasartig) längs berippt.
a) Blüthen mit 1 Deckblatt.
Jedes Deckblättch. mit eingeschlechtigen Blth. ;
Frkn. von einer flaschenf. Hülle umschlossen
. . . . CAREX 513

033334

82

Jedes Deckblättchen mit **2** je eingeschlechtigen Blth., unten mit 1 männl., oben mit 1
weibl. Blüthe . . . . ELYNA 514
b) *Blüthen mit* **2** *Deckblättchen.*
Männl. Blthstd. ährig in 'Rispen, endständig,
weibl. Blthstd. mehrreihig walzenf. - ährig,
seitenstd., mit vielen grossen Scheiden umhüllt . . . . Zea (3.2)
b) *Blüthen mit vielen haarfeinen oder schuppenförmigen Deckblättchen.*
Blthstd. walzenf.; Deckbltt. u. Blm. haarfein
. . . . TYPHA 455
Blthstd. kugelf.; Deckbltt. u. Blm. schuppenförmig . . . . SPARGANIUM 456
B. Blätter netzrippig, ey-lanzettförmig.
. . . . Amarantus (s. Ordn. 5.)
2. Baum. Blth. in einer birnf. fleischigen Hülle
eingeschlossen . . . . FICUS 432.a

Ordnung 4. Vier Staubbeutel.

A. Blume ungleichartig (Kelch u. Krone).
Krone röhrig, oben 4spalt. (Kraut) LITTORELLA 407
B. Blume gleichartig (Perigon), einfach
oder fehlend.
a) *Kräuter.*
Weibl. Blm. ungleichgross, 4blättr., krautig
Frucht zusammengedrückt . . URTICA 430
Weibl. Blm. glockig, 4zahnig: Frucht eyf.
. . . . PARIETARIA 431
b) *Bäume.*
† *Fruchtknoten 1—2fächerig.*
Blume 2—5blätterig, ohne Deckbltt., bei d.
Fruchtreife fleischig werdend und die Fr.
einschliessend: Narben fadenf.; Blthstand
ährenf,, einzeln . . . . . . MORUS 432.b
Blüthe mit schuppenf. Deckbltt.; Blthstand
ährig, gabelästig; Deckbltt. d. weibl. Blth.
verholzend . . . . ALNUS 441
†† *Fruchtknoten fehlend,* d. Eyer am Grund
von dicken Schuppen welche zapfenförmig

beisammen stehen; Eyer 2 am Grund jeder
Schuppe . . . . THUJA442.a.
†† *Fruchtknoten* 3*fächerig* . . . . BUXUS427.a.

Ordnung 5. Fünf und mehr Staubbeutel.

A. Blume aus 2 Kreisen ungleichartig
oder fast gleichartig.
Blume 4zählig; Krone sehr hinfällig; Frkn.
4fächerig, unterständig MYRIOPHYLLUM 156
Blume 3zählig: Frkn. einfäch., frei zahlreich
beisammen . . . . . SAGITTARIA 447
B. Blume gleichartig (oft schuppenf.) oder
ganz fehlend.
a) *Blüthenstand nicht ähren- od. kopfförmig.*
÷ *Wasserpflanzen.*
Staubbeutel zahlreich in einer schuppenförmigen
Hülle; Frkn. einzeln CERATOPHYLLUM 159
†÷ *Landpflanzen.*
* Kräuter.
Frkn. zu 2 in einer 2theiligen stachligen Hülle
. . . . Xanthium(19.2)
Frkn. einzeln in 2klappigen einf. Blumen; Nar-
ben 3; Fr. nicht aufspringend . Atriplex(5.2)
Frkn. einzeln in 5blätterigen einfachen Blm.;
Fr. ringsum aufspringend . AMARANTUS 409
** Baum; Blm. glockig; Frkn. 2flügelig Ulmus(5.2)
b) *Blüthenstand der männlichen Blüthen ein-*
fach - ährenförmig.
α Bäume.
† *Fruchtknoten mit 2 Narben.*
° Blätter einfach.
Weibl. Blthstd. in schuppenf. Blttch. dicht ein-
gehüllt; die Fr. glatt, von einer am Rand
blattartigen zerschlitzten Hülle umgeben .
. . . . CORYLUS 436
Weibl. Blthstd. locker mit grossen 3lappigen
Deckbltt ; Frkn. mit gezahnter Blm.; Frucht
eine riefige Nuss . . . . . CARPINUS 437
Weibl. Blthstd. dicht walzenförmig, je 3 Frk.
in einem Deckbltt.; Fr. 2fächerig geflügelt
. . . . BETULA 440

••••••2

** Blätter gefiedert (ohne Nebenblättchen).
Weibl. Blthstd. wenigblüthig; Frkn. mit ange-
wachsener 4zähligen Blm. und 1 Deckblatt;
Frucht eine Steinfrucht mit 2klappigem Kern
. . . . JUGLANS434.a.
†† *Fruchtknoten mit 3 Narben.*
° Blätter (u. Knospen) zweizeilig.
Männl. Blthstd. kugelig; Narben fadenf.; Frkn.
paarweise in d. Deckbltt.; Fr. 3kantig, 1—2
in 4klappiger verholzter Hülle . . FAGUS 434
Männl. Blthstd. geknäuelt, langährig; Narben
pinself.; Fruchtkn. zu 3 in 1 Deckblatthülle,
mehrfächerig: Frucht rundlich in stachliger
3theiliger Hülle . . . . . CASTANEA435.a.
°° Blätter und Knospen spiralig.
Männl. Blthstd. ährig, mehrblth.; weibl. we-
nigblth.; Frkn. einzeln in kleiner schuppiger
Hülle; Narbe stumpf 3lappig; Fr. eine glatte
walzliche Nuss von einer napfförmigen Hülle
am Grund gefasst . . . . . QUERCUS 435
β Kräuter.
† *Blätter einfach, scheidig.*
° Blüthenstandaxe durchaus mit Blüthen besetzt,
unten mit Zwitterblth., oben nur mit Staubfd.;
Blüthenstandscheiden flach, offen . Calla(20.5)
unten mit Frkn., oben mit Staubbeuteln be-
setzt; Blthstdscheide tutenförmig eingerollt:
Frkn. 3fächerig . . . . . RICHARDIA458.a.
°° Blthstdaxe oben ohne Blüthen, kolbenf.; Frkn.
einfächerig . . . . Arum(20.5)
†† *Blätter gefiedert.*
Blm. 4theilig; Narben büschelig POTERIUM 143
c) *Blüthenstand kugelförmig* . PLATANUS441.a.

Ordnung 6. Verwachsene Staubfäden.

A. Kräuter.
a) *Drei Staubbeutel; Wuchs grasartig* Typha(21.3)
b) *Fünf Staubbeutel in 3 Büschel verwachsen; Fruchtknoten unterständig.*
† *wildwachsend*; Staubbeutel auf- u. abgebogen;

Frucht (erbsengross) dünnrindig, beerenartig,
2—3samig (Schlinggewächs) . . BRYONIA 163
†† *Gartenpflanze.*
Staubbeutel in eine walzliche Röhre verwach-
sen, abgerundet endigend; Samen der Fr.
mit wulstigem Rande . . . CUCURBITA162.c.
Staubbeutel am Gipfel frei endigend; Samen
der Fr. mit kantigem Rande . CUCUMIS162.d.
B. Bäume.
Blätter nadelförmig (d. Uebrige s. o). . PINUS 444
Blätter schuppenförmig,
Zweiglein in einer Ebene liegend Thuja (s.ob.)

Classe XXII.

§. Nach den männl. Blüthen geordnet.

Ordnung 1. Ein Staubbeutel.

Baum (gewisse Arten von Salix (s. d. folg. Ordn.)
Kraut (Wasserpflanze) . . . . NAIAS 453

Ordnung 2. Zwei Staubbeutel.

Blätter wechselständig, ganz; Blüthenstand ährig;
Blume fehlend; Staubfäden u. Frkn. von einem
Deckblatt gestützt, ersteren gegenüber mit einer
kleinen Drüse . . . . SALIX 438
Blätter gegenständig, gefiedert; Blthstd. rispenf.
. . . . Fraxinus(2.1)

Ordnung 3. Drei Staubbeutel.

A. Holzgewächse.
*a) Blume einfach, zahlreich innerhalb eines
hirnf. bis auf d. Spitze geschlossenen Fruchtbodens* . . . . Ficus(2.3)
b) Blume doppelt, 3zählig, einzelstd.; Fr.:
Beere . . . . EMPETRUM 427
c) ohne Blume . . . . . Salix (s. oben)
B. Grasartige Pflanze . . . . Carex(21.3)
C. Krautartige Pflanze mit gegenüber-
stehenden Blättern . . . Valeriana(3.1)

Ordnung 4.   Vier Staubbeutel.
A. Kräuter.
Blätter gegenüberstehend. . . . . . Urtica(21.4)
Blätter spiralig, männliche Blume 4—5blätterig,
weibl. krugf., 2—3zahnig, erhärtend; Narben
2—4; Fr. schlauchartig, 1sam. Spinacia(s.u.)
B. Holzgewächse.
a) *Blätter gegenüberstehend,*
Blume 4zählig, d. Staubbeutel au d. Blumen-
zipfel verschmolzen und eingesenkt; Griffel
fehlend; Fr. 1samig, beerenartig (Schma-
rotzergewächs) . . . . . . VISCUM 221
Blume fehlend; Blätter schuppenförmig . . .
. . . . . . Thuja (s. d. folg. Ordn.)
b) *Blätter spiralständig.*
Blume 2klappig. einfach . . . HIPPOPHAÉ 424
Blume 4blättr., doppelt (K. u. Kr.) Rhamnus(5.1)

Ordnung 5.   Fünf Staubbeutel.

A. Kräuter.
a) *Blume gleichartig* (Perigon).
† *münnl. Blthstd. rispig; Blume 5blätterig.*
Staubfäden aufrecht; Schlingpflanze mit verwachsenen Nebenblättern . . HUMULUS 432
Staubfäden hängend; Wuchs aufr. CANNABIS431.a.
†† *Blüthenstand büschelig-knäulig* SPINACIA416.b.
b) *Blume mit Krone u. Kelch* (5blätterig).
Kraut; Blthstd. doldenförmig . . . Trinia(5.2)
B. Holzgewächse.
a) *Blätter nadelförmig, hart.*
Staubbeutel am Grund einer Schuppe; Blätter
zu 2 oder 3 gegenständig . JUNIPERUS 443
Staubbeutel am Gewölb eines schildf. gestielten Trägers; Bltt. spiralständig . TAXUS 442
b) *Bltt. schuppenförmig, hart; meist 4 Staub-*
beutel am Grund von Schuppen . Thuja(21.6)
c) *Blätter laubig.*
Blthstd. einfach, ährenf.; Blätter ganz Salix(22.1)
Blthstd. rispig; Bltt. meist gefiedert . Rhus(5.3)

Ordnung 6. Sechs Staubbeutel.
Blume gleichartig, in 2 Kreisen, 3zählig.
Bltt. netzrippig,
Schlingstrauch; Beere . . . . . TAMUS491.a.
Kraut; Nuss 3kantig . . . . . , Rumex
Bltt. schuppenf., mit nadelf.-büscheligen Stielchen
. . . . Asparagus(6.1)

Ordnung 7. Acht Staubbeutel.
A. Baum.
Blüthenstand ährenf.; Blume becherf., einfach;
Deckblätter am Rand zerschlitzt. POPULUS 439
Blüthenstand ebenstraussf. od. traubig; Blätter
gegenständig . . . . Acer(8.1)
B. Kraut.
Blthstd. ebenstraussf.; Bltt. fleischig RHODIOLA170.a.

Ordnung 8. Neun Staubbeutel.
Blume ungleichartig (K. u. Kr.), doppelt, 3zählig
(Wasserpflanze) . . . . . HYDROCHARIS 445
Blume gleichartig (Perigon), einfach, unterständig
(Landpflanze) MERCURIALIS429

Ordnung 9. Zehn Staubbeutel.
Blätter gegenüberstehend; Blume 5blätterig . . .
. . . . . (Arten von Lychnis u. Silene 10.)

Ordnung 10. Viele Staubbeutel.
A. Träger auf den Kelch eingefügt (sie
sind nie rein diöcisch, sondern die Frkn. nur
weniger ausgebildet und keine Samen bringend.)
a) Griffel 5 (Blume 5zählig).
Fruchtknoten frei. . . . . . . Spiraea(12.2)
Fruchtknoten verwachsen . . . . Pyrus(12.2)
b) Griffel viele, Fruchtboden kegelförmig.
Strauch . . . . Rubus(12.3)
Kraut . . . . Fragaria(12.3)
B. Träger auf dem Fruchtboden stehend.
a) Holzgewächs.
Blthstand kugelf.; Blume fehlend Platanus(21.5)
Blthstand ährenf.; Blume becherf. Populus(22.7)

Blüthenstand rispenf.; Blume 4blätterig, einfach; Griffel sehr lang, haarig Clematis(13.2)
b) *Kraut;* Blume 4blätterig, einfach; Griffel fast fehlend . . . . Thalictrum(13.2)

§§. Nach den weiblichen Blüthen geordnet.

I. Eyer innerhalb eines Fruchtknotens, welcher 1 od. mehrere deutliche Griffel oder Narben hat.

1) Fruchtknoten einzig (in jeder Blüthe).

A. Narbe 1.

a) *Holzgewächs.*

† *Blätter gegenständig* . . . . . Viscum(22.4)

†† *Blätter spiralständig,*
Blume einfach (Perigon), flaschenf.; Narbe zungenförmig . . . . . . Hippophaë(22.4)
Blume doppelt (K. u. Kr.); Narbe kopfförmig
. . . . Rhamnus(5.1)

b) *Kraut.*
Blume 4blätterig . . . . Urtica(21.4)

B. Narben 2.

a) *Landpflanzen.*

† *Kräuter.*

° Blätter laubig.

α Stamm schlingend; Blume einfach, napfförmig
. . . . Humulus(22.5)

β Stamm aufrecht,
Blüthenstand ährig oder rispig,
Frkn. 1fächerig; Bltt getheilt Cannabis(22.5)
Frkn. 2—3fächerig; Blätter einfach . . .
. . . . MERCURIALIS
Blüthenstand kopfförmig, zusammengesetzt;
Narben 2theilig.
allgem. Blthstd. ährig-traubig Petasites(19.1)
allgem. Blthstd. doldig-traubig . . . . .
. . . . Gnaphalium(19.1)

°° Blätter grasförmig; Frkn. von einer flaschenf.
Hülle umgeben . . . . Carex(21.3)

†† *Holzgewüchse.*
Blüthenstand ährenförmig . . . . . Salix(22.2)
Blüthenstand flaschenförmig, Blüthen innen befindlich . . . . Ficus(21.3)

b) *Wasserpflanzen.*
   Blätter saftig, gegenstd.; Frkn. mit 2 Narben,
   1 fächerig . . . . Najas(22.1)
C. Narben 3.
   a) *Blätter gegenständig.*
      Blumenkrone 5 blätterig; Frkn. verwachsen,
      1 fächerig . . . . Silene(10.3)
      Blumenkrone verwachsenbltr.; Frkn. 3 fächerig;
      Fr. 1samig mit Haarkrone . Valeriana(3.1)
   b) *Blätter wechselständig.*
      Blume 3zählig, gleichartig. . . . Tamus(22.6)
      Blume 5zählig, fast gleichartig . Bryonia(21.6)
D. Narben 4.
   Baum . . . . . Salix (22.1) u. Populus(22.7)
   Kraut . . . . Spinacia(21.5)
E. Narben 5.
   Bltt. gegenständig; Blume 5blättrig Lychnis(10.5)
F. Narben 6.
   Wasserpflanze. Fruchtknoten unterständig; Blu-
      menkrone 3blätterig . . . Hydrocharis(22.8)
G. Narben 9 (strahlenförmig).
   Blumen 3zählig . . . . Empetrum(22.3)
2. Viele einzelne Fruchtknoten in einer
   Blüthe oder Blüthenstand.
   a) *Holzgewüchse.*
      Blume ungleichartig (K. u. Kr.), 5zählig Rubus(12.3)
      Blume gleichartig 4zählig, Griffel lang . . .
      . . . . Clematis(13.2)
      Blume fehlend; Blthstd. kugelig . Platanus(2.10)
   b) *Kräuter.* Griffel kurz od. fehlend.
      Blätter zusammengesetzt . . Thalictrum(13.2)
      Blätter einfach (fleischig) . . . Rhodiola(22.7)
II. Eyer frei, endständig oder am Grund
   schuppenförmiger Träger, welche
   kopf- oder ährenförmig beisammen
   stehen.
A. Ey endständig einzeln, bei der Reife von
   einer fleischigen napfförmigen Hülle umgeben .
   . . . . Taxus(22.5)

B. **Eyer zu mehreren an Schuppen.**
Schuppen zu 3 bald fleischig werdend u. ver-
   wachsend . . . . **Juniperus**(22.5)
Schuppen zu mehreren, verholzend.
Eyer 2 am Grund jeder Schuppe . **Thuja**(21.6)

Classe XXIII.

Die nach der ursprünglich Linné'schen Anordnung hierher gehörigen Arten, welche bald eingeschlechtige bald zwitterige Blüthen auf demselben
od. verschiedenen Stämmen tragen sind nach den
Zwitterblüthen in die treffenden Klassen vertheilt.
Es sind vorzugsweise folgende, wo diese öfters über-
wiegende Ausbildung der einen oder andern Blü-
thentheile stattfindet: Fraxinus (Cl. 2), Ptelea (5),
Parietaria (21), Aesculus (7), Atriplex (5), Celtis
(5), Veratrum (6), Silene (10), Euphorbia (12),
Rhamnus (5), Negundo (5), Ficus (21), Andropogon und Holcus (3).

Systematische Uebersicht

der

wesentlichen Merkmale

aller

natürlichen Abtheilungen und Familien

des Pflanzenreichs,

aus welchen in diesem Buche Arten enthalten sind.

Bemerkung.

Diese Uebersicht ist zunächst nur systematisch und dazu bestimmt, einige Anhaltspuncte zu geben für die Charactere der Familien, nach welchen die Arten vorgetragen sind; sie kann nicht immer zum Aufsuchen irgend einer dargebotenen Pflanze dienen, denn für diesen Zweck müsste sie ganz anders abgefasst seyn u. also, da z. B. die Frage, ob eine Pflanze monocotyledon od. dicotyledon sey, ob die Samen ein od. kein Eyweiss haben u.s.w., welche von dem Anfänger nicht sogleich mit e i n e r einzigen Anschauung abgemacht werden kann, gleich Anfangs diese Eintheilungs-Gründe aufgeben. Hie r mussten alle vorhandenen Merkmale der Formen u. Beschaffenheiten der Organe zu Hülfe genommen werden, um aus den natürlichen Familien ein künstliches System zu entwerfen. Die Abtheilungen dieser Uebersicht sind andere als diejenigen De Candolle's, welche Koch angenommen hat, u. auch andere als diejenigen, welche ich im speciellen Theil machte, da ich dort für die Reihenfolge der Familien ganz DeCandolle resp. Koch folgen wollte, um durch diese Gleichförmigkeit Vergleichungen mit jenen Büchern u. andere Bequemlichkeiten zu erhalten, hier aber sind sie vorzugsweise

nach Ad. de Jussieu's neuester Uebersicht, jedoch
mit Belassung der früher und bisher am allgemeinsten
angenommenen Reihenfolge der Hauptabtheilungen,
und nach einigen auf eigener Ansicht beruhenden
Stellungen, gegeben. — Nicht zu vergessen ist,
dass manche Charactere nur auf den Kreis der bei
uns vorkommenden Arten einer Familie sich be-
ziehen, also nicht allgemein als Familienunter-
schiede gelten können.

1. Abtheilung.

Blüthen- oder Keimblatt-Pflanzen,

(Plantae phanerogamae s. cotyledoneae.)
d. h. Pflanzen mit Samenknospen und
Staubbeuteln, der Same einen schon
vorgebildeten Keim enthaltend.
Keim von zwei oder mehr Keimblättern bedeckt; die Gefässbündel des Stammes vereinigen
sich in concentrischen Ringen, u. die neueren legen
sich an die früheren an; die Blätter sind meist
netzförmig- od. gabelförmig berippt; die Blüthendecken meist in der 5 Zahl vorhanden.

1. Unterabtheilung.

Zwei-Keimblatt-Pflanzen
(Dicotyledoneae).

1. Classe. Freikronige.
Blüthendecke (Blume) doppelt, ungleichartig, Krone
freiblätterig (Eleutheropetalae s. polype-
talae).

1. Ordnung. Unterständige (Hypogynae).
Blumenblätter u. Staubfäden unter dem Fruchtknoten eingefügt.

2. Ordnung. Randständige (Perigynae).
Blumenblätter und Staubfäden über od. um den
Fruchtknoten herumstehend.

2. Classe. **Verwachsenkronige.**

Blüthendecke doppelt, ungleichartig, Krone verbunden- oder verwachsenblätterig, nur an der Spitze mehr od. weniger frei (Sympetalae, s. Gamopetalae, s. Monopetalae).

1. Ordnung. Unterständige (Hypogynae).

Blumenkrone unter dem Fruchtknoten eingefügt.

2. Ordnung. Randständige (Perigynae).

Blumenkrone über od. um den Fruchtknoten herumstehend und am Grund des Kelches od. einer Scheibe eingefügt.

3. Classe. **Kronenlose.**

Blüthendecke einfach, gleichartig (Perigon), oder fehlend (Monochlamydeae s. Apetalae).

1. Ordnung. Fruchtsamige (Angiospermiae).

Samenknospen in einem Fruchtknoten eingeschlossen.

2. Ordnung. Nacktsamige (Gymnospermiae).

Samenknospen blos liegend am Grund eines schuppen- od. becherförmigen Trägers.

2. Unterabtheilung.

Ein-Keimblatt-Pflanzen.
(Monocotyledoneae).

Keim mit nur einem, meist walzenförmig-platten Keimblatt, den Keim spaltenförmig umschliessend; Gefässbündel des Stammes nicht verwachsen (zerstreut stehend), ohne weiteres Anlegen neuer an frühere; Rippen der Blätter meist parallel u. ungetheilt vom Grund bis zur Spitze verlaufend, wenn Nebenrippen vorhanden rechtwinkelig abgehend; Blüthendecken meist in der 3 Zahl od. deren Vielheit vorhanden.

1. Classe. **Kronblumige.**

Blüthendecke in 2 Kreisen, meist gleichartig-zart (Perigon), bisweilen ungleichartig (Kelch und Krone) (P e t a l o i d e a e).

1. Ordnung. Unterständige (Hypogynae).
Blüthendecke unter dem Fruchtknoten stehend.

2. Ordnung. Randständige (Perigynae).
Blüthendecke ober dem Fruchtknoten stehend.

2. Classe. **Spreublumige.**

Blüthendecken theils vorhanden u. dann beide Kreise schuppenförmig, od. der innere meist sehr zart u. klein, der äussere oft derb (spreuartig), od. die Blüthe ist nackt, ohne Blume. (G l u m o s a e)

1. Ordnung. Eyweisssamige (Albuminosae).
Same mit Eyweiss versehen.

2. Ordnung. Eyweisslose (Exalbuminosae).
Same ohne Eyweiss.

2. Abtheilung.

Blüthenlose od. keimblattlose Pflanzen.

(Plantae cryptogamae s. acotyledoneae).

Ihre Ordnungen sind:

1. **Farne.** (im weitesten Sinn).
2. **Moose.** - - -
3. **Flechten.** - - -
4. **Pilze.** - - -
5. **Algen.** - - -

Man bringt jede derselben in mehrere Classen und in diese die einzelnen Familien derselben. Sie sind in diesem Buche nicht enthalten und desshalb nicht näher charakterisirt.

Familien.

Zweikeimblattpflanzen.

Classe 1. Freikronige.

Ordnung I. Unterständige.

1. Samenträger winkelständig.
A. Same mit Eyweiss.
 a) Keim sehr klein, Eyweiss sehr gross.
 † *Fruchtknoten getrennt (od. bisweilen einer),*
 1*fächerig.*
    Blume 3 od. 5zählig; Staubfd. meist viele,
    wenn wenige, mit d. Blumenthl. wech-
    selständig . . . . RANUNCULACEAE
    Blume 3 od. 2zählig; Staubfd. mit den Blu-
    menblättern gegenständig, gleich- od. dop-
    peltzählig . . . . . BERBERIDEAE
 †† *Fruchtknoten vereinigt.*
    Jedes Fach mit 2 Samen; Staubfd. gleichzählig
    der Krone gegenüberstehend AMPELIDEAE
 b) Keim fast eben so gross als das Eyweiss.
 † *Deckung des Kelchs übergreifend.*
 * Staubfäden frei.
 α Blüthen zwitterig.
    Innenschichte der Frucht abspringend . . .
    . . . . DIOSMEAE *)
    Innenschichte der Frucht zu d. Aussenschichte
    verbunden bleibend . . . . RUTACEAE
 β Blüthen eingeschlechtig-einhäusig.
    Staubfd. 3, der Blume gegenständig; Frkn.
    3—6fächerig, je 1eyig; Narbe strahlen-
    förmig; Bltt. nadelförmig hart, ohne Neben-
    blätter . . . . EMPETREAE

---

*) Als diejenige Abtheilung der Rutaceae, wozu Dietamnus gehört, und welche von Manchen als eigene Familie angenommen wird.

** Staubfäden verwachsen.

α Blume ungleichmässig; Staubfäden in 2 Bündeln
. . . . POLYGALEAE

β Blume gleichmässig.

Fächer der Frucht 2samig . . . . LINEAE
Fächer der Frucht mehrsamig OXALIDEAE

†† *Deckung des Kelchs klappig;* Staubfd. viele,
frei; Beutel in Spalten geöffnet; Fächer der
Frucht 2eyig . . . . TILIACEAE

B. Same ohne Eyweiss.

a) *Deckung des Kelchs klappig;* Staubbeutel
1fächerig, zahlreich; Träger verwachsen . .
. . . . MALVACEAE

b) *Deckung des Kelchs übergreifend.*

† *Staubfäden und Beutel frei.*

ᵃ Keim gekrümmt.

Fruchtknoten 2fächerig; Flügelfrucht . . .
. . . . ACERINEAE
Fruchtknoten 3fächerig; Kapselfrucht . . .
. . . . HIPPOCASTANEAE

** Keim gerade.

Fruchtknoten getrennt, je 1samig: Griffel 1 .
. . . . TROPAEOLEAE
Fruchtknoten vereinigt, vielsamig: Griffel meh-
rere . . . . ELATINEAE

†† *Staubfäden verwachsen.*

ᵃ Staubfäden viele.

Griffel getrennt; Frucht: Kapsel; Bltt. gegenständig . . . . HYPERICINEAE
Griffel verwachsen 1; Frucht beerenartig; Bltt.
wechselständig . . . . AURANTIACEAE

ᵃ Staubfäden wenige (5 od. 10); Frkn. mit dem
Griffel an eine Axe verwachsen, bei d. Reife
davon abspringend . . . . GERANIACEAE

††† *Staubbeutel verwachsen;* Blume ungleichmässig; Kapsel elastisch aufspringend . . .
. . . . BALSAMINEAE

2. Samenträger wandständig.

A. Wasserpflanzen.

Fruchtknoten vereinigt; Keim in einem besondern
Sack innerhalb d. Eyweisses NYMPHAEACEAE

B. Landpflanzen.
 a) *Samenträger vor d. Kronblättern stehend.*
 † *Same mit Eyweiss; Keim gross.*
 ° Staubfäden in d. Gleich- od. Doppel-Zahl der
  Blumentheile.
  Griffel mehrere; Blume gleichmässig; Bltt.
   ohne Nebenblättchen . DROSERACEAE
  Griffel 1; Blume ungleichmässig; Blätter mit
   Nebenblättchen . . . . VIOLACEAE
 °° Staubfäden in der Vielzahl der Blume u. diese
   gleichmässig . . . . . . CISTINEAE
 †† *Same ohne Eyweiss;* Frkn. 3zählig; Same
   haarschopfig; Blätter schuppenförmig . . .
   . . . . TAMARISCINEAE
 b) *Samenträger zwischen den Kronblättern*
  stehend (bisw. sehr zahlreich).
 † *Same ohne Eyweiss.*
  Blumenkr. ungleichmässig; Frkn. 3zählig; Kap-
   sel am Gipfel klaffend . . RESEDACEAE
  Blumenkrone gleichmässig; Frkn. 2zählig . .
   . . . . CRUCIFERAE
 †† *Same mit Eyweiss.*
  Blumenkrone ungleichmässig, 2zählig; Stbfd.
   verwachsen (Saft wässerig) FUMARIACEAE
  Blumenkrone gleichmässig; Staubfäden frei
   (Saft milchig) . . . . PAPAVERACEAE
3. Samenträger frei, mittenständig.
 Frucht kapselartig, einfächerig; Blumenkrone
  gleichmässig; Blätter gegenständig.
  Kelch verbunden-⎰ CARYOPHYL- ⎰Alsineae
  Kelch frei-blätterig⎱ LEAE(and. Aut.) ⎱Sileneae

  Ordnung 2. Randständige.
I. Samenträger frei, mittenständig.
  Kelch meist 2blätterig; Blätter fleischig, ohne
   Nebenblättchen . . . PORTULACACEAE *)
  Kelch 5zählig; Blätter mit trockenhäutigen Ne-
   benbltch.; Keim randläufig PARONYCHIEAE *)

---

*) Bedeutet bei allen Fam., dass d. Kronbltt. bisweilen fehlen.

C

β Samen geflügelt.
Pflanzen mit Laubblättern PYROLACEAE} ₐ)
Pflanzen ohne Laubbltt. MONOTROPEAE} ')
•• Same einer, aus dem Grund des Fruchtknotens
. . . . PLUMBAGINEAE°°)
†† *Samenträger frei, mittenständig.* ,
Staubfäden 4, wechselständig mit der Blumen-
krone . . . . PLANTAGINEAE
Staubfäden 5 vor den Kronblättern . . . .
. . . . PRIMULACEAE °°°)
B. Fruchtknoten minderzählig.
a) *Blätter spiralständig.*
† *Fruchtknoten vereinigt-zusammengesetzt.*
° Keim ohne Eyweiss.
Blume trichter- oder glockenförmig; Stengel
meist windend . . CONVOLVULACEAE
°° Keim mit Eyweiss.
α Fruchtknoten 2—3fächerig.
Narben getheilt . . . . POLEMONIACEAE
Narbe ungetheilt; Fruchtblätter schief nach hin-
ten u. vorn stehend . . . SOLANACEAE
β Fruchtknoten 1fächerig HYDROPHYLLEAE
†† *Fruchtknoten 2 od. 4theilig bei der Reife*
in eben so viele nussartige Früchte zerfal-
lend . . . . BORAGINEAE
b) *Blätter gegenständig.*
† *Stempel nur an d. Narben verwachsen.*
Staubbeutel an der Narbe sitzend; Samenstaub
in keulenförmige paarweise Bällchen vereinigt . . . . ASCLEPIADEAE
Staubbeutel an Fäden, welche auf der Blumenkrone stehen . . . . . . APOCYNEAE
†† *Narben frei; Fruchtknoten verwachsen.*
° Krautartige Pflanzen; Blumenkrone beim Wel-
ken stehen bleibend; Staubfäden meist 5 (oft
aber auch 4 od. 7) . . . . GENTIANEAE

---

*) Die Blumenkrone ist meist freiblätterig.
**) Die Blumenkrone ist oft freiblätterig.
***) Randständige Staubfd: Samolus, keine Blumenkr.: Glaux.

ᶜᵒ Holzgewächse; Staubfäden 2; Blumenkrone
bisweilen fehlend (bisw. freiblätterig).
Fruchtfächer 2eyig . . . OLEACEAE ⁂
Fruchtfächer 1eyig, Ey aufrecht JASMINEAE
2. Blumeukrone ungleichmässig.
A. Fruchtknoten vereinigt.
a) *Einfächerig.*
† *Blüthenstand kopfförmig;* Staubfäden 4 . .
. . . . GLOBULARIEAE
†† *Blüthenstand traubig od. ührenförmig.*
Samenträger frei, mittenständig; Staubfäden 2
. . . . LENTIBULARIEAE
Samenträger wandständig; Staubfd. 4, wovon
2 länger; Pflanze ohne Laubblätter . . .
. . . . OROBANCHEAE
b) *Zweifächerig.*
† *Samen zahlreich,*
ᵉ Ohne Eyweiss.
ᵅ Staubbeutel 5 . . . . . . VERBASCEAE
β Staubbeutel 4,
am Grund mit einem Anhängsel . . . . .
. . . . RHINANTHACEAE⎰ ⸰)
ohne Anhängsel . . . ANTIRRHINEAE⎱
** Mit Eyweiss, geflügelt . . BIGNONIACEAE
†† *Samen* 4 . . . . . . VERBENACEAE
B. Fruchtknoten getrennt in 4 je einsa-
mige Fächer.
Bltt. gegenständig; Staubfäden 4, wovon meist
2 länger . . . . LABIATAE

Ordnung 2. Randständige.

1. Staubfäden frei.
A. Staubbeutel getrennt, frei.
a) *Blätter zu 4—8 quirlständig;* Frkn. 2thei-
theilig, je 1samig. . . . . STELLATAE
b) *Blätter paarweise gegenständig.*
ᵉ Fruchtknoten 1fächerig.
Staubbeutel gleichzählig, vor d. Blmbltt. (Schma-
rotzerpflanzen) . . . LORANTHACEAE

───────────────

*) Bilden bei Manchen die Familie der Scrophularineae.

Staubbeutel minderzählig (5:4) wechselstän-
dig; Blüthenstand kopfförmig mit allgemeiner
Hülle . . . . DIPSACEAE
** Fruchtknoten 3fächerig, je 1eyig; Fr. einsa-
mig; Blume 5zählig; Staubfäden 1—3; Blüthen-
stand verzweigt.
Kräuter . . . . VALERIANEAE
*** Fruchtknoten 2—5fächerig, je 2eyig.
Holzgewächse . . . CAPRIFOLIACEAE
c) *Blätter wechselständig.*
Staubfäden 5 ohne Anhängsel (Kräuter) . .
. . . . CAMPANULACEAE
Staubfäden 8—10, an der Spitze mit einem
Schnabel (Holzgewächse) . VACCINIEAE
B. Staubbeutel verwachsen.
Frkn. 3fächerig, mehrsamig Campanulaceae
Frkn. einfächerig, 1samig: Blthstd. kopfförmig,
in allgem. Hülle; Kelch haarfein oder fehlend
. . . . COMPOSITAE
2. Staubfäden in eine Säule verwachsen.
Staubbeutel ebenfalls verwachsen oder hin und
hergebogen (eingeschlechtige Kräuter) . . .
. . . . CUCURBITACEAE

Classe 3. **Kronenlose.**

Ordnung 1. Fruchtsamige.
1. Zweigeschlechtige.
A. Keim gebogen.
a) *Keim ringförmig um das Eyweiss herum-
gebogen.*
† *Blume röhrenförmig.*
am Rand deutlich kronenartig, am untern
Theil verhärtend eine Scheinfrucht bildend;
Staubfäden 5; Griffel 1 . NYCTAGINEAE
am Rand ohne kronenartige Bildung; Staubfd.
meist 10; Griffel 2; Blätter gegenständig .
. . . . SCLERANTHEAE
†† *Blume freiblttr.; Stbfd. vor deren Theilen.*
Blume krautig; Blätter ohne Nebenblättchen .
. . . . CHENOPODIEAE

101

Blume trocken, mit Deckbltt.: Blätter mit Nebenblättchen . . . . AMARANTACEAE
b) *Keim seitlich, gebogen;* Blume zart oder
krautig; Nebenbltt. röhreuf. verwachsen, sten-
gelumfassend . . . . . POLYGONEAE*)
B. Keim gerade.
a) *Fruchtknoten oberständig, frei einfächerig;*
Blume röhrenf; Beutel mit Spalten geöffnet.
† Holzgewächse.
Blume abfallend; Keimwürzelch. oben; Staub-
fäden doppelzählig . . . THYMELEAE
Blume bleibend; Keimwürzelch. unten; Staub-
fäden gleichzählig . . . ELAEAGNEAE
†† Kräuter; Frkn. 1—2; Bltt. mit Nebenblättern
. . . . SANGUISORBEAE **)
b) *Fruchtknoten unterständig.*
Drei—6fächerig; Samenträger winkelständig;
Keim sehr klein; Staubbeutel 6—12 . . .
. . . . ARISTOLOCHIEAE
Einfächerig; Stbfd. 4 oder 5 an d. Blm.; Bltt.
wechselstd.; Samenträger mittelständig, frei
. . . . SANTALACEAE
Staubf. 1; Bltt. in Quirlen HIPPURIDEAE***)
2. Getrenntgeschlechtige.
A. Fruchtknoten einfächerig.
a) *Wenigsamig.*
† *Keim aufrecht.*
° Männlicher Blüthenstand ährenförmig; Frkn.
mit d. Blume verwachsen; Same ohne Eyweiss
. . . . JUGLANDEAE
°° Männlicher Blüthenstand ästig; Fruchtkn. frei;
Same mit Eyweiss,
Keim gerade. . . . . . . URTICEAE
Keim gebogen . . . . Cannabineae
°°° Blüthenstand einzelnblüthig oder büschelf.
(Schmarotzerpflanze) . (Loranthaceae)
†† *Keim hängend,*

_____

*) Bisweilen eingeschlechtig.
) Gehören eigentlich zu den Rosaceen; *) ebenso zu
den Onagreen.

^a gebogen, in einem Eyweiss . . M o r e a e
** gerade, ohne Eyweiss,
Wasserpflanzen mit quirlständigen walzlichen
gabelspaltigen Bltt. CERATOPHYLLEAE
Krautige Landpfl. mit wechselstd. flachen ge-
lappten Blättern . . AMBROSIACEAE*)
Baum; Nebenbltt. verwachsen PLATANEAE
b) *Vielsamig*; *Same haarig*; *Samenträger*
seitlich . . . . SALICINEAE
B. F r u c h t k n o t e n 2- u n d m e h r f ä c h e r i g,
a) *von einer mehr od. weniger verwachsenen*
Hülle umgeben . . . . . CUPULIFERAE
b) *frei oder am Grund nur von Schuppen*
umgeben.
† *Eyweiss fehlend.*
Blthstd. ährenförmig, 2häusig BETULACEAE
Blthstd. doldenförmig, 1häusig ULMACEAE
†† *Eyweiss fleischig;*
Fruchtkn. 3theilig; Blüthenhülle becherförmig
. . . . EUPHORBIACEAE
Fruchtkn. 4theilig, mit 2 Narben; Stbfd. 1—2.
Wasserpflanzen mit gegenständigen Blättern
. . . . CALLITRICHINEAE

Ordnung 2. N a c k t s a m i g e,
Blumenkrone nicht vorhanden; Blätter nadel- od.
schuppenförmig; Blüthenstand dicht ährenförmig
. . . . CONIFERAE

Ein - Keimblatt - Pflanzen.

Classe 4. **Kronblumige.**

Ordnung 1. U n t e r s t ä n d i g e.

1. F r u c h t k n o t e n n i c h t v e r b u n d e n,
A. z a h l r e i c h (6 — 9 — 100) m i t f r e i e n Grffl.
Fruchtknoten viele, je 1samig . ALISMACEAE
Fruchtkn. 6, quirlständig, vielsamig BUTOMEAE

---

*) Gehören nach andern Rücksichten nahe zu den Compositen.

CV

B. wenige, 3 (selten 6 u. dann 1samig u. ohne
Griffel).

Samen wenige, 1—2 . . . JUNCAGINEAE
Samen zahlreich . . . COLCHICACEAE

2. Fruchtknoten verbunden.
A. Blume gleichartig.
a) Saftig-zart.
† Narben auf den Griffeltheilungen.
Staubbeutel 6 (4 od. 8), nach innen geöffnet;
Frucht beerenartig . . . ASPARAGEAE
†† Narben sitzend (od. wen. getheilt) LILIACEAE
b) trocken; Staubfäden 6 (od. 3 nur des innern
Kreises); Bltt. fadenf. od. fehlend JUNCACEAE
B. Blume ungleichartig (Kelch und Krone)
. . . . COMMELYNACEAE

Ordnung 2. Randständige.

1. Blüthen zweigeschlechtig.
A. Staubfäden wenige (1—2).
Same mit Eyweiss; Samenträger winkelständig;
Staubbeutel 1, einfächerig; Blätter querrippig
. . . . MARANTACEAE
Same ohne Eyweiss; Samenträger wandständig;
Staubbeutel 1 oder 2, je 2fächerig; Blätter
längsrippig . . . . . . ORCHIDEAE
B. Staubfäden gleich- oder halbzählig.
Staubbeutel 3, nach aussen geöffnet, vor den
äusseren Blumenbltt. Bltt. schwertf. IRIDEAE
Staubbeutel 6, nach innen oder seitswärts ge-
öffnet; Blätter flach gegen die Axe; Stock
meist scheibenf. (Zwiebel) AMARYLLIDEAE

2. Blüthen eingeschlechtig.
Staubfäden viele (9); Blume ungleichartig; Wasserpflanzen . . . . HYDROCHARIDEAE
Staubfäden 6; Blume gleichartig (Blätter netzrippig); Landpflanzen . . . DIOSCOREAE

Classe 5. **Spreublumige.**

Ordnung 1. Eyweisssamige.
(meist Landpflanzen).

1. Fruchtknoten 1eyig.
A. Keimwürzelchen nach unten.
Keim seitlich am Samen; Blumenblätter 2 — 3,
schuppenförmig, sehr zart u. klein; Staubfd.
meist 3; Narben 2; Deckblttch. meist 2; Blätter
2zeilig, mit offenen Scheiden; Stengel knotig
. . . . GRAMINEAE
Keim innerlich an der Spitze d. Samens; Stbfd.
3 od. 2; Narben 3 od. 2; Blume borstenförmig,
oder ganz fehlend; Deckblttch. meist 1; (Blatt-
scheiden geschlossen) . . . CYPERACEAE
B. Keimwürzelchen nach oben; Blume
schuppenförmig od. vielfach haarfein zerschlitzt
. . . . TYPHACEAE
2. Fruchtknoten mehreyig.
A. Blume schuppenförmig 2- oder 3zäh-
lig; Bltt. parallel-rippig. Orontiaceae
B. Blume fehlend; Blüthenstand von ei-
ner allgemeinen Hülle umgeben.
Blätter ausgebreitet, bisweilen netzrippig . .
. . . . AROIDEAE
Blätter fehlend; Stock flach zusammengedrückt.
(Wasserpflanzen) . . . . LEMNACEAE

Ordnung 2. Eyweisslose (Wasserpflanzen).
Blüthendecke einfach oder fehlend.
Blüthenstand ährenförmig, zweigeschlechtig, nicht
umscheidet; Staubfäden 4; Fruchtknoten meist 4,
getrennt . . . . POTAMEAE
Blüthenstand büschelig, eingeschlechtig; Staubfäden 1 . . . . NAJADEAE

---

*) Eine eigene Familie bei verschied. Autoren, wozu Acorus.

———➤8⟵———

I. Abtheilung.
Keimblatt-Pflanzen.
(Plantae cotyledoneae)
v. Phanerogamae.

I. Unterabtheilung.
Zweikeimblatt-Pflanzen.
(Plantae Dicotyledoneae.)

1. Classe **Freiblumenblätterige.**
(Eleutheropetalae, Dialypetalae oder Polypetalae auctorum.)

I. Unterclasse. Unterständige (od. axenständige) Staubfäden und Blumenblätter.

1. Familie. RANUNCULACEAE.

1. CLÉMATIS L. Waldrebe.

A. Stamm krautartig, aufrecht.
Kbltt. längl.-rund, zugespitzt; Bltt. einf. eyf.-lanzettl. . . . . **integrifolia** L. [1]
Kbltt. längl.-rund, abgest.; Bltt. gefied. **recta** L. [2]
B. Stamm holzig.
Fruchtgriffel langhaar.; Kbltt. längl.-rund, stumpf; Laubbltt. gefiedert, Blttch. grobsägezähnig od. gelappt. . . . . **Vitalba** L.

---

1. Hellviolett ♃ — 6 — 7. Fcht. Ws. (an d. untern Donau); auch Zierpfl. W. u. Abhg., im Gbsch am U. grösserer Fl. (Donau u. Main). 2. Weissgelbl. ♃ — 6—7. Trck. 3. Weissgelbl. ♄. 6—7. Hck. u. lichte W.

1

Fruchtgriffel nicht haarig . . **Viticella** L. ♄

2. ATRAGÉNE L. Alprebe.
Bltt. doppelt 3thl., Blttch. zugesp., sägez. **alpina** L. ⁴

3. THALÍCTRUM L. Wiesenraute.

A. Früchte flügelig-berippt, dreikantig;
Laubblättchen keilförmig, dreikerbig, am Grund
d. Stielchen nebenblattart. **aquilegifolium** L. ⁵
B. Früchte leistenförmig-berippt.
a) *Blüthstd. strauss-rispig. Blttch.
am Grunde verbreitert.*
† *Blättchenstiele auf d. Rückenseite kaum eckig-
kantig*
Blüthstd. straff, Stengel gerade, Blättch. mehrz.
Nebenbl. zurückgebog. **sylvaticum** Koch. ⁶
†† *Blättchenstiel unten eckig-kantig*
Nebenbltt. am Rand trocken, zurückgebogen;
Blüthstd. schläuglig; Stengel glänzend; Bltt. un-
ten sehr matt; Blttstielch. mit Nebenbl. Fr. klein,
8rippig . . . . **collinum** Wallr. ⁷
Nebenbltt. krautig, gerade vorgestreckt anliegend
Blüthstd. sparrig, Stgl. reihg, 'Blttch. u.-seits
blass, Blttstielch. ohne Nebenbltt. Fr. grösser
10 rippig . . . . **minus** L. ⁸
*) Th. minus, Jacquinianum K. u. majus Jacq.
werden vom Fr. Schultz in d. Flora d.
Pfalz vereinigt als Th. vulgatum.
b) *Blüthstd. eben straussf. od. trau-
big-rispig;*
Blätter am Grunde schmäler od. gleich breit.
† *Erdstock kriechend.*

h. Cult. Blauviolett. — ♄. Zierpfl.
aus Süd-Europa.
4. Violett. ♄. 6—8. Gbsch felsi-
ger Abhänge d. Alpen.
5. Weissl.-grün; Staubfd. rosenfb. ♃. — 5—6. Wldw. u. an
fcht. Gbsch (d. bayr. HchEbene
bis in d. Alp.).
6. = Th. minus d. Syn. ed. 1. =
Th. montanum Mert. u. K.
gelbl.-grün. ♃. 7—8. Auf fcht.

locker. Waldboden (hie u. da:
Pfalz).
7. = Th. Jacquinianum Koch-
Syn. = minus Jacq. — Gelbl.
♃. 6—7. — Hgl. u. trk. Trft.
8. = Th. montanum Wallr.; majus Jacq.; flexuosum Bernh.
Gelbl.-weiss. ♃. — 5—6. W.
u. Abhg. mit niederem Gebsch
(Muggeudorf, Windsheim).

Nebenblättch. fehlend, Blättchen gleichbreit (½
—1''') glänzd. Blüthstd. traub. **galioides** Nestl. 9
Nebenblttch. an d. Blttstielch. vorhanden; Blttch.
schmalkeilig, Blattstielch. wagrecht abstehend,
Stgl. niedrig, Blüthstd. ebenstraussf. Fr. eyf.
flavum L. 10
Zwischenform: unten dem vorhergehenden, oben
dem folgenden ähnlich . . (nigricans Jacq.). *
†† *Erdstock nicht kriechend.*
Nebenblttch. an d. Blattstielen fehlend. Blttch.-
stiele vorwärts gerichtet; Blttch. breit - keilig,
Scheiden flaum., Stgl. hoch. Blüthstd. ebenstraussf.
gebüschelt. Fr. ungleich, rückwürts gebogen
angustifolium Jacq. 11

4. ANEMÓNE L. Windröschen.

A. Griffel nach dem Verblühen nicht
schweifförmig verlängert.
   *a) Blumenhülle 3blätterich, un-
   getheilt sitzend; Blätter 3lap-
   pig, ganz-randig* . **hepatica** L. 12
 *b) Blumenhülle laubhblattförmig,
   gestielt.*
† *Blume weiss.*
   Aussen behaart; Stockbltt. strahlig, 5spaltig.
   Frkn. wollhaarig; Griffel unbehaart, Erdstock
   kurz . . . . **sylvestris** L. 13
   Aussen unbehaart, Stockbl. meist fehlend, Erdstock kriechend. Frkn. u. Griff unbehaart.
   Hüllbltt. lang gestielt . . . **nemorosa** L. 14
† *Blume gelb.* — Aussen etwas flaumig; Stock-

9.- = Th. Bauhinianum Wallr.;
nigricans DC. Röthl. - gelb ♃.
6—7. Auf Ws., Tf., Abhg.
(bayr. H.-Eb. u. Pfalz).
10. Weiss, Stbfd. gelb. ♃. 6—7.
Feht. Ws. in d. Nähe grösserer Fl.
* Bl. wie voriges. ♃. — 6—7.
Feht. Ws. u. Fl.Ufer.
11. Weiss, Stbfd. gelb. ♃. —

6—7. Fcht. Ws. in d. Alpengegenden u. deren Nähe.
12. = Hepaticatriloba DC. Himmelblau - röthlich. ♃. 3 — 4.
Gbsch, Ahg. u. W-rd. (der Ka.-
Gegenden).
13. Weiss (gross: 2 — 3''') ♃.
5—6. Gbach. u. an Ahg. (Ka.)
14. Weiss-röthl. (gross: 3/4''').
♃. 3 — 4. Fcht. Wldgbsch u.
Abhänge.

1 *

blttr. fehlend, Hüllblttr. kurz‑gestielt. Frkn.
flaumhaarig . . . . **ranunculoides** L. 15
c) *Blumenhülle sitzend, eingeschnitten. Blüthstd. doldig. Frkn. kahl.*
         narcissiflora L. 16
B. Griffel lang, nach dem Verblühen
schweifförmig verlängert.
Blumenhülle zerschlitzt‑vieltheilig, unten verwachsen, Bltt. strahlig 3—5 thlg., d. Lappen
am Umkr. stark gezahnt . . . **patens** L. 17
Bltt. einf. gefied. Blättch. eyf., 3z. **vernalis** L. 18
Bltt. doppelt fiederspltg., Blttch. lineal. zugesp.
         Pulsatilla L. 19

5. ADÓNIS L. Adonis.

A. Stock einjährig.
  K. behaart; Höcker am obern Rd. d. Fr. nahe
  am Schnabel, welcher 1 schwarze Spitze hat.
         flammea Jacq. 20
  K. kahl;
  Höcker am oberen Rd. d. Fr. aufwärtsgerich-
  tet, vom Schnabel weit abstehend u. dieser
  gleichfarbig . . . . . . **aestivalis** L. 21
  Höcker fehlend, Schnabel gerade vorgestreckt
         autumnalis L. h
B. Stock ausdauernd. — Blume 15—20 blätterig, die Stockblätter des Blüthenstengels schuppenförmig . . . . **vernalis** L. 22

---

15. Gelb. ♃. 4—5. Im Gbsch
lichter W. (bes. im Th.).
16. Weiss. ♃. 5—6. Alptrftbis
in d. Voralp.
17. Violett (offenstehend). ♃.—
4. steinige Haiden (München).
18. Aussen bläul., innen weiss.
♃. 4—5.— Tft. d. Alpen u.
Voralpen.
19. Violett. (Zipfel an d. Spitze
auswärts gebogen). ♃. 3—4.
Sonnige Hgl. (der. Kn.-F.)
20. Mennigroth. ☉ 6—7. Ak.

21. = A. miniata Jacq. = A.
flava Schldl. — Mennigroth,
varirt strohgelb. — ☉ 6—7.
Ak. (d. Ka. u. Th. F.).
h. Blutroth. ☉ Zierpfl. aus Ost-
Ind. (d. Angabe „bei Tischin-
gen“ von Schrk. scheint irrig.
22. Citronengelb. ♃. — 4—5.
(vor Ausbruch d. Blttr.) Auf
steinigen dürren Hügeln u.
Haiden d. KnF. (München, Re-
gensb., Windsheim in Menge).

6. MYOSÚRUS L. Mausschwänzchen.

Blätter lineal. nach ob. etw. breiter **minimus** L. 23

7. CERATOCÉPHALUS Mnch. Hornköpfchen.

Fr. am Rücken gefurcht, Schnabel gebogen (Bltt.
2 u. 3gabelspaltig) . , . . **falcatus** Prs. 24

8. RANÚNCULUS L. Hahnenfuss, Schmalzblume.

§. **Blüthen weiss. Honiggrube flach, un-
bedeckt.**
A. Wasserpflanzen.
a) Blätter alle nierenförmig, mit 3-5
ganzen stumpfen Lappen. Fr. querrunzlig.
hederaceus L. 25
*b) Die unteren Blätter haarfein zer-
theilt, die oberen lauhig.*
† *Zipfel sehr verlängert*, schmal, straff, keilig, fächerf. stehend . . . **fluitans** Lam. 26
†† *Zipfel insgesammt einen kreisf. Umriss
bildend.*
° Zipfel in einer Ebene gelegen, Blattstiel
sehr kurz . . **divaricatus** Schrk. 27
°° Zipfel nach verschiedenen Seiten hin gerichtet.
α) Blattscheiden der oberen Blätter mit dem
grösseren Theil ihrer Länge angewach-
senen Lappen. Laubbltt. 3lappig, Frchtkn.
20—40; innen stpf. gekielt **aquatilis** L. 28
varirt:
Obere Blätter herz-rund, Abschnitte 2kerbig
peltatus Schrk.
Obere Blätter am Grund abgestutzt *truncatus*

---

23. Blassgelb. ⊙5. Sand. Hd. u. 26. Wie voriger. ♃. 6—8. In
an R. Flüssen.
24. =Ranunculus...L. hellgelb. 27. = R. circinatus Sibth. = ri-
⊙. 3—4. Fld. u. Ak. Zw. Im gidus, Hoffm. D. Fl. Stehende
u. Donau bei Ulm. Wasser. Wie voriger. ♃. 6—8.
25. Weiss, am Grunde gelb. ♃. 28. = R. heterophyllus Wigg.
5—7. In rein. klar. B. (Pfalz). Wie voriger. ♃. 6—7. Stehende
u. fliessende Wasser.

Obere Blätter 5spaltig, mittlere Abschn. ohne
    Kerben . . . . *quinquelobus*
Laubbltt. 3theilig. Frbd. gekel-eyf., Frkn. 60—
    100, innen scharf gekielt **Baudotii**Godr.＊
β) Blattscheiden der oberen Blätter nur am
    unteren Drittheil angewachsen.
Früchte in eine Spitze endigend, meist bor-
    stig-haarig. Blumenbl. 2—3 mal länger
    als d. Kelch. Blätter tief 3theilig mit gez.
    Lappen . . . . **Petiverii**Koch. 29
c) *alle Blätter fadenfein zertheilt,*
haarfein zugespitzt.
Gestielt, nach allen Seiten abstehend, Stbfd.
    wenige . . . **paucistamineus** Tsch. 30
Gestielt, nach allen Seiten hin gerichtet, kurz,
    dick, abger-endig. Stbfd. 20—25. Fr. ku-
    gelig mit mittelst. Grffl **caespitosus** Thl.＊＊
B. Landpflanzen. Fr. oben u. unten mit 1 Kiel.
a) *Blätter wiederholt 3theilig; Sten-*
gel 1—3blüthig.
    K. haarig; Fr. mit gerad. Schnabel **glacialis**L. 31
    K. kahl; Fr. mit hack. Schnabel **alpestris**L. 32
b) *Blätter strahlig 3—7theilig ein-*
geschnitten; Stengel vielblüthig
              aconitifolius L. 33
  var. a) klein; Bltt. tiefgetheilt: minor.
      b) gross; Bltt. lappig: platanifolius L.
§§. Blumen gelb. Honiggrube mit dickem Rand
oder Schuppe.
A. Blätter ungetheilt.
  a) *am Grund in den Blattstiel ver-*
laufend.
    Die u. Bltt. lang gestielt, elliptisch bis lineal,

＊ Wie voriger. ♃. 6—7. In Gr.
des westl. Theils der Pfalz.
29. = R. tripartitus DC. Weiss.
♃. 6—8. Sthnd. u. flss. Wss.
30. = R. aquatilis var. pantho-
thrix. Koch Syn. ed. 1. = capillaceus. Weiss. ♃. 6—8.
Stehende Wasser.
＊＊ ♃. 6—8. In Gräben (Pfalz)
31. Grünl. oder rosenf.-weiss.

Kelch u. a. Thl. bräunl.-zot-
tig-haarig. ♃. 7—8. Am Geröll
u. bewässerten F. d. höchsten
Alpen.
32. Weiss. ♃. 6—7. An bewäss.
Abhg. u. im Geröll d. Alpen
bis in d. Voralp. u. nahe Ebene.
33. Weiss. (Pfl. gross, ästig).
♃. 5—8. Berg Lb.-Wld. (von
Franken bis in d. Alpen).

stumpflich, Stgl. an den Knoten gerade, Fr.
am Grund breit; Schnäbelchen sehr kurz,
stumpf . . . . **Flammula** L. 34
   var. mit kriechendem wurzelschlagenden
   Stengel.
Alle Bltt. elliptisch nach unt. u. o. schmal zu-
laufend, spitzig. Fr. am Grund verschmälert,
Schnabel ausgreifend . . . . **Lingua** L. 35
b) Blätter am Grund mehr od. w. herz f.
Bltt. herzf. rund, ausgeschweift-eckig. K. meist
3bltt. . . . . **Ficaria** L. 36
Bltt. einzeln, grundstd., breit nierenf., gekerbt,
K. 5bltt. . . . . **hybridus** Bir. 37
B. Blätter strahlig getheilt od. gelappt.
a) Früchte kahl u. eben.
  † *Blüthenstiel eben (nicht gefurcht).*
   ° Früchte sammet-h., Blattabschn. gekerbt.
    Fr-bd. flaumig . . . **auricomus** L. 38
   °° Früchte kahl.
    Fr-boden behaart. Schnabel d. Fr. kurz.
    Stockbltt. 3thlg. stumpf gez., eingeschn.
    Blüthen 1 — 2 . **montanus** Willd. 39
    Fruchtboden kahl.
    Schnabel der Fr. sehr kurz. Stockbltt.
    5thlg., mit 3thlg. zugesp. Abschn. Blthstd.
    vielblüthig. . . . . . . **acris** L. 40
    Schnabel der Fr. zieml. lang, gerollt.
    Stockbl. den Stglbltt. gleichf. mit breiten
    verkt. eyf. Abschn., je 3spaltig einge-
    schn., spitz gezahnt **lanuginosus** L. 41
†† *Blüthenstiel gefurcht.*
  ᵃ Kelch anliegend. Blüthenboden behaart.

---

34. Blassgelb. ♃. 6—8. Feuchte
Ws., am Rd. v. Grb. u. Smpf.
35. Hochgelb, grossblüthig (auch
im Wuchs bisw. 4′ hoch). ♃.
7—8. Rd. v. T. u. Fl.
36. = Ficaria ranunculoides Rth.
Hellgelb. ♃. 4. Fcht. Hck.,
Ws., W-rd.
37. = R. Thora β. L. Sattgelb.
1—2 blum'g (klein). ♃. Auf
d. Geröll u. d. F. d. Kalkalp.

38. = R. vernus Spenn. — Gelb
(die ersten Blüthen häufig ohne
Blumbl.). 4—5. Fcht. Gbsch,
Ws., Hck. u. s. w.
39. = R. nivalis Jacq. (non L.).
Gelb; auf d. Trift. d. Alpen u.
Voralpen.
40. Hellgelb. ♃. 5—7. Ws. u.
Tft. d. Ebene u. Geb.
41. Hellgelb. ♃. 5—7. In dichten
LbW. d. Gbg. u. Ebene.

Bltt. fächerf., die letzten Lappen lineal
polyanthemos L. 42
varirt mit längerem gerolltem Schnabel und
kleinem Wuchs . . **nemorosus** DC. 43
Bltt. 3zählig zusmgesetzt u. doppelt 3zählig.
Fr. vertieft punctiert, geradschnablig. Stock
mit Ausläufern. K. abstehend **repens** L. 44
°° Kelch herabgebogen. Stgl. ohne Auslf, am
Grund knollig verdickt. Bltt. 3zählig zusammengesetzt. Schnabel d. Fr. gebogen.
bulbosus L. 45
b) Früchte auf d. Seite uneben, runzlig
od. knotig od. dornig, der Rand glatt od.
ebenfalls dornig.
† *Fr. mit Schnabel.*
Fr. spitzig lang-geschnabelt, tief runzlig oder
scharf-warzig bis dornig, Blattabschn. spatelf.
arvensis L. 46
Fr. kurz aufrecht-geschnabelt mit kreisförmig
stehenden Knötchen. Kelch zurückgeschlagen.
Blätter tief 3theilig, Abschn. tief 2kerbig
Philonotis L. 47
†† *Fr. ohne Schnabel,* klein, Fr-boden walzenf.-
keglig. Blattabschn. (der unt. Bltt.) stumpf
sceleratus L. 48

     9. CÁLTHA L. Dotterblume.

Blätter herzf.-kreisrund, gekerbt **palustris** L. 49

     10. TRÓLLUIS L.

Blume kugelig zusammengeneigt. Blätter strahlig-
5spaltig mit zugesp. Abschn. **europaeus** L.50

---

42. Hellgelb. 2|. 5—7. W.u.WWs.
43. Hellgelb. 2|. 5—7. In BrgW.
44. Hellgelb. 2|. 5—7. Fcht. Ws.,
an Grb., W-rd. u. Sümpfen.
45. Hellgelb. grossbl. 2|. 5—7.
Tft., Hd., W-rd.
46. Blassgelb. ⊙ 5—7. Getraide-
felder u. Grt.
47. Hellgelb (d. Laub hellgrün).

2|. ⊙ 5. Saatfelder, an Gr b.
u. in Dörfern (hie ug. da).
48. Hellgelb (kleinblumi). ⊙ 6.
Grb., Smpf. u. Uf.
49. Hochgelb. 2|. 4—5. Auf fcht.
Ws., am Uf. d. Grb. u. Smpf.
50. Blassgelb bis röthl. über-
laufen. 2|. 5. Fcht. Ws. der
Berggegenden bis in d. Alpen
(hie u. da).

11. ERÁNTHIS Salisb.

Stockbltt. langgestielt, strahlig, 6—7spaltig mit
gleichbreiten Abschnitten . . **hyemalis** Sal. 51

12. HELLÉBORUS L. Niesswurz.

A. Blüthenstd. 1—3blumig.
Deckbltt. ganz, eyf. . . . . . . **niger** L. 52
Deckbltt. getheilt-spaltig, Stockbltt. mit erhabe-
nen Rippen.
Griffel gerade . . . . **viridis** L. 53
Griffel wagrecht zurückgebogen **odorus** WK. *
B. Blüthenstd. 5—20 blumig. — Stgl. bebltt.
Bltt. 7 — 9thlg., d. ob. kleiner als d. verbreiterte
Blattstiel. Deckbl. d. Aeste u. Blüthenstiele eyrund
foetidus L. 54

13. NIGÉLLA L. Schwarzkümmel.

A. Kapsel kahl..
Hülle aus schmal linealischen Bltt. bestehend
damascena L. h
Hülle fehlend . . . . **arvensis** L. 55
B. Kapsel drüsig-rauh, Hülle fehlend, Samen
querrunzlig . . . . **sativa** L. c

14. AQUILÉGIA L. Aklei.

Staubfd. viel länger als d. Blmbltt. Laubblttch.
tief 3spaltig . . . . **atrata** Koch. 56
Staubfd. nur wenig länger als d. Blmbltt. Laubblttch. 3lappig . . . . **vulgaris** L. 5

51.= Helleborus...L. Zitronen-
gelb. ♃. 3—4. Schtt. GbschW.
d. westl. Alp.
52. Weiss-röthlich. ♃. 12—3.
Ahg. d. Gbschw. d. Alp. u.
Voralpen.
53. Hellgrün. ♃. 3—4. Im Ge-
stein der Bergabh. (Ob.Bayern
u. Ob.Schwaben).
* Grün. ♃. 3—6. BgW. d. Voralpen (Salzbg.).
54. Grün. ♃. 3—6. Steinige Ahg.
d. Kalkberge (in Franken).

h Hellblau ☉ 6. Zierpfl. „Gret-
chen im Busch".
55. Blassblau. ☉ 7—9. Saatäcker
(d. Kn. u. Th. F.).
c Weiss. In einigen Gegenden
cultivirt u. in d.Santfeldern verwildert (Wertheim).
56. Braunpurpur (halb so gross
als d. folg.). ♃. 6—7. Stein.
Bg.W. am Fuss der Alpen.
57. Veilchenblau. ♃. 6—7. In
Bg.W. (d. Ka. u. Th. F.).

15. DELPHÍNIUM L. Rittersporn.

A. Fruchtknoten 1, Blumenbl. verwachsen, einjährig.

  a) Staubfd. spiralig stehend. Blattlappen fadenf.

    Blüthenstd. rispig . . . **Consolida** L. 58

  b) Staubfd. hinter einander in 5 Strahlen.

    Stgl. flaumhaarig, Blüthenst. wenig länger als
    d. Deckbltt. . . . . . **orientale** Gay. h'

    Stgl. kahl, Blüthenst. viel länger als d. Deck
    blatt . . . . **Ajacis** L.h''

B. Fruchtkn. 3. Blumenblatt frei. Ausdauernd.

    Blüthenst. 3—5mal so lg. als d. Deckbl. Vor
    dere Blumenbl. einwärts gebogen, ganzrandig
                grandiflorum L.h'''

    Blüthenst. 2mal so lg. als d. Deckbl. Vordere
    Blumbl. am Rand gespalten . **elatum** L.h''''

16. ACONÍTUM L. Eisenhut.

A. Blume blau.

  a) Junge Frucht gerade vorstehend.

    † *Nectarien gerade.* Helm oben aufgeblasen
    (derb), Schnabel vorstehend, Stirnlinie stark
    ausgebogen . . . . **variegatum** L.

    †† *Nectarien gebogen.*
    Helm zusammengedrückt (zart)., Stirnlinie 59
    schwach ausgebogen   C a m m a r u m Jacq.
    Helm mit ausgebogener Stirnlinie v. langem
    Schnabel. Fr.rippiggeflüg. **cernuum** Wulf. 60

  *b) Junge Früchte nickend (zu 5), am
  Rücken gewölbt, Samen höckerig.*

58. Hellblau. ☉ 6—3. Getraidfelder.
h' Blau. ☉ Zierpfl. a. d. Orient.
Var. in Farbe.
h'' Blau. ☉ Zierpfl. a. Spanien
u. Griechenland. Var. in Farb.
h''' Meist blau. ♃. 6—7. Zierpfl.
aus Sibirien, var. mit geraderem Wuchs, buntfarbig u. spä
ter blühend = A. chinense F.

h'''' Blau. ♃. 6—7. Zierpfl. aus
d. Alpen.
59. Blauviolett, bisw. weiss od.
gesprengelt. ♃. 8. Abhg. d.
Gebirgs-B. u. feucht. Boden
(Fränk. Jura u. Alpen). Var.
Cammarum, in d. Alpen.
60. = A. paniculatum Lam. Blauviolett. ♃. 7—S. B. u. quell.
Abhg. d. Alpen.

† *Fr. zusammengeneigt*, Helm gerade aufsteigd,
Staubfd. wimperig . **Stoerkianum** Rchb. 61
†† *Frucht auseinanderstehend.* ·
Nectarium nach hinten knopfig.
Helm halbkreisf. Blüthenstiele kurz
neubergense Clus.
Helm schief, mit verläugertem Nacken; Blü-
thenstiele so lang als d. Blume; Blthstd.
schlaff, pyramidal . . pyramidale Mill. b
Helm halbkreisf. Blüthenstd. straff ährenf. 62
Staubfd. haarig . . , **Napellus** Dod. c
Nectarium nach hinten nicht knopf.
Helm halbkreisf. Staubfd. nicht haarig
Koelleanum Rchb. d
B. Blume gelb od. gelbgrün. Fr. 3., abste-
hend, Samen warzig . . **Lycoctonum** L. 63
var.
Helm kegelförmig . A. *Thelyphonum* Rchb.
Helm gleichbreit od. in d. Mitte enger
b. *Vulparia* Rchb.
„ „ grossblthg. c. *Mycoctonum* „

17. ACTÁEA L. Christophskraut.

Bltt. 3f., doppelfiedrig zusmgesetzt, Blttch. eyf.
sägez. . . . . **spicata** L. 64

18. PAEÓNIA L. Gicht- od. Pfingstrose.

Bltt. u.-seits matt; Blttch. ungeth. Frkn. zu 5.
corallina L. 65
Bltt. u.-seits heller aber glänzend; Blttch. 2—3splt.
Frkn. meist 2 . . . . . . **officinalis** L. h

61. Violett, bisw. scheckig. 4. 63. Gelbl. 4. 6—7. a) Schattige
6—8. Gebirgsws. d. Alpen u. UrgebirgsW. b) in den Kalk-
Voralpen; häufig in Gärten. alpen. c) im fränk. Jura.
62. Blauviolett. 4. 6—9. a) auf 64. Weiss. 4. 5—7. Gbsch. d.
den Alpen um die Sennhütten. BgW. (der Ka. u. Kl. F.).
b) 5 — 6. In niederen Gegen- 65. Rosenf. 4. 5. In d. Alpen,
den (Straubing, n. Rchb.). c) hie u. da (Reichenhall); auch
6—7. Auf d. Alpen um die Gartenpfl.
Sennhütten. d) 7—9. Auf d. h Purpurroth-bräunl.4. 5. Gar-
Alpen um die Sennhütten. tenpfl. aus d. südl. Europa.

2. Familie. BERBERIDEAE.

19. BÉRBERIS L. Sauerdorn.

Blätter verk.-eyf., wimperig-sägez. **vulgaris** L. 66

3. Familie. NYMPHAEACEAE.

20. NYMPHÁEA L. Seerose.

Lappen der Bltt. mit der Mittelrippe zieml. parallel (Mittelr. durchscheinend, auf d. Oberfläche nicht bemerklich), der Frkn. völlig mit Staubfd. besetzt . . . . **alba** L. 67

21. NÚPHAR Sm. Seemummel.

Lappen der Bltt. genährt (Mittelrippe undurchscheinend, auf d. Oberfl. erhaben), Narbenscheibe stets eingedrückt, Narben vor dem Rand aufhörend. Staubfd. lineal . . . . **luteum** Sm. 68

4. Familie. PAPAVERACEAE·

22. PAPÁVER L. Mohn.

A. Frucht rauhhaarig.
  a) Staubfd. pfriemenf. Fr. verkehrt eyrd. **alpinum** L. 69
  b) Staubfd. nach oben verbreitert.
    Fr. verlängert-keulenf., mit aufrecht stehenden Borsten besetzt . . . . **Argemone** L. 70
    Fr. eyrund, mit abstehenden gebogenen Borsten besetzt. . . . . . **hybridum** L. 71

---

66. Gelb. ♄. 5—7. GbschW. u. Hck. d. Berggegenden, häufig zn Hck. verpflanzt.
67. Weiss. ♃. 7—8. Stehende, seltner fliessende Wasser.
68 = Nymphaea...L. Gelb. ♃. 7—8. In stehendem u. oft in fliessendem Wasser.
69. Var. a) weiss = P. Burseri.

Var. b) schwefelgelb (beim Trocknen pommeranzenf.) ♃.
6. Auf d. Kies u. F. der höheren Alpen (Ka. u. Ki.F.).
70. Scharlachroth. ☉ 5. In Saatfeld., Grt., Schutth.
71. Dunkelscharlachroth. ☉ 5. In Getraidfld. (Rheinpfalz).

B. Frucht kahl.

a) Staubfäden pfriemenförmig.

Fr. verk.-eyrund, Kerben der Narben am
Rand herabgebogen . . . . **Rhoeas** L. 72
Fr. verk. eyf.-rundl. Kerben d. Narben gerade
Blm. meist 3zählig . . . . . **orlentale** h
var. a) mit angedrückten Haaren, u.
b) sehr niedrig.
Fr. keulenförmig, Kerben der Narben getrennt
dublum L. 73
var. kahl.

b) Staubfäden nach oben verbreitert.
Fr. fast kugelf. Blätter d. Stengel umfassend.
somniferum L. c

23. GLAUCIUM L. Hornmohn.
Bltt. länglrd., fiederthl. Fr. schotenförmig, borstig,
rauhhaarig . . . . **luteum** L. 74

24. CHELIDONIUM L. Schöllkraut.
Blthstd. doldig. Staubfd. oben verbreitert. Bltt.
fiederspaltig . . . . **majus** L. 75

HYPÉCOUM L.
Aeussere Blumbltt. ellipt., innere 3theilig. Bltt.
fiederthl. . . . . **pendulum** L. *

5. Familie. FUMARIACEAE.

25. CORÝDALIS DC. Hohlwurz.
A. Deckblättch. unzertheilt.
Stgl. mit 1 spreitelosen grundständigen Blattstiel
fabacea Prs. 76
Stgl. ohne jen. Blttst.,Stglkn. kuchenf. **cava** S.u.K. 77

---

72. Hellscharlachroth. ☉ 5. In
Getraidfld. u. Grtld.
h Scharlachroth. ♃. 6—7. Aus
Armenien, sehr gross, blau.
73 Hellscharlachroth. ☉ 5. In
Getraidfld. u. Grtld.
C Blasslila, roth u. weiss etc.
☉ 7—8. Als Oelpfl. angebaut
u. öfters verwildert.
74. Chelidonium corniculatum L.
Purpurroth. ☉ 7. In Getraide-
feld, hie u. da (Pfalz).

75. Gelb. ♃. 5. Hek., Mauern
u. s. w.
* Gelb. ☉ 6—7. Ak. Nur bei
Göllheim in d. Pfalz.
76. = Fumaria intermedia Ehrh.
Fum. bulbosa β. L. Grün-
röthl.♃.4—5.GbschW. (Mug-
gendf Gebirge, Nürnbg.).
77. = Fum. bulbosa L. Coryda-
lis tuberosa DC. Röthl. u.
weiss. ♃. 4—5. In GbschW.
u. Hek. (bes. d. Ka.F.).

14   FUMARIACEAE — CRUCIFERAE.

B. Deckblättch. fingerig zertheilt.
Stgl. mit 1 spreitelosen grundständigen Blattst.
Stglknolle walzig . . . . . **solida** Sm. 78

26. FUMARIA L. Erdrauch.

A. Frucht breiter als hoch, oben eingedrückt.
Kelchblttch. 3mal kürzer als d. Krone, u. breiter als d. Blüthenstiel . . **officinalis** L. 79
Kelchbl. halb so lang als d. Krone. elliptisch
zugespitzt. Blthstd. schlaff **capreolata** L. 80
B. Frucht kugelig, stumpf. Kelchblätter
schmäler als der Blüthenstiel
Vaillantii Lois. 81
C. Frucht kugelig, mit e. Spitzchen. Kelchbl.
so breit od. breiter als d. Blüthenstiel, so breit
als d. Krone . . . . . **parviflora** Lam. 82

6 Familie. CRUCIFERAE·

MATTHIOLA R. Br. Levkoje.

Blätter graufilzig . . . . . . **incana** R. Br. h
var. 1) einjährig; Bltt. etw. gezahnt; Schoten
walzig: *annua.*
2) ausdauernd; Bltt. ganzrandig; Schoten
zusammengedrückt: *perennis.*

27. CHEIRÁNTHUS L. Lackviole.

Bltt. langzettl., spitz, d. u. entf. gezahnt **Cheiri** L. 3

---

78. = Fum. bulbosa γ. L. Fum.
Halleri Willd. — Coryd. bul-
bosa DC. — C.digitata Pers.
Blasspurpur. ♃. 3 — 4. In
Gbsch. u. Hek., an Anh. (bes.
d. Ki.F.).
79. Rosenf. ☉ 5 — 6. Grtld. u.
Ak. (bes. Ka. u. Th.F.).
80. Gelb u. dunkelroth.☉6—7.
In Hck. (nur b. Nürnbg.).

81. Rosenf. ☉ 6 .. Ak. (bes. d.
Ka.F.).
82. Rosenf. ☉ 6.·. Grtld. (bes.
westl. Pfalz).
h = Cheiranthus...L. Levkoje,
roth u. a. F. Gartenpfl. aus
Italien u. Griechenland (auch.
M. fenestratis, viridis u. a.
werden gezogen).
83. Sattgelb. ♃. 5—6. Alte M.
(Rheinggd. u. Mainth.) Zierpfl.

28. NASTURTIUM R. Brw. Brunnenkresse.
A. Blume weiss.
Blttch. geschweift-randig, d. seitl. ellipt. d. endstd.
eyf. am Grund herzf. **officinale** R. Brw. 84
B. Blumen gelb.
a) *Blumenbltt. länger als der Kelch.*
† *Blätter sitzend, alle oder zum Theil ungetheilt.*
Am Grund gerade ansitzend. Fr. eyf.-kugel.
od. ellipt., ihr Stiel 2—3mal kürzer. Stock
wurzelnd, im Wasser röhrig
amphibium R. Brw. 85
Var. je nach d. Wassertiefe mit kammför-
mig-eingeschnittenen unteren Blättern:
variifolium DC.
†† *Blätter alle fiedertheilig.*
\$Fr. lineal, Stiel halb so lang; alle Blattab-
schnitte fiederig eingeschnitten, sägezähnig
sylvestre R. Brw. 86
Fr. elliptisch. Blattabschn. der Stengelbltt.
lineal., Stockbltt. mit rundl. Endblättchen
pyrenaicum DC. 87
*b) Blumenblätter klein, so lang als
d. Kelch.*
Fr. gedunsen lineal elliptisch. Endbltt. gross,
3fach eingesch. spitzkerbig **palustre** DC. 88

29. BARBARÉA R. Brw. Winterkresse.

A. Schoten abstehend gebogen, bei der
Reife gestreckt; Endabschn. d. Bltt. gezähnt-
eingeschnitten . . . . . . **arcuata** Rchb. 89
B. Schoten gerade.
a) Untere Blätter mit 7—9 Paar Fiederabschnit-

---

84. = Sisymbrium Nasturtium
L. Weiss (mit gelben Staubbeuteln). ♃. An rasch flies-
senden Wss. u. an klaren Q.
85. = Sisymbr... L. Gelb. ♃.
5—7. Grb., Sümpfe, T.u.Fl.-U.
86. Sisymbr.... L. Hellgelb. ♃.
6—7. Grb., fcht. Wswg. u. s.w.
87. = Sisymbr.... L. Gelb. ♃.

5—6. Sandige Grb. u. Bgws.
nächst d. Alpenk. (in einzeln.
Standorten, aber da in Menge).
88. Sisymbrium... Leyss. Gelb.
⊙ 6.... Fcht. Ak. mit Sandboden, um Pfützen, a. Flüf.
89. = Barb. vulgaris α M.u.K.
u. A. Gelb. ⊙ 4—7. Feucht.
Grb., Hd. u. s. w.

ten, Schoten 7 — 8mal so lang als d. Fr.-Stiel,
ziemlich dick . . . . . **praeeox** R. Brw. [90]
b) Untere Blätter mit 2—4 Paar Fiederabschnitten.
Blthstd. abstehend, ästig. Reife Fr. abstehend
aufr. Blumen ansehnlich **vulgaris** R.Brw. [91]
Blthstd. aufr., wenig ästig. Reife Fr. straff
angedrückt. Blume klein u. Fiederabschn. d.
Bltt. sehr klein . . . . . **stricta** Andrz. [92]

30. TURRÍTIS L. Thurmkraut.

U. Bltt. gezähnt, von 3zinkigen Haaren rauh, obere
Bl. ganzrandig glatt (graugrün), herz-pfeilf. sten-
gelumfass.. Fr. aufrecht sehr schmal. **glabra** L. [93]

31. ÁRABIS L. Gänsekraut.

A. Samen ohne oder mit sehr schmalem
Rand umgeben.
*a) Blätter mit herzförmigem Grund
sitzend, stengelumfassend.*
† *Blätter und Stengel kahl.*
Bltt. elliptisch, d. unt. gestielt, schwach ge-
zahnt, d. ob. ganzrandig, Blthstd. wenigblüth.
brassicaeformis Wallr. [94]
†† *Blätter rauh flaumhaarig.*
° Schoten abstehend:
Ohne Rippe; Bltt. alle grobzg. Stock am
Grund ästig . . . . . . **alpina** L. [95]
Mit 3 Rippen; arm- u. kleinblätterig; Stock
einfach (Stgl. oft röthl.) **auriculata** Lam. [96]

90. Gelb. ☉ 4—5. Uf. u. fcht.
Wd. (Im Gebiet bisher nur
in d. westl. Gegenden d. Nahe-
thals gefunden.)
91. = Erysimum Barbarea L.
Gelb. ☉ 4—7. Verschd. fcht.
Standorte, Wg., Ws., Hck. u.
Dämme.
92. Gelb. ☉ 4—5. Fcht. Ws.,
U.dämme u. s. w. (Bisher im
Gebiet nur bei Erlangen u. in
d. Nahegegenden bekannt;
wohl sonst auch vorhanden.)

93. Blassgelb, ☉ 5—7. Sonnige
Ahg. in Gbsch.
94. = Brassica alpina L. Weiss.
♃. 5—6. Gbsch. d. Bgabhg., hie
u. da (bisher nur in d. Pfalz
u. U.Franken).
95. Weisslich. ♃. 5. Fels. u. fcht.
Ahg. d. Alpen u. a. höherem
Gbg. d. Alpen u. a. höherem
Gbg. (z. B. fränk. Jura bei
Muggendorf).
96- = A. patula Wallr. Weiss.
☉ 4—5. Fels. Brgabhg. (Rheinpfalz).

°° Schoten aufrecht angedrückt.
  Oehrchen d. Bltt. angedrückt, Stglbltt. halb
  angedrkt, Haare angedrkt, Stockbltt. wenige, Schote schmal perlschnurf. (Pfl. kleiner als d. folgende) . **Gerardi** Bess. 97
  Oehrchen abstehend, lang, Stglbltt. am Grund
  verbreitert stark-gezähnt, Stockbltt. viele.
  Schoten angedrkt. Samen schwach punctirt
  (Pfl. 1'/₂') . . . . . **sagittata** DC. 98
  Oehrchen abgestutzt, abstehend. Schote mit
  deutl. Rippen; Same eyrund gross, ohne
  Puncte (Pfl. hoch) . . **hirsuta** Scop. 99
  var. mit sehr langen Schoten u. längl.-rd.
  Samen u. glatteren Bltt.: glastifolia.
b) *Blätter sitzend, aber nicht sten-
  gelumfassend* (kleine Pflz. 4—9'').
  † *Stengel kahl oder nur unten behaart.*
  Obere Stglbltt. mit verschmäl. abgerund. Grund
  sitzd; Fr. absthd. S. ungeflglt **ciliata** R.Brw. 100
  Obere Stglbltt. längl.-lineal, untere spatelf.,
  4zähnig mit schmalen Endlpp. Fr. weit abst.,
  Samen etwas flügelrandig **petraea** Lam. 101
  †† *Stengel flaumhaarig.*
  Stockbltt. 5—8—13-fiederzähnig, flach ausge-
  breitet, Endlappen in d. Zähne übergehend
                              arenosa Scop. 102
B. Same mit einem breiten häutigen Rand.
  a) *Stengelbltt. herzf.-umfassend.*
  Matt, flaumhaarig, Fr überhängd, Bltt. gesägt-
  zähnig (Pfl. sehr gross, 2—4') **Turrita** L. 103

---

97. = Ar. sagittata W. u. Grab.   101. = A. hispida L. fil. = A.
Weiss. ☉ 5—6. Ws., Wege,   Crantziana Ehrh. Cardamine
Dämme u. Wssgrb. (Rh.-pfalz)   petraea L. Weiss. ♃. 4—5.
98. = Ar. longisiliqua Wallr.   Auf (Kalk-) Felsen im fränk.
Weiss. ☉ 5—6. Felsg. Trft.,   Jura (Kellheim u. Muggend.).
Abhg. u. Raine (z. B. fränk.   102. = Sisymbrium ... L. Ro-
Jura: Muggendorf)   senf.-lila, bisw. weiss. ☉6—7.
99. = Turritis ... L. Weiss. ☉   Fcht. Sandbd. u. Abhg., sowie
6—7. Trockene Ws., Heck. u.   bewässerte Felsen in d. Alpen
Gebüschabhänge.   u. Hügelland.
100. = Turritis rupestris Hpp   103. Weiss-gelb. ☉5—6- Felsg.
— T. alpina L. (als glatt).   Abhg. u. Felsspalten (bisher
Weiss.☉6—7. Felsspalt. u. an   nur in d. Vogesen.)
stein. Abhg d. Alpen u.Voralp.

2

Glänzend, kahl. Bltt. entfernt gez., buchtig
bellidifolia Jacq. 104
*b) Stengelbltt. sitzend, nicht um-
fassend.*
Blm. weiss; Bltt. zerstreuthg ganzrd, Stockbltt.
ausgebreitet, klein . . . **pumila** Jacq. 105
Blm. blau; Stockbltt. aufrecht, noch kleiner
coerulea Hk. 106

32. CARDAMÍNE L.   Schaumkraut.

A. Blätter ungetheilt.
Stockbltt. rhombisch-eyf., langgestielt. Stglbltt.
ganz od. mit 2 Oehrchen . **alpina** Willd. 107
B. Blätter fiedertheilig.
*a) Blumenbltt. höchstens noch 1mal
so lang als der Kelch.*
† *Blattstiel am Grund mit Oehrchen.*
Stockbltt. einfach, lang-gestielt, eyf., Stgl.-
Bltt. 3theilig . . . **resedifolia** L. 108
Stockbltt. vielpaarig-fiedertheilig, Blmbltt.
sehr klein, bisw. fehlend **impatiens** L. 109
†† *Blattstiele am Grund ohne Oehrchen,
Stengel haarig.*
Stockbltt. zahlreich, Stengelbltt. wenige
hirsuta L. 110
Stockbltt. wenige, Stengelbltt. mehrere
sylvatica Lk. 111
b) Blmbltt. 3mal so lang als d. Kelch.
Stgl. eben-rund, Staubbtl gelb, Blth. röthlich,
Stengelblattzipfel lineal . **pratensis** L. 112
Stgl. riefig-rund, Staubbtl viol.,Blth. weiss, Stgl.-
blttzipf. längl.-eyf., wellig-rand. **amara** L. 113

---

104. Cardamine...L. Weiss. ⚇.
 6—7. Feuchte Alpentriften.
105. Weiss. ⚇. 6—7. Felsen u.
 Geröllabhänge d. Alpen.
106. Blassblau. ⚇. 7—8. Geröllabhänge d. höchsten Alpen
 an d. Schneegrenze.
107. Weiss. ⚇. 7—8. Bewäss.
 Fls. u. Abhg. d. höchst. Alp.
108. Weiss. ⚇. 7—8. An Bchl.
 u. Felsenklüften d. Alpenwäld.

109. Weiss-gelb.⊙5—6. Waldbäche u. Bergwälder (bes. d.
 Th. F.).
110. Weiss. ⊙ 4—6. Fcht. R.
 mit Gbsch, Grtld., Weinbg.
111. = C. hirsuta β. M. u. K.
 Weiss. ⊙ 4—6. Fcht. Wldpl.
112. Hell-lila, bisw. weiss. ⚇.
 4—5. Fcht. Feld- u. Waldws.
113. Weiss. ⚇. 4—5. Bächl. u.
 Fl.-Uf. u. im Wasser selbst.

C. Blätter 3theilig.
Stgl. einblttr., mit Ausläufern . **trifolia** L. 114

33. DENTARIA L. Zahnwurzel.
A. Blätter strahlig getheilt.
Blm. gelb, Stbfd. so lg. als d. Blmbltt., Laubbltt.
wirtelständig zu 3 . . **enneaphyila** L. 115
Blm. lila. Stbfd. kaum halb so lg. als d. Blmbltt.
Laubbltt. spiralig stehend **digitata** Lam. 116
B. Blätter fiedertheilig, Blumen blass-
roth.
Bltt. wenige, alle zusammengesetzt. Blm. gross.
pinnata Lam. 117
Bltt. viele, mehrere der ob. 1f., meist mit Knol-
len in d. Achseln. Blm. klein **bulbifera** L. 118

a) HÉSPERIS L. Nachtviole.
Blmbltt. sehr stumpf verk.-eyf. Schoten walzl. Lbbltt.
ey-lanzettf. zugesp., gezähnt **matronalis** L.

34. SISYMBRIUM L. Rauke.
A. Blume gelb. Schote pfriemenf. zuge-
spitzt, eckig, an den. Stgl. angedrückt.
Bltt. lappig-fiedertheilig . **officinale** Scop. 119
B. Blume weiss od. weiss-gelb, Schote
rund.
a) Blätter einfach fiedertheilig.
Bltt. u. Stgl. glatt, dickl., spitz-gezähnt, End-
lpp. breit. Schoten sehr viele, Stiele dickl.
Klappen 3rippig . **austriacum** Jacq. 120

---

114. **Weiss.** Bltt. auf d. untern
Seite röthl. ♃. 5—6. Wldsmpf.
u. Bächl. d. Alpenwälder.
115. **Weiss od. gelbl.-weiss.** ♃.
4—5. Berglaubwälder u. grasreiche Gbsch-Abhg. höherer
Berge u. d. Alpen.
116. **Rosenf.** ♃. 5—6. Wälder
d. Berggegenden u. Alpen.
117. **Weiss oder lila.** ♃. 4—5.
Bergwälder, bis in d. Alpen.
118. **Blassrosenf.** ♃. 4—5. Lock.
Waldboden (fränk. Jura : Hesselberg).

h = H. inodora...L u. H matro
nalis L. Zierpfl. aus Süd-Europa: „Weisser Veil", auch
Lila. ♃. (nach Schrk. bei Etthal wild).
119. = Erysimum . . L. Gelb,
kleinblm. ☉ 6—8. An Wegen,
Schutt, in Dörfern.
120. = Sis. multisiliqnosum
Hoffm. Gelb. ☉ 5—6. Felsige
Abhänge (bei Kellheim an d.
Donau, bei Würzbg., am Rhein,
im Böhm. Wald).

2°

Bltt. u. Stgl. rauhhg, Endlapp. d. Stglbltt.
gross, pfeilf., zugespitzt, stark gezähnt.
Blthstd. ästig, anf. oben gewölbt. Schoten
einwärtsgebogen, Stiel dünn **Loeselii** L. 121
Bltt. haarig, schmal fiederth. Blthstd. wenig-
blthg., Schoten weit abstehend ohne Winkel
zum gleichdick. Stiel **pannonicum** Jacq. 122
b) *Blätter 3fach fiedertheilig.*
Glatt, Blttabschn. schmal-lineal. Blumenbltt. so
lang od. kürzer als d. Kelch   **Sophia** L. 123
c) *Blätter ungetheilt.*
  a) *Blumen gelb.*
    Bltt. längl.-lanzettl. 1f., flaumhg., Kelch u.
    Fr. abstehend . . **strictissimum** L. 124
  b) *Blumen weiss.*
    Untere Bltt. nierenf. ausgeschweift-gekerbt,
    glatt. Schoten rund . **Alliaria** Scop. 125
    Untere Bltt. längl.-lanzettf., rückw. gezahnt,
    gabelhaarig . . . **Thalianum** Gaud. 126

35. ERÝSIMUM L. Hederich.

A. Blume gelb, Stengelbltt. sitzend, ohne
zu umfassen.
  a) *Stiel (der reifen Schote) ¹⁄₃ bis
    halb so lang als diese.*
    Bltt. längl.-lanzett. nach ob. u. unt. ver-
    schmälert, geschweift, schwach-gezähnt,
    3gablig, rauhhaarig (Blm. klein).
                 cheiranthoides L. 127
  b) *Stiel der Schote ¹⁄₆ u. weniger so
    lang als diese.*
    † *Blumenbltt. klein (nicht nochmal so lang
    als der Kelch).*
    Schote auf dicken Stielchen, sehr abstehend,

---

121. Gelb. ☉6—7. Schutt, Mr.,
    Gebäude u. felsige Abhänge.
122. Blassgelb. ☉ 5—6. Wege,
    Trft., Ackerränder (Rh.Pfalz).
123. Blassgelb. ☉ 5 ... Sandige
    Halden, Wege, Gebd., Mrn.
124. Gelb. ♃. 6—7. Gbsch, Fl.-Uf.
    (Würzburg u. von da abwärts).

125. = Erysimum... L. Weiss.
    ☉5. Gbsch., Wege u. Wld.-Rd.
126. = Arabis-.. L. ☉ Weiss.
    4u.10. Saatfelder, Hd. u.s.w.
    (in einzeln. Gegd. bes. häufig)
127. Gelb. ☉ 5. Trft., Saatfld.
    u. steinige Anschwemmungen
    der Flüsse.

oben in die Narbe verbreitert; untere Bltt.
fiederspaltig . . . . **repandum** L. 128
†† *Blumenbltt. gross.*
° Blätter nicht- oder schwach-gezähnt.
Mittlere Bltt. ganz-randig 7—9 ml so lang
als breit. Blm. hellgelb u. klein, Blmbltt.
stumpfrund . . . . **virgatum** Roth. 129
Untere Bltt. entfernt-gezähnt 5—6mal so lg.
als breit. Blm. grösser. Blmbltt. keilf.
strictum Fl. Wtt. 130
°° Blätter buchtig-gezähnt.
Narbe kopff. Schoten vom Rücken her zusammengedrückt. Bltt. reich eingeschntt.-
zähnig. Blm. blassgelb, geruchlos. Kelch
unten sackförmig **crepidifolium** Rchb. 131
Narbe 2lappig. Schoten v. d. Seite zusammengedrückt, mit 4 grünen Streifen. Bltt. weniger u. spitziger-zähnig als vorige; Blm.
sattgelb, wohlriechend **odoratum** Ehrh. 132
B. Blume weiss oder gelbl.-weiss, Blätter herzf.-umfassend,
Bltt. ellipt.-ganzrandig, Klappen d. Fr. 1ripp.
orientale R. Brw. 133

36. BRÁSSICA L. Kohl.

A. Untere Blätter sitzend, stengelumfassend.
Obere Bltt. am Grund nicht herzf. erweitert,
stets kahl; Blthstd. schon vor d. Aufbl. verlängert, Kelch stets aufrecht, Blmbltt. schmal,

---

128. Gelb. ⊙ 6—7. Saatfelder
(Frank. bei Würzburg, Winds-
heim etc.)
129. = Erys. longisiliquosum
Rchb. Gelb. ⊙ 6—7. Oede
Hügel u. Gbschabhänge (Fran-
ken u. Rheingegenden).
130. = Er. hieracifolium L. fl.
suec. u. Rchb. = E. virgatum
DC. Gelb. ⊙ 6—7. Mauern,
Schutt, Ufer (Maingebiet, von
Erlangen bis hinab).
131. = Er. hieracifolium L. brb.
DC. et alior. Schwefelgelb. ⊙

5—6. Felsige Abhänge (fränk.
Jura: Monheim, Hesselberg,
Muggendorf).
132. = Er. hieracifolium Jacq.
Er. strictum DC. Cheiranthus
erysimoides L. Er. lanceolatum Rchb. Er. sulphureum
Schrk. Hochgelb. ⊙ 6 — 7.
Kalkberge (fränk. Jura: Re-
gensb., Monheim, Muggendorf,
auch bei Würzburg).
133. = Brassica... L. — Con-
ringia... Andrz. ⊙ Weiss-
gelbl. Saatfelder, Abhänge.

hellgelb, Stbf. alle aufr., Schoten mit kurz.
dick. Schnabel, Samen braun. **oleracea** L. c'
Obere Bltt. mit herzf. Grund umfassend, mit
grossem Endlpp., sitzend. Blthstd. zur Blthz.
flach, d. offenen Blm. höher als d. ungeöffn.,
Kelch zuletzt sehr abstehend. Schote rund,
längsaderig, langgeschnäbelt. Same schwarz,
klein . . . . **Rapa** L. c''
Obere Bltt. nach d. Spitze verschmälert, aber
herzf.-sitzend, halbumfassend (jung, haarig)
Blthstd. erst beim Blühen verlängert, Kelch
zuletzt halb offen; d. kürz. Stbfd. gebogen
Schote holperig, zusammengedrückt, stumpf-
geschnäbelt . . . . **Napus** L. c'''
B. Alle Bltt. gestielt ohne herzf. Grund.
Obere Bltt. ganz-randig. Schote an den Stengel
angedrückt . . . . **nigra** Koch. 134

37. SINÁPIS L. Senf.

A. Blätter eyf. ungleich-gezähnt, d. un-

c' Kohl. Hauptvarietäten.
a) Staudenkohl (fruticosa)
Stengel ausdauernd, holzig;
Bltt. gestielt.
b) Kohl (acephala), Win-
terkohl, Blattkohl u. s. w.
Stengel 2jährig, markig.
Bltt. oben rosig beism.
c) Wirsig (sabauda, viri-
dis). Stengel nach oben
verdickt. Blätter locker,
kopfig, blasig.
d) Kraut (capitata), Stengel
nach oben verdickt, Bltt.
glatt, dicht - schliessend
glatt. (Butterkraut, Weiss-
kraut, Rothkraut, Kappis.)
e) Kohlrabe (caulorapa).
Stgl. oben kugelig, Bltt.
gestielt, ausgebreitet.
f) Blumenkohl (botrytis),
Bltt. lang, ganz, Blthstl.
fleischig.
Alle Arten als Gemüse viel-
fältig angebaut.
c'' =B. campestris Koch. D. fl.
et syn. ed. 1. Rübe. Hauptvarietäten

a) Wurzel dünn : oleifera.
α) einjährig Sommerrü-
benreps.
β) zweijährig: Winterrü-
benreps.
b) Wurzelfleisch.: rapifera.
α) länglich - rund, gross:
oblonga (d. Wasser-
rübe etc.).
β) scheibenf.: depressa,
Tellerrübe, Schwabenr.
γ) spindelförm., klein. Tel-
tower od. Jettinger R.
c''' Reps. = Br. campestris L.
(Schübl.). Br. Napus L. sp.
Varietäten.
a) Wurzel dünn, oleifera:
Kohlreps.
α) einjährig. Sommerkohl-
reps.
β) zweijährig. Winterkohl-
reps (Schnittkohl).
b) Wurzel fleischig in d. Stgl.
verlfnd: esculenta (Bo-
denrübe, Dorsche, Steckr.).
134.=Sinapis ...L. Gelb. ☉ 6—7
Fl.-Uf. (Main) n. unter d. Saat.

teren am Grunde geöhrt. Fr.-Klappen 3rippig
arvensis L. 135
B. Blätter fiedertheilig.
Klpp. d. Fr. 5ripp. Kelch ganz abstehd. **alba** L. 136
Klpp. d. Fr. 3ripp. K. aufr. **Cheiranthus** Koch. 137

38. ERUCÁSTRUM L. Schimp. u. Sp.
Blthstd. ganz ohne Deckbltt. Kelch wagrecht ab-
stehend. Blattabschnitte verhältnissmässig breit.
Blume gross . . . **obtusangulum** Rchb. 138
Blthstd. unten mit fiedertheil. Deckbltt. Kelch halb
offen. Blattabschnitte schmal, etwas zugespitzt.
Blume kleiner . . . . **Pollichii** Sch. u.Sp. 139

39. DIPLOTÁXIS DC.
A. Blüthenstiel noch 1mal so lang als
die Blume.
Blmbltt. eyf. mit kurzem Nagel. Eudlappen d.
Bltt. schmal . . . . **tenuifolia** DC. 140
B. Blüthenstiel so lang als die Blume.
Blmbltt. fast dreieckig-rundl. mit kurzem Nagel
muralis DC. 141
Blmbltt. längl.-rund in d. Nagel verschmälert,
nicht viel länger als d. Kelch **viminea** DC. 142

40. ALÝSSUM L. Steinkresse.
A. Blumen rein-gelb.
Blthstd. einfach endstd., sich verlängernd. Schötch.
einsamig. U.Bltt. ganz-randig **montanum** L. 143

135. Blassgelb. ⊙6—7. Aecker.
136. Gelb. ⊙ 6—7. Ak. u. Gbsch
d. Fl.-Uf. (z. B. am Main bei
Kitzingen).
137. = Brassica Cheiranthus Vill.
Br. Erucastrum Poll. Br. montana DC. fl. fr. — Gelb. ♃.
6—7. Sonnige Mauern u. Abhg.
Schutthaufen (Rheinthal).♃
138. Sisymbrium .... Schleich.
Sis. Erucastrum Vill- Zitronen-
gelb. ♃. 6—7. Sonnige Abhg.,
Dämme u. Mrn. (Rheingegend).
139. Er. inodorum Rchb. Sisymbr. Erucastrum Poll. Grün
gelbl. ♃. 6... Ack., Schutt,

Mauern, Fl.-Uf. (Rheingegend,
auch an d. Pegnitz gef.).
140. = Sisymbrium... L. Hellgelb. ♃. 6... Unbebaute Hgl.,
Strassen, Mauern (Rheinthal).
141. = Sisymbrium . L. Gelb.
⊙5.Ak. u. iu Grtld, au Zäu-
nen etc. (Rheinthal).
142. Sisymb....L. Sis. bre-
vicaule Wibl. Gelb. ⊙ 6—7
Ak. u. in Weinbg. (Rhein- u.
Mainthal).
143. Gelb. ♃. 5—6—7. F-spal-
ten, sonnige steinige Abhg. u
Sandhd. In d. Thäl. d. grös.
Flüsse: Rhein, bei Würzburg
u. Regensburg.

Blthstd. ästig, ebenstraussf. Schötchen 2samig
$\qquad$ **saxatile** L. 144
B. Blumen blass oder unrein-gelb, bald
weiss werdend, untere Bltt. buchtig.
Blthstd. ästig, reichblumig. Bltt. schmal. Kelch
abfallend, dieser u. d. Fr. grau (angedrückt
sternhaarig . . . . . **calycinum** L. 145

41. FARSETIA R. Brw.

Bltt. ellipt., in d. Blattstiel verschmälert, grau, angedrückt-haarig . . . . . **incana** R. Brw. 146

42. LUNÁRIA L. Mondviole.

Schötchen 3mal so lang als breit, zugesp., Same
nierenf. Bltt. in eine Spitze vorgezogen, grobzähnig . . . . **rediviva** L. 147
Schötchen 2mal so lang als breit, abgerundet. S.
herzförmig-rundl. . . . . . **biennis** Mnch. h

43. PETROCÁLLIS R. Brw.

Bltt. 3splt. mit lineal. Abschn. **pyrenaica** R.Brw. 148

44. DRABA L. Hungerblümchen.

A. Stock ausdauernd.
  *a) Blätter am Grund rosettenf., fest,
    starr - wimperig Blüthenstengel ohne
    Blätter. Blumen gelb.*
  † *Staubfd. halb so lang als d. Blumenbltt.*
    Laubbltt. lanzettf. nach unten verschmäl.
    Fr.-stiel so lg. als d. Sch. **Sauteri** Hopp. 149
    var. mit abstehd. Haaren am Blüthenstiel:
    $\qquad$ Spitzelii Hopp.
  †† *Staubfd. so lang als d. Blumenbltt.*

144. Gelb. ♃. u. ♄. 4—5. Fels. im fränk. Jura b. Muggendorf.
145. Weissgelb. ☉ 5... Triften, Abhänge u. Mauern.
146. = Alyssum... L.Berteroa.. DC. Weiss. ☉ 6—11. Abhg., Wege, Ackerränder.
147. = L. perennis Gml. fl. bad. Lila. ♃. 5—7 Schatt. Gebirgs-Wld. bis in d. Alpen; vom
schwäb. Jura bei Nördl. bis in d. fränk. bei Muggendorf.
h. Lila. ☉ 4—5. Zierpflanze a. dem Westen.
148 = Draba...L. Rosenf. - lila ♃. 6—7. Bewäss. Felsspalten der höchsten Alpen u. deren Geröllabhänge.
149. Gelb. ♃. 6—7. Felsen der höchsten Alpen (Watzmann). var. Spitzelii, a. d. Loferer Alp.

Laubbltt. gleich-breit. Fr.-stiele kürzer als die
Frucht . . . **Zahlbruckneri** Hopp. 150
Laubbltt. gleich-breit, gekielt, dicht- gedrängt
stehend. Griffel u. Fr.-stiel so lang als die
Breite der Frucht . . . . **aizoides** L. 151
var. 1) in all. Theilen grösser = D. affinis Host.
2) mit 2—3 mal so langem Griffel
= elongata Host.
*b) Bltt. am Grund rosettenf., weich,
flaumhaarig.* Blthstgl. mit einigen Bltt.
Blumen weiss.
† *Blüthenstengel (oben) u. Blattstiele kahl.
Frucht elliptisch-zugespitzt.*
Griffel doppelt so lang als er breit ist;
Stengelbltt. deutl. 3—5—7zähnig. Schoten
lanzettförmig **Traunsteineri** Hopp. 152
Griffel fast verschwindend-kurz. Stglbltt.
nicht 3zähnig. Schötch. länglr.-lanzettf.
Wahlenbergii Hartm. 153
var. 1) alle Bltt. auf d. Oberfl. kahl oder
spärl. 1f.-haar. fladnizensis Wulf.
2) ganz ohne Haare . laevigata Hpp.
3) die äusseren Bltt. kahl, d. inn. 1f.-
u. gabelhaarig . lapponica Willd.
†† *Blüthenstengel (oben) und Blüthenstiele
flaumhaarig.* Schötchen elliptisch - abgerundet.
Schötchen 1f.-haarig, breit-ellipt. Bltt. (gegen d. folgende Art) breiter, wollhaarig
tomentosa Whlbg. 154
Schötchen kahl, ellipt. Bltt. weniger haar.
frigida Saut. 155
B. Stock einjährig.

150. Gelb. ♃. 6—7.' Felsen der
höchsten Granitalpen (wohl
nur Var. d. vorhergehenden).
151. = D. ciliaris bei Schrk.
Hochgelb. ♃. 3—5. in d. Alp.
6 — 7. Fls. u. deren kurz bewachs. Abhg. in Gebirgsgegd.
bis in d. hchst. Alp. Var. 1 in
d. Alp., d. Var. 2 im frk. Jura.
152. Weiss. ♃. 7. Felsspalten
d. höchsten Alpen.

153. Weiss. ♃. 7. Felsspalt. d.
hchst. Alp. bis zur Schneegr.
Die Var. au einzelnen Wohnorten 1) in d. Loferer Alpen,
2) in d. Kitzbüchler Alpen.
154. Weiss. ♃. 7. Felsspalt. u.
stein. Abhg. d. hchst. Alpen
(Nebelsberg bei Lofer, Tännen
Geb.).
155. Weiss. ♃. 7. Fls. u. Stein-
abhg. d. höh. Alp. (Berchtesgd.

a) Ohne grundständige Blätter.
  Stgl. bebltt., mit eyf.-umfassenden Bltt. Fr.stiele
  wagrecht abstehend . . . **muralis** L. 156
b) Bltt. grundständig-gehäuft. Stengel nicht beblättert.
  Stockbltt. lanzettf. verschmälert, Schötchen
  lanzettförmig . . . . . . **verna** L. 157
  var. mit rundl. Schötch: . spathulata Lang.

45. COCHLEARIA L. Löffelkraut.

A. Samen höckerig. Frucht mit Längsrippe. Staubfäden gerade.
  Unt. Bltt. gestielt, breit, eyf., obere tief, herzf.-
  sitzend . . . . **officinalis** L. 158
B. Samen glatt. Frucht ohne Rippe, die längeren Staubfäden knieförmig.
  Untere Bltt. gedrängt stehend, 3—5zähnig-ge-
  lappt, mit rundl. stumpfen Endlappen; Blüthenstd. ohne Bltt.; Fr. birnf. **saxatilis** Lam. 159
  Untere Bltt. gestielt, herzf.-ellipt., gekerbt,
  obere fiedersplt. Fr. kugel. **Armoracia** L. 160

46. CAMELÍNA Crtz. Leindotter.

Mittlere Stglbltt. längl.-lanzettf., ganz-randig oder
  gezähnelt, am Grund pfeilf.; Frucht birnförmig,
  mit langem Griffel . . . . . **sativa** Crtz. 161
Mittlere Stglbltt. lineal bis längl.-rund, buchtig od.
  fiederig-gezähnt, nach unten sehr verschmälert.
  Fr. birnf. mit kurzem Griffel (Same nochmal so
  gross als bei d. vorhergeh Art) **dentata** Pers. 162

---

156. Weiss.⊙5—6. Gbschabhg.
manch, Berggegend., a. Ruin.
u. s. w. (Rh.-Pfalz u. Thüring.).
157. Weiss. ⊙ 3—4. Kurz bewachs. Anh., Haid. u. Ack.,
Gartenland u. s. w.
158. Weiss. ⊙ 5—6. Klare Q.
(im fränk. Jura bei Velden,
in Ob.-Bayern b. Burghausen).
159. = Myagrum . . . L. Kernera . .
Med. Weiss. ♃. 6—8. Nasse
Fls. u. fcht. stein. Abhg. der
Alpen, mit d. Flüssen in d.
Ebene geschwemmt.

160. = Armoracia rusticana fl.
Wett. Weiss. ♃. 6—7. Ver-
wildert auf fcht. Sandfld, wo
er in d. Nähe cultivirt wird
(z. B. zwisch. Nürnbg u. Forchheim) u. anderw. in Baumgrt.
„Meerrettig".
161. = Myagrum . . . L. Blassgelb.
⊙ 6—7. Trft., Brach- u. Saatfelder, bes. bei Sandboden.
162. = Myagrum sativum γ L.
Myagr. pinnatifidum Ehrh.;
Cochlearia foetida Schrk. Hellgelb. ⊙ 6—7. Saatfld., bes.
unter Lein (hie u. da).

47. SUBULARIA L.

Bltt. 1fach, pfriemenf., grundständig (Pfl. klein,
1—2½") . . . . aquatica L. 163

48. THLÁSPI L. Täschelkraut.

A. S|amen riefig od. grubig.
Samen bogenrippig. Schötch. gross arvense L. 164
Samen grubig, Schötchen klein alliaceum L. 165
B. Samen eben.
a) Stock einjährig.
Stgl. ästig, dessen Blätter grösser als d. we-
nigen grundständ.; Samen in jedem Fach zu 4
perfoliatum L. 166
b) Stock ausdauernd.
† Staubbeutel bald schwarzroth welkend.
Blumen klein.
Stock vielköpf.; Griffel kurz alpestre L. 167
†† Staubbeutel nicht schwarz.
Blthstd. verlängert, traubenf. Bltt. in einen
langen Stiel verschmälert. Fr.-fach 2eyig,
breit-geflügelt . — . montanum L. 168
Blthstd. ebenstraussf. Bltt. sehr kurz-gestielt,
fleischig. Frucht schmal-geflügelt
rotundifolium Gaud. 169

49. TEESDÁLIA R. Brw.

Blmbltt. ungleich-gross. Stockbltt. zahlreich-fiederlpp.
nudicaulis R. Brw. 170

50. IBERIS L. Bauernsenf.

Stock krautartig. Blätter keilf., auf beiden Seiten

163. Weiss. ☉ 6—7. Auf dem
Grund sandiger Teiche (bisher
nur bei Erlangen u. Ansbach).
164. Weiss- ⊙ 5. Saatfld., Gartenland, Schutt u. s. w.
165. Weiss. ⊖ 5—6. Saatfld. in
d. Alpenländ. (Berchtesgaden).
166. Weiss. ⊙ 4—5. Saatfelder
(d. Ka.- u. Th. F.)
167 = Thl. montanum Poll.
Weiss. ♃. 5—6. Felsspalten
u. bewachs. fels. Abgründe d.
Gebirge (Donnersberg).

168. Weiss. ♃. 5—6. Bergabhg.
(im fränk. Jura v. Nördlingen
u. Eichstädt bis Muggendorf).

169. = Iberis ... L. Noccaea...
Mnch.... Hutschinsia...R.Br.
Weiss. ♃. 7—8. Geröll d. Al-
pengipfel an d. Schneegrenze.

170. = Iberis ... L. Teesdalia
Iberis DC. Weiss. ☉ 4—5.
Sandige Trift., Saatfld., Hai-
den u. Waldränder.

2—3zähnig. Flügellappen d. Fr. gerade vorgestreckt, spitz . . . . **amara** L. 171

51. BISCUTELLA L.

Kelch am Grund ohne Sack. Stockbltt. keilf., ganz
od. sägezähnig . . . . . . **laevigata** L. 172
varirt glatt u. rauhhaarig, grobzähnig, gross-
früchtig u. s. w.

52. LEPÍDIUM L. Kresse.

A. Stglbltt. pfeilf.-stengelumfassend.
Schötchen dreieckig, am Grund herzf., nicht ausgebuchtet. Bltt. wellig-gezähnt **Draba** L. 173
Schötchen längl.-eyrund, oben eng ausgebuchtet,
geflügelt. Stenglbltt. reichlich kerbzähnig
                        campestre L. 174
B. Stengelbltt. nicht pfeilf.-stengelum-
fassend.
  *a) Stengelbltt. cy-lanzettf., ganz
   oder gezähnt.*
    Blthstd. gedrgt. Fr. ellipt. **latifolium** L. c
    var. krausblätterig u. breitblätterig.
  *b) Stengelbltt. lineal oder fieder-
   theilig.*
  † *Schötchen ohne Ausbuchtung, zugespitzt,*
    Blätter einfach. . **graminifolium** L. 175
†† *Schötchen am Ende mit einer Ausbuchtung.*
    Schötchen an d. Stgl. angedrückt. Blmbltt.
    länger als d. Kelch. Bltt. mehrf.-fieder-
    spaltig . . . . **sativum** L. c'
    Schötchen m. od. w. abstehend. Blmbltt.
    kürzer od. so lang als d. K., od. fehlend.
    Bltt. einf.-fiederspaltig . **ruderale** L. 176

---

171. Weiss. ⊙ 6... Ack. mit
Kalkboden (Rh.- u. Mainthal).
172. Gelb. ⚇ 6... Trft., stein.
Abhg., in d. Alpengegenden
u. deren Nähe.
173. = Cochlearia... L. Carda-
ria... Dsv. Weiss. ⚇. 5 — 6.
Dämme, Trft.,Wege (hle u.da).
174. = Thlaspi...L. Weiss. ⊙
6—7. Brachack., Grtld. u. s. w.

C. Weiss. ⚇. 6—7. Berge, um
Salzquellen (bish. nur b-Engen
in Württembg) sonst cultivirt.
175. Weiss. ⊙6—7. Unbebaute
Abhg., an Gebd., Wegen,Hck.
C'Weiss.⊙6—7.„Gartenkresse"
In Gärten u. v. da verwild. auf
Schutt.
176. Weiss. ⊙ 7 — 8. Mauern,
öde Trft., Schutt, an Wegen.

53. CAPSÉLLA Med. Täschelkraut.
Stockbltt. fiederlappig, Abschn. spitz., zähnig
Bursa pastoris Med. 177
var. 1) mit ganzrandigen Blättern, 2) mit buch-
tig-gezähnten, 3) mit fiedertheiligen
Bltt.; mit u. ohne Blumenbltt. u. bisweilen 10 Staubfäden.

54. HUTCHÍNSIA R. Brw. Alpenkresse.
(Blätter aller 3 Arten fiedertheilig).
A. Blüthenstengel beblättert u. ästig
petraea R. Brw. 178
B. Blüthenstengel ohne Blätter.
Aehrenförmig verlängert . . **alpina** R. Brw. 179
Ebenstraussförmig bleibend **brevicaulis** Hpp. 180

55. AETHIONÉMA R. Brw. Felsentäschel.
Bltt. keulenf. Schötchen ausgebuchtet mit gefalte-
tem Flügelrand . . . . **saxatile** R. Brw. 181

56. SENNEBIÉRA Pers. Krähenfuss.
Blätter fiedertheilig. Stiel d. Fr. kürzer als diese
Coronopus Pois. 182

57. ISÁTIS L. Waid.
Stengelbltt. pfeilf. umfassend-sitzend, am Grund
breit. Schötchen am Grund verschmälert
tinctoria L. 183
var. 1) mit schmal-keulenförmig-ausgebuchteten
Schoten . . . . **vulgaris**.

---

177. = Thlaspi…L. Weiss. ☉
3, 4 u. 11. Wege, Mrn, gebau-
tes Land u. s. w.
178 = Lepidium…L. Teesda-
lia… Rchb. Weiss. ☉ 4 — 5.
F. u. deren kahle Abhg., (d.
Ka. F.), in d. Alpen häufig.
aber auch in andern Gebirgen
(Rheinpfalz).
179. = Lepidium…L. Noccaea..
Rchb. Weiss. ♃. 7—9. Geröll
der Alpenbäche u. mit ihnen
in d. Ebene.
180. = Noccaea…Rchb. ♃. 7—8.

Rosenf.-lila. Nasse Geröllabhänge der Alpen.
181. = Thlaspi…L. Rosenf.
♃. 5—6. Geröll d. Kalkalpen
u. mit d. Plss. in d. Ebene.
182. = Cochlearia…L. Weiss.
(sehr klblm.). 7—8. Kurz begraste Trft., an Wegen, Dün-
gerstellen u. s. w. (hie u. da)
183. Gelb. ☉ 5 — 6. Sonnige
Abhg. d. Kalkberge, an Felsen
u. Mauern (im fränk. Jura
bei Nördlingen u. Regensburg).

2) mit keulenf.-schmalen oben ausgebuch-
   teten Schoten . . . . campestris.
3) mit eyf.-ellipt. Schoten . . praecox.

58. MÝAGRUM L. Hohldotter.

Stoekbltt. keilförm, ungleich-buchtig-gelappt, obere
pfeilf. umfassend-sitzend . perfoliatum L. 184

59. NÉSLIA L. Ackerdotter.

Stockbltt. lanzettf., meist ganzrandig, die Stglbltt.
zugesp., pfeilf. umfass. sitz. paniculata Dsv. 185

60. RAPISTRUM Boerh.

Endlappen der fiedertheiligen Bltt. eyförm., gross.
Fr.-stiel sehr lang, Fr. haarig rugosum All. 186
Endlappen der fiederlappigen Blätter dreieckig;
Fruchtstiel so lang als d. untere Glied d. glatten
Frucht . . . . perenne All. 187

61. RÁPHANUS L. Rettig.

Fr. walzenf., 4—6mal eingeschnürt mit sehr lau-
gem gleichbreitem Schnabel. Bltt. zunehmend
fiederlpp. mit eyf. Endlpp. Raphanistrum L. 188
Fr. aufgeblasen, 1 od. 2mal schwach eingeschnürt.
Bltt. fiedertheilig. Endlpp. fast kreisf. sativus L. c

7. Familie. CISTINEAE.

62. HELIÁNTHEMUM Tournf. Haideröslein.

A. Blumen weiss (Bltt. mit Nebenbltt.).
Bltt. lin.-ellipt., am Rd. zurückgerollt, o.-seits grau
ohne einzelne Haare, u.-seits sowie Stengel,
Blthstiel u. Kelch weiss-filzig polifolium L. 189
B. Blumen gelb.

---

184. Gelb. ☉ 5—6. Getraidfld. 188. Gelbl.-weiss. 6—7. Aecker.
(hie u. da).   C. Lila m t violetten Rippen. ☉
185. = Myagrum...L. Gelb. ☉   5—6. Cultivirt in vielen Abar-
6—7. Saat- u. Brachfelder.   ten „Rettig", bisw. zufällig
186. = Myagrum...L. Gelb. ☉ verwildert.
6—7. Saat- und Brachfelder 189. Weiss. ♃. 6—7. Sonnige
(Rhein- u. Mainthal).   Kalkhügel (an sehr vereinzelt.
187. = Myagrum...L. Gelb. ♃. Standorten, b.Würzburg u.bes.
6—7. Auf bebautem Boden.   bei Kuerdorf a. S.).

a) Blätter mit Nebenblättchen.
Bltt. mehr od. w. elliptisch **vulgare** Gärtn. 190
var. a) wollhaarig: tomentosum.
  b) rauhhaarig: obscurum.
  c) glatt: serpyllifolium.
b) Blätter ohne Nebenblättchen.
Bltt. gegenüberstehend eyf. od. ellipt. Blthstd.
ährenförmig . . **oelandicum** Wahlb. 191
var. a) glatt: oelandicum Rchb.
  b) rauhhaarig: alpestre Rchb.
  c) filzhaarig: marifolium. Sm.
Bltt. spiralig, lineal oder sehr schmal, Blüthen
einzeln (od. 2—4) . . . **Fumana** Mill. 192

8. Familie. **VIOLARIEAE.**

63. VIOLA L. Veilchen.

A. Die seitlichen Blumenblätter fast
wagrecht abstehend, am Grund bebar-
tet. Griffel ziemlich gerade u. gleichdick.
  a) Stock ohne Stengel. Blüthen-
   stiele aus d. Achsel der stockstän-
   digen Blätter; Kapsel kugelig,
   flaumhaarig.
  † *Narbe in ein flaches Schüsselchen erwei-*
   tert. Fruchtstiel aufrecht.
  Nebenbltt. eyf., wimperzähn., alle Lbbltt.
  nierenf. Blumenblätter ohne Nägel.
        palustris L. 193
  Nebenbltt. lanzettf., drüsenzähnig, Lbbltt.
  herzf., glatt mit geflügeltem Stiel. Blumenblätter genagelt . **uliginosa** L. 194
†† *Narbe in ein herabgebogenes Schnäbel-*
  chen verschmälert
  ° Stock ohne Ausläufer.
    Nebenbltt. zugespitzt, mit wenigen kurz.

190. = Cistus Helianthemum L.
Gelb. ♄. 6—8. Trock. Trft. u.
Abhg. der (Kalk) Berge.
191. Gelb. ♃. 5—8. Fels. Abhg.
der Alpen und Berggegenden
(auch bei Mergentheim).
192. Goldgelb. ♄. 6—7. Sonnige
Hügel, steinige Abhg. (Rheinfläche u. Hardtgebirg).
193. Hell-lila. ♃. 5—6. Sumpfige
torfige Wiesen, bis in d. Alpen.
194. Lila. ♃. 3—4. Schwammige
Sümpfe.

u. einf. Wimpern besetzt. Bltt. länglich-eyförmig . . . . . **hirta** L. 195
Nebenbltt- zugespitzt. mit vielen langen
behaarten Wimpern besetzt, Blätter
breit - eiförmig . . **collina** Bess. 196
  ᶜᵉ Stock lange Ausläufer treibend.
Nebenbltt. eyf.-lanzettl., **Rand kahl**, Wimpern
kurz n. kahl. Bltt. herz-nierenf. **odorata** L. 197
Nebenbltt. lanzettf. - zugespitzt , flaumig - lang-
wimperig. Bltt. wie vorige. Blmbltt. schmäler als vorige, bis zur Mitte weiss **suavis** M.B. *
*b) Stock in Aeste ausgehend, an denen
    die Blüthenstiele sitzen.*
  † *Blattstiel am Grund der Blätter nicht
     geflügelt.*
    ° Blätter aus herzf. Grunde, längl. - eyf
      (höchstens 1½mal so lang als breit).
      Nebenbltt. (d. mittl. Stglbltt.) längl.-
      lanzettl., klein. Kelch ey - lanzettf.,
      Kapsel abgestutzt, bespitzt. Wurzel
      einfach . . . . . . **canina** L. 198
    var. a) gross: lucorum Rchb.
       b) klein: ericetorum Schrd.
       c) aufrecht, schmlblttr.: Ruppii M.u.K.
    °° Blattstl. am Blattgrund schmal geflüg.
      Blätter mehr od. weniger am Grunde
      schmal-ellipt. (2—4mal länger als br.).
  ☉ Kahl.
      Bltt. aus schwach herzf. Grund läng-
      lich-lanzettförmig, Nebenbltt. (der
      mittl. Stengelbltt.) halb so lang als
      d. Blttstl. . . . . **stagnina** Kitbl. 199

195.Hellröthl.-violett (gernchl.).   * Blauviolett. wohlriechend. ♃.
   ♃. 4—5. Ws-, Trft. u. Gbsch.   3—4. Steinige Abhänge u. F.
196. = V. umbrosa Hpp. Blass-   (Nahethal).
   blau (wohlriechend). ♃. 4—5.   198.Lila, Sporn meist weissgelbl.
   Wldgbsch u. an Hck. [(d. Ka.   ♃.5—6. Gbsch-Wld., trockene
   F.) bayr. Voralpen, Regensbg.]   Triften, Waldränder.
197. Dunkelviolett (var. weiss).   199. = V. persicifolia Fl. Erlg.
   ♃. 3—4. Waldränd., Hck. u.   Weiss od. blass-lila. ♃. 5—6.
   feuchtes Gebüsch.   Ueberschwemmte Plätze,Smpf,
                                      Bäche

Bltt. aus eyf. Grunde lanzettf. Nebenbltt.
(der mittl. Stengelbltt.) blattartig, länger
als d. Blattstiel . . **pratensis** M. u. K. 200
◯◉ Flaumhaarig.
Bltt. aus etwas herzf. Grunde lanzettförmig,
Nebenblätter wie vorige . **elatior** Fr. 201
c) Stock am Gipfel mit einem Blätter-
trieb endigend, Blüthenstiele an Aesten,
welche unter jenem herauskommen.
Stengel u. Blttstiele grau-dichtflaumig. Bltt. rund-
herzförmig. Nebenbltt. eyf.-spitzig; Kapsel
eyf.-spitzig . . . . **arenaria** D.C. 202
Stengel u. Blattstiel meist kahl oder schwach-
flaumig. Bltt. breit, herzf., kurz vorgezogen.
Nebenbltt. lanzettl. - verschmälert. Kapsel el-
liptisch-spitz; Sporn zusammengedrückt, farbig
sylvestris Lam. 203
var. 1) mit grossem hellbl., oft ungefärbtem
Sporn: V Riviniana Rchb.
d) Stock mit Gipfeltrieb und Aesten,
aus beiden Blüthenstiele.
Stengel u. Blattstiele einreihig-behaart. Bltt.
breit-herzf., kurz-gespitzt; am Grund mit
grossen Schuppenblättern **mirabilis** L. 204
B. Die seitlichen u. unteren Blumenbltt.
alle hinaufgebogen; Narbe fast 2lap-
pig, flach.
Stengel zart, mit nierenf. Blättern, Nebeu-
blätter ganz-randig . . . . . **biflora** L. 205
C. Die seitlichen und hinteren Blmbltt.
aufwärts stehend; Griffel keulenförmig, mit grosser, krugförmiger ringsum
behaarter Narbe.

---

200. = persicifolia Rth., lactea
K. u. Z. Hellblau. ♃. 5—6.
Wiesen (Rheinfläche).
201. = persicifolia M. u. K.
Hellblau. ♃. 5—6. Gbsch-Wld
u. feuchte Wiesen (Rhein- u.
Donauthal).
202. = V. Allionii Rchb. Hellblau. ♃. 5—6. Sandige Haiden
in Nadelwäld. u. Bergabhg

203. = V. canina DC. prodr. =
canina ε) M. u. K. Hell-lila.
♃. 4—5. Hecken, Gebüsch-u.
Hochwald.
204. Hellpurpurviolett-lila, oft
ohne Blumenblatt. ♃. 4—5.
Gebüsch der Bergabhg., Hohl-
wege etc. (besond. d. Ka,-F.).
205. Gelb. ♃. 5—8. Feuchte Abhänge d. höh. Berge u. Alpen.

3

*a) Stock einjährig, kahl od. schwach
flaumhaarig.*
  Nebenblätter leyerförmig, fiedertheilig, die
  Endlappen gekerbt . . . **tricolor** L. 206
    var. 1) mit fast ganz blauer Blume.
      2) mit blassblauen oberen Blmbltt.
      3) ganz gelb.
b) Ausdauernd.
  Sporn kaum über d. Kelchanhänge hervorge-
  zogen, Stengel dicht-rauhhaarig, grau. End-
  abschnitte der Nebenblätter ganz-randig
        rothomagensis Dsf.*
  Sporn so lang als d. (grossen) Blumenblätter.
  Stengel niederliegend . . **calcarata** L. 207

9. Familie. RESEDACEAE.

64. RESÉDA L.

**A. Blume 3zählig; ein Fruchtblatt nach
hinten stehend.**
  Die mittleren Stengelblätter doppelt fiedertheilig. Stamm niederliegend . . **lutea** L. 208
  Die Blätter alle ungetheilt od. 3lappig, Kelch
  6theilig . . . . **odorata** L. h
**B. Blume 4zählig; ein Fruchtblatt nach
vorn stehend.**
  Alle Blätter ungetheilt, lanzettf. (am Grund
  mit 1 Zahn), Stamm aufrecht **luteola** L. 209

10. Familie. DROSERACEAE·

65. DRÓSERA L. Sonnenthau.

**A. Stengel am Grund hingestreckt-auf-
steigend.**
  Blätter keulen-eyf. Samenschale warzig, am
  Kern anliegend . **intermedia** Hayne. 210

---

206. Obere 4 Blumenbltt. meist
dunkel-violett, die seitl. heller, das untere gelb. ☉. 5u.10.
Aecker, Gebüsch u. s. w.
* Blassblau. ☉ 5u.10. Brachäcker. (Ob standhafte Art?)
207. Violett. ♃. 7—8. Alpentriften höherer Regionen.

208. Grüngelb.☉ 7—8. Steinige
Abhänge u. angebauter Boden
(hie u. da).
h Weisgelb.☉ 7—8. „Resede“.
209. Blassgelb. ☉ 7—8. Triften,
Felder, Mauern u. Wege.
210. Weiss. ♃. 7—8. Tiefe
Sümpfe.

B. Stengel aufrecht; Samenschale schlaff,
netzartig-zellig.
  Blattspreite schmal elliptisch-keulenförmig
               longifolia L. 211
  var. mit eyförm. Blattspreite: obovata Rchb.
  Blattspreite Kochlöffel-förm. **rotundifolia** L. 212

66. PARNÁSSIA L. Leberblume.
Stockblätter herzförmig, das einzelne Stengelblatt
umfassend . . . . **palustris** L. 213

11. Familie. POLYGALEAE.

67. POLÝGALA L. Kreuzblume.

A. Das vordere Blumenblatt fransig-viel-
spaltig; Staubfäden bis zur Spitze in
2 Büschel verwachsen.
  a) Untere Blätter gegenüberste-
  hend, obere spiralig.
  Blthstd arm- (4—7) blüthig, d. mittl. Blth.
  von d. seitl. überragt **depressa** Wndr. 214
  b) Blätter alle spiralig-stehend.
  Blüthenstand reichblüthig.
  † *Blüthenstengel 1—6 aus der Mitte d.*
  end- u. grundständigen keilig-eyfg.
  stumpfen Blätter. Rippen der grossen
  Kelchbltt. nicht verbunden **amara** L. 215
  var. 1) grossblüthig, Stockbltt. zieml.
      schmal: amarella Crtz.
    2) stumpf-flügelig, Fl. fast so breit
      als d. Fr.: amblyptera Rchb.
    3) Stockbltt. nicht dicht-gedrängt,
      die Stglbltt. längl. oder ellipt.
      alpestris Rchb.

211. Weiss. ♃. 7—8. Torfige u
sumpf. Waldstellen (hie u. da)
212. Weiss. ♃. 7—8. Feuchte,
sandige, torfige Plätze zwischen Moos.
213. Weiss. ♃. 7—8. Feuchte
Wiesen u. Abhänge, bis in d.
höchsten Alpen.
214. Blau.. ♃. 5—6. Moosiger

Torfhaiden u. Triften an Gebirgen (Rheinthal u. Ober-
Bayern).
215. Blau, rosenfarb. u. weiss.
(Bltt. u. Stengel bitter.) ♃.
6—8. Feuchte Abhg. u. Torf-
plätze bis in d. höchsten Alpen. Die Var. an einzelnen
Standorten.

3°

4) Stgl niedr. mit gedrängt. Stockbltt. u. spatelf. Stglbltt. Blm.
klein. Fl. kürz. u. **schmäl.** als d.
Fr.; d. seitlichen Rippen verbinden sich mit der Mittelrippe:
a u s t r i a c a (uliginosa Rchb.).
†† *Blüthenstengel in verschiedenen Hö-
hen am Stamm u. daher auch d. Blätter
auseinander-gerückt. Rippen der K.-Fl.
maschig-verbunden.*
Blätter lanzettf., d. unteren elliptisch,
kürzer . . . . . **vulgaris** L. 216
varirt (?)
1) mit 2 Vorblättchen am Grund d.
Blüthenstiels, welche so lang
sind als dieser **comosa** Schrk. 217
2) mit lineal-schmalen Blättern an d.
jung. Trieben u. verk.-eyfg. unteren
Bltt. . **calcarea** F. W. Schltz. 218
3) Kelchflügel sehr schmal u. kürzer
als d. reife Fr. **oxyptera** Rchb.
B. Das vordere Blumenblatt 4spaltig;
Staubfd. nur am Grund verwachsen.
Blüthstd. einzeln oder 2blüthig, Bltt. lanzettfg-
ellipt., dick, stachelspitzig, d. unteren kleiner
verk.-eyförmig . . . **Chamaebuxus** L. 219

12. Familie. **SILENEAE.**

68. GYPSÓPHILA L. Gypskraut.

Stamm niederliegend-aufstrebend; Blthstd. schlaff,
ebenstraussfg., glatt, Bltt. lineal-spitz. Blmbltt.
kürzer als d. Staubfd. . . . . . **repens** L. 220

---

216. Hellblau, rosenfb., weiss.
♃. 5 — 6. Trockene Wiesen,
Triften, Abhg. (nicht bitter).
217. Meist rosenfb. (die Vorbltt.
sehr bald abfallend!) ♃. 5—6.
An denselben Standorten als
vorhergehende.
218. = P. amara Rchb. Blau.
♃. 4—6. Trockene Torfwiesen
u. Kalkhügel (Rheinpfalz).

219. Gelb. ♄. 4—6. Gbschwald
u. Abhänge der Berggegenden
bis in d. Alpen (auch im
fränk. Jura).
220. Weiss. ♃. 6 — 8. Felsige
Abhänge der Kalk-Alpen, mit
d. Flüssen in d. Ebene (bis
an d. Donau).

Stamm aufrecht, am Grund rauh; Blthstd. gabelästig. Bltt. lineal-spitz, Blumenbltt. länger als
d. Staubfäden . . . . **muralis** L. 221

69. TÚNICA Scop.

Stamm niederliegend, Blätter lineal-spitz, am Rand
rauh, am Grund häutig-gerandet, angedrückt
Saxifraga Scop. 222

70. KOHLRAUSCHIA Ficin.

Stengel zart, meist 1fach, kahl; obere Bltt. fadenf.,
Samen eben . . . . **prolifera** F. 223

71. DIÁNTHUS L. Nelke.

A. Blüthenstand locker-rispig.
a) Blumenblätter ohne Flügelleisten.
Blumenblätter fiedertheilig, mit längl.-rundem
Mittelfeld. Kelchschuppen 3mal kürzer als
dieser . . . . **superbus** L. 224
*b) Blumenblätter mit Flügelleisten
am Stiel (Nagel), am Rand gezähnt.*

† *Stengel 1blumig.*
Blätter lineal, Blumenblätter 1½ mal so
lang als der Kelch . **glacialis** Hk. *
Blätter lanzett-lineal. Blumenblätter 2mal
so lang als der Kelch . **alpinus** L. **

†† *Stengel mehrblumig.*
Stengel flaumig-rauh, ohne Ausläufer; Bltt.
dunkelgrün; Kelchschuppen halb so lang
als dieser . . . . **deltoides** L. 225
Stengel kahl, Ausläufer machend; Blätter
graugrün, am Rand rauh, Kelchschuppen

221. Rosenfb. ☉ 7—8. Aecker,
fcht. Triften u. Teichränder
mit Sandboden.
222. = Gypsophila... L. Blassrosenfb. ♃. 7—8. Steinige
Abhänge u. Triften der Alpengegenden u. nahen Ebene
(bis an d. Donau).
223. = Dianthus... L. Rosenfb.
♃. 7—10. Abhg. u. Sandhaid.

224. Lila (wohlriechend). ☉ u.
♃. 7—8. Feuchte torfige Wiesen (hie u. da).
* Rosenfb. ♃. 7—8. Bewässerte
Abhg. u. Fels. d. höchst. Alp.
** Hellpurp. ♃. 7—8. Felsen-
abhänge der höchsten Alpen.
225. Rosenfb., am Schlund purpurn. ♃. 6—9. Ws. u. trock.
Triften, Waldränder etc.

¹/₁ so lang als dieser, Blmbltt. bartig
                  caesius Sm. 226

Stengel kahl, mit Ausläufern, Bltt. graugr.
am Rand glatt, Blumenblätter kahl
           Caryophyllus L. h

B. Blüthenstand büschelig; Blumenblätter ohne Flügelleisten.

a) Kelchschuppen kahl.

† Blattscheiden so lang als d. Blatt breit ist;
Blthstd. locker bis büschelig **Seguieri** Vill. 227

†† Blattscheiden vier mal so lang als d. Blatt
breit ist; Blüthenstand büschelig.
Kelchschuppen eyfg., mit d. Spitze bis zur
Hälfte d. Kelchröhre reichend, trocken-
braun   . .   **Carthusianorum** L. 228
Kelchschuppen ellipt. lang-zugespitzt, lo lang
oder länger als d. Kelch. Lbbltt. lanzettl.
             barbatus L. h

*b) Kelchschuppen flaumhaarig, lan-
zettlich-zugespitzt*   .   **Armeria** L. 229

72. SAPONÁRIA L. Seifenkraut.

Kelch flügelförmig-eckig, Blüthenstand rispig. Blm-
Blätter ohne Zünglein; Laubbltt. lanzettf.
            Vaccaria L. 230

Kelch walzl., Blüthenstand gedrängt-büschelförmig.
Blumenblätter mit einem Züuglein, Laubblätter
elliptisch-länglichrund   . . **officinalis** L. 231

---

226. = D. virineus β. L. Rosenfb. ♃. 5—6. Felsabhänge
(fränk. Jura u. Alpen, auch
Rheinpfalz).
h Purpurbraun u. viele Mischg.
♃. Zierpflanze.
227. = D. asper Willd. Rosenfb.
♃. 6—8. Grasige Abhänge u.
im Gebüsch (Ober-Bayern).
228. Hellpurpurfeuerf. ♃. 6—8.
Trockene Wiesen u. Abhänge
bis in d. Alpen.

h Blasspurpurn, dunkler gefleckt. ♃. 7—8. „Studenten-
Nelke".
229. Hellcarminroth, am Schlund
mit purpurn u. weissen Punc-
ten. 7—8. ⊕ In lichten Wäldern, an Hecken.
230. Rosenfb. ⊙ 6—7. Saatfelder der Ebenen u. niederen
Berggegenden (hie u. da).
231. Hellrosenfb. ♃. 7—S. Kie-
sige Ufer, Gebüsch u. Hecken.

73. CUCÚBALUS Gärtn.
Stengel schlaff. Aeste weit abstehend, Bltt. längl.-
eyförmig . . . . . . **bacciferus** Grtn. 232

74. SILÉNE L. Leimkraut.

A. Blumenbitt. ohne Zünglein; Kapsel am
Grund 3fächerig.
Blumenblätter ungetheilt, Kelch an d. Kapsel
anliegend . . . . **Otites** Sm. 233
Blumenblätter 2spaltig, Kelch abstehend, aufgeblasen . . . . **inflata** Sm. 234
var. 1) Stengel niederliegend wenigblüthig
. alpina.
2) schmalblätterig: petraea.
B. Blumenblätter mit einem Zünglein.
. *a) Blumenblätter ungetheilt oder nur
gezähnt oder ausgerandet.*
† *Kelch gleichweit-röhrig oder glockig,
am Grund nicht verengert.*
Blmbltt. oben 4zähnig **quadrifida** L. 235
Blmbltt. etwas ausgerandet, Bltt. lineal-
pfriemig, Blüthenstand einzelnblüthig
acaulis L. 236
Blmbltt. ganzrandig, Kelch weitglockig,
nicht gestreift, Blüthenstand 1blüthig
Pumilio L. *
†† *Kelch am Grund verengert.*
* Stock einjährig.
◯ Blüthenstand lockerrispig.
Fruchtstiel so lang als d. Kapsel; Kelch
10rippig, eingeschnürt **linicola** Gm. 237
Fruchtstiel sehr kurz.

---

232. Weiss. ♃. 7—8. In Hecken
u. feuchtem Gebüschwald, an
Ufern (hie u. da).
233. = Cucubalus...L. Gelbl.-
weiss. 5—7. Unbebaute Hü-
gel, Sandfelder, Felsen, Wegränder (hie u. da).
234. = Cucubalus Behen L.
Weiss. ♃. 7—8. Trock. Trft.,
Wiesen u. Abhänge.

235. Milchweiss. ♃. 6—7. Fcht.
Felsenabhänge der Alpen.
236. Dunkelrosenfb. ♃. 6—8.
Fcht. Felsenabhänge d. Alpen.
* Rosenfb. ♃. 6—7. Feuchte
Felsenabhg. d. Granit-Alpen.
237. Hellrosenfb. ◯ 6—7. Lein-
äcker (bei Wassertrüdingen,
Wertheim, München).

Kelch am Grund 30streifig, bis fast
zur Hälfte der Länge 5spaltig, am
Grund eingedrückt, Blüthenstd. eben-
straussförmig . . . **conica** L. [238]
Kelch am Grund 10rippig, bis fast $1/2$
der Länge 5spaltig, Blthstd. ährenf.-
traubig, einseitig . . **gallica** L. [239]
◯◯ Blthstd. gedrängt, ebenstraussförmig.
Blätter eyförmig, wie d. ganze Pflanze,
kahl, graugrün . . . **Armeria** L. [240]
°° Stock ausdauernd.
Bltt. längl. rund, d. unt. lanzettf.; Stgl. kahl,
Blmbltt. nochmal so lang als d. Kelch.
rupestris L. [241]
b) *B l u m e n b l ä t t e r z w e i s p a l t i g.*
† *Kapsel am Grund 3füchrig, Stengel meh-*
rere aus einer Wurzel, Blthstd. locker-
rispig, Stengelbltt. ellipt. Same rostfb.
nutans L. [242]
†† *Kapsel durchaus einfächerig.*
Blüthenstand armblüthig, ebenstraussförmig,
Kelchz. lineal halb so lang als d. Röhre,
Same graubraun . . . **noctiflora** L. [243]
(Silene alpestris scheint die von Schrk.
erwähnte S. unilocularis zu sein,
welche nur 1mal auf dem Kies der
Isar gefunden wurde.)

75. VISCARIA Röhl. Pechnelke.
Stengel oben glatt, unterhalb d. Knoten klebrig,
Blüthenstand quirlig-rispig, Blumbltt. ungetheilt
vulgaris Röhl. [244]

---

238. Rosenfb. ☉ 6—7. Sandige
Triften (Rheinfläche).
239. Blassrosenfb. ☉6—7. Steinige u. sandige Saatfelder
(hie u. da).
240. Rosenfb. ☉ 7—8. Felsige
Abhänge im Gebüsch, Sand-
haiden (Rheinpfalz). Auch
Zierpflanze.
241. Rosenfb. od. milchweiss.
♃. 7—8. Trockene steinige
Abhänge d. Berggegenden (Vogesen) u. Voralpen (Salzbg.).
242. Weiss, mit grünl. Streifen
(wohlriechend). ♃. 6—8. Begraste Trft. u. stein. Abhg.
243 Hellrosenfb. ☉ 7—5. Getraidfelder (vorzüglich bei
Ka.- u. Th.-boden).
244. = Lychnis Viscaria L. Hellpurpurn. ♃. 5—6. Gebüsch-
abhänge u. sandige Wälder.

76. LYCHNIS L. Lichtnelke.
A. Kapsel vollkommen einfächerig.
Zähne der Kapsel nach d. Aufspr. zurückgerollt.
Blm. rosenfarben oder purp. **diurna** Sibth. 245
Zähne der Kapsel nach d. Aufspr. gerade. Blm.
weiss . . . . **vespertina** Sibth. 246
B. Kapsel unten 5fächerig; Blätter li-
neal-spitz. Blumenblätter verk.-eyf.
coeli rosa.*h

77. AGRÓSTEMMA Braun u. D. Feldnelke.
A. Zünglein der Blumenblätter gewölbt.
Stengel rauhharig. Bltt. eyf.-ellipt. mit etw. herzf.
Grund sitzend. Blüthenstand gedrängt-büschelig
doldenförmig . . **chalcedonica** Br. u. D. h'
B. Zünglein d. Blumenbltt. flach, weich.
Blmbltt. bis über d. Hälfte 4spaltig, Stengelbltt.
lineal-lanzettfg, kahl **flos Cuculi** Br. u. D. 247
C. Zünglein der Blumenblätter hart.
Blmbltt. schwach ausgerandet. Stengelbltt. eyfg,
weisswollig, filzig . . . **coronaria** Pall. *

78. GITHÁGO Dsf. Rade.
Kelch bis auf d. Hälfte 5spaltig, stark 10rippig,
mit zuletzt abwärts geschlagenen Zipfeln. Blätter
lineal-zugespitzt, rauhhaarig . **segetum** Dsf. 248

13. Familie. ALSINEAE.

79. SAGÍNA L. Mastkraut.
A. Blüthen 4zählig; Blmbltt. 1 bis 4mal
kürzer als der Kelch.

Blätter nicht bewimpert, Blüthenstiele nach dem
Verblühen hackenfg zurückgebogen, Kelch bei
d. reifen Fr. abstehend, stumpf; Blumenblätter
stumpf . . . . . **procumbens** L. 249
Blätter (besond. gegen d. Grund hin) wimperig.
Blthstiel aufrecht od. kaum herabgebogen, 2
der Kelchtheile spitzlich, Blumenbltt. lanzettf.
apetala L. 250

B. Blüthen 5zählig.
Blmbltt. noch 1mal so lang als d. Kelch. Blüthenstiele 10 — 15mal so lang als d. Kelch.
Stiele stets aufrecht, 1—5mal so lang als d. K.
nodosa E. Mey. 251
Blmbltt. so lang als d. Kelch od. kaum kürzer.
Blüthenstiele glatt, d. reifen aufrecht. Blätter
kurz stachelspitzig, Kelch angedrückt
saxatilis Wimm. 252
Blüthenstl. u. Bltt. am Grund drüsenhaarig, Bltt.
lang stachelspitzig, Kelch an d. Kapsel locker
anliegend . . . . . . **subulata** Wimm. 253

80. SPÉRGULA L. Spark.
Blätter auf d. unt. Seite mit einer Furche; Samen
mit kaum merklichem Flügelrand **arvensis** L. 254
Blätter auf d. unt. Seite ohne Rinne; Samen mit
breitem häutigen Flügelrand **pentandra** L. 255

81. LEPÍGONUM Wahlnb.
A. Blumenbltt. rosen-purpurfb. (Stengel
niederliegend-aufstrebend).
Blätter beiderseits flach. Samen 3eckig-keilfg,
ungeflügelt . . . . . . **rubrum** Whlbg. 256

---

249. Weiss. ⊙ Mai ... Feuchte
Trft., Aecker u. Grasplätze.
250. Weiss. ⊙ 5—6. Aecker u.
Triften (hie u. da).
251. = Spergula...L. Weiss.
♃. 7—8. Feuchte Sandhaiden
u. Torftriften.
252. = Spergula saginoides L.
Weiss. ♃. 7—8. Fcht. felsige
Abhänge d. Alpen u. Voralp.
253. = Spergula saginoides β

M. u. K. Sandige Haiden (für
Bayern zuerst 1845 von mir
bei Erlangen gefunden).
254. Weiss. ⊙ 6—7. Saatfelder,
Triften.
255. Weiss. ⊙ 4—5. Felder u.
sandige Haidegegenden.
256. = Alsine rubra Whlb. in K.
Syn. ed.I.=Arenaria rubra α.L.
Dunkelrosenfb. ♃. 5—9. Sandige Haiden u. Aecker.

Blätter beiderseits gewölbt. Samen eyf., nur
einige mit weiss. Flügelrand **medium** Whlbg. 257
B. Blumenblätter weiss (Stengel aufrecht).
Bltt. fadenf. stachelspitzig, Fr.-stiel zuerst nickend, dann aufrecht. . . . **segetale** Pers. *

82. ALSÍNE. Miere.

A. Blumenblätter länger oder so lang
als der Kelch.
a) Blätter 1*rippig, dicklich, halbrund; Blüthenstiele* 3*gablig, sehr
lang; Kelch* (*u. Blmbltt.*) *ellipt.*
                    stricta Wahlbg. 258
b) Blätter 3*rippig.*
Blüthenstengel kurz, aufstrebend, wenig beblättert, 1—3 blüthig, Kelch ey-lanzettf.
hautigrandig. Blmbltt. kurz benagelt, fast
herzförmig . . . . . **verna** Bartl. 259
Blüthenstengel lang-reichbeblättert, bis zum
Gipfel ohne Zweige und daher schlank,
Kelch eyf.-pfrieml., hart-randig, Stock vielästig, rosenf. (Blm. spitz) **setacea** M.u.K. 260
B. Blumenblätter kürzer als der Kelch.
Blätter pfrieml.-borstenf., starr; Zweige zahlreich
schon aus d. unt. Achseln; Blthstd. gedrängt,
achsel- u. endstd. Kelch hart, gelbl.-berandet.
3mal so lang als d. Blmbltt. **Jacquini** Kch. 261
Blätter pfrieml.-lineal, weich. Blüthenstand loc-
ker gabelrispig . . . **tenuifolia** Whlnb. 262

---

257. = Alsine marina α. M. u.
K. Arenaria marina Rth. Dunkelroth. ☉ 7 — S. Haiden u.
Sandfelder besonders in der
Nähe v. Salinen.
* Alsine...L. Weiss. ☉ 6—7.
Saatfelder (westlich).
258. Spergula...Sw. Weiss. ♃.
6 — 8. Trockene Torfhaiden
am Fuss d. Alpen.
259. = Arenaria...L.; Ar. saxa-
litis Rth. Weiss. ♃. 6 — 8.

Felsige Abhänge d. höheren
Gebirge u. Alpen.
260. = Arenaria...Thuill; Sa-
bulina...Rchb.; Ar. saxatilis
Lois. Weiss. ♃. 7—8. Felsige
Gebirgsabhänge (im fränk.
Jura bei Kellheim).
261. = Alsine fasciculata M. u.
K. Weiss. ☉ 7—8. Trockene
Hügel u. Sandhd. (Rheinpfalz).
262. = Arenaria...L. Weiss.☉
6—9. Trockene Aecker, Triften, Bergabhänge.

83. CHERLÉRIA L.

Blüthenstiele sehr kurz, einzelblüthig. Blätter li-
neal-zungenfg., oben rinnig. Wuchs sehr gedrängt, dicht-rasenförmig . . **sedoides** L. 263

84. MOEHRÍNGIA L.

A. Blätter lineal.
Blätter 3—4''' lang, Laubäste zahlreich gedrängt-
beblättert, Bltt. scheinbar seitenstd, zu 2, welche nochmal so gross sind, als d. in d. Achsel. Aeste dick . **polygonoides** M. u. K. 264
Blätter 9—12''' lang; d. Laubäste mit auseinander gerückten Blattwirteln. Blüthen scheinb.
endstd. oder zu 2. Aeste zart **muscosa** L. 265
B. Blätter eyförmig, spitz, 3—5rippig,
d. unteren gestielt. Kelch 3rippig
trinervia Clairv. 266

85. ARENÁRIA L. Sandkraut.

A. Kelch 1½ mal so lang als d. Blumenblätter, hautrandig.
Blätter eyf.-zugespitzt, sitzend. Stengel aufsteigd, vielmal gabelästig **serpyllifolia** L. 267
B. Kelch kürzer als d. Blumenblätter.
Blätter ey-lanzettf.-zugespitzt, kurz-gestielt, Blüthenstd. endstd.; Blmbltt. kurz-benagelt; Wuchs
aufstrebend . . . . . . **ciliata** L. *
Blätter breit-ellipt., stumpf-gekielt. Blüthenstiele
auch seitenständig. Aeste sehr kurz, dicht-be-
blättert; Blmbltt. ohne Nagel, verschmälert.
Wuchs niederliegend . . . . **biflora** L. 268

---

263. Weiss. (Blumenbltt. meist
fehlend). ♃. 7—8. Bewässerte
Felsen d. höher. Alpenregion.
264. = Arenaria...Wulf.; Sa-
bulina...Rchb. Weiss.♃.6—7.
Felsige Triften u. Geröll der
höheren Alpen.
265. Weiss. ♃. 6—8. Bewäss.
Felsen, in Hohlwegen, an Bächen in d. Alpengegenden.

266. =Arenaria...L. Weiss.⊙
5—6. Schattiges Gebüsch u.
quellige Orte in Wäldern.
267. Weiss. ⊙ 7—8. Sandige
Haiden, Aecker u. Abhänge.
* Weiss. ♃. 7—8. Geröll-Abhg.
u. Felsen der Alpen.
268. Weiss. ♃. 7—8. Bewäss.
Felsen. u. Giessbäche d. Alp.

86. HOLÓSTEUM L. Sparre.

Bltt. längl.-rund, kahl. grau-duftig. Blüthenstand
doldenfg. Blüthenstiel gleich nach d. Verblühen
herabgebogen . . . . . **umbellatum** L. 269

87. STELLÁRIA L. Sternkraut.

A. Stengel walzenrund.
a) *einreihig behaart.*
 Bltt. sitzend, zungenfg, zugespitzt; Blumenbltt.
 fast noch 1mal so lang als d. Kelch, tief aus-
 gerundet; Kapsel in Zähne aufspringend
         cerastoides L. 270
 Blätter (wenigstens d. unteren) gestielt, eyfg,
 kurz-zugespitzt; Blmbltt. kürzer od. so lang
 als d. Kelch, tief-2spaltig; Kapsel bis über
 d. Mitte in Klappen aufspr. . **media** Vill. 271
b) *allseitig behaart.*
 Bltt. lineal u. unten etwas spatelf. Blattrand,
 K. u. Blthstiele klebrig-drüsig. Kapsel mit
 Zähnen aufspringend , . **viscida** M.B. *
 Bltt. eyf., kurz-zugespitzt, gestielt, d. oberen
 sitzend; Kapsel bis zur Mitte in Klappen
 aufspringend . . . . . **nemorum** L. 272
B. Stengel kantig.
a) *Blumenblätter 1—2mal länger als
 der Kelch.*
 Deckbltt. saftig, krautartig. Bltt. lanzettfg,
 lang-zugespitzt, am Rand scharf (hellgrün)
         Holostea L. 273
 Deckbltt. trocken-häutig; Bltt. lineal-lanzettl.
 glatt (graugrün) . . . **glauca** With. 274

269. Weiss. ☉ 3—5. Haiden u.
 bebauter Boden.
270. Weiss. ♃. 7—8. Feuchte
 Abhänge u. Bächlein der höheren Alpen.
271. = Alsine...L. Weiss. ☉
 2u.11. Bebauter Boden, Schutt,
 Wege u. Gräben.
* = Cerastium anomalum W. u.
 Ktbl. Weiss. ☉ 5—6. Trock.
 Triften (Ober-Baden).

272. Weiss. ♃. 5—7. Feuchte
 Wälder u. Gebüsch.
273. Weiss. ♃. 4—5. Gebüsch-
 Wald, Hecken u. lichte Wald-
 stellen.
274. = Stellaria graminea β.L.
 = Stellaria palustris Rth.
 Weiss. ♃. 6 — 7. Sumpfige,
 sandige Wiesen am Rand der
 Bäche u. Teiche.

150

*h) Blumenblätter so lang oder kür-
zer als der Kelch.*
Deckbltt. trocken, bewimpert; Kapsel länger
als d. K. (Bltt. hellgrün) **gramineu** L. 275
Deckbltt. trocken, ohne Wimpern; Kapsel
kürzer als d. Kelch (Bltt. graugrün)
uliginosa Murr. 276

88. MOENCHIA Ehrh.

Stengel meist 2blüthig (1—2″ hoch). Bltt. lanzettf. Blmbltt. seicht-ausgerandet, kürzer als
der Kelch . . . . **erecta** Fl. W. 277

89. MALÁCHIUM Fr.

Stengel niederliegend; Bltt. herz-lanzettf. (weich),
die der Seitenzweige gestielt. Blüthenstd. rispig.
Deckbltt. krautig . . . . **aquaticum** Fr. 278

90. CERÁSTIUM L. Hornkraut.

A. Einjährig. Blätter eyf.-elliptisch.
*a) Fruchtstiel so lang als d. Kelch,
Deckblätter alle krautig*
glomeratum Thll. 279
*h) Fruchtstiel 2—3mal so lang als
der Kelch.*
† *Kelchblätter an der Spitze lang-behaart. Deckblätter alle krautig*
brachypetalum Dsp. 280
†† *Kelch an d. Spitze ohne Haarbüschel.
Deckblätter am Rand trocken-häutig.*
° Stengelausläufer nicht wurzelschlagend.
Blmbltt. kürzer als d. Kelch. Fr.-stiel
herabgebg. **semidecandrum** L. 281

275. Weiss. ♃. 5—6. Wiesen,
Haiden u. Felder.
276. = Stellaria graminea ϒ. L.
= St. aquatica Poll. = Lar-
braea aquatica S. Hil. St. fontana Wulf. ⊙ 6—7. Wässerige
Wiesen, Quellen u. Gräben.
277. = Sagina...L. Weiss. ⊙
4—5. Sandige Triften, Haiden
(Rheinpfalz, Ansbach).
278. = Cerastium...L. Weiss.

♃. 6—7. Feuchtes Gebüsch,
Ufer u. Gräben.
279. = Cer. viscosum Fr., C.
ovale Pers. Weiss. ⊙ 5—8.
Fcht. Trft., Aecker, Gräben.
280. = Cer. viscosum Poll.
Weiss. ⊙ 5—6. Begraste Abhänge u. Triften.
281. = Cer. viscidum Lk. Weiss.
⊙ 3—5. Aecker, Haiden u
sonnige Abhänge

Blmbltt. so lang als d. K. Fruchtstiele
abstehend. Deckbltt. unt. krautig, die
d. obern Bltt. so wie d. Kelch bis
in d. Spitze krautig, nur sehr schmal
trockenrandig . **glutinosum** Fr. 282
Koch unterscheidet 2 Varietäten dieser Art und
nimmt die Grundart für synonym mit C. pumilum Curt; einige franzöz. Bot. u. F. Schultz
in d. Fl. d. Pfalz nehmen aber jene Var. als
eine eigene Art: C. Lensii Schlz. an. Das C.
pumilum Curt n. glutinosum Fr. wären aber
2 verschiedene Arten, welche jedoch nicht bei
uns vorkommen.

°° Stengelausläufer wurzelschlagend. Kelch
u. Deckbltt. ganz herum trocken-randig
triviale Lk. 283

B. Ausdauernd. Blumenblätter 2mal so
lang als der Kelch.

*a) Deckblätter trocken-häutig-ge-
randet.*
Stengel kriechend, d. nicht-blühenden mit
ellipt. gedrängt-stehenden (rosettenfrm)
Bltt.; Haare drüsenlos, Deckbltt. schmal-
trockenrandig (Pflanze steif, dunkelgrün),
Blüthen zu 1—3 . . . . **alpinum** L. 284
Stengel niederliegend, wurzelnd; 7—15
blüthig, Bltt. schmal-ellipt., Deckblätter
breit-trockenrandig, Blüthenstiele stets
aufrecht . . . . . . **arvense** L. 285

h) Deckblätter ganz-krautig.
Stengel aufstrebd; Bltt. ellipt., alle auseinander gerückt, Haare drüsentragd (gelbl.).
(Pfl. schlaff, gelbgrün), Blüthen zu 1—4
latifolium L. 286

11. Familie. **ELATINEAE.**

91. ELATÍNE L. Wassertännel.
A. Blätter paarweise gegenüberstehend.

282. = C. pumilum M. u. K.; 284. Weiss. 2|. 5—8. Felsige
C.semidecandrum Pers. Weiss. Abhänge der Alpen, mit den
⊙ 4—5. Felder u. trockene Flüssen in d. nahen Ebene.
Triften. 285. Weiss. 2|. 4—5. Feuchte
283. = C. vulgatum Whlbg. Abhänge an Wegrändern.
Weiss. ⊙ u. ⊙. 5... Aecker, 286. Weiss. 2|. 7—8. Feuchtes
fcht. Triften Wiesen, Fl.-Uf Geröll der Alpenabhänge.

*a) Staubfäden so viele als Blumen-
blätter.*
Staubfd. 3. Blattstiel kürzer als d. Spreite
                          triandra Schk. 287
*b) Staubfäden nochmal so viele als
Blumenblätter.*
Blüthen gestielt, Staubfäden 6 od. 8, Samen
schwach-gekrümmt, Blattstiel länger als d.
Spreite . . . . . **paludosa** Seubt. 288
Blüthen sitzend, Samen halbkreisf., Blatt-
stiel so lg als d. Spreite **Hydropiper** L. 289
B. Blätter zu 3—6 in Wirteln
                        Alsinastrum L. 290

15. Familie. LINEAE.

92. LÍNUM. Lein.

A. Kelch am Rand drüsenhaarig.
*a) Blume gelb. Blätter unten ey-
lanzettförmig . . . . .* **flavum** L. 291
b) Blume bläulich-rosenfarb.
Bltt. lanzettf, drüsenhaarig **viscosum** L. 292
Bltt. pfriemenf.-kahl . **tenuifolium** L. 293
B. Kelch kahl.
a) Blätter spiralig-stehend.
† *Ausdauernd (am Grund holzig-bestockt).*
Kapsel eyf.-kugelig, doppelt so lang als der
Kelch; Blmbltt. breit, verk.-eyfg, mit den
Rändern deckend (hellblau) **perenne** L. 294
Kapsel elliptisch, ⅓ länger als der Kelch.

---

287. Blassrosenfb. ⊙. S. Rand
sandiger Sümpfe und Teiche
(Regensburg, Rheinpfalz).
288. = El. hexandra DC. Blassrosenfb. ⊙ 7—8. Am Rand
v. Teichen u. Gräben, bisw.
unter Wasser (Franken).
289. Weissl. ⊙ 6—8. Ueberschwemmte Orte, Fluss- und
Teichufer (hie u. da).
290. Weisslich. ⊙ 7—8. Teiche u.
Sümpfe (hie u. da).

291. Gelb. ♃. 6—8. Bergwiesen
u. trockene Abhg. (im schwäb.
Jura: Dischingen, bei Ulm).
292. Rosenfarb-lila. ♃. 6—7.
Steinige Triften (Ob.-Bayern).
293. Rosenfarb-lila. ♃. 6—7.
Steinige Bergwiesen u. Abhänge (Würzburg).
294. Himmelblan (wohlriechend).
♃. 6—7. Sonnige Triften, Felder u. sonnige Haidewälder
(Rheinfläche).

Blmbltt. verk.-eyf. (kleiner), nicht deckend
alpinum Jacq. 295
var. hochstenglich: L. bavaricum F. W.
Schultz = L. perenne All.

†† *Einjährig.*
Kelch bewimpert, aber ohne Drüsenhaare,
so lg als d. Kapsel **usitatissimum** L. C
var. 1) hochwüchsig; Blume u. Laubblätter
klein, Kapseln nicht zerspringend:
L. usit. vulgare.
2) niedrig; Blume u. Laubblätter grösser, Kapseln elastisch zerspringend:
L. usit. crepitans (Spring-Lein).
*b) Blätter gegenüberstehend, d. un-
teren verk.-eyförmig, kahl.*
Kelch drüsig-wimperig **catharticum** L. 296

93. RADIOLA Gmel.

Stengel zart, vielfach u. sehr bald unten gabelästig; Blüthenstand oben knäulf. Bltt. gegenstd.
linoides Gml. 297

16. Familie. MALVACEAE.

94. MALVA L. Käspappel.
A. Blüthen einzeln in d. Blattwinkeln.
Früchtchen kahl; Kelchbltt. eyf.-längl., Blattab-
schnitte gezähnt-gelappt . . . . **Alcea** L. 298
Früchtchen rauhhaarig; Kelchbltt. lineal-lanzettf.
Blattabschnitte fiederspaltig **moschata** L. 299
B. Blüthen büschelf.-traubig in d. Blatt-
winkeln.
a) Stengel kahl od. spärlich behaart.

---

295. = L. alpinum L. Blau. ♃.
6—7. Triften d. Alpen u.
Voralpen d. Var. in d. angrenzenden Ebene bis an d.
Donau.
C. Himmelblau. ☉ 7. In manchen Gegenden vorzugsweise
cultivirt „Lein".
296. Weiss. ☉ 7—8. Wiesen u.
Triften.

297. Weiss. ☉ 7—8. Sandige
sumpfige kahle Waldplätze,
Teichränder (hie u. da).
298. Rosenfb. ♃. 7—8. Sonnige
Abhänge, Felsen, Gbsch, R.
299. Rosenfb. ♃. 7—8. Unbebaute Hügel, steinige Abhg.,
Gebüsch (Rheinpfalz, Ober-
Schwaben, Regensburg).

4

Blattstiele oberseits filzig, sonst kahl. Frucht
grubig-punctirt. Blüthenstiel kurz
              mauritiana L. *
b) Stengel rauhhaarig.
Blüthenstiel nach d. Verbl. aufrecht; äussere
  Kelchbltt. ellipt.-längl., Klappen gerandet,
  grubig. Blume 4—6mal grösser als d. K.;
  am Nagel bartig . . . . **sylvestris L.** 300
Blüthenstiel nach d. Verbl. abwärts gebogen;
  Blttch. des Aussen-K. lineal-lanzettf.; Blm.-
  bltt. 2—3mal so lg als d. J.-K., tief ausgerandet;
  Fr. am Rand abgerundet, glatt **vulgaris** Fr. 301

      95. **ALTHAEA L.** Eibisch.
A. Früchte auf dem Rücken gewölbt, mit
  abgerundeten Seitenrändern.
  Stengel weich-filzig; Bltt. eyf.-zugespitzt, 5 u.
  3 gelappt; Blthstiel kurz **officinalis L.** C
  Stengel u. Bltt. stachelhaarig, obere Blätter
  3theilig mit gleichbreiten Abschn. Blthstd
  länger als d. Blätter . . . **hirsuta L.** 302
B. Früchte auf dem Rücken rinnig mit
  scharfen Seitenrändern.
  Stengel u. Bltt. rauhhaarig, Bltt. rundl.-herzf.,
  5—7 lappig. Blthstd. endst.-ährig. Blmbltt.
  schwach ausgerandet . . . **rosea** Cav. h

      a) **LAVATERA L.**
Fr.-säule kegelf.; Stgl filzh.; obere Bltt. 3lappig
mit grösseren stumpfen Endlappen. Blumenbltt.
2lappig . . . . **thuringiaca L.** *

* Dunkelpurpurfb. ☉ 7—8. Aus
  Spanien etc., hie u. da aus
  Gärten verwildert, in d. Nähe
  von Wohnungen.
300. Hellpurp. ☉ 7—8. Zäune,
  Schutthaufen,Abhg.in Dörfern.
301. = M. rotundifolia aller
  deutschen Aut. (nicht L.). Lila.
  ☉6—9. Unbebaut. Bod.,Zäune,
  Schtt, Wgrd., um Dorfgebäude.
C. Blassrosenfb. ♃. 6—9. Fcht.
  Wiesen, bisw. verwildert (im
  Grossen gebaut zw. Nürnbg,
  Bambg, auch b. Schweinfurt)

302. Lila-rosenfb. ☉ 7—8. Bebauter Boden, Aecker u. Weinberge u. deren Abhg. (Rheinpfalz, Franken: Wertheim,
  Windsheim).
h. Dunkelweichaelroth u. verschiedene farbige Varietäten.
  ☉ 7—9. In Gärten stattliche
  Zierpflanze aus d. Orient.
* Blassrosenfb. ♃. 7—8. Wild
  auf unbebauten Hügeln, Weinbergen u. Wegen (Thüringen), b. uns bisweilen Zierpfl.

Fr. von einem Deckel völlig bedeckt; unt. Bltt.
rundl.-herzf., obere Bltt. winklig-lappig, d. obersten 3lappig mit lanzettf. Mittellpp. **trimestris** L. h

b) **HIBÍSCUS L.**

Einjährig, krautig. Obere Bltt. 3—5lappig mit langem Endlappen. Kelch aufgeblasen, stark-rippig,
stachelhaarig . . . . . . **Trionum** L. h1
Ausdauernd, holzig. Bltt. 3lappig, kerbig-gesägt.
K. schüsself. ohne Rippen, fast kahl **syriacus** L. h2

17. Familie. **TILIACEAE.**

96. **TILIA L.** Linde. *)
Blume radf. ausgebreitet. Griffel kürz. als d. Stbfd.
Blätter unten gleichfb. einf.-haarig u. in d. Achseln
d. Rippen büschelhaarig. Blthstd. hängend, meist
3blüthig ; Fr. kantig, holzig.
grandifolia Ehrh. 303
Blätter kahl, unten seegrün mit rostf. Haarbüscheln
in d. Achseln d. Rippen. Blthstd vorgestreckt.
Fr. dünnschalig mit schwachen Kanten. Blthstd.
4 — 6 blüthig . . . . . . **parvifolia** Ehrh. 304

Familie **AURANTIACEAE.**

a) **CITRUS L.**

A. Blattstiel geflügelt.
Bltt. ey-lanzettf. zugespitzt, kleingekerbt. Frucht
kugelf.; Rinde dünn, runzl. Saft säuerl.-bitter
vulgaris R. h3

---

h Rosenfb.-purpstreifig. ☉ 7—8.
Zierpflanze aus Spanien.
h1 Blassgelb, am Grund dunkel-
roth-braun. ☉. 8. Zierpflanze
aus Oberitalien.
h2 Roth-weiss, am Grund mit
dunklem Fleck. ♄. 7—8. Zierpflanze aus Klein Asien.
303. = Tilia europaea β, δ, ε,
L. Sommerlinde. ♄. Weiss-
gelb. 6. Laubwälder mit felsig.
(Ka.) Grund, bis in d. Alpen.
304 = T. europaea γ. L. Win-
terlinde. Weissgelb. ♄. 7. Laub-

Wälder der niederen Gegenden, im Allgemeinen viel häufiger als vorige.
*) Ueber d. Linden im All-
gemeinen u. besonders die in
Park-Anlagen vorhandenen, ist
sehr Lesenswerthes von Prof.
A. Braun in Döll's rhein. Flora.
h3 = C. Bigaradia Duhm. Weiss.
♄. „Naranzo amaro"; alle sind
bei uns Topf-Zierbäume ans
d. Orient. Citrangolo, bittere
Pommeranze.

4 *

Bltt. längl.-rund, zugespitzt, sägezähnig. Frucht
ellipt.-genabelt; Rinde dünn; Saft sehr sauer
Limonium R.h1
B. Blattstiel nicht geflügelt.
a) Frucht kugelförmig.
Bltt. ey-längl.-rund, spitz. Blth. meist mit 20
Staubfd.; Rinde d. Fr dünn; Saft süss
Aurantium R.h2
Bltt. eyf.-abgerundet, sägezähnig; Blth. meist
mit 30 Stbfd.; Rinde d. Fr. fest ; Saft süss
Limetta R.h3
b) Frucht elliptisch.
Bltt. eyf.-zugespitzt. Blth. meist mit 40 Stbfd. ;
Rinde d. Fr. dick, runzl.; Saft säuerlich
medica R.h4

18. Familie. **HYPERICINEAE.**

97. HYPÉRICUM L. Hartheu.

A. Kelchbltt. am Rand nicht wimperig
oder drüsig. Stengel kahl.
a) Blthstd wenig- od. einzelnblüth.;
Stengel niederliegend, zart. K.-Z.
abgerundet . . . . **humifusum** L. 305
b) Blthstd reichblüthig; Stgl auf-
recht od. aufsteigend, mehr oder w.
stark.
† *Stengel mit 2 Kanten; Kelchz. lanzettf.,*
sehr spitz . . . . . . **perforatum** L. 306
varirt breitblätterig.
†† *Stengel mit 4 Kanten, welche hisw. häutig*

---

h1. = C. medica Hayne et plu-
rim. auct. Weiss, aussen röthl.
(Zweige röthl.-blau). ♄. „Li-
mone", bei uns auch franz.
od. engl. „Citrone".
h2. Weissgelblich. ♄. „Naranzo
dolce" vulgo Apfelsine, oder
süsse Pommeranze.
h3. Weiss. ♄. Ital. Limetta, engl.
Limon, franz. Lime douce.
h4. Weiss, aussen röthl. (Aestch.
röthl.-blau). ♄. 5 ... Französ.

„Cedrat", ital. „Cedrot", bei
uns die gewöhnliche Citrone;
hieher gehört wahrscheinlich
auch C. Decumana, die Pom-
pelmuss od. Paradiesapfel, aus
West- u. Ostindien.
305. Gelb. ♃. 6—10. Feuchte
sandige Aecker, Triften und
Haide Wälder.
306. Gelb. ♃. 7—8. Trock. Ws.,
Wald-Rd., Hecken u. Haide-
Wälder (besond. d. Ki.-F.).

hervortreten; Kelchz. ellipt.stumpf; Bltt.
spärl. od. nicht punct. **quadrangulum** L. 307
Kelchz. lanzettf.-spitz; Bltt. reichl. punctirt; Kanten d. Steugels flügelartig **tetrapterum** Fr. 308
B. Kelchbltt am Rande drüsig-sägezäh-
nig, oder wimperig.
    a) Stengel u. Bltt. fast wollhaarig
                            hirsutum L. 309
    b) Stengel kahl.
        Kelchbltt. verk.-eyf., stumpf; Drüsen fast
        sitzend . . . . . . **pulchrum** L. 310
        Kelchbltt. lanzett-lineal; Drüsen gestielt
                            montanum L. 311

19. Familie. **ACERINEAE·**

98. ÁCER. Aborn.

A. Blüthenstand traubig, hängend.
    Bltt. handf., 5lappig, Lappen bogig, spitz-gekerbt,
    unterhalb mattgrün. Frucht-flügel abstehend
                            Pseudoplatanus L 312
    Bltt. handförmig, 3lappig, Lappen ganz-randig d.
    seitl.-spitz. Fruchtflügel vorgestreckt
                            monspessulanum L. 313
B. Blüthenstaud ebenstraussf., aufrecht
    oder nickend (zugl. mit d. Entfalt. d.Bltt. blhd.).
    a) Blüthen einhäusig-vielehig.
        Bltt. handf., buchtig-gelappt, mit 3—5 spitz-
        gezahnten Lappen, beiderseits grün
                            platanoides L. 314
        Bltt. handf., 5lappig, Lappen ganzrandig, d.
        mittl. stumpf-3lappig. Fr-flügel ausgesperrt
                            campestre L. 315

---

307. Gelb. ♃. 7—8. Wald-Wiesen u. Felder.
308. Gelb. ♃. 7—8. Grb., Ufer
u. quellige Bergabhänge.
309. Gelb. ♃. 6—8. Wald und
Gebüsch.
310. Gelb. ♃. 7—9. Berg-Wld.
u. Haiden (Rhein- u. Main-
gegenden: bis Burgbernheim).
311. Gelb. ♃. 7—9. Trockene
Wälder, Gbsch-Abhg., Felsen.

312. Gelbgrün. ♄. 5—6. Berg-
Wälder, bis in d. Alpen.
313. Gelbgrün. ♄. 4. Steinige
Bergwälder (Rheinpfalz und
U.-Franken in d.Saalgebirgen).
314. Gelbgrün. ♄. 4—5. Berg-
Wälder d. niederen Gegenden.
315. Grüngelb. ♄. 5. Gebüsch
u. Bergabhänge.

Bltt. herz-eyf., kaum etwas lappig, gesägt.
Blthstd. aufrecht. Fr.-flügel fast parallel
tataricum L. ʰ
b) Blüthen zweihäusig-vielehig.
Bltt. handf.-spitz, 5lappig, u.-seits grau. Blthstd.
kurz-gestielt. Fr.-flügel weit voneinander abstehend . . . . . **saccharinum** L. ʰ1
C. Blüthenstand doldenförmig (sehr lange
vor d. Ausbruch d. Blätter blühend).
Fr. kahl. Bltt. herzf., 3lappig. Lappen breit
ungleich-gezähnt. . . **sanguineum** Sp. ʰ2
Fr. zottig. Bltt. abgestutzt, 5lappig Lappen
zugespitzt . . . **dasycarpum** Ehrh. ʰ3

a) NEGÚNDO Mnch.

Bltt. ungleich 1 od. 2paarig zusammengesetzt, Blttch.
entfernt grob-gezähnt. Blüthenstand büschelig
fraxinifolium Nutt. ʰ4

Familie HIPPOCASTANEAE.

b) AÉSCULUS. Rosskastanie.
A. Frucht mit Stacheln besetzt.
Bltt. aus 7 verk.-eyf., kurz-zugespitzten Blttch.,
strahl.-zusammenges. **Hippocastanum** L c
Bltt. aus 7 ey-lanzettf., zugespitzten in d. Rippen-
winkeln wolligen Blttch., strahlig-zusammenges.
rubicunda Lois. ʰ5
B. Frucht ohne Stacheln.
Blttch. ellipt.-längl., am Grund keilig, Blttstl kahl
Pavia L. ʰ6
Blttch. lanzett-länglrd. Blttstl flaumig **flava** Ait. ʰ7

h Weiss u. röthl. ♄. 5—6. In
künstl. Lusthainen; aus Mittel-Asien (Frucht röthlich).
h1 Gelbgrün. ♄. 5- In Lusthainen; aus Nord-Amerika.
h2 = A. rubrum Auct. non Mch.
Gelb, weiss-roth. ♄. 2—3. In
Lusthainen; aus N.-Amerika.
h3 Gelbweiss-röthl. ♄. 2—3. In
Lustwäldern, aus N.-Amerika.
h4 Gelbweiss-röthl. ♄. 2—3. In
Lustwäldern u. Spaziergängen.

C. Weiss mit röthl.-gelb. Flck.
♄. 5—6. Aus Mittel-Asien;
Einheimisch geworden.
h5 Hellpurpurfb. ♄. 5—6. In
Lustwäldern gepflanzt; aus
Nord-Amerika.
h6 Roth (Blmbltt. verschieden
gross). ♄. 5. In Lusthainen
gepfl.; aus d. südl. N.-Amerika.
h7 Blassgelb. ♄. 6. Zierbaum
aus Nord-Amerika.

Familie **AMPELIDEAE.**

c) **VITIS L.** Weinrebe.

Blätter herzf.-rundlich, 5lappig, grob-gezahnt

vinifera L. c

Cultivirt in vielen Varietäten. Für unsere Gegenden besonders gut geordnet u. geschildert
in Schübler's u. M. Flora von Würtemberg.
Dort werden die 22 Varietäten in 4 Gruppen
gebracht. 1) mit beiderseits fast kahlen Bltt.;
2) mit oberseits kahlen, unterseits etwas zot-
tig-haarigen Bltt.; 3) mit oberseits flockig-flaum-
haarigen, unterseits zottigen Bltt., u. 4) mit
unterseits filzigen Blättern.

d) **AMPELÓPSIS** Mchx. Wilde Rebe.

Bltt. strahlig-5theilig, Blttch. eyf.-zugespitzt, gezahnt, oben dunkel-unterseits weisslich-grün

hederacea Mchx. h

20. Familie. **GERANIACEAE.**

99. **GERÁNIUM L.** Kranichschnabel.

A. Blumenblätter ausgerandet od. 2spal-
tig, am Grund benagelt u. mehr od. weniger bartig.

*a) Blätter fast bis zum Blattstiel
gespalten; Samen getüpfelt.*

† *Stock ausdauernd.*

Klappen d. Fr. oben mit zerstreuten borstigen Haaren; Blüthenstiel meist 1blüthig

sanguineum L. 316

†† *Stock einjährig.*

Fr. kahl, Blüthenstiel ungleich-lang

columbinum L. 317

C. Grüngelb (wohlriechend). ♄.
6—7. Verwildert am Rhein
bei Speyer u. a. O.; urspr.
aus Klein-Asien.
h = Hedera quinquefolia L. Cis-
sus...Pers. Gelbgrün. Frucht
schwarzblau.♄. 6.Zier-Schling-

strauch an Gebäuden; aus N.-
Amerika.
316. Purpurfb. ♃. 6... Sonnige steinige Abhänge.

317. Rosenfb. ☉ 6—9. Aecker,
Gebüsch u. steinige Abhänge.

Fr. u. Schnabel seidenhaarig, Blüthenstiele
kurz, zieml. gleich-lang **dissectum** L. 318
b) Blätter nur bis zur Mitte oder
kaum gespalten; Samen glatt.
† *Frucht querrunzlich, kahl* . . **molle** L. 319
†† *Frucht angedrückt-seidenhaarig.*
Blumenbltt. kaum länger als d. Kelch; Stock
einjährig . . . . **pusillum** L. 320
Blumenblätter doppelt so lang als d. Kelch;
Stock ausdauernd . . **pyrenaicum** L. 321
B. Blumenbltt. ungetheilt, abgerundet.
a) Stock ausdauernd.
† *Verblüthe Blumenstiele herabgebogen.*
Stengel aufrecht, oben drüsig-behaart
pratense L. 322
Stengel ausgesperrt-ästig, oben von drüsen-
losen Haaren rauh . . . **palustre** L. 323
†† *Verblüthe Blumenstiele gerade stehend.*
Fr mit drüsentragenden abstehenden Haa-
ren besetzt . . . **sylvaticum** L. 324
b) Stock einjährig.
† *Blätter fast bis zur Mitte gespalten.*
Kelch kahl, 5kantig-geflügelt, mit eingeboge-
nem Rand. Fr. auf d. Rücken runzlich.
Samen glatt . . . . **lucidum** L. 325
Kelch kurz-krautspitzig. flaumhaarig. Frucht
glatt. Samen punctirt **rotundifolium** L. 326
†† *Blätter hand-spaltig; Blättchen gestielt;*
Frucht kahl-runzlich; Same glatt
Robertianum L. 327
C. Blumenblätter abgerundet, an der
Spitze gekerbt, zurückgeschlagen, of-

318. Purpurfb. ⊕ 5—6.Aecker.
319. Purpurfb. ⊙ 5—7. Aecker.
320. Purpurfb. ⊙ 5—8. Wege
u. Ackerränder.
321. Purpurviolett. ♃. 7....
Waldwiesen d. Berggegenden
(Rheingegend, Regensburg).
322. Blau. ♃. 7—8. Wiesen u.
Gebüsch in d. Nähe v. Flss.
323. Purpurfb. ♃.7.Sumpf-Ws.
u. fenchtes Waldgebüsch.
324. Purpurblau.♃.6—7. Waldbäche u. nasse Waldwiesen.
325. Purpurfb. ⊙ 5—8. Felsige
Wälder mit trockener Lauberde, der Alpen u. höheren
Bergegenden (Rheinpfalz)
326. Rosenfb.⊙ 6... Aecker u.
bebauter Boden, auch steinige
Abhänge in Gebüschwäldern.
327. Dunkelrosenfb. ⊙. 6...
Mauern, Felsen, feht. schatt.
Hecken u. Wälder.

fenstehend; Nagel bartig, etwas länger
als der Kelch . . . . . . **phaeum** L. *

a) PELARGÓNIUM L. Storchschnabel.
A. Staubfäden 7 mit, u. 3 ohne Beutel.
a) *Blumenblätter ungleich-gross*
† *die 2 oberen kürzer als die unteren.*
  Bltt. nierenf.-rundl.-flach gekerbt, kahl. Blumenbltt. lineal-keilf. . **hybridum** Ait. h1
  Bltt. herzf.-rundl., schwach- 9lappig, scharf
  gekerbt, oberseits meist mit bräunl. Gür-
  tel; Blmbltt. keilf. . . **zonale** Willd. h2
†† *die 2 oberen länger u. breiter als d. unt.*
  Bltt. handf., doppel-fiederlapplg, rauhhaarig;
  Honigröhre 3mal länger als der Kelch
                    Radula Ait. h3
  var. mit sehr schmalen Blattlappen:
                P. roseum Willd.
b) *Blmbltt. gleichgross. Stgl. verkzt.*
  Bltt. mehrfach fiederspaltig; Wurzel büschelig-
  knollenförmig . . . . . **triste** Ait. h4
  Bltt. ungetheilt, rund-herzf., weich
            odoratissimum Ait. h5
B. Staubfäden 5 mit, u. 5 ohne Beutel; er-
stere zurückgebogen.
  Bltt. lanzettf., wollig-flaumig, eingeschn.-gez.,
  3lappig; Blmbltt. oberhalb d. Nagels warzig
            tricolor Curt. h6

100. ERÓDIUM l'Her. Reiherschnabel.
Die beuteltragenden Staubfd. am Grund ungetheilt.
Blätter fiedertheilig, Abschnitte fiederspaltig
           cicutarium l'Her. 328
  var. sehr in Grösse.

* Braunviolett. 2↓. 5—6. Waldränder, Hecken, Waldwiesen
in d. Alpen u. Voralpen.
h1 Scharlachfb. bisw. rosenfb.
♄. 5—6. Zierpfl. wie alle vom
- Vorgebirg d. guten Hoffnung.
h2 Roth in verschiedenen Stufen, bis weiss. ♄. 6—7.
h3 Rosenfarb., kleinblumig. ♄.
5—6. „Rosengeranium".

h4 Grün-gelbl., blass-braun gefleckt. 2↓. 6—7.
h5 Röthl.-weiss. 2↓. 5—6. „Mus-
katgeranium".
h6 Die 2 oberen Blmbltt. blutroth, am Grund schwarzroth
u. unten weiss. 2↓.
328. = Geranium ...L. Purpurf.
☉ 5 ... Aecker, Haid. u. Wg.

Die beuteltragenden Staubfd. am Grund verbreitert, 2zähnig; Blattabschnitte fiederlappig
moschatum Willd. *

¡ **21. Familie. BALSAMINEAE.**

101. IMPÁTIENS L. Springkraut.

Blthstd. gestielt, locker-traubig, 3—4blth.; Frucht
kahl; Bltt. eyf. grob-gekerbt-zahnig
Noli tangere L. 329
Blthstd. gedrängt-büschelf.; Fr. rauhhaarig; Bltt.
lanzettförmig . . . . . **Balsamina** L. h

22. Familie. OXALIDEAE.

102. ÓXALIS L. Sauerklee.

Blätter bei allen aus 3 zusammengesetzt.
Stock ausdauernd oder zweijährig.
Blätter grundständig, behaart **Acetosella** L. 330
Blätter stengelständig, ohne Nebenbltt.; Stengel
aufrecht, spärlich-feinhaarig, mit unterirdischen
Ausläufern . . . . **stricta** L. 331
Stock einjährig.
Stamm niederliegend, am Grund wurzelnd,
ohne Ausläuf.; Nebenbltt. an d. Blattstiel ver-
wachsen . . . . . . **corniculata** L. *

Familie TROPAEOLEAE.

a) **TROPÁEOLUM** L. Kapuzinerkresse.

Bltt. kreisf. an d. Rippe etw. ausgerandet; Spreite
d. Blmbltt. abgerundet, die 3 vorderen Blmbltt.
am Grund gewimpert . . . . . **majus** L. h

---

* Hellpurpurfb. ⊙ 5—7. Aecker
u. an Wegen.
329. Gelb. ⊙ 7. Lockere Lauberde, in schatt. fchten Wäldern
u. Gebüsch.
h. Roth u. weiss etc. ⊙ 7 — 9.
Zierpfl. „Balsamine", in vielen Varietäten; aus d. Orient.
330. Weiss. ♃. 4—5. Schattige
Wld., besond. um d. Grund
d. Baumstämme u. an quelli-
gen Orten.

331. Blassgelb; in d. Ausläufern
♃. 6—10. Verwildert aus N.-
Amerika; in Gemüse-Gärten u.
Gebüsch (Rheinpfalz, Nürn-
berger Gegend).

* Blassgelb. ⊙ 7—8. Bebauter
Boden (westlich).
h. Feuerfarb. ⊙ u. ♃. 6 — 10.
Gelb, bisw. braunroth. Beliebte
Zierpflanze aus Peru.

23. Familie. RUTACEAE.

b) RÚTA L. Raute.

Fr. mit 4 od. 5 stumpfen Lappen; Bltt. 3mal fiedertheilig, mit eyf. längl.-keilf. Abschnitten
graveolens L. c

103. DICTÁMNUS L. Diptam.

Blmbltt. ellipt.-lanzettf., d. seitl. stumpf; Bltt. ungl.
gefiedert; Blttch. ellipt.-gezähnelt; Fr-kn. kürzer
als sein Stiel . . . . . **Fraxinella** Pers. 332

2. Unterclasse: Staubfäden u. Blumenblätter
kelch- oder scheibenständig.

24. Familie. CELASTRINEAE.

a) STAPHYLÉA L. Pimpernuss.

Bltt. unpaar 5—7 blätterig-gefiedert; Blttch. ellipt.-
lanzettf., kahl, gesägt-randig . . **pinnata** L. *
Bltt. unpaar 3blätterig-gefiedert; Blttch. elliptisch,
klein-gesägt. Griffel kahl . . . **trifolia** L. h

104. EVÓNYMUS L. Spindelbaum.

Blumenbltt. ellipt.; Aeste 4kantig, glatt; Kapseln
stumpf 4eckig . . . . . , **europaeus** L. 333
Blmbltt. rundl.; Aeste rundl.-glatt; Kapsel flügel-
kantig . . . . **latifolius** L. 334

25. Familie. RHAMNEAE.

105. RHAMNUS L. Faulbaum, Wegdorn.

A. Blumen meist 4zählig.

C. Grüngelb. ♃. 6—7. In Gärten
als Gewürz- u. Arzneipflanze
gebaut.
332. = D. albus L. Rosenfb.
röther gestreift. ♃. 5—6. Sonnige Abhg. d. Bergwälder (hie
u. da: Franken u. Schwaben,
Rheinpfalz).
* Weissl.-roth. ♄. 5—6. Berg-
Wälder der inneren Alpen-
ketten, ausserdem in Lusthainen gepflanzt.
h. Weissl.-roth. ♄. 6. Zierstrauch
aus Nord-Amerika.
333. Gelbgrün. ♄. 5—6. Gbsch
u. bergige Laubwälder.
334. Grün, dunkelroth-gesprengt.
♄. 5—6. Bergwälder d. Voralpen (Fr.-stiel u. Fr.blutroth).

a) !*Blätter gegenüberstehend, vom Grund aus 3rippig.*
Blattstl 3mal so lang als d. Nebenbltt. (Bltt. weich); Rinnen am Samen geschlossen
cathartica L. 335
Blattstl so lang als d. Nebenbltt.; Rinne am Samen klaffend . . . . **saxatilis** L. 336
b) Blätter spiralig, mehrrippig.
Stamm niederlgd; Narbe 3theilig **pumila** L. 337
B. Blumen meist 5zählig.
Aeste ohne Dornen; Bltt. fiederrippig (hart) zugespitzt; Narbe 3theilig . . **Frangula** L. 338

Familie TEREBINTHACEAE.

a) RHUS L. Sumach.

A. Blätter ungetheilt, fast kreisrund, kahl.
Blthstd. sparrig-rispig . . . **Cotinus** L. h1
B. Blätter gefiedert.
a) Blüthenstand geknäult-rispig.
Junge Zweige gelbl.-weiss, behaart; Blattstiel oben geflügelt . . . . . **Coriaria** L. h2
Junge Zweige roth-drüsig, behaart; Blattstiel nicht geflügelt . , . . **typhinum** L. h3
b) Blüthenstand schlaff-rispig.
Bltt. kahl, unten grünl.-weiss **glabrum** L. h4

26. Familie. PAPILIONACEAE.

106. ÚLEX L. Hecksame.
Blätter stachelig; Deckbltt, breiter als d. Blthstiel
europaeus L. *

---

335. Weissl.-grün. ♄. 5—7. Wld. u. Feldgbsch, an nass. Stellen.
336. Weissl.-grün. ♄. 5—6. Sonnige Fels. u. Abhg. in d. Alpen (auch im schwäbischen u. fränkischen Jura).
337. Gelbgrün. ♄. 4—6. An den Felswänden der Alpen hart angedrückt.
338. Weissl.-grün. ♄. 5—6. Gebüsch u. Wälder an feuchten Stellen.

h1.Grünl.-gelb.Blüthenstiel nach d. Verbl. röthl. u. haarig. ♄.
6—7. Zierstr. aus S.-Frankr.
h2. Grüngelb. ♄. 7—8. Frucht roth-behaart. Zierstrauch aus Süd-Europa.
h3. Gelbgrün. Fr.roth, rauh. ♄. 6—7. Aus Nord-Amerika, in Lustgebüschen gepflanzt.
h4. Grüngelb. ♄. 7—8. Aus N.-Amerika, in Lustgbsch. gepfl.
* Gelb. ♄. 5—6. Sandige Haid.

107. SAROTHÁMNUS Wimm. Besenpfriemen.
Blätter an den Enden der Zweige einzeln; Zweige
kantig, grün; Hülse schwärzlich-rauhflaumig
scoparius Wimm. 339

108. GENISTA L. Ginster.
A. Aeste dornig (wenigstens die älteren).
Aestchen rauhhaarig; Deckbltt. 2mal kürzer als
der Blüthenstiel . . . . **germanica** L. 340
varirt stachellos.
B. Aeste nicht dornig.
Bltt. längl.-lanzettl. in Büscheln stehend, gefal-
tet; Blüthen einzeln, flaumhaarig **pilosa** L. 341
Bltt. lanzettl.-schmal, ausgebreitet, zerstreut-ste-
hend; Blüthenstd ährig, kahl **tinctoria** L. 342

109. CÝTISUS L. Bohnenstrauch.
**A. Kelch kurz-röhrig; Narbe warzig-ge-
wimpert.**
  a) Blüthenstand hängend.
Hülse u. alle Theile angedrückt-seidenhaarig
Laburnum L. h
    ,, ,, ,, ,, unbehaart **alpinus** L. hᐟ
  b) Blüthenstand aufrecht.
Bltt. verk.-eyf., oben unbehaart; Deckblätter
fehlen . . . . **nigricans** L. 343
B. K. langöhrig; Narbe nicht-gewimpert.
Blüthenstand endständig, kopffm.-doldig; Aeste
aufrecht-abstehend, straff **capitatus** Jacq. 344
Blüthen meist zu zweien, alle seitlich; Aeste
niederliegend, wie d. Blätter angedrückt-seidenhaarig . . . **ratisbonnensis** Schff. 345

---

339. = Spartium scop. L. Gelb.
ħ. 5—6. Haiden u. Bergab-
hänge (der Ki.-F.),
340. Lebhaft-gelb. ħ. 5—6.
Lichte Wälder.
341. Blassgelb. ħ. 5—6. Felsige
Bergabhänge u. Haiden (Unter-Franken).
342. Lebhaft-gelb. ħ. 6—7. Trockene Triften u. Wld-Rd. (Ki.).

h Gelb (goldn. „Regen"). ħ. 4—5.
In d. höhern Alpen einheim.;
bei uns Zierstrauch od. Baum.
hᐟ Wie der vorige, kleiner.
343. Gelb. ħ. 6—7. Felsige Abhänge n. sonnige Waldhaiden.
344. Hellgelb. ħ. 5—6. Bergabhänge u. Waldränder.
345. = C. biflorus l'Herit =su-
pinus Jacq. Blassgelb. ħ. 4—5.
Sonnige Haiden.

C. Kelch tief, zwei-lippig; Narbe warzig, nicht gewimpert.
Blüthenstand kopff., 3blüthig; Aeste geflügelt
sagittalis DC. 346

a) LUPÍNUS L.

A. Blüthenstand quirlf.-ährig.
*a) Blumen gelb; Oberlippe d. Kelchs
2zähnig; Laubblättchen länglich-
rund* . . . . **luteus** L. h1
b) Blumen blau oder röthlich-blau.
Blättchen ellipt.-keilf., beiderseits feinhaarig;
K. zottig; U.-Lippe ganzrandig **pilosus** L. h2
Blättchen lineal-ellipt., unterseits feinhaarig;
K. feinhaarig; U.-Lippe 3zähnig; Blthstand
halb-quirlförmig . . . . . **varius** L. h3
B. Blüthenstand spiralig-ährig.
Blättch. verk.-eyf.-längl.-rund, unterseits feinhaarig; O.-Lippe d. K. ganzrandig . **albus** L. h4
Blättch. lineal, anliegend-behaart; Blm. kurz-gestielt, ohne Deckbltt.; Ob.-Lippe des Kelchs
gespalten, Unterlippe ungetheilt
angustifolius L. h5

110. ONÓNIS L. Hauhechel.
Aeste aufrecht u. aufstrebend; Hülse so lang als
d. Kelch u. darüber . . . . . **spinosa** L. 347
Aeste niederliegend, am Grund bisw. wurzelnd;
Hülse kürzer als der Kelch . . . **repens** L. 348

111. ANTHÝLLIS L. Wundklee.
Blättch. ungleich, d. endständige sehr gross; Kelch
aufgeblasen, viel länger als die Zähne
Vulneraria L. 349

---

346. = Genista ... L. Blm. gelb.
♄. 6—7. Trockene Triften u.
lichte Wälder (d. Ki.-F.).
h1. Wohlriechend. ⊙ 6. ... Zierpflanze aus Nord-Amerika.
h2. In d. Mitte der Fahne roth.
⊙ 6. Zierpfl. aus Ober-Italien.
h3. Blau-violett. ⊙ 6. Zierpfl.
aus S.-Europa.
h4.Weiss.⊙6.Zierpfl.a.d.Orient.

h5 Blau. ⊙ 6. Zierpfl. aus Süd-
Europa.
347.Rosenfb. ♃. 6—7. Haiden u.
Wege.
348 = arvensis Sm. Rosenfb. ♃.
6—7. Aecker, Raine, Haiden.
349. Gelb, var. mit blutrothen
Blm. ♃. 5—6. Trockene Triften
u. Ablg.; d.Var. in d.Rh.-Pfalz.

112. MEDICÁGO L. Schneckenklee.

A. Hülse glatt.
  a) Einsamig, nierenförm. **lupulina** L. 350
  var. mit haarigen Hülsen.
  b) Mehrsamig.
    Fruchtstiel 2 bis 3mal länger als d. Deckbltt;
    Stamm u. Aeste niederliegend; Hülse eine
    halbe bis ganze Windung machend
    falcata L. 351
  Fruchtstiel kürzer als d. Deckbltt.; Hülse mit
    2 bis 3 Windungen . . . . **sativa** L. c
    var. 1) mit grünen blau werdenden Blm.;
      2) grösser im Wuchs; 3) drüsenhaarig.
B. Hülse dornig, kopfförmig zusammen-
    gerollt.
    Mit 5 Windungen; Oberfl. ohne Rippen, alle
      Theile feinhaarig; Aeste niederliegend; Ne-
      benbltt. fast stets einfach **minima** Lam. 352
      var. weich- u klebrig-haarig.
    Mit 2 bis 3 Windungen; Oberfl. grubig-rippig;
      alle Theile glatt; Nebenbltt. am Grunde ge-
      zähnt . . . . . **denticulata** Willd. 353

  a) **TRIGONÉLLA L.** Hornklee.
Blüthen meist zu zweien; Hülse glatt
      Foenum graecum L. c'

113. MELILÓTUS L. Steinklee.

A. Frucht flaumhaarig, schwarz, netzf.-
  runzlig; Flügel d. Blume so lang als d.
  Fahne u. Schiffchen macrorrhiza Pers. 354
B. Frucht kahl.
  a) Mit einer Spitze endend.

---

350. Gelb. ⊙ 4—6. Wiesen, Haiden u- Triften.
351. Gelb. ♃. 6 . . . Abhg., trock.
  Wiesen, Wegränder.
C. Futterkraut; „Luzern oder
  ewiger Klee"; violett. ♃. 6.
  verwildert.
352. Gelb. ⊙ 5—6. Sonnige Anh.

353. Gelb. ⊙ 5—6. Getraide - Aecker (Rheinpfalz).
C' Einheimisch in Süd - Europa;
  f. Techn. u. Arznei cultivirt. ⊙
6—7. Gelb. Blaugelb.
354. = M. officinalis Willd. Gelb.
  ⊙ Wiesen, Ufer u. Wälle.

† *Nebenblättchen pfriemenf. ganzrandig.*
Fr. netz-runzlich; Flügel so lg als d. Schiffch.
u. kürzer als d. Fahne . . **alba** Drss. 355
Fr. querfaltig; Flügel länger als d. Schiffch.,
so lang als d. Fahne **officinalis** Drss. 356
†† *Nebenblättchen am Grund gezahnt.*
Fr. eyf.-spitz; Flügel länger als d. Schiffch.
u. kürzer als d. Fahne **dentata** Pers. 357
b) völlig abgerundet.
Frucht kugelf. abgerundet; Flügel so lang als
d. Schiffchen, kürzer als d. Fahne; Nebenbltt. unten bisw. gezahnt **parviflora** Dsf. *

114. TRIFÓLIUM L. Klee.

A. 'Blüthen roth, weiss oder gelblich-
weiss; Hülse im Kelchgrund sitzend.
  *a) Kelch bei der Fruchtreife auf-
  geblasen, netzartig-rippig, Blü-
  thenstand-Hülle vielblätterig*
  fragiferum L. 358
*b) Kelch auch bei d. Fruchtreife röh-
rig; Blüthenstd nackt, obere Blätter angerückt.*
  † *Kelch im Schlund mit einer Ringfalte oder
  Haarkranz.*
  Blüthenstd umhüllt od. eingesenkt, d. h. der
  Stiel nicht hervorstehend
  Nebenbltt. plötzlich in eine Granne ausgehend; Haare an d. Blättern anliegend
  (var. s. unten) **pratense** L. 359
  Nebenbltt. eiförmig, zugespitzt.
  Kelchgrd bauchig erweitert; Zähne gerade
  (var. s. unten) **striatum** L. 360

355. = M. vulgaris Willd. = M.
leucantha Koch. Blm. weiss. ☉
7—9. Wege u. Triften.
356. = M. offic. Dsf. = M. Petit-
piereanea Rchb. = arvensis
Wallr. Blm. gelb od. weiss. ☉
Ackerränder, Schutthaufen, besonders Haferäcker.
357. = M. Kochiana Hayne. Gelb,
klein. ☉ 7—9. Wies. u. Wege.
* Gelb. ☉ 6—7. Dämme bisw.

358. Bl. blassroth. ♃. 6—9. Wege,
feuchte Wiesen.
359. Varirt grösser u. ästiger =
pratense - sativum Schrb., ge-
drungener auf d. Alpen. Futterpfl. in d. Ws. übergegan-
gen; purpf.-blassroth, ☉ 5—9.
360. = T. scabrum Schrb. (nicht
L.) ☉ Var. mit Kelchz. länger
als d. Blm. Rosenroth. Anhöhen, Raine u. Trft. (Rh.-Gegd.

Kelchgrd. walzlich, Z. zurückgebogen, dick-
rippig . . . . **seabrum** L. *
** Blüthenstandstiel sichtbar.
◯ Blumen roth.
Nebenbltt. pfriemenförm., aussen haarig;
Kelch haarig, 20 rippig; Stengel haarig,
einfach, aufrecht . . . **alpestre** L. 361
Nebenbltt. lanzettf.-zugespitzt; Blthstd. kug-
lich; Kelch 10 rippig, halb so lang als
d. Blm. mit fadenf. wimperigen Zähnen
medium L. 362
Nebenbltt. verlängert, krautartig; Blätter
dornig-gezähnelt; alle Theile, ausgen.
d. Kelch, unbehaart; Blthstd. walzenförm.
rubens L. 363
Nebenbltt. eyrund; Bltt. u. Stengel zottig;
Blthstd. walzenförmig **incarnatum** L. C
◯◯ Blumen weiss od. schwach-röthlich.
Kelchz. linienschmal, länger als d. Blume;
Blthstd walzenförmig . **arvense** L. 364
varirt mit straffem Wuchs.
Kelch lanzettf.-zugespitzt, 10 rippig, ab-
stehend-haarig, d. unteren Zipfel abwärts-
gebogen . . . . **ochroleucum** L. 365
†† *Kelch im Schlund nackt u. eben; Blume*
vertrocknend, Fahne zusammengefaltet.
* Kelchzipfel nicht behaart.
◯ Stgl u. Aeste unten niederliegend, oberw.
aufsteigend, meist wurzelschlagend; ver-
blühte Blüthenstiele zurückgeschlagen.
Nebenbltt. trocken, plötzlich zugespitzt. Innere Blthstle so lang als d. Kelchröhre
repens L. 366
Nebenblttch. ey-lanzettf., sehr spitz zulau-

---

* ☉ 5 — 6. Trockene Triften C Futterpfl., schönroth. ☉ 6.
(Rheingegend). aus Süd Europa.
361. Dunkelroth, var. mit weisser 364. Rosenpurpfb. ☉ 6—9. Ge-
Fahne. ♃. 6—8. Lichte Berg-W traide- u. Brachfeld.
362. Purpfb. ♃. 6—7. Waldwiesen 365. Gelblich - weiss. ♃. 6—7.
u. Hecken. Waldränder u. trock. Abhänge,
363. Dunkelroth. ♃. 6—7. Lichte 366. Weiss od. blassroth. ♃. 5—9.
Bergwälder. Wiesen, Wege u. Triften.

5

fend; innere Blthstle 3mal so lang als d.
K.-röhre; Stgl dicht; Bltt. verk.-eyrund,
am Rand dicht-berippt . **elegans** Sav. 367
◯◯ Stengel u. Aeste aufrecht-aufsteigend,
nicht wurzelnd; verbl. Blthstle abstehend.
Kelchzipfel pfrieml., d. oberen beiden von
einander entfernt; Blthstl 2mal so lang
als d. K.-röhre; Stgl hohl **hybridum** L. 368
°° Kelchzipfel bebaart.
Blthstl. sehr kurz; Stgl. aufrecht; Rippen der
Bltt. nach d. Rand zu dicker **montanum** L. 369
B. Blüthen gelb; Hülsen gestielt.
  a) *Fahne nach d. Grunde verschmä-*
  lert; Flügel abstehend (Stengelästig).
    † *Fahne so lang als die Flügel.*
    Nebenbltt. längl.-lanzettl.; Blättchen alle
    sitzend; Griffel so lang als die Hülse
                   agrarium L. 370
    Nebenbltt. eyf.; Griffel $\frac{1}{4}$ so lang als die
    Hülse (Flügel an d. Frucht angedrückt,
    Stgl zart, Blüthen 3—20) **filiforme** L. 371
    †† *Fahne länger als d. Flügel.*
    Mittelblttch. gestielt; Nebenbltt. lanzettl.;
    Griffel $\frac{1}{4}$ d. Hülse (Stgl. gekniet, Blth-
    stand 25—50 blth. **procumbens** Schrb. 372
    var. grösser: T. campestre Schrb., u.
    kleiner: Tr. procumbens Schrb.
  b) *Fahne vom Grund an erweitert,*
  gefaltet; Flügel gerade vorge-
  streckt; Kelchzähne haarig.
    Obere Nebenblttch. lanzettl.; Blthstd. walzl.
                   spadiceum L. 373

---

367. Schon anfangs röthlich. ⚃.
6—7. Waldrd., Hecken, Hügel
(d. Ka.-F.: (Rheinpfalz).
368. = Tr. Michelianum Gaud.
Blm. anfängl. weiss, dann röthl.
u. herabgebogen ⚃.5—9. Fcht.
Wiesen (hie u. da).
369. Weiss-gelbl. ⚃. 5—7. Berg
u. Wald-Wiesen.

370. Anfangs goldgelb, dann
bräunl. ⚃. 6—7. Waldränder,
Waldwiesen u. Abhänge.
371. Trüb-gelb. ⊙ 5—7. Wiesen, Aecker, Triften.
372. Hellgelb. ⊙ 7—8. Triften,
Raine, Brachäcker, Waldränd.
373. Goldgelb, bald braun. ⊙
6—7. Sumpf- u. Torfwiesen.

Obere Nebenbltt. fast eyf.;   Blthstd. kopffmg.
                         badium Schb. 374

115. DORYCNIUM.   Tournef.
Blättchen schmal-keilig,   anliegend-flaumhaarig
                         suffruticosum Vill. 375

116. LOTUS L.   Schotenklee.
**A. Kelchzähne der ungeöffneten Blüthen
gerade** . . . . .   **corniculatus** L. 376
**B. Kelchzähne der ungeöffneten Blüthen
zurückgebogen.**
Flügel längl.-verk.-eyf., Schiffch. rautenf. mit
rechtwinkl.-aufgebogenem Schnabel; Blätter
schmal . . . . **tenuifolius** Rchb. 377
Flügellänglr., d. Schiffch. einschliessend; Schff.
allmähl. in 1 Schnabel verschmälert; Stengel
rund, hohl . . . . **uliginosus** Schk. 378

117. TETRAGONÓLOBUS Scop.   Spargelerbse.
Blüthenstiel länger als d. Blatt, Flügel der Hülse
schmal, nicht wellig . . . **siliquosus** Rth. 379
Blthstl. kürzer als d. Blatt, Flügel d. Hülse wellig, breit . . . . . . **purpureus** Mnch. c

GLYCYRRHÍZA L.   Süssholz.
Hülsen glatt, Blättchen eyf., etwas ausgerandet
                         glabra L. c1

COLÚTEA. L.   Blasenstrauch.
Hülsen geschlossen, Fahne höckerig
                         arborescens L. h

---

374. Goldgelb, bald hellbraun.   378. Gelb. ♃. 7—S. Sumpf-Wa.,
  ☉ 7—S. Feuchte Alpentriften.   Gräben an Wäldern.
375. Weiss, Schiffchen an der   379. = Lotus...L. Hellgelb. ♃.
  Spitze schwarz. ♃. 5—6. Trit.   5—6. Feuchte steinige Wiesen.
  u. Bergabhg. d. Alp.-Gegend.   C. = Lotus Tetragouolobus. L.
  Var. gewimpert bis haarig.   Nelkenroth. Gemüsepflanze.
376. Gold- bis rothgelb. ♃. 5—9.   C1. Blasslila. ♄. G. oific. Süss-
  Wiesen, Triften, Waldränder.   holz. Cultivirt: bei Bamberg.
377. Gelb. ♃. 5—9. Wiesen mit   h. Gelb. ♄. 6—7. Zierstrauch.
  Salzboden.

5 °

CARAGÁNA L.

Bltt. meist 4paarig, Stiel ohne Dorn, Blttch. ellipt.-stachelspitz, unterseits etwas behaart, Blthstd
büschelförmig, Blüthenstiel lang, meist einzeln
　　　　　　　　　　arborescens Lam. h1
Bltt. meist 4paarig, Stiel mit 1 Dorn. Blättchen
keilf.-kahl, ausgerandet, stachelspitz, Nebenbltt.
stachlich. Blth. zu 2—3, kurz-gestielt **ferox** Lam. h2

ROBÍNIA L. Akazie.

A. Blätter unpaarig-gefiedert.
　Aeste u. Blattstiele kahl. Nebenbltt. stachelf.
　Frucht kahl . . . . . **Pseudacacia** L. h3
B. Aeste haarig oder stachlich.
　Aeste u. Fr. drüsen-klebrig. Nebenbltt. abfallend
　　　　　　　　　　viscosa Vent. h4
　Aeste u. Zweige stachelhaarig. Frucht kahl
　　　　　　　　　　hispida L. h5

AMÓRPHA L.

Bltt. unpaarig-gefiedert. Blttch. (9—19) elliptisch.
Blthstd. trauben-ährenf. . . . **fruticosa** L. h6

118. PHÁCA L. Berglinse.

A. Hülse völlig einfächerig.
　Stengel einfach, Nebenbltt. oval, Bltt. 4—5paar.
　　　　　　　　　　frigida L. 380
　Stengel ästig. Nebenbltt. lineal-lanzettl. Blttch.
　9—14paarig . . . . **alpina** Jacq. 381
B. Hülse fast zweifächerig.
　Stengel niederliegend, Nebenbltt. eyf., Blättch.
　8—12paarig . . . . **astragalina** DC. 382

h1. = Robinia Caragana Duham. — In Lustgebüschen (aus Nord-Amerika).
Gelb. ♄. 4—5. In Lustgebüschen (aus Sibirien).
h2. Gelb. ♄. 4—6. In Lustgebüschen (aus Sibirien).
h3. Weiss. ♄. 6. In Lustgärten u. an Strassen etc., aus Nord-Amerika.
h4. Rosenfb. ♄. 6. In Lustgebüschen (aus Carolina).
h5. Rosenfb. (gross). ♄. 5—?.
h6. Violett n. bräunl.-gelb. ♄. 6. In Lustgbsch. (a. N.-Amerika)
380. Weissgelbl. ♃. 7—8. Ws u. Triften d. höheren Alpen
381. Gelb. ♃. 7—S. Felsige Abhänge d. Alpen.
382. = Astragalus alpinus L. Fahne blau; Fl. weiss; Schiffch. violett. ♃. 7—8 Alpentriften.

119. OXÝTROPIS DC.

A. Hülse ganz einfächerig.
Blüthenstengel von d. Länge des Stengel-Blattes;
Blthstielch. ⅓ so lang als d. K.-röhre; Hülsen
aufrecht. eyrund-längl.; Nebenbltt. am Stengel
angewachsen . . . . . . **montana** L. 383
B. Hülse halb-zweifächerig.
Stengel aufrecht, zottig; Hülse aufrecht-lineal,
im Kelch sitzend; Nebenbltt am Stengel befestigt . . . . **pilosa** DC. 384
Stengel verkürzt, schwach-behaart; Hülse aufrecht, sitzend, aufgeblasen; Nebenbltt. am
Grund des Blattstiels angewachsen
campestris L. 385

120. ASTRÁGALUS L. Tragant, Stragel.

A. Blüthen roth oder bläulich-roth.
a) Fruchtknoten und Hülse sitzend.
Bltt. 8—12paarig; Blttch. lanzettl.; Blthstand
verlängert, Stiel länger als d. Blatt; Haare
in d. Mitte befestigt . **Onobrychis** L. 386
b) Hülse gestielt.
Blätter 3 5paarig; Blttch. eyf., ausgerandet;
Blthstd-stiel etwas kürzer als d. Bltt; Hülse
lineal-längl. (grauhaarig) **arenarius** L. 387
Blätter 8—10paarig; Blttch. stumpf-lineal; Blüthenstandstiel länger als d. Blatt; Hülse eyf.-
rundl., am Grund herzf. **hypoglottis** L. 388
B. Blüthen gelb oder gelb-grün
Haarig; Bltt. 8—12paarig; Blttch. längl.; Hülse
rund-eyförmig, rauhhaarig . . . **Cicer** L. 389
Kahl; Bltt.5—6paarig; Blttch. gross, eyf.; Hülse
gleichbreit, unten rinnig **glycyphyllos** L. 390

383. = Astragalus ...L. Hellpurpur. ♃. 7—8.Alpentriften.
384. = Astragalus ... L. Gelb.
♃. 6—7. Sandhügel, Felsen.
385. = Astragalus ...L. Gelbl.
♃. 7—8. Geröll-Abhänge der
Alpen u. Voralpen.
386. Hellviolett. ♃. 6—7. Trockene Wiesen u. Haiden, bis
in d. Alpen.

387. Fleischfarb. ♃. 6—7. Sandige Haiden, Uferabhänge u.
Föhrenwälder : Nürnberg.
388. Violett. ♃. 5—6. Haiden
u. grasige Hügel.
389. Gelbl.-weiss. ♃. 6—7. Hai"
den u. Abhänge.
390. Grünl.-gelb. ♃. 6—7. Gebüsch u. Waldränder.

70 PAPILIONACEAE.

121. CORONÍLLA L. Kronwicke.

A. Hülse rundlich, nicht leicht in Glieder brechend; Nägel der Blmbltt. 3mal so lang als d. Kelch (Blttch.7—9, verk.-eyrd; Blüthenstand 3blüthig) . . . . **Emerus** L. h

B. Hülse eckig, leicht gliederig-zerbrechend; Blmbltt-nägel so lang als der Kelch.

a) *Nebenblättchen verwachsen; Blüthen gelb.*

   Nebenbltt. gross; Blttch. 5—6paarig, das unterste vom Stengel entfernt (Blüthenstand 6—10blüthig) . **vaginalis** Lam. 391

   Nebenbltt. obere getrennt, unterstes Blattpaar am Stengel stehend; Blthstd. 15—20blüthig; Stielch. 3mal länger als d. Kelch **montana** Scop. 392

b) *Nebenblätter frei; Blüthen weiss oder roth.*

   Blüthenstand 15—20blüthig; Stielch. 3mal so lang als d. Kelch **varia** L. 393

122. ORNÍTHOPUS L.

Blüthenstandstiel länger als das Blatt **perpusillus** L. 394

123. HIPPOCRÉPIS L. Pferdshuf.

Blüthenstd doldig; Stiel länger als d. Blatt; Hülse etwas gekrümmt . . . . . . **comosa** L. 395

124. HEDÝSARUM L. Hahnenkopf.

Blätter 5—9paarig; Nebenbltt. verwachsen, gegenüberstehend; Hülsen hängend **obscurum** L. 396

---

h. Gelb. ♄. 5—7.Zierstrauch aus d. südlichen Alpen.
391. = C. minima Jacq. Hellgelb. ♃.5—7. Bergtriften u. Alpen.
392. = C. coronata L. Goldgelb. ♃. 6. Abhänge d. Kalkgebirge des Jura.
393. Fahne rosenroth; Fl. weiss. ♃. 6—7. Sonnige Hügel und

Abhänge, Aecker, Wegränder, Wiesen.
394. Gelb. ♃. 5—7. Sandige Haiden, Waldränder.
395. Goldgelb. ♃. 5—7.Haiden, trockene Abhänge (Ka.-F.).
396. Purpurroth. ♃. 7—8. Quellige Triften u. Ufer d. Bergbäche der Alpen.

125. ONOBRÝCHIS L. Esper.

Zähne auf der Hülse halb so lang als d. Kielrand
sativa Lam. 397

CICER L. Kichererbse.

Blätter unpaarig; Blättch. eyrund **arietinum** L. C

126. VÍCIA Koch. Wicke.

A. Griffel ringsum gleich-haarig.

a) Blüthenstand wenig-blüthig

(Ervum L.)

† *Kelch so lang oder wenig kürzer als die*
Blume; Blth. 2—6; *Bltt.* 8—10 *paarig,*
obere rankig.

Hülse flaumhaarig, länglich, 2samig
hirsuta K. 398

†† *Kelch viel kürzer als die Blume.*

Hülse zw. den Samen eingeschnürt; Blätter
12paarig, ohne Ranke . . **Ervilia** K.C'

Hülse breit, längl., 3samig; Nebenbltt. abwechselnd ungleichförm.; Blth. 1, Bltt. 7pr.
monantha K. 399

Hülse schmal-lineal, 4samig; Nabel des Sam. ᐟ
⅓ des Umkr.; Kelchz. sehr kurz ; Blätter
3—4paarig, rankig . **tetrasperma** K. 400

Hülse schmal 6samig; Nabel des. Sam. rundl.-
klein; Blthstle etw. länger als d. Blätter;
Blüthen gross . . . . **gracilis** Lois. 401

b) Blüthenstd reichblüthig (Vicia L.)

† *Blüthenstandstiele länger als das Blatt.*

Nebenbltt. ganz-randig, halbmondförm. Bltt.
7—8paarig . . . . . **sylvatica** L. 402

397. = Hedysarum Onobrychis L. Rosenfarb. ♃. 5—7. Trockene Abhänge u. Haiden (Ka.-F.). C. Rosenfb. ☉ 6—7. Futterpfl.

398. Weiss-hellblau. ☉ 6—9. Aecker, sandige Abbänge, Gärten, Hecken.

C'. =Weissl.; Fahne violett gestreift, ☉ 6—7. Aeck.; verwild.

399. Weissl.-blau, zieml. gross ☉ 6—7. Aecker.

400. Fahne hellblau - violett-gestreift; Fl. weiss ; Schiffchen mit violettem Fleck. ☉ 6—7. Aecker, Gebüsch.

401. (Gross-) weissl. - blau. ☉ 6—7. Aecker (Rheinfläche).

402. Weissl.-blau gestreift. ♃. 7—8. Gebüsch d. Bergwälder u. Abhänge.

Nebenbltt. am Grund gezähnelt, spiessförm.
Hülse schmal-lineal (Stgl sprossend, oben
bogig überhängend) . . **Orobus** DC. 403

†† *Blüthenstandstiele kürzer als das Blatt.*
Nebenbltt. ganzrandig; Hülse breit 1: 3 rautnf.
(Bltt. fiederig-berippt); Stengel auslaufd;
Samen 2—3 . . . . . **cassubica** L. 404
Nebenbltt. gezahnt; Hülse mehrsamig; Sam.
kugelig (Bltt. 5paarig, gross, Blth. gelb-
lich-grün) . . . . . **pisiformis** L. 405

B. Griffel an der Aussen- u. Unterseite
länger behaart.
  a) Blüthenstd reichblüthig, lang-
  gestielt.
    † *Nebenblättchen ganzrandig.*
    Fahne halb so lang als die verwachsenen
    Nägel der Blm.; Samennabel $1/_{10}$ des
    Umfangs . . . . . . **villosa** Rth. 406
    Fahne so lang als d. verwachs. Nägel der
    Blm.; Fruchtstiel kürzer als d. K.-röhre;
    Samennabel $1/_3$ d. Umfangs **Cracca** L. 407
    Fahne noch 1mal so lang als d. verw.
    Nägel der Blm.; Samennabel $1/_6$ des Um-
    fangs (Bl. bleicher) **tenuifolia** Rth. 408
    †† *Nebenblättchen gezahnt.*
    Blüthenstandstiele sehr lang; Stengel 4kan-
    tig; Bltt. 4—5paarig, nach aussen kleiner
    werdend . . . . . **dumetorum** L. 409

b) Blüthenstand arm-(1—6) blüthig;
kurz gestielt.
  † *Blattstiel nicht rankend.*
  Blüthstd 2—4blth., kurz; Blättch. gross,
  2—3paarig . . . . . **Faba** L. C

---

403. Orobus sylvaticus L. Weiss,
Fahne violett gezeichnet. ♃.
7. Bergwälder (höchst selten:
Orb in Unterfranken).
404. Hell-violett. ♃. 6—7. Bergwälder, längs der Rieselbäche.
405. Gelbl.-weiss. ♃. 6—7. Gebüsch u. Bergwälder, bis in
d. Alpen.
406. Violett. Flügel heller, ☉
6—7. Aecker.

407. Hellviolett. ♃. 6—7. Wiesen, Gebüsch, Abhänge. Var.
mit breiten u. schmalen Bltt.
408. Violett, Fl. heller. ♃.6—8.
Lichte Waldstellen u. Wiesen.
409. Roth-violett. ♃. 7—8. Gebüschwald, d. Berg-u. Alpengd.
C. Blätter graugrün. Blm. weiss
mit schwarz. Flecken. ☉6—7.
„Buff- u. Saubohne" auch offic.

† *Blattstiel rankend.*
° Hülse rauhhaarig-warzig; Bltt. lang-liueal
lutea L. 410
°° Hülse flaumhaarig.
Samen kugelig; Hülse gleichbreit, schwarz
(reif, kahl) . . **angustifolia** Rth. 411
var.. obere Blttch. lanzettl.: segetalis Thl.
Samen zusammengedr.; Hülse länglich-rund,
hellbraun; Bltt. 7 paar.; Nbnbltt. gezähnt
sativa L. c
Samen eckig-warzig; Nebenbltt. ganzrandig
(Griffel sehr kurz, Bl. 1—2, klein, hellblau)
lathyroides L. 412
°°° Hülse kahl.
Blthstd 5blüth., sehr kurz; Fahne kahl; Bltt.
oval oder längl.-rund, 5—8 paar.; Ranken
zusammengesetzt . . . . **sepium** L. 413

ERVUM L. Linse.

Blüthenstand 1—2 blüthig; Bltt. 6 paar.; Nebenbltt.
ganzrandig; Hülse glatt, zweisamig **Lens** L. C1

PISUM L. Erbse.

Samen kugelrund; Bltt. (bei dieser u. d. folgd.) eyf.
sativum L. C2
Samen eckig-eingedrückt rund; Fahne bläul.; Fl. roth
arvense L. C3

127. LÁTHYRUS L. Platterbse.

A. Blattstiel als eine Ranke oder einem
einfachen Blatt ähnlich verbreitert.

---

410. Hellgelb (var. rosenfarb.), | 413. Blass unrein-violett. 2↓.
var. rauhhaarig. ☉ 6—7. | 4—6. Gebüsch u. Waldränder.
Saatfelder. | C1. Weiss, lila gezeichnet. ☉
411. Purpurfb. ☉ 5—6. Aecker | 6—7. Cultivirt u. verwildert.
u. Felder. | Same zusammengedr., grünl.-
C. Fahne blau, Flügel purp. ☉ | lederfarb.: Linse.
5—6. Gemüsepfl.; verwildert | C2. Weiss. Same lederfarb. ☉
in Aecker. | 5—7. Gemüsepflanze: Erbse.
412. Blauviolett. ☉ 4—5. Son- | C3. Fahne blassblau, Fl. vio-
nige Hügel, Abhänge, tro- | lett, Same grünl.-grau. ☉
ckene Wiesen. | 5—7. „Stockerbse".

Blume gelb; Nebenbltt. sehr gross, eyförmig-
breit . . . . **Aphäca** L. 414
Blume roth, Nebenbltt. schmal; Blüthenstiel
geflügelt . . . . **Nissolia** L. 415
B. Blattstiel mit Fiederblättchen.
† *Blüthenstand* 1—2 *blüthig* (*Stgl. einjährig*).
  • Wildwachsend.
    Samen glatt, Blattstl. geflügelt, 1paarige
    Blätter (Hülse glatt, oben geflügelt; Blu-
    men weiss) . . . . . . **sativus** L. C1
    Samen höckerig-eckig; Hülse rauhhaarig
        hirsutus L. 416
  •• Gartenpflanze.
    Stengel kantig; Blättchen behaart, ey-lan-
    zettf.; Fr. rauhharig . . **odoratus** L. h1
    Stengel zusammengedrückt, 4kantig; Bltt.
    kahl, lineal-länglich; Nebenbltt. lanzettf.
        tingitanus L. h2
†† *Blüthenstand reichblüthig, Stengel* 4.
  • Stengel eckig.
    Blm. gelb, nicht einseitig; Bltt. flaumhaarig
    (grau-grün) . . . . . **pratensis** L. 417
    Blm. roth od. bläulich; Bltt. lin.-längl, kahl
        tuberosus L. 418
  •• Stengel geflügelt.
    ○ Bltt. einpaarig-gefiedert.
    Same runzlich; Blätter lebhaft-grün
        sylvestris L. 419
    varirt schmal- u. breitblätterig.
    Same undeutl.-knotig; Bltt. grün, Blättch.

---

414. Gelb. Same glatt. ☉ 6—7. Saatfelder d.Ebene (hie u. da). Zierpfl.: „spanische Wicke", aus Sicilien.
415. Purpurfb., Same höckerig-rauh. ☉ 6—7. Saatfelder u. angrenzendes Gebüsch. h2. Fl. roth od. violett (1blmg). ☉ Zierpfl. aus Asien.
C1. Weiss, röthlich u. bläulich (Kelch abstehend). ☉ 5—6. Futterpflanze „Erbis". 417. Gelb. ♃. 6—7. Ws., Ge-büsch, Ufer u. Abhänge.
418. Rosenfb. ♃.7—8. Saatfeld.
416. Hellblau. ☉ 7—8. Saatfel-der (hie u. da). h1. Fahne rothviolett, blau oder weiss, wohlriechend. ☉ 6—9. 419. Rosenfarb. Fahne aussen grünl. ♃. 7—8. Gebüsch und lichte Berg-Wld. (d. Ki.-F.)

gross; Blthstl sehr breitgeflügelt; Nebenblätter klein . . **platyphyllos** Rtz. *
◯◯ Blätter 2—3 paarig-gefiedert.
Same punctirt, rauh; Nabel ⅓ des Umkr.;
Bltt. grau-grün . **heterophyllos** L. 420
   var. mit 1 Blattpaar
Same glatt; Nabel ¼ des Umkr.; Hülse
kurz; Griffel bis zur Hälfte hinan bartig
                 palustris L. 421
   var. breit- u. schmalblätterig.

128. OROBUS L. Walderbse.
A. Blätter 2—3 paa rig.
Blättch. längl.-eyf., zugespitzt, hellgrün, unten
   glänzend . . . . **vernus** L. 422
Blättch. lanzettl.-längl.-gleichbr., unten mattgrün;
   Stengel geflügelt . . . **tuberosus** L. 423
B. Blätter 4 — 6 paarig.
Blüthen gelb, Stengel einfach, Blttch. spitzlich,
   Griffel an d. Spitze breit . . . **luteus** L. 424
Blüthen röthlich, Stengel ästig, Blättch. stumpf
                 niger L. 425

PHASEOLUS L. Bohne, Fasole.
Blthstd. kürzer als das Blatt, Blthstle dem Blatt
gegenüber, Hülse glatt . . . . **vulgaris** L. C1
Blthstd. länger als d. Blatt, Hülse gebogen, rauh
                 multiflorus Lam. C2

SOPHORA L.
Bltt. unpaarig-gefied., Blttch. eyf.-längl. (matt) ganz-

---

* Fahne innen rosenfb., Flügel
vorn violett. ♃. 7—8. Gbsch.
u. lichte Wälder.
420. Violett-roth. ♃. 7—8. Gebüsch u. lichte W (hie u. da).
421. Bläulich-roth. ♃. 7—8.
Sumpfige Wiesen u. Haiden.
422. Purpurfb., dann blau. ♃.
4—5. Schattige W. u. Abhg.
423. Purpurfb. ♃. 4—5. Feuchte
Bergwälder u. Abhg. (Th.)

424. Unrein-gelb. ♃. 5—6. Brg-
W. höherer Gebirge u. d. Alp.
425. Purpurfb. ♃. 6—7. Waldabhänge.
C1. Weiss. Var. hoch u. windend u. nieder nicht windend
(Ph. nanus). Gemüsepflanze
„Bohne".
C2. Scharlachfb. u. auch weiss.
☉7—8.Gemüsepflanze „Feuer-
bohne".

randig, Blthstd rispenf., Fr. eingeschnürt, nicht
aufspringend . . . . **japonica** L. h

Familie **CAESALPINIEAE-**

GLEDITSCHIA L.

Bltt. doppelt oder einfach-gefiedert; Blttch. lineal-
längl.-rund, schwach, kerbig-gesägt, glänzend,
stumpf oder stachelspitzig (Zweige z. Th. dornig)
triacanthos L. h

CERCIS L. Judasbaum.

Bltt. kreisrundl.-herzf.-kahl **Siliquastrum** L. h'

27. Familie. **AMYGDALEAE-**

129. AMÝGDALUS L. Mandelbaum.

Blattstiel (oben mit 2 Drüsen) so lang als d. Breite
des Blattes . . . . **communis** L. c
Blattstiel (ohne Drüsen) kürzer als d. Breite des
Blattes . . . . **nana** L. 426

PÉRSICA Tournef. Pfersich.

Blattstiel kaum von d. Länge der halben Breite
des Blattes . . . . **vulgaris** L. c1

130. PRUNUS L. Pflaumen (Steinobst).

A. Frucht woll- oder sammethaarig.
Blüthen einzeln oder zu 2; Blüthenstiele kurz,
eingeschlossen; Bltt. am Grund herzf. u. drüsig
armeniaca L. c2

---

b. Gelbl.-weiss. ♄. 6. Zierbaum
aus Japan.
b. Grünl.-gelb, Blthstd. traubig.
♄. 5—6. Zierbaum in Lust-
gärten, aus Nord-Amerika.
(Bltt. fiederig, bei feuchtem
Wetter zusammengeneigt).
b' Blthstd. büschelf., Blm. ro
senfb., an blattlosen vorjährigen Zweigen. ♄. 4. Zierbaum
in Lustgärten „Judas Baum",
aus d. Orient.

C. Rosenfb. od. weiss. ♄. 2—4.
„Mandel", in milden Gegen-
den cultivirt (am Rhein).
426. Rosenfb. ♄. 4. Felsen an
d. Donau: b. Regensburg u. im
Altmühlthal bei Beilngries.
C1. = Amygdalus persica L.
Rosenfb-lila. ♄. 3—4. Als fei-
nes Obst cultivirt „Pfirsich".
G2. Rosenfb. ♄. 3—4. Obsbaum
„Aprikose", in mehreren Va-
rietäten cultivirt.

**B. Frucht kahl, aber bereift; Blüthen
einzeln od. zu 2, vor d. Bltt. erscheinend.**
a) Blüthenstiel u. Aestchen kahl.
Frucht aufrecht, kugelförmig **spinosa** L. 427
Frucht hängend, kugelf. **cerasifera** Ehrh. C1
b) Blüthenstiel flaumig.
Aestchen flaumig; Frucht hängend, kuglig
insititia L. 428
Aestchen kahl; Frucht hängend, elliptisch
domestica L. C2

**C. Frucht glänzend; Blüthen zu 2 oder
mehreren doldig, mit den Blättern zu-
gleich erscheinend.**
Blätter etwas runzlich, unten flaumhaarig;
Stock ohne Ausläufer . . **avium** L. 429
Blätter eben, kahl, glänzend, alle zuge-
spitzt; Stock mit Ausläufern
Cerasus L. C3
var. mit süsser u. saurer Fr. (Kirsche
u. Weichsel) in vielen Abarten.
Die Blätter der Seitensprossen eyf.-rundl.-
stumpf, die oberen lanzettf.-zugespitzt;
Stock mit Ausläufern
Chamaecerasus Jacq. 430

**D. Frucht kahl, etwas glänzend; Blüthen-
stand mit den Blättern erscheinend.
Früchte sehr klein.**
Blüthenstand traubenförmig-hängend; Blätter
ellipt.-doppelt sägezähnig . . **Padus** L. 431

---

427. Weiss. ♄. 4—5. Halden u.
Waldränder.
C1. Weiss. ♄. 4—5. In Obstgärten „Kirschpflaume". Frucht
roth, saftig.
428. Weiss. ♄. 4—5. In Gebü-
schen-Obstgärten. Fr. schwarz-
violett, varirt gelb, roth und
grün „Haberschlehe", „Krie-
chen". Die Var. „Pflaumen"
sehr wohlschmeckend.
C2. Weissgelbl. ♄. 4—5. In
Obstgärten „Zwetsche", in

mehreren Varietäten, bisw. im
Grossen gebaut (in Franken).
429. Weiss. ♄. 4—5. Bergwälder. Frucht schwarzroth; cult.
„Süsskirsche".
C3. Weiss. ♄. 4—5. In Obstgärten u. verwildert in Hecken,
Obstbaum aus Persien.
430. Weiss. ♄. 4—5. Bergabhg.
u. Hecken (Rheinpfalz).
431. Weiss. ♃. 4—5. Feuchte
Gbsch.-W. an Ufern u. Hecken,
bis in d. Alpen.

Blüthenstand ebenstraussf., gewölbt; Blätter
rundl.-eyf., stumpf-gekerbt **Mahaleb** L. 432

28. Familie. ROSACEAE.

131. SPIRÁEA L. Spierstaude.

A. Stengel holzig.

a) Blüthenstand ebenstraussförmig.

† *Blätter einfach, ungetheilt.*

° Kelchzipfel zurückgeschlagen.

Blätter ey-lanzettf., spitz, gesägt-zahnig,
Aestchen kantig . **ulmifolia** Scop. ħ

Blätter kreisrund-eyf., am Grund keilf.,
ziemlich ganz-randig, etw. lappig; Aestchen rund . . **chamaedrifolia** L. ħ1

°° Kelchzipfel aufrecht.

Blätter eyf.-längl., ganz-randig, 3rippig;
Blm. sehr klein; Zweige zurückgebogen
hypericifolia L. ħ2

†† *Blätter gelappt, 3rippig, eyf.-rundlich;
Blumenstiele flaumhaarig* **opulifolia** L. ħ3

b) Blüthenstand traubenförmig.

† *Nebenblätter undeutlich, verschwindend,*
Blätter unpaarig-gefiedert; Blttch. lanzettf.,
länglich, gesägt; Blumen fleischfarben
salicifolia L. ħ4

†† *Nebenblätter deutlich.*

Bltt. unpaar-gefiedert; Blättch. ey-lanzettf.,
fein zugespitzt, doppelt-gesägt; Blumen
röthlich-weiss . . . . **sorbifolia** L. ħ5

B. Stengel krautartig (abstehend).

*a) Bltt. mehrfach zusammengesetzt;
Blüthen zweihäusig* . **Aruncus** L. 433

---

432. Weiss. ħ. 5—6. Steinige
Bergwälder, bis in die Alpen
u. an grossen Flüssen, bis an
d. Donau (auch in d. Vogesen).
ħ. Weiss. ħ. 5. Felsen (in Krain)
bei uns angepfl., in Lustgbsch.

ħ1. Weiss. ħ. 5—6. Wohnort u.
Gebrauch wie vorige.

ħ2. Weiss. ħ. 5—6. Zierstr. aus
Nord-Amerika.

ħ3. Weiss. ħ. 6—7. Wie vorige.

h4. Rosenfb. ħ. 6. Desgleichen.

h5. Roth-weiss. ħ. 6. Zierstr.
aus Sibirien.

433. Weiss. ⁴. 6—7. Fcht. Ge-
büsch-W., quellige felsige Abhänge (Ob.-Bayern, fränk.
Jura, Unter-Franken).

*b) Blätter einfach (unterbrochen-) ge-
fiedert.*
  Fr. kahl, gedreht, beisammenstehend, End-
    blätter gross, 3 od. 5lappig; Stgl bebltt.
                Ulmaria L. 434
  Fr. flaumhaarig, aufrecht beisammen; Stgl.
    1 blätterig oder nackt; Endlappen d. Blät-
    ter nicht viel grösser als d. seitl. Blättch.
                Filipendula L. 435

        KÉRRIA DC. -
Bltt. eyf., lang-zugespitzt, grob-gesägt, glänzend
                japonica DC. ʰ

      132. DRÝAS L.
Blätter ellipt., am Grund herzf., starr, unterseits
  grauweiss . . . . **octopetala** L. 436

     133. GÉUM L. Nelkenwurz.
A. Stengel mehrblüthig; Griffel hackig-
  gegliedert.
  *a) Fruchtköpfchen gestielt; Blu-
    menblätter ausgerandet, so lang
    als d. aufrechten Kelch-Z.* **rivale** L. 437
  *b) Fruchtköpfch. ungestielt; Blm-
    blätter abgerundet.*
    Blmbltt. eyf., ohne Nagel; Fr.-Kelch zu-
    rückgeschlagen . . . **urbanum** L. 438
    Blmbltt. keilf., oben kreisrundl.; Fr.-Kelch
    abstehend (Blüthenstiel meist nickend)
            intermedium Ehrh. *
B. Stengel einblüthig.
  a) Stock ohne Ausläufer; Blättchen

---

434. Weiss (stark riechend). ♃.
  6 — 7. Fcht. Wiesen, Hecken
  u. Waldgebüsch.
435. Weiss u. röthl. ♃. 6 — 7.
  Feuchte Ws. u. Trft., bes. in
  Berggegenden (hie u. da).
  h. = Corchorus...Thbg. Goldgelb verbleichend. ♄. 4 — 5.
  Meist gefüllt. Zierpfl. a. Japan.
436. Weiss. ♄. 7—9. Triften u.

felsige Abhg. d. Alp. mit d.
Flüssen in d. bayr. Hochebene
herabkommend.
437. Rost-rosenfarb. ♃. 5 — 6.
  Fcht. Wald-Ws., an Bächlein,
  bis in d. Alpen.
438. Gelb. ♃. 7—8. Feuchte Gebüsch-Wälder u. Hecken.
* Gelb. ♃. 5 — 6. Feuchte Gebüsch-Wälder.

*eingeschnitten, scharfgesägt; End-
lappen 3—5theilig. . .* **reptans** L. 439
b) **Stock** *mit Ausläufern; Blätter ungleich-gekerbt; Endlappen herzfm.
stumpflappig . . .* **montanum** L. 440

134. RUBUS L.   Brombeere.

A. Strauchartig.
*a) Blätter handf. gelappt, 5theilig;
Blttstiel u. s. w. mit rothen Drüsen-
haaren besetzt; Blumbltt. kürzer
als d. Kelch . . . . .* **odoratus** L. ħ
*b) Blätter strahlig- oder unpaarig-
gefiedert, zusammengesetzt.*
† *Frucht schwarz oder blauroth.*
○ **Fr. glänzend, Blmbltt. meist länger als
der Kelch . . . .** **fruticosus** L. 441
Haupt - Varietäten:
° Stacheln der Blätteräste gleichförmig;
Fruchtkelch zurückgeschlagen.
Stengel unbehaart.
Blätter auf beiden Seiten kahl
1) fruticosus Ns. u. L. (h. cliff.).
Blätter auf beiden Seiten flaumhaarig
2) tomentosus Borkh.
Stengel behaart.
Blätter unterseits graugrün od. weiss
3) vulgaris Wh.

439. Gelb. ♃. 7. Felsen u. Geröllabhänge d. höchsten Alpen.
440. Gelb. ♃. 7—8. Alpentriften.
ħ. Purpurf. ħ. 7. Aus Amerika,
bei uns in Lustgebüschen gepflanzt u. verwildert.
441. Weiss u. röthl.-weiss. ħ.
6—7. Waldränder, Hecken,
Abhänge, Mauern etc.
Allgem. Bemerk. Bei dieser
Gattung wechseln d. Formen
ungemein, u. es kommen vielleicht noch Bastarde hinzu;
viele derselben sind als eigene
Arten oder wenigstens als Abarten aufgestellt worden. Die
obigen sind nur die hervor-
stechendsten derselben. Blä-
thenstand u. Blattform, Behaarung, Stachelform u. s. w.
zeigen noch mancherlei Ver-
schiedenheiten, die fast stets
nur an einzelnen Standorten
vorkommen u. diesen eigen-
thümlich sind.
Var. 1) = R. fruticosus Lin. in
hort. cliff. Wenn d. Bltt. unterseits nicht weiss sind =
R. frut. L. Fl. suec.; wenn
am Kelch stachelig = coryli-
folius DC. u. Hayne.
2) = R. tomentosus Wib. und
auct. plur. = canescens DC.
3) Ohne ältere Synon.; hat die
meisten Varietäten: sylvaticus discolor etc.

** Stacheln ungleichförmig, Kelch angedrückt.
Aestchen flaum- oder wollhaarig
     4) corylifolius Sm.
Aestchen purpurfarben, drüsig
     5) glandulosus Bell.
◉◯ Frucht matt, sogen. bereift, Kelch u.
Blume abstehend, Fruchtkelch angedrückt
           caesius L. 442
†† *Frucht hellroth.*
Stamm strauchartig, hoch; Blätter gefiedert,
5blätterig, an d. ober. Aesten zu 3, unterseits
weissgrau; Blmbltt. verk.-keilf., aufwärts
gerichtet, Kelch ausgebreitet **Idaeus** L. 443
B. Krautartig, klein, niedrig, mit Aus-
läufern; Blüthenstand 3 — 6 blüthig,
Fruchthäufchen 1—6beerig **saxatilis** L. 244

135. FRAGARIA L. Erdbeere °).
A. Kelchzähne von der Frucht abstehend
oder zurückgebogen.
  a) Wildwachsend.
  Flaumhaare am Stengel u. den Blattstielen
  wagrecht abstehend, an dem Fruchtstiel aufrecht angedrückt, Staubfäden kaum so lang
  als der Fruchtboden. . . . **vesca** L. 445
  Flaumhaare am Stengel, an Bltt. u. Fr.-stie-
  len abstehend; Staubfd. d. unfruchtb. Blüthen 2mal länger als d. Fr.-boden, bei d.
  fruchtbar. Blth. gleich-lang **elatior** Ehrh. 446
  b) Gartenpflanzen.
  Flaumhaare der Blattstiele aufrecht, der
  Fr.-stiele angedrückt **virginiana** Ehrh. hr

---

4) = nemorosus Hayne, Guimp
u. Schmiedel.
5) = R. Bellardi Gth.
442. Weiss. ♄.7. Aecker, Waldränder, Hecken u. s. w.
443. Weiss. ♄. 6. In jungen
Waldschlägen, auf Mauern etc.
444. Weiss. ♃. 6. Schattige
Laub-W., steinige Bergabhg.,
zwischen Felsengeröll, bis in
d. Alpen.

*) Blumen von allen weiss.
445. ♃. 5—6. Abhänge, lichte
Wälder u. Triften.
446. = F. vesca β. L. Spec. ♃.
5—6. Bergwälder. „Zimmet-
erdbeere, grosse (gewürzige)
Walderdbeere".
h1. ♃. 5—6. Gärten. „Schar-
laoherdbeere".

6

B. Kelch aufrecht oder an die Frucht angedrückt.

  a) *Wildwachsend.*

    Flaumhaare des Stengels u. d. Blattstiels ab-
    stehend, die der Frstl. angedrückt. Bltt. auf
    beiden Seiten behaart . **collina** Ehrh. 447

  b) *Gartenpflanze.*

    Flaumhaare an d. Blatt- u. Fr.-stielen auf-
    recht. Blätter oben ziemlich kahl
                      grandiflora Ehrh. 42
    Flaumhaare an d. Blatt- u. Fr.-stielen ab-
    stehend. Blätter beiderseits zottig
                      chiloensis Ehrh. 43

136. CÓMARUM L. Blutauge.

Blätter gefiedert, 2zeilig, unterseits graugrün, seidenhaarig . . . . **palustre** L. 448

137. POTENTÍLLA L. Fingerkraut.

§. Stengel nicht holzig.

A. Fruchtknoten kahl, Fruchtboden mit
ganz kurzen Haaren besetzt.

  a) *Blumen gelb.*

    † *Der Blüthen tragende Stgl seitenstd.*

    ° Stock mit Ausläufern u. Niederblättern.
    Blätter strahlig, mit 5—7 Blättchen
                      reptans L. 449
    Blätter unpaarig - fiederig, seidenhaarig
                    anserina L.450

    °° Stock ohne Ausläufer u. Niederblätter.
    Stengel armblätterig.
    ○ Nebenblätter lineal-lanzettförmig.
    Fruchtstiele gerade; Stengel u. Blatt-
    stiele rauhhaarig; Blätter strahlig,

447. Fr. vesca γ. L. fl. suec. 448. ♃. 6—8. Moorwiesen, Grä-
♃. 5—6. Bergabhänge u. un- ben, Teichränder (d. Ki.-F.).
bebaute Hügel unter Gebüsch.
„Knack-Erdbeere, Brösling". 449. ♃. 5—7. Kies - u. Sand-
42. ♃. 5—6. Gärten. „Ananas- bänke, Triften, Wege in Dör-
Erdbeere".   fern u. s. w.
43. ♃. 5—6. Gärten. „Riesen- 450. ♃. 4—5. Sonnige Abhänge
oder Chili-Erdbeere".   u. Waldränder.

5—7zählig, behaart, oben abgestutzt
mit kurzem Endzahn . **verna** L.[451]
Blätter wie vorige, aber weiss-filzig.
cinerea Chaix. [452]
var. mit 3 Blättch.: subacaulis Wulf.
Fr.-stiele zurückgebogen, zart; Haare
der Stengel u. Blattstiele abstehend,
zottig . . . . **opaca** L. [453]
◯◯ Nebenblätter eyförmig.
Blätter 3zählig, d. Blättchen 4zahnig,
mit gleich-grossem Endzahn, oben
kahl, unten abstehend, behaart (Stengel 1 blüthig) . . . **minima** Hll. [454]
Blätter 5zählig.
Am Rand u. d. unteren Rippen mit
abstehenden Haaren, Zähne 3—4
abstehend, Endzahn gleich-gross
alpestris Illl. F. [455]
Am Rand u. d. unteren Rippen anliegend, seidenhaarig, Zähne vorgestreckt,Endzahn kleiner **aurea** L. [456]
⁎⁎⁎ Stock knollenf., mit vielen Niederblättern
(Schuppen); Blumen meist 4zählig.
Stengel niederliegend, Nebenbltt. ungetheilt oder 2—5lappig
procumbens Sibth. ⁎
Stengel aufrecht, Nebenbltt. eingeschnitten - gefingert **Tormentilla** L. [457]
†† *Der Blüthen tragende Stgl endständig.*
⁎ Stock einjährig. Bltt. unpaarig - gefiedert
supina L. [458]

---

451. ♃. 4—5. Sonnige Abhänge, Triften, Haiden, Waldränder.
452. ♃. 6. Sandige Plätze und felsige Abhänge (hie u. da).
453. ♃. 5—6. Gebüschreiche Abhänge u. Felsen.
454. = P. Brauniana Hpp. ♃. 7—8. Triften u. Felsabhänge der Alpen, bis an d. Schneegrenze.
455. = P. salisburgensis Hk. ♃. 6—8. Alpentriften u. an Felsen.

456. = P. Halleri DC. ♃. 7—8. Grasreiche Abhänge der Alpen u. Voralpen.
⁎ ♃. 7. Schattige felsige Wälder auf bemoostem Boden (nördlich).
457. = Tormentilla erecta L. ♃. 6—8. Haidewälder, Triften u. Wiesen, bis in d. Alpen.
458. ☉. 6... Aecker u. feuchte Sandflächen an Wegen und Dungstätten (hie u. da).

6°

84 ROSACEAE.

°° Stock ausdauernd.
◯ Frucht mit einer scharfen Rückenleiste.
Rückenl. flügelförmig. Bltt. u. Stgl rauh-
haarig (mit Drüsenhaaren). Blättchen
längl, rund-keilf. . . . **recta** L. 459
Rückenl. kielf., sehr schmal; Blättchen
beiderseits langhaarig, lanzettf.-länglrd
pilosa Willd.**
◯◯ Frucht am Rücken abgerundet.
Blttch. lanzettförmig.
Tief u. bisw. doppelt-sägezähnig, unter-
seits dünn graufilzig; Stengel weichfil-
zig, ohne Drüsenhaare **inclinata** Vill. 460
Blttch. verkehrt-eyförmig-kahl.
Blttch. fiederzähnig, am Rand umge-
rollt; verblühte Stengel aufrecht
argentea L. 461
Blttch. sägezähnig, flach.
Unterseits weiss, seidenh; Stengel nie-
derliegend, zart, ästig, verblühte Stgl
herabgebogen . . . **collina** W.*
Unterseits grün, rauhh., d. unter. Bltt.
7zählig, d. Tragbltt. nur in d. obern
Hälfte gesägt . **thuringiaca** B.**
b) Blumen weiss.
† *Fruchtknoten kahl.*
Stengel endständig mit bisw. verkümmerter
Blüthe ; untere Bltt. unpaar-gefiedert, oben
3zählig . . . . . **rupestris** L. 462
†† *Fruchtknoten überall haarig, Fruchtboden*
rauhhaarig.
° Blüthenstengel seitlich.
◯ Stock ohne Ausläufer.

459. ♃. 6—7. Bergwälder, felsige u. sonnige Hügel (Unter-
Franken, Ober-Bayern).
** ♃. 5. Sonnige Hügel (Thü-
ringen).
460. ♃. 5—7. Steinige Abhänge
u. Triften (hie n. da: Würzbg).
461. ♃. 6—7. Sonnige Triften,
Waldränder und Wege mit
Sandgrund.
* ♃. 5—6. Steinige waldige Abhänge (Thüringerwald, vielleicht auch im Rhöngebirg).
** ♃. 5. Grasreiche sandige Ab-
hänge, an Dämmen (bei Wertheim, die Angaben für Würzburg bestätigen sich nicht).
462. ♃. 5—7. Felsspalten und
steinige Abhänge (Rhöngbg).

Stockbltt. 5zählig, oberseits kahl, langr.,
lauzettfm., verschmälert, seidenglän-
zeud . . . . **alba** L. 463
Stockbltt. 3zählig, eyf., stumpf, ober-
seits kahl, unt. wollig; Stengel einfach
micrantha Ram. 464
◯◯ Stock mit Ausläufern.
Stockbltt. gedreit. Blättchen eyf.-rundl.,
stumpf, oberseits kahl, unt. wollig;
Stengelblätter gedreit
Fragariastrum Ehrh. 465
°° Blüthenstengel endständig mit 1 Gipfelblüthe.
Staubfd. rauhhaarig; Bittch. sitzend, längl.-
lanzettl., oberseits haarig **caulescens** L. 466
Staubfd. kahl; Blttch. zu 5, oberseits fast
kahl, längl.-lanzettförmig, 3zahnig
clusiana Jacq. *
§§. Stengel holzig; Blätter gefiedert od.
tief-fiederspaltig, mit 5—7 ganzran-
digen Blättchen . . . . **fruticosa** L. ħ

138. SIBBALDIA L.
Blätter zu 3, oben kahl, unten haarig. Blthstand
ebenstraussfm. Blumenblätter lanzettförmig
procumbens L. 467

139. AGRIMONIA L. Odermennig.
Fr.-kelch verk.-kegelfm., bis auf d. Grund tiefrinnig, äussere Stacheln abstehend; Blätter (gefiedert) unten blassgrün, rauh **Eupatoria** L. 468
Fr.-kelch glockig, bis zur Hälfte schwach-rinnig,

---

463. ♃. 5—6. Waldränder, steinige Triften (hie u. da).
464. ♃ 4—5. Steinige Bergabhänge im Gebüsch (bish. nur
im Nahe-Thal).
465. = Fragaria sterilis L. ♃.
4—5. Hügel unter Gebüsch,
an Waldrändern u. grasreichen Wegrändern.
466. ♃. 7—8. Felsspalten der
Alpengegenden.

* ♃. 7—8. Felsspalten d. höchsten Alpen.
h. Gelb. ♄. 6... Niedriger
Strauch in Lustgärten (aus
Piemont).
467. Gelb. ♃. 7—8. Felsabhänge
der Alpen.
468. Gelb. ♃. 6—8. Hecken,
Gebüschwald u. Ränder der
Bergwälder.

äussere Stacheln zurückgebogen; Blätter (gefiedert) unten rauhhaarig . . . **odorata** Mill. *

140. ROSA L. Rose.
A. Fruchtknoten (im Grund des Fruchtbechers
oder sogenannten Kelchs) alle stiellos.
Nebenblätter gleichförmig.
a) Wildwachsend.
Stamm dünn, niedrig ($\frac{1}{2}$—2″), mit kriechendem Erdstock; Stacheln ungleich, mit
borstenfm. gemischt. Blm. gross, dunkelroth. K.-Zähne lang-gefiedert **gallica** L. 469
varirt a) niedrig mit rothen Aesten:
R. pumila L.F.
b) hoch mit grünen Aesten:
R. geminata Rau.
Gartenvarietäten α) höher n. stärker, wenig stachlich, Blm. dunkelpurp.: R. officinalis Red. β) mit marmorirten Blm.
(Bandrose): R. marmorata Red. γ) Blumen schwärzl.-roth (Sammetrose): R.
holosericea Ser. δ) Blumen sehr klein,
Stamm fast ohne Stacheln, Bltt. lanzettlich: R. burgundica Rau.
Stamm hoch, dick, mit übergebogenen oder
am Boden liegenden Aesten; Stacheln
gleichförmig-sichelfm.; Blm. blassroth od.
weiss. Griffel verwachsen **arvensis** Hd. 470
b) Gartenpflanze.
Knospe keilf., längl. Bltt. kahl, eyf. zugespitzt . . . . **semperflorens** Dsf. h1
Knospe kurz-kegelf. Bltt. weich, feinhaarig
centifolia L. h2

---

* = A. procera Wallr. Gelb.
4. 6—8. Begraste Abhänge u.
Triften (mittl.Rheingegenden).
469. h. 6—7. Wldrd. d. Bergabhg.
bisw. auf d. benachb. Aeckern.
470. = R. repens Wbl. h. 6.
Gebüschwälder u. Hecken, bis
in d. Alpen (hie u. da).
h1. Dunkel-rosenfb. h. 5—10.
Topf Zierstrauch.„Monatrose"
aus Syrien.

h2. Rosenfb. (meist unfruchtbar).
h. 6. Beliebter Zierstrauch.
„Rose, Centifolie", aus dem
Orient. Var. a) kleinblumig
u. kleinblätterig. R. provin-
cialis (R. pomponia Lindl.)
u. R. burgundica Pers. b)
grossblumig, die gewöhnliche
Form, u. c) mit moosf. Wu-
cherungen am Kelch u. a. Th.
„Moosrose" R. muscosa Sw.

B. Fruchtknoten (im Grund des so g. Kelchs)
gestielt.

*a) Blumen einzeln ohne oder nur
mit 1 Deckblatt (die jungen Stämme
mit sehr vielen geraden Stacheln; Nebenblätter der blühenden Zweige wie die der
nicht blühenden gestaltet).*
Die Stacheln ungleich; Bltt. rundl.-eyfm.
K.-Z. lineal-lanzettf., ohne blattartige
Spitze, $\frac{1}{2}$ mal so lang als d. Blmbltt.;
Fr. kugelig . . **pimpinellifolia** L. 471
var. a) mit weissen Blumen u. kahlen
Blumenstielen; b) weissen Blumen u.
haarig-stachligen Blmstl.: R. spinosissima; c) wie vorige aber mit unterseits drüsigen Bltt.: R. myriacantha;
d) mit langen nur unten haarigen
Griffeln: R. leiostyla; e) ebenso, aber
ohne Stacheln: R mitissima Gm. u. s. w.
Die Stacheln gleichf. borstlich, gerade, an
d. älteren Zweigen fehlend. Fr.-stiele
zurückgebogen. Fr. ellipt. Blttch. längl.-
elliptisch . . . . **alpina** L. 472

*b) Blumen zu 3—7 in Dolden, jede
der seitlichen mit 1 Deckblatt; Nebenbltt. d. blühend. Zweige breiter.*

† *Die untersten Fruchtknoten kurz-gestielt
(d. h. halb so lang als sie selbst); Nebenbltt. der blühenden Zweige deutl. breiter als die der Laubzweige. Jüngere
Stämmchen sehr stachlig.*

* Zipfel der Nebenblätter auseinanderstehend.
Nebenbltt. flach; Stamm wenig-stachlig (bläul.
angehaucht). Kelchzipfel über d. Kronbltt.
hinausragend, bei d. Reife abfallend. Fr.

---

471. = R. spinosissima Sm. 472. = R. inermis Mill. Lebhaft
Dunkelrosenfb. ♄. 6. Unbe- rosenfb. ♄. 6—7. Felsen u.
baute Hügel, Felsenabhänge, Abbg. d. Alpen u. Voralpen.
Ackerränder u. Wege.

kegelf., früh reifend, kirschroth , Blättch.
cyförmig-rundlig . . . **rubrifolia** V. 473
Nebenblttch. unten röhrenförm. eingebogen.
Stamm wenig stachl. (jung roth, alt zimtfb.)
Zweige ohne Stacheln ; Bltt. oval-läugl., un-
terseits graugrün . **cinnamomea** L. 474
°° Zipfel der Nebenbltt. gerade vorgestreckt.
Blttch. gefaltet, eyrund. Fr.-kn. kreiselförm.
                 turbinata Ait. 475
†† *Der unterste Fruchtknoten lang-gestielt*
(d. h. so lang als er selbst ist). Blumen
alle mit Deckbltt. Frucht ohne Knoten,
hart. Nebenblätter ungleich. Grössere
Stümmchen derb.
 ° Stacheln sichelförmig.
  Stacheln ziemlich gleichf. (ohne viele klei-
  nere). Bltt. dunkelgrün, glänzend (bisw.
  matt, angehaucht), ellipt. od. eyf., Sägezähne zusammenneigend; Fr. hart, spät-
  reifend . . . . **canina** L. 476
  Varietäten:
  a) Blattstiele, Blätter u. Kelche kahl
                 vulgaris.
  b) Blattstiel überall haarig, auch d. Bltt.
     mehr od. weniger; Blüthenstiele nicht
     borstig, überhaupt fast ohne Stacheln
               dumetorum.
  c) Blüthenstiele borstig-rauh, Blätter u.
     Fr.-kn. kahl u. haarig; mit mehreren
     Abarten . . . . collina.
  d) Weissblüthig, in Gärten R. alba L.
  e) Blattstiele n. Blättchen klebrig-haarig.
     Blumenstiel u. Fr.-kn. kahl sepium.
  Stacheln des Stammes ungleich, Blättchen
  rundl.-eyf., durch Drüsenh. bräunl.-grün,

---

473. = R. glauca Dsf. Lebhaft
rosenfb. ♄. 6. Thäler u. Felsenabhänge der Alpen und
Berggegenden.

474. Lebhaft rosenfb. ♄. 6. Gebüsch u. lichte Wälder, unbe-

baute Hügel (in d. Alpen u.
fränk. Jura an d. Donau).
475. Rosenfb. ♄. 6. Gebüsch d.
Berggegenden, bei uns meist
in Gärten.
476. Blassrosenfb. ♄.6. Hecken
u. Waldgebüsch.

d. Zähne abstehend. Fr. hart (Blm. klein,
dunkelroth; Wuchs dicht)
rubiginosa L. 477
°° Stacheln zieml. lang, gerade abstehend, ungleich-gross.
Bltt. ellipt. oder eyrund, graugrün, mit
abstehenden Sägezähnen. Fr. rundl., hart,
ohne Knoten . . . **tomentosa** L. 478
Blättchen blaugrün. Blumen schwefelgelb
sulphurea Ait. h
Bltt. reingrün. Blm. dottergelb **lutea** Mill. h'
varirt mit innen hochrothen Blumen:
R. punicea Red.

29. Familie. **SANGUISORBEAE.**

141. **ALCHEMILLA** L. Sinau.
A. Blüthenstand ebenstraussförmig.
a) Stockblätter lappig.
† *Bis auf ⅓ des Durchmessers gespalten,*
Lappen ringsum sägezähnig **vulgaris** L. 479
Vorn gezähnt, an d. Seite ganz
fissa Schmm. 480
†† *Bis auf die Mitte gespalten, Lappen verk.-*
eyf., um Rand ganz . **pubescens** M.B.
b) Stockblätter bis auf d. Blattstiel
getheilt, fächerf.
Blätter seidenglänzend . **alpina** L. 481
B. Blüthenstd. büschelf., achselständig.
Bltt. handförmig-3theilig, am Grunde keilförmig
arvensis L. 482

---

477. Dunkelrosenfb. ♄. 6. Feld-
u. Waldgbsch (Bltt. schwach
nach Chloräther riechend).
478. Lebhaft rosenfb. 6. Feld-
u. Waldgebüsch.
h. ♄. 6. Zierstrauch.
h' = R. Eglanteria L. ♄. 6. In
Gärten sehr hoch wachsend.
479. Gelbgrün. ♃. 5 — 6. Trft.,
Wiesen in Wäldern, bis in d.
Alpen (hie u. da).

480. Gelbgrün. ♃. 7—8. Bewässerte Triften d. höhern Alpen.
* Gelbgrün. ♃. 6—7. Triften d.
höchsten Alpen.
481. Weissgelb. ♃. 6—8. Felsige Abhänge u. Geröll der
Alpen u. höheren Gebirge in
deren Nähe.
482. = Aphanes arvensis L.
Weissgrünl. ☉ 5... Aecker
d. Ebenen u. nied. Berge (Ki).

142. SANGUISÓRBA L. Wiesenknopf.

Blüthenstand eyf.-länglrd.-walzenf. Bltt. unpaarig-gefiedert Blättchen ellipt.-herzförmig-sägerandig .
officinalis L. 483

143. POTÉRIUM L.

Bltt. unpaarig-gefiedert, Blttch. eyf.; Fr.-kelch stumpfkantig, 4eckig, hart . . . **Sanguisorba** L. 484

30. Familie. **POMACEAE.**

144. CRATAEGUS L. Hagedorn.

A. Wildwachsend.
Bltt. 3—5lappig, unten bleich; Aestchen u. Blü-
thenstiele kahl. Fr. eyf.-1—3samig. Kelch am
Grund zurückgeschlagen **Oxyacantha** L. 485
Bltt. 3—5theilig, unten bläulich-grün. Aestchen
kahl; Blüthenstiele wollhaarig. Fr. kugelig,
1samig. Kelchz. ganz herabgeschlagen. Griffel
meist 1 . . . **monogyna** L. 486
B. Gartensträucher.
Bltt. herz-eyf., eingeschnitten-winkelig. Blthstiel
u. Kelch drüsenhaarig. Frucht gross, roth
coccinea L. h
Bltt. eyf.-rautenf., ungleich, doppelt-sägezähnig.
Blthstiel zottig. Kelchz. spitz **erus galli** L. h1
Bltt. schmal-länglrd., lederartig. Blthstiel dicht-
haarig. Kelchz. stumpf . **Pyracantha** L. h2

145. COTONEASTER Medik. Steinbirn.

Bltt. rund-eyf., nach vorn etwas spitz oder ausgerandet. Fr. überhängend. K. glatt, am Rand
jedoch wie d. Blthstl flaumhaarig **vulgaris** Lindl. 487

483. Braunroth. ♃. 6—8. Wiesen, bis in d. Voralpen.
484. Grün (Staubfd. rosenfb.).
♃. 6—7. Bergwiesen, Triften,
Abhg. u. s. w., bis in d. Alp.
485. Weiss. ♄. 5—6. In Feld-
u. Waldgebüsch, der Ebenen
u. niederen Berggegenden.
486. Weiss od. rosenfb. ♄. 5.
Feld- u. Waldgbsch (hie u. da).

h. Weiss. ♄. 5. Aus N.Amerika.

h1. Weiss. ♄. 5—6. Aus d. südl.
S.- u. NordAmerika.

h2. Weissröthl. ♄. 4—6. Aus
Ober-Italien. Frucht gelbroth.

487. = Mespilus Cotoneaster L.
Blassrosenfb. ♄. 4—5. Felsen
u. steinige Abhänge (Ka.).

Bltt. eyf.-abgerundet, stumpf; Kelch u. Blüthenstiel
filzhaarig . . . . . **tomentosa** Lindl. 489

146. MESPILUS L. Mispel.
Bltt. lanzettf., unterseits wollhaarig. Blth. einzeln
germanica L. c

147. CYDONIA Tournef. Quitte.
Bltt. eyf., am Grund stumpf, unterseits wie d. K.
filzhaarig . . . . **vulgaris** Pers. c'

148. PYRUS L. Kernobst.
A. Griffel frei. Frucht am Stiel nicht
eingedrückt.
Bltt. eyf., so lang als d. Blattstiel, klein-gesägt, die erwachsenen kahl. Ebenstrauss
einfach. Staubbeutel roth. Blm. rein-weiss
communis L. 489
var. a) Bltt. sehr bald nach der Blüthe kahl.
b) Bltt. noch lange nach d. Blth. filzhaarig.
Die cultivirten Var. sind sehr zahlreich u. werden nach Form, Art der
Dichtigkeit des Fruchtgewebes, der Eigenschaften d. Saftes u. s. w., in mehrere
Gruppen und diese wiederum nach
Grösse, Reifungszeit u. s. w. in viele
Spielarten unterschieden. Schön ist
die Uebersicht der Birn-u. Apfelarten
in Schübler's Flora v. Württemberg.
Bltt. ungleich-grossgesägt, Sägezähne ohne
Drüse, unten graufilzig, Ebenstrauss zusam-
mengesetzt . . . . . **Pollveria** L. c
B. Griffel unten verwachsen. Frucht am
Stiel eingedrückt.

---

488. Pyrus Cydonia L. Weiss.
♄. 5. Felsenabhänge in d. Al-
pen, Voralpen u. den steilen
Flussufern d. Ob.Bayr. Ebene.
C. Weiss. ♄. 5. Obstgärten u.
Hecken, oft wie verwildert.
C' Pyrus Cydonia L. Blassro-
senfb. ♄. 5. Auf Felsen, Ge-

büsch u. Hecken verwildert;
ausserdem in Gärten.
489. Weiss. ♄. 4—5. Wälder u.
Hecken: „Holzbirne".
C. Bollwyller-Birn. Selten in
Obstgärten. Frucht 1 Zoll im
Längsdurchmesser, mit blass-
pomeranzenfarbenem Fleisch.

Bltt. eyf., stumpf-gesägt, nochmal so lang als
d. Blattstiel. Staubbeutel gelb . **Malus** L. 490
Hauptvar. a) Blätter u. Fruchtknoten kahl
P. austera Wallr.
b) Blätter u. Fruchtkn. wollhaarig
P. mitis Wallr.
Ueber d. Gartenvarietät vergl. d. oben bei
P. communis Gesagte.

149. ARÓNIA Pers. Felsenbirn.
Bltt. eyf., stumpf, unten filzig. Blmbltt. lanzett-keilf.
rotundifolia Pers. 491

150. SORBUS L. Eberesche.
A. Blumenblätter ausgebreitet, weiss.
a) Bltt. gefiedert oder fiedertheilig.
† *Blätter ganz gefiedert.*
Knospen glatt, klebrig. Blm. gross. Fr. birnf.
domestica L. 492
Knospen filzhaarig. Blm. klein. Fr. kugelig
Aucuparia L. 493
†† *Bltt. nur gegen d. Stiel hin fiederspaltig*
hybrida L. *
b) Blätter ganz oder gelappt.
Bltt. eyf.-längl.-rund, seicht-gelappt, doppel-
zähnig, unten filzig, Lappen oder Zähne
nach d. Stiel hin kleiner werdend **Aria** Crtz. 494
Bltt. breit-eyf., unten filzig, am Rand gelappt,
die Abschn. dreieckig-eyf., d. 3 untern am
grössten . . . . . . **latifolia** Pers. *

---

490. Rosenfarb-weiss. ♄. 5. Wälder u. Feldgbsch „Holzapfel".
491. = Mespilus Amelanchier L..
Weiss, aussen rosenfarben. ♄.
4—5. Steinige Bergabhänge u.
Felsspalten in d. Alpen u. den
benachbarten Hochebenen.
492. Weiss. ♄. 5—6. Bergwälder: „Speierling" (in den
Main- u. Rheingegenden).
493. Weiss. ♄. 5—6. Bergwäl-

der u. Gebüsch, an Felsen u.
s. w., ausserdem an Strassen
gepflanzt: „Vogelbeere".
* Weiss. ♄. 5. Bergwälder, Fel-
senabhänge (Thüringen).
494. = Crataegus ... α. L. Spec.
Weiss. ♄. 5. Bergwälder (d.
Ka.-F.), bis in die Voralpen.
Frucht roth oder gelblich.
* Weiss. ♄. 5. In Laubwäldern
(Thüringen u. Württemberg).

Bltt. cyf.-gelappt, erwachsen kahl, Abschnitte
zugesp., d. unteren grösser **torminalis** Crtz. 495
B. Blumenblätter aufrecht, rosenfarben.
Bltt. verk., cyf.-ellipt., doppelt-gezähnt. Frucht
schwarz, filzhaarig **Chamaemespilus** Crtz. 496

Familie **GRANATEAE.**

a) PÚNICA L.

Bltt. lanzettf., glänzend, welligrandig. Fr.-becher
roth . . . . **Granatum** L. h

31. Familie. **ONAGREAE.**

151. EPILÓBIUM L. Weidenröslein*).
A. Blätter alle spiralig; Staubfädeu und
Narben zuletzt zurückgebogen. Blu-
meu ausgebreitet.
Blätter lanzettförmig, netz-rippig
angustifolium L. 497
Blätter lineal, ohne Rippen, Griffel so lang
als die Staubfäden . . **Dodonaei** Vill. 498
B. Untere Blätter gegenüberstehend;
Stbfd. aufrecht; Blm. trichterförmig.
a) Stengel walzenrund.
† *Narben ausgebreitet.*
° Kelch krautspitzig.
Blätter stengelumfassend, zugespitzt, et-
was weniges herablaufend, gesägt;
Stock mit Ausläufern **hirsutum** L. 499
°° Kelch stumpf oder kaum krautspitzig.

---

495. = Crataegus...L. Weiss,
ħ.5. Bergwälder (Ka.). Frucht
braungelb.
496. = Mespilus....L. Röthlich-weiss. 6—7. Felsenabhänge der Alpen u. höheren
Gebirge.
h. Scharlachrothe Kelch u. Blumenblätter (meist gefüllt). ħ.
Aus Asien, bei uns Topf Zierstrauch.

*) Blume bei allen mehr oder we-
niger purpur-rosenfarben.
497. ♃. 7—8. Jüngst gelichtete
Wälder, steinige Abhänge, bis
in d. Voralpen.
498. = E. rosmarini folium Hk.
♃. 7—8. Geröllabhänge der
Alpen u. in den Flussbetten.
499. ♃. 6—7. (Blumen gross).
Sumpfige Wälder, an Fl.-Uf.
u. in bewässertem Gebüsch.

Bltt. lanze!tf., spitz, wollig; Blumenknospe
stumpf; Stengel flaumhaarig; Stock ohne
Ausläufer . . **parviflorum** Schrb. 500
Bltt. eyf., d. unteren gestielt, ungleich-
grob-gesägt, kahl . **montanum** L. 501
† *Narben keulenförmig-zusammengeneigt.*
Blätter schmal-lanzettf., meist ganzrandig, am Grunde keilf.-sitzend. Same an
d. Spitze vorgezogen . **palustre** L. 502

*b) Stengel rund aber mit herablau-
fenden Riefen versehen.*

   † *Blätter gestielt.*
Blätter länglich-rund, dicht ungleichsägez.;
Stock ohne Ausläufer . **roseum** L. 503
Blätter längl.-lanzettf., fast ganz-randig,
stumpf, am Grund keilf.; Stengel ein-
fach, wenig-blüthig, niedrig, kriechend
                  alpinum L. 504
Blätter eyf.-zugespitzt, entfernt, wellig-
zähnig, kahl; Stengel mit 2 Reihen
Flaumhaaren **origanifolium** Lam. 505

   †† *Blätter sitzend.*
Blätter lanzettf., d. mittleren am Grund
herablaufend-angewachsen. Samen ellipt.-
eyf., knotig-getüpfelt **tetragonum** L. 506
Blätter längl.-eyf., zu 3 oder 4, stengelumfassend . . . **trigonum** Schrk. 507

a) FUCHSIA Plum.

Blätter meist zu 3 od. 2 gegenstd., eyf.-lanzettf.-

---

500. = E. hirsutum β. L. = E.
pubescens Rth. ♃. 6—7. Sumpfige Wiesen, Ufer, Weiden-
gebüsch, bis in d. Voralpen.

501. ♃. 6—8. Wälder u. Gbsch.
feuchte Mauern.

502. ♃. 7—8. Torfhaltige Wiesen, Sümpfe u. Gräben.

503. ♃. 7—8. Gräben, Bäche u.
sumpfige Plätze.

504. ♃. 7—8. Sumpfige Stellen
der Alpentriften, an den Bächen der Alpen u. anderen
Gebirgsgegenden.

505. ♃. 7—8. Bäche u. quellige-
Orte d. Alpen u. Voralpen.

506. ♃. 7—8. Bäche, Gräben,
Quellen u. Sumpfplätze.

507. = E. alpestre Rchb. ♃..
7—8. Feuchte Alpenwaiden.

gezähnt, roth-rippig. Staubbeutel weiss. Kelch
scharlachfb. Blmbltt. violett . . **coccinea** L. h

152. OENOTHÉRA L. Nachtkerze.
Stengel rauhhaarig. Blume halb so lang als die
Kelchröhre . . . . **biennis** L. 508

153. ISNARDIA L.
Stengel niederliegend, wurzelnd. Bltt. gegenüberstehend, rautenf.-spitz. Blüthen einzeln, ohne Blumenblätter . . . . **palustris** L. 509

151. CIRCAEA L. Hexenkraut.
A. Blumenstiel ohne Deckblättch. Bltt.
entfernt gezähnt, mit rinnigem Blatt-
stiel . . . . **lutetiana** L.
B. Blumenstiel mit 2 borstenf. Deckbltt. 510
Stengel niedrig (3—8″), Bltt. breit-eyf., tief-herzf.
Frucht keulenförmig . . . . **alpina** L. 511
- Stengel hoch (1—1½′). Bltt. eyf.-herzf. Frucht
kugelig, meist vor der Reife (als unentwickelt
u. keimlos) abfallend . . **intermedia** L. 512

155. TRAPA L. Wassernuss.
Bltt. rautenf., buchtig gezahnt, bei d. Blüthenzeit
mit aufgeblasenen Blattstielen. Frucht 4dornig
natans L. 513

32 Familie. HALORAGEAE.

156. MYRIOPHYLLUM L. Federkraut
A. Männl. Blth. in Quirlen, auch vor dem
Blühen aufrecht.

h. ♄. Zierpfl. aus S.-Amerika
(auch mehrere andere Arten
dieser Gattung sind beliebt).
508. Gelb. ⊙ 7—8. Dämme,
sandige Haiden, Kies d. Flussbette u. Ufer-Gebüsch.
509. Grünlich. ⅔. 7—8. Gräben,
langsam fliessende Wässer u.
Teichränder (hie u. da: Rheingegenden).
510—512. Weiss. ⅔. 7—8. Lockere Lauberde, an Baumstö-

cken in schattigen u. feucht.
Wäldern u. Abhg. — 510. Im
ganzen Gebiet hie u. da: 511
besonders in den Alpen; 512
hie n. da.
513. Weiss. ⊙ 7. Seichte Seen
u. langsam fliessende Wasser
(hie u. da: Nürnberg, Erlangen, die Standorte in U.-Frk.
sind jetzt trockengelegt; auch
in der Rheinpfalz vorhanden).

Alle Deckblttch. kamm-fiederspaltig, viel länger
als d. Blüthen . . . . **pectinatum** DC. 514
Deckbltt. zahnf. eingeschnitten, die oberen kleiner als d. Blüthen u. ungetheilt **spicatum** L. 515
B. Männl. Aehren spiralig, vor d. Aufblühen nickend. Blätter quirlich
alterniflorum L. 516

33. Familie. HIPPURIDEAE.

157. HIPPURIS L. Tannenwedel.
Blätter lineal, zahlreich, in Quirlen **vulgaris** L. 517

34. Familie. CALLITRICHINEAE.

158. CALLITRICHE L. Wasserstern.
A. Alle Blätter gleichförmig.
Alle Bltt. keilig, verk.-eyf. Fr. kreisrund, breit
gerundet, fast glatt . . **stagnalis** Scop. 518
Alle Bltt. lineal, nach d. Spitze verschmälert,
buchtig ausgeschnitten. Griffel zuletzt zurückgebogen. Fr. breit-rundlich **autumnalis** L. *
B. Blätter ungleichförmig: die oberen
keilig, verk.-eyf., die unteren lineal.
*a) Griffel bleibend (vorher zurückge-
bogen). Frucht geflügelt, fein
punctirt.*
Vorblättchen (sog. Blume) sichelförmig,
aber ohne Hacken. Fr. schmal ausgerandet. Griffel zurückgebogen
platycarpa Kütz. 519
Vorbltt. (sog. Blume) sichelförmig, an d.
Spitze hackenf. eingerollt. Griffel sehr
lang . . . . . **hamulata** Kütz. 520

---

514. = M. verticillatum L. Weiss-
röthlich. ♃. 7—8. Stehende,
auch unreine Wasser.
515. Weissröthlich. ♃. 7—8.
Tiefe stehende Wasser.
516. Röthl.-weiss.♃.7—8.Teiche
mit klarem kalten Wasser
(Rheinpfalz).
517. ♃. 7—8. Gräben, Neben-
arme v. Flüssen u. Bächen

518. ♃. 4... Fliessende und
stehende Wasser.
* ♃. 9. Fliessende Wasser und
Seen (untergetaucht).
519. ♃. 4... Stehende u. fliessende Wasser, auch ohne Wasser auf sehr feuchtem (Wald)
Boden.
520. = C. autumnalis Kütz. bei
Rchb. = C. verna L. ♃. 4...
Fliessende u. stehende Wasser.

b) *Griffel abfallend* (vorher aufrecht, kurz).
 Vorblttch. (s. g. Blume) sichelf.-lanzettl. bis
  eyf., nur wenig länger als d. scharf ge-
  kielte Frucht . . . . . **verna** Kütz. 521

35. Familie. CERATOPHYLLEAE.

159. CERATOPHYLLUM L. Hornblatt.
Bltt. zart, borstenf., dreifach gabelig. Fr. mit kurzem Dorn an d. Spitze . . **submersum** L. 522
Bltt. dick fadenf., gabelig. Fr. mit langem Dorn
an d. Spitze u. bisw. zweien am Grunde
  demersum L. 523

36. Familie. LYTHRARIEAE.

160. LYTHRUM L. Weiderich.
Blüthen mit 12 Staubfd., in Quirlen stehend, bü-
schelig, ohne Deckbltt. Bltt. herzf.-lanzettlich
  Salicaria L. 524
var. mit einzelnen Blüthen n. grossen Deckbltt.:
  bracteosum DC.
Blüthen mit 6 Staubfd., einzeln, achselständig, mit
Deckblttchen; Blätter lineal oder lanzettförmig
  Hyssopifolia L. 525

161. PEPLIS L. Zipfelkraut.
Blätter gegenüberstehend, verk.-eyf., abgerundet;
Blüthen in d. Achseln sitzend . **Portula** L. 526

37. Familie. TAMARISCINEAE.

162. MYRICARIA Dsv. Tamariske.
Bltt. pfriemenf., schuppig-angedrückt. Deckblätter

521. ♃. 4... Stehende Wasser 525. Hellpurpur-violett. ♃. 7.
  (hie u. da). Gräben, fcht. überschwemmte
522. ♃. 6 — 7. Fischteiche und sand. Trft., In Ackerfurchen.
  Seeen (hie u. da).
523. ♃. 7—8. Stehende u. lang- 526. Blassrosenfarben. ☉ 6—9.
  sam fliessende Wasser. Feuchte sandige Triften, Ae-
524. Purpurlila. ♃.7—9. Sümpfe, cker u. Flussufer (hie u. da).
  Flussufer u. Ufergebüsch.

7

länger als d. Blüthenstiel. Fr. aufrecht-absthd.
germanica Dsv. 527

Familie **PHILADELPHEAE.**

a) PHILADELPHUS L. Kandelstrauch.
Bltt ellipt., zugespitzt, sägezähnig, oberseits kahl,
unt. rauhhaarig. Griffel kürzer als d. Staubfäden
coronarius L. h1

Familie **MYRTACEAE.**

b) MYRTUS L. Myrte.
Blthstiel einzeln, 1blüthig, etwas kürzer als das
Blatt, dieses ey- oder lanzettförmig, zugespitzt.
communis L. h2

38. Familie. **CUCURBITACEAE.**

c) CUCURBITA L. Kürbis.
Frucht kugelig oder ellipt., kahl, glatt **Pepo** L. h3
Frucht plattkugelig, riefig, über d. Mitte mit wulst-
förmiger Hervorragung (der Fruchtblätter)
Melopepo L. h4
(Bemkg. Es werden ausser diesen noch viele
andere Arten und Abarten davon cultivirt,
aber sie sind nur hie und da zu finden; die
beiden angeführten sind die allgemeinsten.)

d) CUCUMIS L. Gurke.
Bltt. eckig, 5lappig, mit spitzen Winkeln. Frucht
walzl.-ellipt., warzig , ... **sativus** L. c
Bltt. buchtig, 5lappig, mit abgerundeten Winkeln.

---

527. = Tamarix...L. Rosenfb.
♄.5—6.Kiesbänke d.Flussufer,
in d.Alpen und nahen Ebenen.

h1. Weissgelbl. (wohlriechend)
„Wilder Jasmin, Kandelblü-
the". ♄. 5—6. Hck., hie u. da).

h2. Weiss. 7—8. ♄. Varirt mit
kleinen (1/2'') Blättern. Topf-
Zierstrauch aus Süd-Europa.

hie u. da wie verwildert. Zierstrauch aus den südl. Alpen.

h3. Gelb.☉6—8. In Gärten mit
vielen Var. in d. Grösse und
Farbe der Frucht.

h4. Gelb. ☉ In Gärten „Tür-
kenbund-Kürbiss".

C. Blassgelb. ☉ 5—8. Gemüsepflanze in Gärten: „Gurke".

Frucht kegelf. oder ellipt. mit ebener oder rauh-
rindiger Oberfläche . . . . . . **Melo** L. h1

163. BRYONIA L. Zaunrübe.
Kelch d. weibl. Blume so lang als d. Blmkr. Narbe
kahl. Frucht schwarz . . . . . . **alba** L. 528
Kelch d. weibl. Blume halb so lang als d. Blmkr.
Narbe rauhhaarig. Frucht roth . **dioica** L. 529

Familie PASSIFLOREAE.

a) PASSIFLORA L. Passionsblume.
Bltt. fächerf., 5theilig, mit ellipt.-stumpfen Zipfeln,
unterseits matt. Blüthen einzeln, mit 3 Vorbltt.
Nebenkrone fadenf., violett und weiss
coerulea L. h2

39. Familie. PORTULACACEAE·

164. PORTULACA L. Portulak.
Stengel u. Aeste niederliegend. Blätter längl.-rund,
keilf., fleischig, Kelchzipfel stumpf gekielt
oleracea L. 530
Stengel aufrecht, Aeste herabgebogen-aufstrebend.
Bltt. verk.-eyf.; Kelchz. flügelf. zusammengedrückt
sativa Haw. c

165. MONTIA L.
Bltt. spatelförmig abgestumpft, gegenstdg.
Stengel aufrecht, kurz (1—3″). Samen knotig,
rauh, matt . . . . **minor** Gml. 531
Stengel niederliegend, lang, (4—10″). Samen
sehr fein gekörnt, glänzend **rivularis** Gml. 532

h1. Gelb. ⊙ 6—7. Gärten, hie
u. da als feines Obst: „Me-
lone", mit mehreren Varietät.
528. Weiss-grünl. ♃. 6—7. Hecken u. Feldgebüsch.
529. Weissgelb (gross).♃.6—7.
Hecken u. Feldgbsch(hie u.da).
h2. Blassblau. ♄. 7—9.Zierpfl,
aus Westindien.
530. Gelb. ⊙ 6—9. Bebauter

Boden, kurz begraste feuchte
sandige Triften (hie u. da).
C. Gelb. ⊙ Gemüsegärten: „Portulak".
531. Diese mit d. flg. = M. fontana
L. Weiss. ⊙ 4… Fcht. sand.
Brachäck. u. ausgetrockn. Grb.
532. Weiss. ♃. 5… Bächlein
u. Quellen mit klarem Wss.
u. Sandgrund (hie n. da).

7 *

40. Familie. **PARONYCHIEAE.**

166. CORRIGIOLA L.
Bltt. spiralig, lineal-keilf. Blthstd. achselstd., büschelförmig, kurzgestielt . . . **littoralis** L. 533

167. HERNIARIA L. Bruchkraut.
Blätter ellipt., kahl; Kelch kahl; Aeste niederlie-
gend . . . . **glabra** L. 534
Blätter ellip. rauhhaarig, Kelch mit borstiger Spitze.
Aeste aufstrebend . . . . . . **hirsuta** L. 535

168. ILLECEBRUM L. Knorpelkraut.
Bltt. gegenüberstehend, gestielt, verk.-eyf., dick-
lich; Blthstd. scheinquirlig mit glänzend weissen
Deckblättchen . . . . **verticillatum** L. 536

169. POLYCARPON L. Nagelkraut.
Bltt. längl.-verkehrt-eyf., kurz gestielt, gegenstd,
durch diej. des Achseltriebes scheinbar 4 bltt.-
quirlig. Blmbltt. ausgerandet. Blthstd. gabelig,
ebenstraussförmig . . . **tetraphyllum** L. 537

41. Familie. **SCLERANTHEAE.**

170. SCLERANTHUS L. Knaul.
K. am Rand schmal trockenhäutig, bei d. Fr.-Reife
offen stehend . . . . **annuus** L. 538
K. am Rand breit trockenhäutig, bei d. Fr.-Reife
geschlossen . . . . **perennis** L. 539

42. Familie. **CRASSULACEAE.**

a) RHODIOLA L. Rosenwurz.
Blätter keilförmig . . . . **rosea** L. *

533. Weiss. ☉ 7—8. Kiessbänke der Flüsse u. feuchte sandige Wege (hie u. da: Rheingegenden).
534. Weissgelb. ♃. 7... Sandige Haiden, Kiesplätze, in Städten zwischen d. Pflaster.
535. Weissgelb. ♃. 7—9. Sandige Felder u. Trift. (hie u. da).
536. Weiss. ♃. 7—10. Kahle Triften mit Torfgrund und

Schlamm, Gräben u. Waldwege (Rheingegend).
537. Weiss. ☉ 8—9. Sandhaiden (Rheinfläche hie u. da).
538. Weiss grün. ☉ 6. Aecker u. bebauter Boden.
539. Weiss-grünl. ♃. 5. Sandfelder u. trockene Triften.
* Grünlichroth. ♃. 7—8. Felsen d. höchsten Alpen (hie u. da im Nachbargebirge).

171. SEDUM L. Fettkraut.

A. Blumen weiss, grünlich oder röthlich.

a) Blätter flach;
Untere Blätter am Grund mit breiter Spreite,
d. oberen herzf., fast umfassend-ansitzend,
meist zu 3en . . . . **maximum** Sut. 540

Untere Bltt. schmal-ellipt., fast gestielt, obere
mit abgerundeter Basis sitzend (oft gegenüberstehend). Blumen purpurn, zurückgeschlagen . . . **purpurascens** Koch. 541

b) Blätter walzlich,
 † *kahl.*

Bltt. ellipt.-lineal, abstehend; Blthstd. kahl;
Stock mit locker beblätterten Ausläufern;
Blüthenstd ebenstraussförmig **album** L. 542

Bltt. kurz-ellipt., auf d. Rücken höckerig,
meist gegenstd.; Blthenstd drüsenhaarig;
Stock mit dicht-beblätterten Ausläufern
dasyphyllum L. 543

Bltt. keulenf. Blüthen einfach endstd., dicht,
kahl. Stock ohne Ausläufer **atratum** L. 544

 †† *haarig.*
Bltt. lineal-walzl., oben etwas flach, aufge-
richtet. Blthstd. drüsenhaarig. Stock ohne
Ausläufer . . . . . . **villosum** L. 545

B. Blumen gelb.

a) Bltt. ansitzend, ohne hinabwärts
verlängert zu sein.
 † *Stock ohne Ausläufer.*
Stock v. Grund an ästig. Bltt. lineal, stumpf.
Blüthenstand kahl. . . . **annuum** L. 546

†† *Stock mit Ausläufern.*
Bltt. eyf.-zugespitzt, am Rücken höckerig. Blm.
nochmal so lang als d. Kelch . **acre** L. 547
Bltt. lineal, beiderseits flach. Blthstd. 2—5bl.,
kahl . . . . **repens** Schlch. *
*b) Blätter abwärts von der Anhef-
tungstelle spornf.-verlängert.*
† *Blätter stumpf-abgerundet, lineal-walzl.*
auch an d. Blüthenästen dicht, 6reihig stehend; Blthstd. armblth.; Blmbltt. 2mal so
lang als d. Kelch; Stock mit Ausläufern
           sexangulare L. 548
an d. Blüthenästen locker undeutl. 6reihig;
Blthstd. reichblth. Blmbltt. nochmal so lg.
als der Kelch (blass-gelb). Same warzig
           boloniense Lois. 549
†† *Blätter zugespitzt, lineal-pfriemlich, stachelspitzig, beiderseits gewölbt.*
Blthstd. kahl (anfänglich zurückgebogen).
Blmbltt. nochmal so lang als der Kelch,
ausgebreitet . . . . . . **reflexum** L. 550
varirt mit graugrünen Bltt. = S. rupestre L

172. SEMPERVIVUM L. Hauswurz
A. Blumenblätter 6, glockenf. zusammengeneigt, an der Spitze zurückgebogen.
Bltt. abgesehen von den Randwimpern, kahl,
längl.-keilf., von der Mitte an zugespitzt
           soboliferum Sims **
B. Blumenblätter 12 oder mehr, sternf.-
ausgebreitet.
   *a) Blätter kahl, am Rand gewim-
pert, hellgrün.*

---

547. ♃. 6—7. Kahle Haiden,
Felder, Bergabhänge, Mauern.
* Gelb. ♃. 7—8. Felsen der Alpen u. höheren Berge.
548. ♃. 6—7. Kahle Haiden,
Waldränder, Bergabhänge u.
Mauern (hie und da) [nicht
scharf-schmeckend].
549. = S. sexangulare M. u. K.

u. aller deutsch. Aut. = S.
Forsterianum Rchb. Blth. u.
Standort wie vorige. ♃. (Mon-
heim). Ob gute Art?
550. ♃. 7—8. Sandige sonnige
Trft., Wldrd., Abhg. u. s. w.
** Hellpurp. ♃. 7—8. Felsen,
Mauern u. Dächer in d. Al-
pengegenden.

Blmbltt. hellpurp. Schuppen unt. d. Griffeln
sehr kurz gewölbt . . **tectorum** L. 551
*b) Blätter drüsen- od. flaumhaarig,
gewimpertu. durch spinnwebartige
Füden verbunden* **arachnoideum** L. 552
*c) Blätter drüsen-flaumhaarig ohne
Spinnwebfäden.*
Fr.-kn. breitrhombisch. Wimpern d. Blätter
schwächer als d. übr. Haare **Funkii** Br. *
Fr. schief-lanzettf. Wimpern fast eben so
stark als d. Blatthaare. Staubfd. walzenf.,
aufrecht . . . . . **montanum** L. 553

Familie **CACTEAE.**

a) CERËUS Haw. Cactus, Feigendistel.
Stamm in **3** od. **4** Reihen gekerbt, kantig
speciosissimus DC. h1
Stamm rund, ruthenförmig, Aeste warzenf. in vielen Reihen. Blumenblätter schmal zugespitzt
flagelliformis Mill. h2
Stamm oberwärts platt-gedrückt, blattförmig, gekerbt. Röhre der Blm. kürzer als d. Blumenbltt.
phyllanthoides DC. h3

43. Familie. GROSSULARIACEAE.

173. RIBES L. Johannisbeere.
A. Kelch glockenförmig.
*a) Blüthenstand 1—3blumig. Stamm
mit Stacheln. Dornen 3theilig*
Grossularia L. 554

Var. 1) mit bortigem Frucht-kn. u. Frucht
    R. Grossularia L. ᴬ
   2) mit flaumhaarigem Fr.-kn. u. kahler
    Frucht . . . . R. uva crispa L. ᵇ
   3) alle Theile (Bltt., Kelch u. Frucht)
    kahl, nur am Rand gewimpert
    R. reclinatum L. c

*b) Blüthenstand in Aehrensträus-
sen. Stamm ohne Stacheln.*
† *Deckblätter eyförmig.*
Kelch beckenf., d. Zipfel ausgebreitet, am
Rande kabl. Blätter stumpf-5lappig
    rubrum L. 555
Kelch glockenf. Kelchzipfel aufrecht, wimperig; Bltt. spitz, 5lappig **petraeum** Wulf. 556
†† *Deckblätter schmal-lanzettförmig,*
länger als d. Blüthenstiel. Blüthenstand aufwärts stehend . . . . . **alpinum** L. 557
kürzer als d. Blthstiel. Blätter unten drüsig
punctirt. . . . . . . **nigrum** L. 558

B. Kelch röhrenförmig.
Bltt. 3lappig, wenig gezähnt, kahl, in d. Knospe
gerollt. Blthstand 5—8blth., hängend. Deckblätter lang, bleibend . . **aureum** Pursh. h

41. Familie. **SAXIFRAGEAE.**

174. SAXÍFRAGA L. Steinbrech.
§. Wildwachsend.

---

a. Seltener, aber in den Alpen
bisweilen häufig.
b. Allenthalben.
c. Wahrscheinlich durch Cultur
entstanden.
555. Gelb-grün. ♄. 4—5. Feuchte
Gebüschabhänge, Waldränder
u. s. w. Auch in mehreren
Spielarten cultivirt: „Johannisbeere".
556. Roth. ♄. 4. Feuchte Felsen
u. Bergabhänge der Alpen u.
Voralpen.

557. Gelbgrün. ♄. 5—6. Felsige
Abhg.-d. Berggegenden (fränk.
Jura) bis in die Alpen.
558. Grünlich. ♄. 4—5. Feuchte
Waldstellen, Sümpfe, Gräben,
Hecken; auch cultivirt „Wan-
zenbeere, schwarze Johannisbeere".
h. K. gelb, wohlriechend. Blumenbltt. roth, ausgerandet
Fr. gross, gelb-roth oder
schwärzlich. ♄. 4—5. Zierstr.
aus N.W.Amerika.

A. Stock mit blättertragenden nicht blühenden ausdauernden Zweigen.

a) Kelch aufrecht oder abstehend, alte Blätter vertrocknet (mit Erhaltung der Gestalt).

†‡*Blätter spiralstd., starr, am Rand mit einer Reihe kalkiger Puncte.*

° Blüthenstand reichblüthig, traubenförmig. Blumen weiss, untere Blthstiele einblth., obere 2 — 3blth. Bltt. spatelf., bis zur Spitze gezahut . . . **Aizoon** Willd. 559
Blumen gelb, untere Blthstiele 2blth., obere 1blth. Blätter am Grund stark-, an der Spitze ungezahnt . . . **mutata** L. 560

°° Blüthenstand wenig-blüthig (1—6), ebenstraussförmig (Blumen weiss).
Bltt. spatelf., zurückgebogen, Blumenbltt. verk.-eyrund, 3—5rippig . **caesia** L. 561
Bltt. lineal-länglrd., abstehend (grösser als vorige). Blmbltt. längl. verk.-eyrd., 3rippig **patens** Gaud. 562
Bltt. pfriemenf., 3kantig, vorw. gebogen. Blmbltt. vielrippig. Stengel 1—2blüthig **Burseriana** L. 563

†† *Blätter gegenstd., am Rand der Spitze mit 1—3 Kalkpuncten, dicht anliegend, 4reihig, ellipt.-abgerundet, mit 1 Punct an der Spitze. Kelch abgerundet-zahnig* **oppositifolia** L. 564

---

559. = S. Cotyledon ε. L. sp. Purp. punctirt. ♃. 7—8. Felsen d. höheren Berge bis in d. Alpen (Vogesen, schwäb. Jura, Alpen). Von Schrank als S. maculata mit getüpfelten Blumenbltt. u. gefransten Laubblättern zw. Ammergau u. Etthal, u. mit gleichfarbigen Blmbltt. u. ungefransten Bltt. als S. Cotyledon L. bei Hohenschwangau angeführt; nach Zucc. aber ist letztere

noch nicht in d. bayr. Alpen gefunden.
560. ♃. 6—7. Felsige Abhänge längs des Alpengebirgs.
561. ♃. 6 — 7. Felsen höherer Gebirge u. Alpen.
562. ♃. 7. Felsen der höheren Alpen (Mittenwald).
563. Grossblumig, Kelch aussen roth. ♃. 6—7. Kalkfelsen der Alpen.
564. Rosenfarb, später lila. ♃. 5—6. Felsen d. Alpengebirge.

††† *Blätter spiral-ständig, an der Spitze mit 1 Kalkpunct.*

• Bltt. lanzettl.-lineal, sägezähnig-stachelwimperig. Kelchzipfel stachelspitzig. Bltt. locker stehend. Stengel 2—4blüthig. Kelch halbunterständig . **aspera** L. 565
Bltt. dicht gedrängt; Stgl. 1blth.; Kelch völlig unterständig **bryoides** L. 566
••• Bltt. gleichbreit zugespitzt, borstig wimperig. Kelch halbunterständig, ohne Stachelsp. Blthstd. 4—10blth. **aizoides** L. 567
b) Kelch zurückgeschlagen, die alten Blätter verwesend.
† *Staubfäden pfriemenf. Blumbltt. mit 2 Schwielen am Grunde.*
Bltt. lanzettl., flach, fast nur stengelständige vorhanden. Blüthenstand 2—5blüthig
Hirculus L. 568
†† *Staubfd. pfriemenf. Blumenblätter ohne Schwiele. Blüthenstengel ohne Blätter.*
Bltt. grundstd., keilf., ellipt., kahl, oberwärts sägezähnig. Kelch unterstd. Blmbltt. gestielt . . . . . . **stellaris** Jacq. 569
††† *Staubfäden oberwärts verbreitert.*
• Bltt. ganzrandig, ungetheilt, lanzettf., stachelspitz (zerstreut). Blthstd. 2—3blth., 1—3blätterig. Blm. langgestielt. Blumenbltt. eyf.-zugespitzt, schmäler u. kürzer als d. Kelch
sedoides L. 570
•• Blätter am Rand gekerbt oder tief gezahnt, ungetheilt;
rundl.-spatelf., quirlartig stehend. Blattstiel kahl; Blmbltt. lanzettf. **cuneifolia** L. 571

565. Gelbl.-weiss. ♃. 7—8. Bewässerte Felsen und steinige Abhänge der Alpen.
566. Gelbl.-weiss. ♃. 7—8. Felsen u. steinig. Abhg. d. Alpen.
567. Goldgelb. ♃. 7—8. Bewässerte Abhänge u. Giessbäche d. Alpen u. höheren Gebirge.
568. Goldgelb, am Grund rothgelb getupft. ♃. 7—8. Feuchte kalte Torfmoore in Haidengegenden (hie u.da: Ob.-Bayern).
569. Weiss mit 2 gelben Tupfen am Grund. ♃. 7—8. Feuchte Felsabhänge u. Bächlein der Alpen.
570. Hellgelb. ♃. 7. Felsen der Alpen.
571. Weiss mit 2 gelben Tupfen am Grund. ♃. 6—7. Schattige Felsen der Alpen.

Bltt. keilf., vorn 3zähnig, 5+11rippig, grundständig, Blthstd. 2—3blm. Blumbltt. rund-
ellipt., ausgerandet . **androsacea** L. 572
Bltt. tief 3zähnig, grundstd.; Stengel 1 oder
0 blttr. Blmbltt. lineal-zugespitzt, 3mal so
lang als d. K.-Z. **stenopetala** Strnbg. 573
°°⁰ Blätter fingerförmig gespalten.

◯ Bltt. flach, ohne eine Rinne welche in den
Lappen übergeht.
Stengel zart; Bltt. eben, 3spaltig,
Lappen gleichbreit od. keilf, abgerundet, vorwärts stehend, mit ungetheilten Bltt. vermischt. Blmbltt. aufrecht, etwas länger als
der Kelch . . . . **muscoides** Wulf. 574
Varirt schlaff oder gedrängt im Wuchs u.
Bltt., mit rothgelben Blm. (crocea u. purpurf. S. purpurea Stbg.); haarig (S. moschata Wolff.).
Stengel stark. Blattstiel eben, die Spreite
schwach rinnig, 5—9spaltig.
Lappen lanzettf., ohne Stachelspitze; Stengel
wenig (3—9blth. Blm. langgestielt. Blmbltt.
ausgebreitet, nochmal so lang als d. Kelch
abgerundet . . . . . **caespitosa** L. 575
Varirt a) mit weitläufig gestellten u. mit
dichter gest. Blättern u. kahl: S.
palmata Panz. oder haarig: S.
Sternbergii Willd.
b) mit stachelspitzigen Blättern bei
kleinerem Wuchs: S. sponhemica Gm.

◯◯ Blätter auf der Oberfl. vom Blattstiel aus
mit einer 3—5zackigen Furche, welche bis
in die Blattzipfel übergeht.

---

572. Hellgelb. ♃. 7—8. Felsen
der höchsten Alpen.
573. Weiss. ♃. 7—8. Feuchte
Abhänge der Alpen.
574. = S. caespitosa Scop. Gelb
od. blass-gelbweiss. ♃. 6—7.
Felsen der Alpen.

575. = S. decipiens Ehrh. Weiss.
5—6. Felsen u. in deren Spalten, in den höheren Geblrgen
u. Alpen (fränk. Jura, Vogesen, d. Var. sponhemica in der
Rheinpfalz).

Bltt. stumpf abgerundet, Stgl. meist 1blttr.,
3—5blth. Blmbltt. eyf.-längl.. nochmal so
lang als der Kelch . . **exarata** Vill. 576
Var. mit gedrängtem u. schlaffem Wuchs
gleichgeformten u. ungleichgef. Blätter.
B. Stock ohne blättertragende ausdau-
ernde Zweige (Stengel beblättert).
a) *Stock einjährig.*
Zart, einf. od. wenig ästig, Stockbltt. verk.-
eyrund, 3spaltig . . . **tridactylites** L. 577
Stark, unten reichbeblättert, mit keilf., vorn
3—5zähnigen klebrig-drüsigen Blättern
controversa Strbg. *
b) *Stock ausdauernd.*
† *Mit knollenförm. unterirdischen Knospen.*
Stockbltt. nierenf. gekerbt, Stengelbltt. keilf.
grobzahnig. Blmbltt. spatelf. Kelch halb-
oberständig . . . . . **granulata** L. 578
†† *Stock ohne Knospenknollen.*
Stock- u. Stengelbltt. herz-nierenf., grob-gezahnt. Blumbltt. ellipt. Kelch unterständig
rotundifolia L. 579
§§. Gartenpflanze.
Alle Bltt. grundst. (gross), gestielt, eyf.-rundl.,
gekerbt, dick. Blthstengel ohne Bltt., hoch,
roth. Blthstd. straussf. Kelch nur am Grund
verwachsen. Blumen glockig **crassifolia** L. h1

175. CHRYSOSPLÉNIUM L.

Obere Stengelbltt. gegenstd., halb-kreisf., wellig-
gekerbt . . . . . . **oppositifolium** L. 580

---

576. = S. caespitosa Gaud. für
d. dichtwüchsige Var. = S. exarata Gaud. für die schlaff-
wüchsige. Weiss. ♃. 6 — 7.
Felsen der Alpen.
577. Weiss. ⊙ 3—4. Trockene
Triften, Aecker, Abhg., Felsen
u. Mauern (d. Ka.-F.).
* = S. adscendens L. Weiss. ⊙
4—5. Nackte Abhänge d. Alpen. Wird von Schrank bei
Füssen angegeben, nach Zucc.
aber ist sie noch nicht (1833)

in den bayr. Alpen gefunden
worden.
578. Weiss. ♃. 5 — 6. Wiesen,
Abhänge u. Waldränder.
579. Weiss mit rothen u. gelben Tupfen. ♃. G. Fcht. Felsenabhg. u. am Rand d. Giessbäche in den Alpen.
h1. Purpurfb. ♃. 3—4. Zierpfl.
aus den sibirischen Alpen.
580. Kelch gelb-grün. ♃. 5—6.
Feuchte Felsen, an Gräben u.
Quellen (hie und da).

Obere Stglbltt. wechselstd., nierenf., tief gekerbt
alternifolium L. 581

a) HYDRANGEA L. Hortensie.

Bltt. gegenstd., ellipt. zugespitzt, gezahnt, kahl.
Blüthenstd ebenstraussf., halbkugelf. Kelchzipfel
der unfruchtbaren Blm. verk.-eyf.-rund, ganzrd.
Hortensia DC. h2

45. Familie. UMBELLIFERAE. °)

176. HYDROCÓTYLE L. Wassernabel.
Blätter kreisrund, im Mittelpunct gestielt, doppelt
gekerbt. Blthstd. kopff., 5blth. . **vulgaris** L. 582

177. SANÍCULA L. Sanickel.
Stockbltt. strahlig getheilt, mit 1—3spaltigen Zipfeln (männliche Blüthen sehr kurz gestielt)
europaea L. 583

178. ASTRÁNTIA L. Schwarz-Meisterwurz.
Kelchzipfel eyf. abgerundet, kurz stachelspitzig.
Stockbltt. 5strahlig, 5theilig, mit verk.-eyf. zugespitzten Zipfeln . . . **carniolica** Wulf. 584
Kelchzipfel ey-lanzettf., in eine Stachelspitze aus-
laufend; Bltt. wie vorige, aber sowohl diese als
alle Theile 2 – 3 mal grösser . . . **major** L. 585
Varirt mit kürzeren u. längeren, weissen od.
rosenfarbenen Hüllblättchen.

179. ERÝNGIUM L. Mannstreu.
Bltt. dreifach doppelt-gefiedert (hart) netzrippig,

581. Kelch gelb-grün. 2↓. 3—4.
Quellige Waldplätze.
h2. Rosenfarb. od. lila. ♄. 6...
Zierstrauch aus China.
* Allgem. Bemkg. Die Farbe
der Blume ist schon bei den
Gattungen bemerkt und wird
hier nur ausnahmsweise noch
einmal angegeben, wenn es
nöthig scheint.
582. Blassrosenfb. oder weissl.

2↓. 7—8. Ufer von Bächen u.
Teichen mit reinem Sandgrund.
(hie u. da, nicht in Schrank's
Flora.)
583. 5—6. Schattige fcht. Waldstellen (d. Ka.- u. Kl.-F.),
584. 2↓. 7—8. Schattige Felsen
u. Waldplätze der Alpen.
585. 2↓. 6—8. Bergtriften, quellige Waldbäche u. a. w. in d.
Alpen u. andern Geblrgen.

stachlig-gezähnt, die Stglbltt. mit geschlitzt-ge-
zähnten Oehrchen umfassend **campestre** L. 586
Bltt. doppelt-gefiedert, die Scheide ohne Oehrchen
amethystinum L. h

180. CICUTA L. Schierling.

Bltt. 3fach-gefiedert. Bltt. lineal-lanzettf., spärlich
gezahnt. Dolde 5—8 strahlig. Stock rübenförmig-
verdickt, hohl, mit Querfächern . **virosa** L. 587
var. sehr schmalbltt. u. niedrig: C. tenuifolia Frl.

a) APIUM L. Selleri.

Kahl, Bltt. gefiedert, d. obern gedreit, Blättchen
keilf. eingeschnitten u. gezahnt **graveolens** L. C

b) PETROSELINUM Hoffm. Petersil.

Stengel kantig, Blätter 3fach gefiedert, glänzend,
untere Bltch. cyf.-keilig, 3theilig oder gezahnt,
obere gedreit. lanzettförmig **sativum** Hoffm. C1

181. TRINIA Hoffm.

Kahl, Bltt. (meergrün) d. Stockbltt. 2—3f.-gefie-
dert, Blttch. 3—5theilig, lineal, dickl. Hüllchen
fehlend oder 1blätterig . . . **vulgaris** DC. 588
varirt mit sehr langen Blattabschnitten:
                   T. Henningii Hoffm.

182. HELOSCIADUM Koch.

Blätter gefiedert. Blättch. ey-lanzettf. abgerundet,
gleichmässig gezahnt . . **nodiflorum** Koch. 589

---

586. Blass-grünl. ⅔. 7—8. Trockene Anhöhen, Triften und
Waldränder (hie u. da, bes.
westlich: Unter-Franken).

h. Stahlblau. ⅔. 7. In Oberitalien, bei uns Zierpflanze.

587. ⅔. 7—8. Sümpfe, Teiche
u. Gräben mit sandig-torfarti-
gem Grund.

C. ☉ 7—9. Wild am Seeufer;
In Gärten Gemüsepflanze.

C1. ☉ 6—7. Gemüsepflanze.

588. = Pimpinella glauca L. = Tr.
Henningii M. u. K. ☉ 4—5.
Trockene Hügel mit Kalkboden
(Rhein- u. Mainthal).

589. = Sium ... L. ⅔. 7—8.
Quellen, Bächlein u. Teiche
(Rheinpfalz).

Blätter gefiedert, Blttch. rundl.-eyf. ungleichmässig
sägezähnig und gelappt . . . **repens** Koch. 590

183. FALCARIA Host. Sichelkraut.
Stockbltt. einfach od. gedreit, die Mittelbltt. 3thei-
lig, Lappen lineal-lanzettf., gleichmässig u. ge-
drängt-stachelspitzig-gesägt . . **Rivini** Host. 591

184. AEGOPODIUM L. Geissfuss.
Stengelblätter dicht ober den Scheiden anfangend,
doppelt 3zählig. Bltt. eyrund-längl., zugespitzt,
doppelt gesägt . . . **Podagraria** L. 592

185. CARUM L. Kümmel.
Bltt. doppelt gefiedert, Blttch. mehrf. fiederspaltig,
d. untersten Fiedern scheinbar gekreuzt. Dolden
6—15 strahlig . . . . **Carvi** L. 593
Bltt. 3fach gefiedert, Blättch. lineal-spitz. Dolden
12—24 strahlig mit vielblttr. allgem. u. bes. Hülle;
verblühte Stiele aufrecht **Bulbocastanum** L. 594

186. PIMPINELLA L. Bibernell.
A. Stockblätter gefiedert. Blättch. eyrund-längl., spitz, gezähnt u. gelappt.
a) Stengel hehlättert, kantig. Griffel lang . . . . **magna** L. 595
Var. a) mit rothen Blumen (P. rubra Hpp.).
b) mit handförmig zerschlitzten Bltt.
(P. media Hoffm.).
c) mit handförmig doppelt-fiederspalti-
gen Blättern (P. dissecta L.).

---

590. = Sium L. fil. u. Jacq. ♃.
7—9. Halbwässerige Gräben
u. sumpfige Wiesen. (Schrank
gibt auch H. inundatum an,
welches bisher nur in Nord-
Deutschland gefunden wurde;
ich vermuthe, es war H. repens, weil ich dieses in der
von Schrank angegebenen Gegend fand.)
591. = Sium Falcaria L. ☉

7—8. Saatäcker, Wegränder
(bei Ka.- u. Thonboden).
592. ♃. 5—7. Feuchte schattige
Waldstellen, in Baumgärten
u. Hecken.
593. ☉ 4—5. Triften u. Wiesen.
594. = Bunium ... L. ♂. Aecker
mit Thon- und Kalkboden
(Rheinpfalz).
595. ♃. 5—6. Auf Wiesen und
Trft., im Gbsch. u. freiem Feld.

b) Stengel keine od. nur 1—2 Blätter tragend, eben oder zart gefurcht.
Stengel kahl oder schwach-flaumhaarig; Blüthenstiele kahl; Blättch. der oberen Bltt. linienförmig, halbfiederspaltig; Griffel kurz
Saxifraga L. 596
Var. a) grossblttr.; b) zerschlitztblttr. (P. hircina Leers); c) kleinblttr., gekerbtrandig; d) Alpenform: mit lanzettlichen Blättchen.
Stengel, Aeste u. Blthstiele dicht-flaumhaarig (Stgl. stark, hoch, gestreift), Wurzel blaumilchend. Blätter wie vorige, aber matt
nigra Willd. *

B. Stockblätter einfach, rundl., herzfm., die oberen gefiedert. Fr. angedrückt-flaumhaarig . . . . . . **Anisum** L. c

187. BÉRULA Koch. Berle.

Bltt. gefiedert. Blttch. eingeschnitten-gesägt. Dolden gestielt, den Bltt. gegenüber. Hülle fiederspalt.
angustifolia K. 597

188. SIUM L. Wassermerk.

Stock mit Ausläufern; Luftbltt. gefiedert, Blättch. lanzettf., am Grund ungleichseitig, scharf gesägt. Fruchtbalter angewachsen **latifolium** L. 598

189. BUPLEURUM L. Hasenohr
Blätter ungetheilt.
A. Fr. körnig, rauh.
Bltt. lineal-lanzettf.-zugespitzt; besondere Hüllbltt. lineal-lanzettf. Dolden klein, zahlreich in d. Achseln. Fr. scharf 3riefig **tenuissimum** L. 599

596. ♃. 7—8. Triften, Hügel, Waldwiesen, bis in d. Alpen; die Varietäten hie u. da.
* ♃. 7. Trockene Hügel u. Haiden (nördliches Deutschland).
C. ☉ 7—8. Hie u. da als Gewürzpflanze gebaut: „Anis".
597. = Sium,..L. = S. Berula Gou. in Schrk. ♃. 7—8. Gräben, Bäche u. an Teichrändern.

Varirt sehr 'in der Breite der Blätter, daher als S. cicutaefolium u. s. w. in Schrank.
598. = S. lancifolium Schrk. ♃. 7—8. Stehende u. langsam fliessende Wasser (hie u. da).
599. ☉ 7—8. Salzquellen u. auf den Wiesen in deren Nähe (Rheinpfalz)

B. Frucht glatt.

a) Stock ausdauernd.

† *Rinnen 1striemig.*

Stengelbltt. am Grund erweitert, umfassend;
d. unteren Bltt. gleichbreit. Hüllbltt. eyf.,
kurz-spitzig . . **ranunculoides** L. 600

†† *Rinnen 3striemig.*

Obere Bltt. (weich) mit herzf. Grund umfassend-sitzend, eyrund-längl. Riefen fädl.
Hüllchen elliptisch, kurz-zugespitzt
longifolium L. 601

Obere Bltt. (starr) sitzend, lanzettf. (zurückgebogen), die des nicht blühenden
Stockes ellipt. auf langem Stiel. Hüllchen
lanzettlich, haarspitzig . **falcatum** L. 602

b) Stock einjährig.

Blätter kreis- bis eyrund, mit ringsumfas-
sender Spreite, grauduftig. Rinnen der
Fr. ohne Striemen **rotundifolium** L. 603

190. OENANTHE L. Rebendolde.

**A. Erdstock büschelig-bewurzelt, mit
knollig verdickten Zasern.**

*a) Dolde mit 2—4 Zweigen, welche
die Länge der Döldchen haben*
fistulosa L. 604

*b) Dolde mit 5—20 Zweigen, welche
viel länger als die der Döldchen
sind.*

Allgem. Hülle meist 4—6blttr., abfallend;
Blätter doppelt-gefiedert, d. Blättchen der
grundstd. eyrund od. keilf.-eingeschnitten,
stumpf-gekerbt, die Stengelblätter lineal.
Wurzelz. fast fadenf. oder keulenf. Griffel
halb so lg. als d. Fr. **Lachenalii** Gml. 605

---

600. ♃. 7—8. Alpentriften und
deren Abhänge.
601. ♃. 7—8. Bergwld. (d.Ka.-F.)
602. ♃. 8—10. Abhge, in Hecken
u. lichten Wäldern (der Ka.-F.)
603. = B. perfoliatum Lam. ☉

6—7. Steinige Bergäcker (der
Ka.- n. Th.-F., besonders im
Jura).
604. ♃. 6—7. Gräben u. Sümpfe.
605. ♃. 6—7. Sumpfige Wiesen
u. Triften (Rheinpfalz).

8

Allgem. Hülle fehlend. Alle Blätter lineal.
Griffel so lang als d. Fr. Aeussere Blumen
mit viel grösseren Blumenblättern
           peucedanifolia Poll. 606
B. Erdstock rubenf., faserig bewurzelt.
Stock Ausläufer treibend; Stengel sparrig-ästig.
Bltt. mehrf.-gefiedert, Blätteh. lineal-lanzettlich.
Griffel kürzer als d. Fr. **Phellandrium** Lam. 607

191. AETHÚSA L. Hundspetersil, Gleisse.

Blättchen der besond. Hülle zu 3, herabgebogen,
länger als d. Zweiglein. Fruchtstiele d. äussern
Reihe nochmal so lang als d. Fr. Blätter doppelt-gefiedert, fiederspaltig und mit spitz-einge-
schnittenen Zipfeln . . . . **Cynapium** L. 608

FOENÍCULUM. Hoffm. Fenchel.

Stengel am Grund walzenf.; Blattzipfel lineal.-pfrie-
menf. Dolde 12—30 ästig, ohne allgem. u. bes.
Hüllblätter . . . . . . , **officinale** All. C

192. SÉSELI L. Sesel.

A. Besondere Hüllblätter bis fast zur
   Spitze verwachsen, beckenförmig.
     Blätter 3fach-gefiedert, äusserer Umriss ellipt.-
     eyf., Blattzipfel lineal. Dolde 9—12 zweigig
           Hippomárathrum L. 609
B. Besondere Hüllblätter frei.
     Bltt. im äussern Umkreis länglrd.-eyf., 3fach-ge-
     fiedert, Zipfel lineal; Blattstiel oben rinnig.
     Dolde mit 20—30, eckigen, innen flaumhaari-
     gen Zweigen; besond. Hüllbltt. lanzettf., breit-
     hautrandig, länger als die Zweiglein
           coloratum Ehrh. 610

---

606. ♃. 6—7. Fruchtbare Wiesen (Rheingegenden).
607. = Phellandrium aquaticum
L. ♃. 7—8. Teiche (mit Sand.
grund) u. langsam fliessende
Wasser.
608. ☉ 6... Schutthaufen u.
Gartenland.
C. ☉ 7—8. Wild an steinigen

Abhängen des mittelländischen
Meerufers, bei uns als Ge-
würzpflanze (hie u. da) gebaut.
609. ♃. 7—8. Trockene steinige
Abhänge und Felsenspalten
(Rheinpfalz u. Thüringen).
610. = S. annuum L. ♃. 7—8.
Bewachsene Abhänge u. Berg-
Wälder (hie u. da).

193. LIBANÓTIS Crtz. Heilwurz.

Bltt. 3fach-gefiedert, Blttch. fiederig-eingeschnitten, Zipfel lanzettf., krautsp., d. unterste Paar scheinb. gekreuzt. Fr. raubhaarig . . **montana** All. 611
var. niedrig mit flaumhaarigem Stengel u. weniger zusammengesetzten Blättern
L. vulgaris β. DC.

194. CNIDIUM Cass. Brenndolde.

Stengel einf. od. oben ästig (röthl., oben gefurcht). Bltt. doppelt-gefiedert, Zipfel lineal od. lang-lineal-spitz, ganz bis 3theil. Blttschd. verlängert, d. oberen der Stengel einschliessend
venosum Koch. 612

195. ATHAMANTA Koch. Augenwurz.

Stengel etwas ästig. Bltt. 3fach-gefiedert, Zipfel lineal-zugespitzt, 2–3theilig; Dolde 6–9zweigig, besond. Hüllbltt. längl.-lanzettf.. hautrandig. Fr. abstehend-rauhhaarig **cretensis** L. 613

196. SÍLAUS Bess. Silau.

Stengel kantig. Stockblätter 3–4fach-gefiedert. Seitenlappen ganz oder 2theilig. Endzipfel 3theilig. Zipfel lineal (roth), stachelspitzig; allgemeine Hülle 1–2blätterig
pratensis Bess. 614

197. MEUM Jacq. Bärenwurzel.

Blätter 2fach-fiederig, vielfach haarfein-fiedertheilig, d. Zipfel wirtelförmig, haarfein, spitz
athamanticum Jacq. 615

---

611. = Athamanta Libanotis L.
Libanotis vulgaris DC. ☉
7—8. Waldige Abhänge und Bergwälder (besond. im Jura), bis in die Alpen.
612. = Selinum sylvestre L. sp.; Cnidium palustre Rchb., Seseli venosum Hffm., Selinum Chabraei Kth. fl. berol. ♃.
7—8. Wiesen u. fcht. Wälder.

613. ♃. 6—7. Stein. Abhg. u. Fels. d. höheren Gebirge u. Voralpen.
614. = Peucedanum Silaus L. P. pratense Lam. Sium Silaos Rth. ♃. 6—8. Fruchtbare Ws. (Stempelscheibe bald röthlich werdend).
615. = Athamanta Meum L. ♃. 7—8. Auf begrasten Bergabhg. der höheren Berge u. Voralpen.

8 *

116   UMBELLIFERAE.

Blätter 2fach-fiederig, fiedertheilig. Zipfel lineal-
lanzettf.-zugespitzt, stachelspitzig, ganz bis 3thl.
                      Mutellina Gärtn. 616

198. GAYA Gaud.

Stockbltt. im Umriss länglrd., doppelt-fiederspaltig.
Zipfel lineal, stachelspitzig; allg. Hülle 7—10-
blätterig, je 3spaltig . . .   **simplex** Gaud. 617

a) LEVÍSTICUM Koch.   Liebstöckel.
Stengel hoch (4—6'). Bltt. 4—6 paarig-gefiedert,
aus je 3 keilf. Blttch. zusammengesetzt, Zipfel
2—3zahnig, Endbltt. 3spaltig **officinale** Koch. C

199. ANGÉLICA L.   EngelwurzeL
Stengel gefurcht. Bltt. 3fach gefiedert; Blttch. ey-
od. lanzettf., scharfzahnig, nicht herablaufend,
d. Endbltt. ganz oder 3lappig, die seitl. sitzend,
am Grund ungleich . . . .   **sylvestris** L. 618

a) ARCHANGELICA Hoffm.   Engelwurzel.
Stengel schwach-gerillt. Bltt. wie vorige, Endbltt.
keilf., herablaufend, obere Blattstiele aufgeblasen. Dolde mehlig-flaumig **officinalis** Hoffm. C1

200. SELÍNUM L.   Silge.
Stengel rinnig-kantig. Bltt. 3fach-gefiedert, Blttch.
tief-fiederspaltig, Zipfel lineal-lanzettl., stachelspitzig . . . .   **carvifolia** L. 619

---

616. = Phellandrium....L. ♃.
7 — S. Alpentriften, auch in
anderen höheren Gebirgen.
617. Laserpitium... L. ♃. 7—8.
Triften der höheren Alpen.
C. = Ligusticum Levisticum L.
♃. 7 — S. In Grasgärten von
Landleuten gehegt (hie u. da).
Bemerkg. In Schrank wird ein
Ligust. Brancionis aufgeführt,
welches weder Koch noch
Rchb. nennen; im vorliegenden Exemplar von Schrank's

Flora ist jedoch von Schre
ber's Hand bemerkt· „Angelica
Archangelica, sub hoc nomine
ab auctore mittebatur ad D.
Dr. Panzer".
618. ♃. 7 — S. An Bächen und
Flussufern der Ws. u. Wld.
C1. = Angelica Archangelica L.
☉ 7—8. In Grasgärten von
Landleuten gepflanzt (Wild in
Böhmen, Kärnthen).
619. ♃. 7—S. Feuchte Wälder,
Waldwiesen u. Gebüsch.

201. PEUCÉDANUM L. (K.). Haarstrang.
A. Allgemeine Hüllbltt. fehlend oder we-
nige. Fr.-Rand verbreitert.
Bltt. 5mal 3fach - zusammengesetzt. Zipfel li-
neal-spindelf., ungetheilt, d. endstd. gedreit.
Allgem. Hülle 3blttr. abfallend. Fruchtstiele
3—4mal länger als d. Fr. **officinale** L. 620
Blätter gefiedert (beiderseits glänzend), alle
Blättch. sitzend, fiedertheilig, d. oberen ungetheilt; Zipfel lineal, zugespitzt, d. grundstd.
gekreuzt. Besond. Hülle 1blttr. Fr.-Rinnen
3striemig . . . . . **Chabraei** Rchb. 621
B. Allgem. Hülle vielblätterig. Frucht-
Rand nicht verbreitert.
a) Stengel gestreift.
Bltch. (unterseits matt-blaugrün) eyf., sta-
chelig-sägezähnig. Allgem. Hülle zurückgeschlagen. Striemen auf der Fläche gleichlaufend . . . . . . **Cervaria** Lap. 622
Bltch. (unterseits nicht mattgrün) an d. Stielchen geknickt-zurückgebogen, eyf., kurz,
stachelspitzig. Blätter 3fach-fiedertheilig.
Oreoselinum Much. 623
b) Stengel gefurcht (roth), straff-
ästig.
Bltt. 3fach-gefiedert. Blättch. eyf.-fiederthl.
Zipfel lineal-lanzettförm., am Rande rauh.
Allgem. Hülle 5—8blttr , abstehend, Griffel der Fr. zurückgeschlg. **alsaticum** L. 624

202. THYSSELÍNUM Hoffm. Oelsenich.
Stengel gefurcht; allg. Hülle vielbltt. herabgebogen.

620. ⚃,7—8. Fruchtbare feucht-
sandige Wiesen (hie u. da).
621. = Selinum Chabraei Jacq.
Imperatoria . . . Spr. Pence d.
. . . Gaud. ⚃. 7—8. Fruchtbare Wiesen (der Rheinpfalz
u. an d. Donau, v. Ingolstadt
bis Regensburg).
622. Athamanta . . . L. Cervaria
Rivini Gärtn. ⚃. 7—8. Stei-

nige Bergabhänge, trockene
Wiesen u. Bergwälder.

623. = Athamanta . . . L. ⚃. 7—8.
Trockene Wiesen in Bergwäldern (d. Ki.-F.).

624. ⚃. 7—8. Bergige steinige
Abhänge, im Gebüsch (hie u.
da: Rheinpfalz, U.-Franken,
Ries).

Bltt. 3fach-zusammengesetzt, Blttch. tief fiedertheilig; Zipfel lineal-lanzettförm., rauh-berandet.
Bltt. der besond. Hülle frei **palustre** Hoffm. 625
Varirt mit allerlei Breite der Blättchen u. deren Richtung.

203. IMPERATORIA L. Meisterwurzel.

Blätter 2mal gedreit. Blättchen breit eyf., doppelt
sägezähnig, die seitl. 2 -, die endständ. 3theilig
Ostruthium L. 626

ANÉTHUM L. Dill.

Blättchen lang, haarfein . . **gravéolens** L. C

204. PASTINÁCA L. Pastenak.

Bltt. gefiedert, oberseits glänzend, unterseits flaumhaarig, Blttch. eyf.-ellipt., abgerundet, kerbiggesägt, am Grunde gelappt. Besond. Hülle fehlt
sativa L. 627

205. HERACLÉUM L. Heilkraut.

A. Die Frucht auf der Berührungsfläche
deutlich 2striemig.
  *a) Blätter mehrf. gefiedert. Blttch.
  lappig od. handf. getheilt, scharf
  rauhhaarig.*
    Blumen des Umkreises grösser als d. mittl
    (weissl.). Fr.-kn. u. unreife Fr. flaumhaarig. Frucht elliptisch, etwas ausgerandet
    Sphondylium L. 628
    Blumen des Umkreises u. der Mitte gleichgross. Fr.-kn. kahl, Fr. rundl.-eyf., herzf.
    ausgerandet . . . . **sibiricum** L. 629

---

625. = Selinum...L. fl. suec.
Selinum sylvestre Jacq. (non
L.) Peucedanum sylvestre DC.
Peuced. palustre Mnch. Thysselinum sylvestre, palustre u.
angustifolium Rehb. ☉ 7—8.
Feuchte Wiesen u. in deren
Gbsch, an Gräben u. Teichen.
626. ♃. 6—7. Steinige Triften
u. an Abhängen der Alpen u.
Voralpen

C. ☉ 7—8. Cultivirt als Ge.
würzpflanze : Dill oder „Gurkenkraut‟, verwildert in Gärten u. an Schuttplätzen; wild
in Ober-Italien.
627. ☉ 7—8. Wiesen, unbebaute
Hügel, im Gebüsch; wird auch
cultivirt wegen der Wurzel.
628. ☉ 6... Wiesen u. feuchte
lichte Wälder.
629. ☉ 6 Alpentriften.

b) *Blätter einfach handförmig-ge-
lappt, fiederspaltig.*
Zipfel zugespitzt, unterseits flaumig. Blumen des Umkreises grösser. Frkn. kurzhaarig, rauh. Fr. oval, ausgerandet, fast
kahl . . . . **asperum** L. 630
B. Striemen auf der Berührungsfläche
schwach angedeutet.
Blätter mit 5 oder 3 Fiederblättchen, diese
sitzend, gesägt, die seitl. gauz, an d. oberen lauzettf. zugespitzt, Endzipfel 3lappig.
Frkn. flaumhaarig. Fr. eyf. kahl (Wuchs klein)
austriacum L. 631

206. TORDYLIUM L. Zirmet.
Stengel durch abstehende Haare rauh. Bltt. gefiedert. Blättchen stumpf-gekerbt, d. unteren eyf.,
d. oberen lanzettf., allg. Hüllblätt. lineal, kurz.
Frucht borstig haarig . . . **maximum** L. 632

207. LASERPITIUM·L. Laserkraut.
A. Stengel walzlich-rund, fein-gerillt,
kahl.
Bltt. 3zählig, doppelt zusammengesetzt. Blättchen eyf., gesägt, am Grund herzf. Frucht
breit-oval. Doldeuzweige an der Innenseite
rauh . . . . **latifolium** L. 633
Bltt. 3zählig, doppelt zusammengesetzt. Blättchen lanzettf.-lineal ungetheilt oder 3spaltig.
Fr. lineal länglrd. Griffel herabgeschlagen
Siler L. 634
B. Stengel kantig, rauhhaarig (besonders
unten).

630. = Heracleum Panaces Ber-
toloni (non L.) ⊙ 7—8. Wälder der Voralpen, besonders
an Giessbächen.
631. ♃. 7—6. Wiesen der Alpen u. Voralpen.
632. ⊙ 7—8. Trockene Hügel,
im Gebüsch und an Hecken

(Rheinpfalz, angebl. auch bei
Würzburg; an letzterem Orte
bisher von Schenk noch nicht
beobachtet).
633. ♃. 7—8. Bergwälder (Jura)
bis in d. Voralpen (d. Ka.-F.).
634. ♃. 7—8. Abhg. d. Voralpen.

Bltt. am Blattstiel u. Rand rauhhaarig, doppelt gefiedert; Blttch. fiederspaltig. Zipfel lanzettf.; Fr. eyf., Hauptriefen rauhhaarig, Stempelpolster flach (wulst.-randig) **prutenicum** L. 635

208. ORLÁYA L. Hoffm.

Blätter 3fach-gefiedert. Stengel aufrecht. Aeussere Blumenbltt. vielmal grösser als der Frku. **grandiflora** Hoffm. 636

209. DAUCUS L. Möhre.

Stengel rauhhaarig. Bltt. 2—3 fach-gefiedert, mattgrün, Blttch. fiederthl. Zipfel lanzettf. zugespitzt. Hüllbltt. 3spaltig oder fiederig, lang. **Carota** L. 637

210. CÁUCALIS Hoffm. Haftdolde.

Bltt. 2—3fach-gefiedert, Blättch. fiederthl., Zipfel lineal-spitz; allg. Hülle 1blttr. oder 0. Stacheln der Nebenriefen 1reihig, hackenf. so lang oder länger als der Breitedurchmesser der Frucht **daucoides** L. 638

211. TURGENIA Hoffm. Ackerdolde.

Bltt. gefiedert. Blättch. lanzettf. eingeschnitten-gesägt. Dolde 2—3zweigig. Stacheln der Randrippen so lang als der Durchmesser d. Berührfl. oder kürzer . . . . . . **latifolia** Hoffm. 639

212. TÓRILIS Adans. Klettenkörbel.

Allgem. Hülle vielblttr. Stacheln d. Fr. gebog. (nicht hackig). Stengeläste abstehend. Blätter doppelt-gefiedert. Dolden lang-gestielt **Anthriscus** Gml. 640
Allgem. Hülle 1blttr. oder 0. Stacheln d. Fr.

---

635. ⊙ 7—8. Feuchte Wälder u. Wald-Ws. (Rheinpfalz, Erlangen, München).
636. = Caucalis...L. ⊙ 7—8. Getraidäcker (vorz. bei Ka.- u. Thonboden, wie im Jura).
637. ⊙ 6... Wiesen, Triften, Wegränder, in Gebüsch u. s.
w.; in Gärten veredelt: „gelbe Rübe oder Möhrrübe".
638. ⊙ 7—8. Getraide-Aecker.
639. = Caucalis...L. ⊙ 7—8. Getraide-Aecker (hie u. da).
640. = Tordylium...L. ⊙ 6—7. Waldgebüsch u. Hecken.

hackenf. Blumenbltt. so lang als der Fruchtkn.
Griffel höchstens doppelt so lang als d. Stempelpolster . . . . **helvetica** Gm. 641
    (T. neglecta R. u. Sch. unterscheidet sich
    durch mehr gewölbte Dolden, nochmal so
    grosse Blumen und lange Griffel.)

213. SCANDIX L. Kammkörbel, Hechelkraut.
Bltteb. der besondern Hülle 2—3spaltig. Schnabel
der Frucht vom Rücken her zusammengedrückt,
2reihig-behaart . . . **pecten Veneris** L. 642

      214. ANTHRÍSCUS L. Körbel.
A. Frucht mit pfriemenf. eingekrümmten
    Stacheln; Griffel sehr kurz, fast verschwin-
    dend . . . . **vulgaris** L. 643
B. Frucht nicht stachlig.
Frucht länglichrund, eben od. spärlich mit stum-
    pfen Höckerchen besetzt. Rinnen des Schna-
    bels ⅓ d. L. der Frucht. Bltt. 2fach-gefiedert.
    Dolden gestielt, endständig 8—15zweigig
             sylvestris Hoffm. 644
Frucht lineal, eben, Rinnen des Schnabels ½
    so lang als d. Fr. Bltt. 3fach-gefiedert. Dol-
    den sitzend, seitenständig, 3—5zweigig
             Cerefolium Hoffm. c

    215. CHAEROPHÝLLUM L. Kälberkropf.
A. Griffel 1—3mal länger als der Stem-
    pelpolster.
    a) Blumenblätter gewimpert (Sten-
    gel unter den Blattansätzen nicht verdickt).

---

641. = Scandix infesta L. Caucalis helvetica Jacq. ☉ 7—8.
Getraidäcker (mit Kalk- und
Thonboden, Rheinpfalz, Würzburg, Muggendorf)
642. ☉ 5—6. Getraide-Aecker
(mit Kalk- u. Thonboden, hie
u. da).
643. = Scandix Anthriscus L.
= Torilis Anthriscus Gärtn.

☉ 5—6. Unbebaute Orte, um
Dörfer, u. an Wegen (hie
und da).
644. = Chaerophyllum...L. ♃.
5—6. Wiesen-Gebüsch, an
Ufern, bis in die Alpen.
C. = Scandix...L. ☉ 5—6.
Cultivirt als Küchengewürz:
„Körbel", verwildert in He-
cken u. Gartenland.

Fruchthalter bis zum Grund 2spaltig. Bltt. doppelt-gefiedert, Blttch. keilig herablaufend; besondere Hüllblätter lanzettförmig, hautrandig.
Villarsii Koch. 645
Fruchthalter nur oben gabelig-gespalten. Blätter
doppelt-3theilig; besondere Hüllbltt. breit-lanzettförmig, krautig   . . . **hirsutum** L. 646
b) *Blumenblätter nicht gewimpert*
(Stengel etwas verdickt).
  Bltt. 3fach-gefiedert, Blttch. aus eyf. Grund
  lanzettf., lang-zugespitzt, am Grunde fiedertheilig, nach vorn einfach, lang vorgezogen, gezahnt. Griffel ausgesperrt
aureum L. 647
B. Griffel so lang als der Stempelpolster
(Stengel unterhalb d. Blattansätze knotig-verdickt
und rauh-haarig).
  Bltt. doppelt-gefiedert (weich). Blättchen eyf.-
  ellipt.-fiederlappig, Zipfel stumpf-kerbig. Besondere Hüllblätter eyf.-lanzett., gewimpert
temulum L. 648
  Bltt. mehrf. gefiedert-zusammenges., Blättchen
  tief fiedertheilig, Zipfel lineal-lanzettf. spitz,
  die der obersten Bltt. sehr schmal. Besond.
  Hüllblätter lanzettförmig, zugespitzt, kahl
bulbosum L. 649

216. MYRRHIS Scop. Riechkörbel.

Bltt. gross, im Umriss 3eckig, 2—3fach-gefiedert.
Bltt. ey.-lanzettf., gesägt, die oberen sitzend auf
den erweiterten Scheiden, zottig. Besondere
Hüllblätter zugespitzt   . . . **odorata** Scop. 650

217. CONÍUM L. Erdschierling.

Blätter glänzend, kahl, 3fach-gefiedert, Blättchen

645. = Ch. Cientaria Rchb. =   647. ♃. 6—7. Unbebaute Hügel,
Ch. hirsutum Vill, non L. ♃.   Gbsch, Waldränder (hie u. da).
6—7. Wiesen u. Wälder der   648. ☉ 6—7. Gebüsch, Wald-
Alpengegenden (hie u. da).   ränder u. Abhänge.
646. = Ch. palustre Lam. ♃.   649. ☉ 6—7. Gebüsch an Ab-
7—8. Bäche, bewässerte Wie-   hängen, Wegen u. Ufern.
sen u. schattige Waldplätze   650. = Scandix...L. ♃. 6—7.
(hie u. da, bis in d. Alpen).   Triften u. Bergabhg. d. Alpen.

eyrund-längl. spitz, tief-fiederspaltig. Zipfel eingeschnitten-gesägt, mit weissem Krautspitzchen;
besond. Hüllbltt. lanzettf., kürzer als d. Döldch.

maculatum L. 651

218. PLEUROSPÉRMUM Hoffm.

Bltt. (gross) im Umf. 3eckig, doppelt oder 3fach
gefiedert. Blttch. eyrund-längl., eingeschnitten-
gesägt, mit weissen Spitzchen, keilf. herablaufend

austriacum Hoffm. 652

CORIANDRUM L. Koriander.

Untere Bltt. 1fach-gefiedert, Blttch. breit-rundl., ein-
geschnitten gesägt, die oberen doppelt-gefiedert.
Blttch. eyrund-keilf., 3spaltig. Dolden 3—5ästig.
Allgem. Hülle 0 oder 1blttr., besondere 3blättr.

sativum L. c

46. Familie. **ARALIACEAE.**

219. HÉDERA L. Epheu.

Untere Bltt. 3 oder 5lappig, obere (der Blüthenzweige) eyf.-zugespitzt, ganzrandig. Dolden ein-
fach-flaumhaarig . . . . **Helix** L. 653

47. Familie. **CORNEAE.**

220. CORNUS L. Horn- oder Kornelstrauch.

Blüthe vor den Blättern erscheinend.
Dolde mit Hüllbltt., welche so lang als d. Blü-
thenstiele sind. Bltt. eyf., zugespitzt **mas** L. 654
Blüthe mit den Blättern gleichzeitig;
Blüthenstand ebenstraussförmig.

---

651. ☉ 7—8. Schutt an Mauern,   verwildert; einheim. in Ober-
    Abhänge, im Gebüsch und an   Italien.
    Wegen (hie u. da).   653. Grünl.-gelb. ♄. 10. In Wäl-
                                    dern, an Felsen u. Mauern.
652. = Ligusticum . . . L. ♃. 7—8. 654. Gelb. ♄. Fr. scharlachroth.
    Bewässerte Bergabhänge der   3—4. Im südl. Gebirge auf
    Alpen u. niederen Gebirge.   trockenen Hügeln, im Gbsch;
C. ☉ 6—7. Als Gewürzpflanze: häufig gepflanzt, besonders
    „Coriander" gebaut u. von da   zu Umzäunungen.

Blätter beiderseits grün, Frucht schwarz
sanguinea L. 655
Blätter unterseits graugrün. Fr. weiss **alba** L. b1

48. Familie. **LORANTHACEAE.**

221. VISCUM L. Mistel.

Stamm gabelästig. Blätt. keilig-spatelf., lederartig
album L. 656

2. Classe. Verwachsenblumenblätterige.

(Sympetalae, Monopetalae oder
Gamopetalae auct.)

1. Unterclasse. Oberständige Blumen.

49. Familie. **CAPRIFOLIACEAE.**

222. ADÓXA L. Bisamkraut.

Bltt. (saftig) grundständig, meist einzeln oder wenige, gefiedert-3theilig, Stengelbltt. gegenständig
moschatellina L. 657

223. SAMBÚCUS L. Hollunder.

Stgl. nicht holzig. Bltt. mit zieml. grossen eyf.-gesägten Nebenbltt.; Blthstd. schirmf., 3strahlig
Ebulus L. 658

Stgl. holzig. Bltt. ohne od. mit sehr kl. Nebenbltt.;
Blthstd. traubenf. Frucht roth **racemosa** L. 659
Blthstd. schirmf. 5ästig. Frucht schwarz-violett
nigra L. 660

---

655. Weiss. ♄. 5—6. Auf steinigen Abhängen im Gebüschwald u. Hecken.

b1 Weiss, ♄. 6. Aus Nord-Amerika, bei uns in Lustgärten.

656. Gelb. ♄. 3—4. Auf Nadelholz-, Birn- u. Apfelbäumen (hie u. da).

657. Gelbgrün. ♃. 3—4. In fcht. Gebsch. mit reichl. Lauberde.

658. Weiss, aussen rosenfarb. Frucht schwarz. ♃. 7—8. An Waldrändern, steinigen Bergabhängen, im Gebüsch u. benachbarten Aeckern.

659. Weiss-gelb. ♄. 4—5. In Bergwäldern (der Ka.- u. Kl.-F.; in U.-Franken sehr selten).

660. Weissgelblich. ♄. 6—7. An Waldrändern, auf Felsen und in Baumgärten der Landleute.

224. VIBÚRNUM L. Schneeball.
Blätter eyf.-ellipt.; sägezähnig, filzhaarig. Fr. platt
                      Lantána L. 661
Blätter 3—5lappig, kahl, mit 2 zugespitzten ge-
zähnten Lappen, Blttstl. mit 2 Drüsen **Opulus** L. 662

225. LONICÉRA L. Beinholz.
A. Blüthenstand kopf- oder quirlförmig.
Stamm klimmend. Kelchz. bleibend.
  a) Blätter unter dem sitzenden Blü-
    thenstand miteinander verwachsen.
    Blume rachenförmig   **Caprifolium** L. 663
    Blume röhrenförmig, ziemlich gleichmässig
                sempervirens Ait. ʰ
  b) Blätter alle frei. Blüthenstand
    gestielt . . , . **Periclymenum** L. 664
B. Blüthen zu zweien. Stamm nicht klimmend. Kelchzähne abfallend.
  a) Die Fruchtkn. nicht verwachsen.
    Bltt. herzf., längl.-kahl. Blumen kahl, nur we-
    nig kürzer als der Stiel . . **tatarica** L. ʰ¹
  b) Die Fruchtkn. nur am Grunde ver-
    wachsen.
    Blüthenstiele wollhaarig, so lang als die
    Blume. Blätter elliptisch-länglrd., haarig
               Xylosteum L. 665
    Blüthenstiel kahl, mehrfach länger als die
    Blume. Blätter ellipt.-länglrd., die älteren
    ganz kahl . . . . **nigra** L. 666
  c) Die Fruchtkn. fast der ganzen
  Länge nach verwachsen.

---

661. Weissgelb. ♄. 5—6. An
steinigen Abhängen u. Felsen
im Wald-Gebüsch.
662. Weiss. ♄. 5—6. An Fluss-
Ufern u. feuchtem Gebüsch,
Waldrändern.
663. Weiss u. rosenfb. ♄. 5—6.
An steinigen Bergabhängen u.
in Waldgebüsch (hie u. da),
auch Gartenpflanze.
b. Roth. ♄. 6—7. Zierstrauch
aus Carolina.

664. Gelbweiss. ♃. 6—8. Waldränder u. Feldgbsch (hie u. da).

h1. Blassroth. ♄. 5. Im Lustge-
büsch; aus Sibirien.

665. Blassgelb. Fr. roth. ♄. 5—6.
Feld- u. Waldgebüsch d. Ebenen u. Gebirge.

666. Weiss, aussen röthl. Fr.
schwarz. ♄. 4—5. Bergwälder
u. Alpengegenden.

Blüthenstiel kürzer als die Blume. Frucht ganz
verwachsen . . . . **coerulea** L. 667
Blüthenstiel vielmal länger als d. Blume. Frucht
halb verwachsen. Blätter lanzettl.-zugespitzt
alpigena L. 668

SYMPHÓRIA Pers.

Blthstd. traubenf., endstd.; d. Blumen innen bartig
racemosa Pursh. h
Blthstd. kopff., achselstd.; Bltt. ellipt., ganzrandig,
wellig od. buchtig-stumpfz. **glomerata** Pursh. h1

LINNAEA Gronov.

Stamm niederliegend, kriechend. Blätt. eyf.-ellipt,
gekerbt . . . . **borealis** L.*

50. Familie. STELLATAE.

226. SHERÁRDIA L. Sternkraut.

Bltt. lanzettf., zu 8, borstig-haarig **arvensis** L. 669

227. ASPÉRULA L. Meierich.

A. Blüthenstand sitzend, von 6—8 li-
neal-borstenf. Blättchen (s. g. Hülle)
gestützt . . . . **arvensis** L. 670
B. Blüthenstand gestielt, von 2 kleinen
Deckblättern gestützt.
a) Fruchtknoten u. Frucht hackig-
borstig. Blätter oben 6 unten 8,
lanzettförmig, am Rande rauh
odorata L. 671

---

667. Gelblich-weiss. Frucht blau
angehaucht. ♄. 4—5, Berg-
wälder, bis in d. Alpen.
668. Gelbgrün u. röthl. Frucht
roth. ♄. 5—6. Alpenwälder, an
grossen Gebirgsströmen mit in
die Ebene geführt.
h. Rosenfb. Frucht weiss, gross
(6'''). ♄. Zierstrauch aus
Ober-Canada.
h1. = Symphoricarpos vulgaris
Mchx. Gelbl.-weiss. Fr. roth,

klein (2'''), schwammig. ♄.
6—7. Zierstrauch aus Nord.
Amerika.
* Blassroth. ♃. 5—6. In dickem
Moosboden dunkler Nadelwälder (in Nord-Dentschland u.
in den Tyroler Alpen).
669. Lila. ☉ 5. Getraideäcker.
670. Hellblau. ☉ 5—6. Saatfelder (auf Ka.- u. Thonboden).
671. Weiss. ♃. 5—6. Schattige
fcht. Wälder, „Waldmeister".

231

STELLATAE. 127

*b) Fruchtknoten und Frucht kahl;
Blätter lineal.*
  α) Frucht glatt. Stengel aufrecht.
  Bltt. unten 6 oben 4 (ungleichlang). Stgl.
    mit verdickten Gelenken, Deckblätter
    eyförmig, spitzig . . **tinctoria** L. 672
  Bltt. 8, starr, graugrün, am Rande umge-
    rollt; Stengel stumpf-kantig, kahl. Blu-
    menröhre sehr kurz . **gallioides** L. 673
  β) Frucht höckerig. Stengel niederliegend-
    aufstrebend.
  Blätter 4. Deckbltt. lanzettf.-stachelspitz
                cynanchica L. 674

RUBIA L. Röthe, Krapp.
Bltt. 4- bis 6zählig, lanzettf., netzrippig, hackig-
berandet . . . . **tinctorum** L. e

228. GALIUM L. Labkraut.
A. Blüthenstände seitlich (Blüthen einge-
schlechtig, die weiblichen gipfelständig).
  *a) Blattwirtel 4zählig, ellipt. bis
    eyförmig, 3rippig.*
  Blüthenstaudstiele mit 1 Deckblatt. Stengel
    rauhhaarig. Fr. glatt **Cruciata** Scop. 675
  *b) Blattwirtel 6—7zählig lin.-lan-
    zettförmig, 1rippig, am Rande
    aufwärts stachlich.*
  Stengel niederliegend, bakig. Fruchtstiel
    zurückgebogen . **saccharatum** All. *
B. Blüthenstände seitlich u. endständig;

─────────────────────────────

672. Weiss. ♃. 5—6. Haidewälder u. an Bergabhängen im
Gebüsch hie u. da (d. Ka.-F.).
673. = Galium glaucum L. u.
G. montanum L. Weiss. ♃.
6—7. Kahle Bergabhänge (besonders der Ka.-F.)
674. Weiss-röthl. ♃. 6—7. Sonnige steinige Abhänge (d. Ka.-
F.) in Haidewäldern.
C. Gelb. ♃. 6—7. Verwildert in

Hecken, in denjenigen Gegenden, wo sie cultivirt wird
(Rheinpfalz: oft irrig als cult.
angegeben, z. B. bei Würzburg u. Wassertrüdingen).
675. Valantia....L. Gelb. ♃.
4—5. Wald-Wiesen, Hecken
u. Gebüsch.
* = Valanti Aparine L. Weiss-
gelbl. ☉ 6—7. Saatfelder (hie
und da).

232

Blumen alle zweigeschlechtig (Bltt. bei
allen rauh- u. hackig-randig).
  a) Blätter stachelspitzig.
    † *Blüthenstiel nach dem Verblühen zu-*
      rückgebogen. Fr. glatt **tricorne** Withr. 676
    †† *Blüthenstiel gerade bleibend.*
    ° Blumen im Durchmesser kleiner als der
      Fruchtknoten.
        Bltt. 6, Stacheln des Randes aufwärts
          gerichtet (Wuchs zart, Blumenblatt-
          zipfel stumpf . . **parisiense** L. 677
        Bltt. 6—8, Stacheln des Randes rück-
          wärts gerichtet (Wuchs gross, an den
          Gelenken borstig-haarig. Frucht meist
          stachlig . . . . . **Aparine** L. 678
          var. a) kleinwüchsig u. mit kahlen
            Gelenken : G. Vaillantii.
          b) wie voriges, aber die Frucht
            glatt : G. spurium.
    °° Blumen im Durchmesser grösser als d. Frku
      Blattwirtel 5—7zählig, rückwärts-stachlig
          uliginosum L. 679
  b) Blätter (4—6) ohne Stachelspitze.
     Blüthenstiel gerade bleibend. Fr.
     glatt . . . . **palustre** L. 680
C. Blüthenstände endständig.
  a) Blätter 3rippig.
    Blätter 4, eyf., kurz-stachelspitz; Stengel nie-
      derliegend; Blthstd. gestielt sparrig, wenig-
      blüthig; Fr. borstig **rotundifolium** L. 681
    Blätter 4, lanzettf., ohne Stachelspitze; Stgl.
      straff aufrecht; Blüthenstand rispig reichblth.
          boreale L. 682

---

676. = G. spurium Rth. Valan-   torfige Wiesen, an Gräben u.
tia Aparine Poll. Weissl. ⊙   Teichen.
6—7. Saatfelder (mit Ka.- u.   680. Weiss. ♃. 4—5. Gräben,
Thonboden).   Ufer der Bäche u. Teiche.
677. = G. gracile M. u. K.   681. Weiss. ♃. 7—8. Schattige
Grünl.-gelb, aussen röthlich.   Wälder der Berggegenden bis
⊙ 6—8. Saatfelder, hie u. da   in die Alpen (hie u. da: Aus-
(Rheinpfalz).   bach, München).
678. Weisslich-grün. ⊙. 6...   682. Weiss. ♃. 7—8. In Haide-
Aecker, Gärten u. Gebüsch.   wäldern und auf Waldwiesen
679. Weiss. ♃. 5—6. Bemooste   (hie u. da).

h) Blätter 1rippig.
† *gleichbreit, schmal.*
Bltt. zu 6—12, mit eingerolltem Rand, oberseits glänzend, unterseits flaumig-weissl.;
Blthstd. sehr vielblumig . . **verum** L. 683
var. blassgelb-weissblum.: G. ochroleucum.
†† *Blätter nach aussen breiter oder lanzettf.*
° Mit deutlicher Stachelspitze.
○ Stengel walzlich oder stumpfkantig.
Bltt. 8, längl.-lanzettf.; Blumenzipfel zugespitzt, Blthstiele haarfein vor d. Aufblühen nickend; Frucht kahl, etwas runzlig
sylvaticum L. 684
○○ Stengel 4flüchig.
Blätter zu 8,
lanzettf. od. verk.-eyf.; Blumenzipfel sehr spitz; Blüthenäste horizontal-abstehend;
Fr. kahl, schwach-runzlig **Mollugo** L. 685
oben lineal-lanzettf., nach vorn breiter, grannenspitzig; Blmzipfel spitz; Frucht schwach-körnig. Blüthenstd. aufrecht-abstehend . . . . . **sylvestre** L. 686
Varirt 1) kahl: G. laeve DC. 2) klein: G. alpestre R. u. S., auch DC. 3) rauh u. klein: G. supinum Lam. 4) rauhhaarig: G. scabrum Pers. = G. asperum Schrb.
Blätter zu 6 (5 od. 7), die der mittleren Höhe verkehrt-lanzettf.; Blmzipfel spitz; Stengel kahl; Frucht spitz-gekörnt
saxatile L. 687
°° Blätter ohne oder mit höchst kleiner Stachelspitze, zu 6—8, ohne bemerkl. Rippe, dicklich, verk. eyf.-spatelig; Stengel sehr

683. Gelb. ♃. 6... Wiesen, Triften, Bergabhg. u. Waldrd.
684. Weiss. ♃. 6—7. Wälder der Berggegenden u. benachbarten Ebenen
685. Weiss. ♃. 5—8. Trockene Wiesen, Wegränder u. Gbsch.
686. = G. scabrum Jacq. Weiss.
♃. 6—7. Haiden u. an Waldrändern bis in die Alpen an Bergabhängen.
687. Weiss. ♃. 7—8. In Haidegegenden, auf steinigen und nassen Bergabhängen, auch auf Torfmooren (hie u. da).

9

ästig, kahl; Blüthenstand doldig; Fr. glatt
helveticum Weigl. 688

51. Familie. VALERIANEAE.

229. VALERIANA L. Baldrian.

A. Blüthen gleichförmig (alle vollkommen
zwitterig), Staubfäden bei allen hervorragend.
  Stock vielstenglich, ohne Ausläufer; Blätter
  7—10 paarig-gefiedert, Blättchen gezähnt
                     exaltata Mik. 689
  Stock einstenglich, mit Ausläufern; Bltt. 7—10-
  paarig-gefiedert, Blättch. zum Theil gezahnt
                    officinalis L. 690
    var. a) gross, mit lauter gezähnten Blttch.
             (V. procurrens Wallr.)
    b) kleiner, mit ganzrandigen Blättch.
            (V. angustifolia K.)
B. Blüthen d. verschiedenen Individuen
ungleichförmig, unvollkommen zwitterig, die einen kleiner (weibliche), mit
kaum bemerkbaren Staubfäden, die
andern grösser (männl.), mit deutlichen
Staubfäden.
  a) *Stengelblätter fiedertheilig.*
  Stockblätter eyf.-ellipt., die der Laubtriebe
  eyf.-zugespitzt, die untern Stengelblätter
  leyerf.-fiederthl.; Fr. kahl; Stock kriechend
                  dioica L. 691
  b) *Stengelblätter dreitheilig.*
  Blätter gezahnt, die untersten rund-ellipt.,
  kurz-gestielt, die der Laubtriebe herzf.-
  lang-gestielt; Stock ästig **Tripteris** L. 692
  c) *Blätter einfach.*

---

688. = G. baldense Spr. Weiss-
gelbl. ⚦. 7—8. Auf Geröllab-
hängen d. Alpen u. mit Flüssen in d. Ebene (bei München).
689. Röthlich-weiss. ⚦. 7—8.
Feuchte Wälder u. Gebüsch,
Ufer-Dämme.

690. Röthl.-weiss. ⚦ 5—6. Felsige Abhänge der Wälder.
691. Röthl. u. weiss. ⚦. 5—6.
Sumpfige Ws. u. Waldstellen.
692. Weiss. ⚦.5—8. Bewässerte
u. bewaldete Bergabhänge.

† *Blüthenstand ebenstraussförmig-rispig.*
Stockblätter rundl.-eyf., kurz-gestielt; Stock
vielköpfig; Blüthenstand reichblüthig
  montana L. 693
Stockblätter längl.-spatelf., in einen langen
  Blattstiel verschmälert; Stock einkopfig,
  faserig-beschopft; Blüthenstand wenigblth.,
  schlaff . . . . **saxatilis** L. 694
†† *Blüthenstand wirtelig-ührenförmig.*
Stockblätter ganzrd. längl.-lanzettf.; Stock
schuppenförmig-schopfig . . **celtica** L.*

a) CENTRANTHUS DC. Spornblume.
Blätter eyf. oder lanzettf., die obersten gezahnt.
Sporn 2mal so lang als der Frkn. **ruber** DC. h

230. VALERIANELLA Poll. Feldsalat.
A. Samenlose Fächer d. Fr. so gross od.
grösser als die samentragenden.
  a) *Kelch kaum bemerklich gezahnt.*
  Samenloses Fach halb-kugelig; Fr. 2rippig
    olitoria Poll. 695
  var. mit flaumhaarig. Fr.: V. lasiocarpa Rchb.
  Samenloses Fach sichelf., nach aussen breit-
    rinnig; Frucht 4kantig **carinata** Lois. 696
  b) *Kelch mit deutlichen Zähnen, wo-*
  von 1 sehr gross.
  Frucht 3rippig, kugelig-eyf., samenlose Fä-
    cher mit 1 Scheidewand **Auricula** DC. 697
B. Samenlose Fächer der Frucht klein,
leistenförmig auf der flachen Seite
befindlich; Kelch 3zahnig.

---

693. Röthl.-weiss. ♃. 6—8. Bewässerte und feuchte Bergabhänge der Alpen.
694. Rein-weiss. ♃. 6—7. Bewässerte Abhg. d. Kalkalpen.
* Unrein gelbl.-röthl. ♃. 7—8.
Auf Felsen der höchsten Ur-
gebirgs-Alpen.
h. = Valeriana-.., L. ♃. Purpur.
7—8. Einheimisch im südl.
Tyrol, bei uns Gartenpflanze.

695. = Valeriana Locusta olitoria L. Fedia olitoria Vahl.
Weiss. ☉ 4—5. Auf Saatfeldern u. unfruchtbaren Triften
(d. Th.-F.).
696. Bläulich-weiss. ☉ 7—8.
Saatfelder.
697. = Fedia...M. u. K. Weiss.
☉ 4—5. Auf bebautem Boden
(besonders d. Rheingegenden).

9*

Hals der Frucht so breit als der untere Theil;
Raum zwischen d. borstigen Leisten eyförmig
eriocarpa Dsv. 698
Hals der Frucht viel schmäler als der untere
Theil; Raum zwischen d. kahlen Leisten ellipt.
Morisonii DC. 699

52. Familie. DIPSACEAE.

231. DÍPSACUS. L. Karden.°)

A. Blätter verwachsen, gezähnt od. eingeschnitten; Hüllblätter des Blüthenstandes fast od ebensolang als dieser.
　a) Deckblätter der Blüthen gerade.
　Bltt. gekerbt-sägezähnig, am Rand kahl od.
　spärlich-stachlig　.　.　**sylvestris** Mill. 700
　Bltt. borstig-bewimpert　.　**laciniatus** L. 701
　*b) Deckblätter der Blüthen an der
　Spitze hackig.*
　Bltt. eingeschnitten-gekerbt, die stengelstd.
　breit-verwachsen　.　.　**Fullonum** L. C
B. Blätter nicht verwachsen, gestielt,
am Grund. öhrchenf. Deckbltt. d. Blth.
gerade, borstig-wimperig . **pilosus** L. 702

232. KNAUTIA Coult. Krätzkraut.

A. Blätter ungetheilt ellipt.-lanzettf.,
bisw. am Grund eingeschnitten, ganzrd.
oder schwach gezähnt.
　Stengel ziemlich kahl, unterseits stachelhaa-
　rig, oberseits flaumig, ohne Drüsenhaare
　　　　　　　　　　　　sylvatica Dub. 703

---

698. Weiss. ☉ 4—5. Auf bebautem Boden (Rheinpfalz).
699. = Fedia dentata Vahl; Valeriana Locusta ♂ L. Weiss.
☉. 7—8. In Saatfeldern.
°) Wahrscheinlich verdorben aus
Carduus.
700. Blasslila. ☉ 7—8. Halden,
Wegränder u. Gräben.

701. Weissl. ☉ 7—S. Feuchte
Ws. u. Gräben (Rheinpfalz).
C. Lila. ☉ 7—S. Cultivirt „We-
berkarden".
702. Blasslila. ☉ 7—S. Schattige Bachufer und feuchtes
Waldgebüsch.
703. = Scabiosa... L. Blaulila.
♃. 7—8. Schattige Wälder
(hie u. da: München).

**B. Blätter fiederspaltig mit lanzettf. ab-
stehenden Lappen; Stengel weisshaarig, mit kurzen u. langen drüsenlosen
Haaren . . . . . . arvensis** Coult. 704
   var. a) die Randblm. nicht so gross als die
   mittl., b) kahl u. c) drüsenhaarig (in Kärnthen).

232. SUCCISA M. u. K. Abbiss.
Blthstd. halbkugelf., später kopfförmig. Zähne d. Aussenkelchs eyförmig - spitz, stachelspitzig
                  pratensis M. u. K. 705

233. SCABIOSA R. u. Sch. Grindkraut.
A. Rand d. Aussenkelchs dünn, hautartig.
  *a) Borsten des innern Kelchs weiss-
  lich oder hellbraun.*
    Borsten am Grund nicht häutig, kurz; Stock-
    u. Laubtriebblätter meist ungetheilt-ganz-
    randig, Stengelblätter fiedertheilig mit un-
    getheilten Lappen (Stengelknoten grün)
                suaveolens Dsf. 706
    Borsten am Grund hautig, lang. Stockbltt. ge-
    kerbt, bis leyerförmig . . **lucida** Vill. 707
  *b) Borsten des innern Kelchs braun-
  schwarz, (Stockblätter ungetheilt, spa-
  telig-leyerf.; Stengelbltt. bis zur Mittelrippe
  fiederspaltig.*
    Köpfchen bei d. Fruchtreife kugelig; Stock-
    blätter gekerbt-eingeschnitten
                Columbaria L. 708
    Köpfch. bei d. Frreife eyförm.; Stockbltt. ge-
    kerbt-gesägt, grauflaumig **ochroleuca** L. *
**B. Rand des Aussenkelchs schwammig-
verdickt.**

704. = Scabiosa... L. Hellblau.   707. Roth-lila. ⊙ 7—8. Alpen-
  24. 7—8. Triften, Abhänge,   triften (hie u. da).
  Wiesen u. Waldränder.   708. Lila. ⊙ u. 24. 6... Trif-
705. = Scaviosa Succisa L. Dun-   ten u. trockene Abhänge (be-
  kellila. 24. 8—9. Feuchte Feld-   sonders der Ka.-F.).
  und Waldwiesen.   * Gelbl.-weiss. 24. 7—9. San-
706. Lila. 24. 7—9. Sonnige Hü-   dige Halden u. Al hänge; ge.
  gel, Felsen und Haldewälder   sellig. Von Schrank bei Cham
  (hie u. da: München).   angegeben.

134　　　COMPOSITAE.

Bltt. leyerf, - fiederspaltig. Randblm. gross, abgerundet - lappig . . **atropurpurea** L. h

53. Familie. **COMPOSITAE.**
Unterfamilie 1 Corymbiferae.

Blumen der Mitte röhrenf., die des Umkreises zungenf., ohne oder nur mit Griffeln, od. alle Blumen röhrenf. Griffel unterhalb der Narbe nicht
knotig oder gegliedert

235. EUPATORIUM L. Berghanf.
Blätter gestielt, 3—5 fiedertheilig, Zipfel lanzettf.,
sägez., d. mittlere länger **cannabinum** L. 709

236. ADENOSTYLES Cass. Rosshuf.
Blätter nieren - herzf., grob, ungleich, doppelt-ge-
zahnt, unten weissfilzig . **albifrons** Rchb. 710
Blätter nieren-herzf., ziemlich gleichm., gekerbt- ъ
zahnig, unterseits an den Rippen flaumhaarig
alpina Blf. u. F. 711

237. HOMOGYNE Cass.
Bltt. herz-nierenf., sägekerbig, unterseits an den
Rippen flaumig . . . . . . **alpina** Cass. 712
Bltt. herz-nierenf., wellig-gekerbt, unterseits dicht-
filzig . . . . **discolor** Cass. *

238. TUSSILAGO L. Huflattig.
Bltt. herzf.-eckig, kerbig-gezähnt, unters. weissfilzig
Farfara L. 713

---

h. Braunpurpurfarben. ☉ 7—9.
Zierpflanze aus dem Orient.
709. Blasspurpurfarb. ♃. 7—8.
Feuchte Waldabhänge, Bäche
u. Gräben, im Gebüsch.
710. = Cacalia...L. fil. Rosenfarben. ♃. 7—8. Bewaldete
Alpenabhänge u. Triften.
711. = Cacalia...L. Röthlich-
weiss. ♃. 7—8. Feuchte Alpentriften.

712. = Tussilago...L. Hüllbltt.
roth. ♃. 5—7. FeuchteTriften
der Alpen u. Voralpen.

* = Tussilago alpina β. L.
Hüllbltt. roth-braun. ♃. 5—7.
Triften der höchsten Alpen.

713. Gelb. 3—4. ♃. Wege und
Ackerränder, Felder (besond.
d. Thon- und Kalkboden).

239. PETASÍTES Gärtner. Pestwurzel.

A. Blätter rundlich-herz-nierenförmig.
Ungleich gezahnt-kerbig, unterseits wollig graugrün, Lappen am Stiel abgerundet; Narbe der Zwitterblumen kurz eyf. **officinalis** Mnch. 714
(Mit 1—5 weibl. Blüthen u. kleineren Köpfchen . . . . T. hybrida L.)
Ungleich grobzahnig, stachelspitzig, Stiellappen u. Spitze eckig, unterseits wollig-filzig; Narbe d. Zwitterblm. lineal-zugespitzt **albus** Gärtn. 715
(Mit 1—3 weibl Blüthen T. ramosa Hopp.)
B. Blätter 3eckig-herzförm., spärlich grobgezahnt, unterseits weiss-filzig, Stiellappen ausgespreitzt; Narbe der Zwitterblüthe lanzettförmig zugespitzt . . . . . . **niveus** Baumg. 716
(mit blos weibl. Blth. . . T. paradoxa Rtz.)

240. LINÓSYRIS DC. Goldhaar.
Blätter lineal, kahl; Blüthenhülle schlaff
vulgaris Cass. 717

211. ASTER L. Sternblume.
A. Hüllblättchen stumpf, breit.
a) Blätter einrippig.
Dicklich, lineal-lanzettf.; Hüllblätter anliegend
Tripolium L. 718
Dünn, spatelf., oberw. entfernt gekerbt - eingeschnitten . . . . . . **chinensis** L. h1
b) Blätter mit 1 Haupt und 2 Nebenrippen.

---

714. = Tussilago Petasites L.
Hüllbltt. purpur-grünlich. ♃.
3—4. Feuchte Wiesen, Bachufer (der Kalk-F.).

715. =Tussilago...L. Weissl.-gelb. ♃. 4. Feuchte Wiesen, an Bächen, in den Alpen u. niederen Gebirgsgegenden.

716. = Tussilago...Vill. Weiss.

♃. 4—5. B³che u. Uferabhg. der Alpen und Voralpen.
717. = Chrysocoma...L. Gelb. ♃. 7—8. Sonnige Felsen und Abhänge, Gebüschränder.
718. Hellblau. ⊙ 8—9. An Salzquellen.
h1. Violett, roth u. rosenfarben u. s. w. ⊙ 7—8. Zierpflanze aus China.

Blüthenköpfe einzeln. Bltt. flaumig; Hüllbltt.
lanzettförmig, schlaff . . **alpinus** L. 719
Blüthenköpfe zu 2—6 ebenstraussf. gestellt;
Bltt. rauhhaarig; Hüllbltt. abgerundet, abstehend . . . . **Amellus** L. 720

B. Hüllblättchen zugespitzt,

a) gewimpert.

Stengel straff mit gebogenen Aesten, allgem.
Blthstd. rispenf.-ebenstraussig; Bltt. umfassend, geöhrt. Frucht dicht rauhhaarig
novae Angliae Ait. h2

b) hautrandig,

† *angedrückt und nur an der Spitze zurückgebogen.*

° Zungenblm. wenig. läng. als d. Hauptkelch .

Bltt. halbstengelumfassend, entfernt, an-
liegend-zahnig; Zweigbltt. lineal, abstehend . ˙ . **parviflorus** Ns. h3
Bltt. sitzend, lanzettf., ganzrandig oder
entfernt abstehend-spärlich-gezähnt;
Zweigblätter wenige, lineal, aufrecht
salignus Willd. 721

°° Zungenblmch. viel länger als d. Hauptkelch.

Bltt. stengelumfassend, anliegend-gesägt;
Stengel unterw. kahl; allgem. Blthstand
traubig-ebenstraussf. Hüllbltt. an d. Spitze
zurückgebogen **bellidiflorus** Willd. h4
Bltt. oberw. stengelumfassend, ganz kahl,
gleichfarbig; allgem. Blüthenstand einf.-
ebenstraussf. Hüllbltt. an d. Spitze zurückgebogen . . **versicolor** Willd. h5

---

719. Hellblau. ♃. 7—9. Felsen
u. Trft. d. Alpen u. Voralpen.

720. Lila. ♃. 8—10. Dürre,
sonnige felsige Abhänge (der
Kalk-Form.) hie u. da).

h2. Röthlich-violett. ♃. 9—11.
Aus Nord-Amerika, bei uns
Zierpflanze.

h3. Weiss u. bläulich. ♃. 8—9.
Aus Nord-Amerika, bei uns

In Gärten u. in deren Nach-
barschaft verwildert.

721. Weiss, später lila. ♃. 7—8.
Flussufer (Regenbg—Passau).

h4. Weiss, dann violett. ♃.
8—10. Aus Nord-Amerika,
bei uns in Gärten u. hie und
da verwildert.

h5. Weiss, dann blau. ♃. 9—10.
Aus Nord-Amerika, bei uns
in Gärten und verwildert.

†† *Hüllblätter vom Grund an abstehend.*
  Bltt. etwas herablaufend, breit lanzettf., gesägt, unterseits kahl, oben rauh; Aeste kurz; allgem. Blthstd. traubig-ebenstraussf.
                    abbreviatus Ns. h6
  Bltt. umfassend-sitzend, lang zusgespitzt; allgem. Blthstd. pyramidal-traubig; Aeste 1blüthig . . . . . **brumalis** Ns. h7
  Bltt. etwas umfassend, lanzettf., kurz zugespitzt; allgem. Blthstd. ebenstraussf., sehr ästig . . . . . . **novi Belgii** L. h8

342. **BELLIDIASTRUM** Cass.
Stockbltt. spatelf., verk.-eyf, kerb- od. geschweiftgezähnelt, behaart; Stengel blattlos, 1blüthig
                    Michelii Cass. 722

243. **BELLIS** L. Gänseblümlein.
Hüllbltt. sehr stumpf; Stockbltt. verk.-eyf., spatelig, gekerbt, 3rippig . . . . . . **perennis** L. 723

244. **STENACTIS** Cass.
Stengel oben ebenstraussf. Untere Bltt. verk.-eyf., grob-sägezähnig; Hülle rauhhaarig
                    bellidiflora R. Br. 724

215. **ERIGERON** L. Berufkraut, Baldgreis.
A. Stengel rispig-blüthenästig, mit zahlreichen Köpfchen . . **canadensis** L. 725

h6. Violett oder hellblau. ♃. ♀.
Aus Nord-Amerika, bei uns in Gärten u. von da besonders an Flussufern verwildeit.
h7. Hellblau. ♃. 10—11. Aus Nord-Amerika, bei uns Gartenpflanze u. öfters in Ufergebüsch verwildert.
h8. Röthlich-violett. ♃ 9—10. Aus Nord-Amerika, bei uns in Gärten u. an Flüssen verwildert.
722. = Doronicum Bellidiastrum L. = Arnica Bell. Willd. Weiss. ♃. 6—7. Geröllabhg. d. Alpen u. Voralpen (d. Ka.-F.) mit

den Flüssen an steilen Ufern in der benachbarten Ebene.
723. Weiss, aussen öfters röthlich. ♃. 3 u. 11. Wiesen und Triften. In Gärten gibt es eine Garten-Varietät mit lauter purpurfarbenen Röhrenblümch.: „Sammetblümchen".
724. = Doronicum .... Schrk. = Aster annuus L. Weiss. ☉ 7—8. Feuchtes Waldgebüsch u. an Wiesenrändern(hie u. da).
725. Unrein-weiss. ☉ 7—8. Eingewandert aus N. Amerika(?). Dämme, Flussufer u. Brachäcker, besond. auf Sandboden.

**B. Stengel ebenstraussf.-ästig oder ein-
blüthig.**
a) *Strahlblümchen nicht länger als
die Scheibe;*
  Blätter (breit) lineal-lanzettf., rauhhaarig
  acris L. 726
  Blätter (schmal) lineal-lanzettf., kahl, am
  Rnd. wimperig **droebrachensis** Mill. *
b) *Strahlblümchen viel länger als
die Scheibe;*
  † *Hülle sehr rauhhaarig.*
    Stengel u. Unterseite d. Bltt. rauhhaarig;
    die innern weibl. Blm. röhrig-fadenf.
    (Haarkr. 2mal so lang als d. Frucht)
    alpinus L. 727
    Stengel u. Bltt. einzelhaarig, Bltt. wim-
    perig; weibl. Blm. alle zungenförmig
    glabratus Hoppe. 728
  †† *Hülle wollhaarig;* alle weibl. Blumen
    zungenförmig . . . **uniflorus** L. 729

246. SOLIDÁGO L. Goldruthe.

Stengel oben traubenf.- oder rispig-traubenf.-ästig,
  mit geraden Zweigen; untere Bltt. länglrd., in
  den Blattstiel verschmälert **Virga aurea** L. 730
  var. a) die unteren Blätter ellipt, sägezähnig:
    vulgaris.
  b) alle Blätter lanzettf., wenig sägezähnig
    oder ganzrandig: angustifolia.
  c) niedrig, mit lanzettf., fast kahlen Bltt.
    u gros. Blthköpfch.:S.alpestris.W. u. K.
Stengel oben pyramidenf.-rispig, mit zurückgebogenen vielen einseit.Blthköpfch. **canadensis** L. h

---

726. Blass-lila. ♃. u. ☉. 7—8.
Trockene Wiesen u. sonnige
Abhänge.
* = Er. angulosus Good. Blass-
lila. ☉. Kiesbänke der Al-
penflüsse.
727. Hell-purpur. ♃. 7—8. Geröll der Alpenabhänge u. deren Flüsse.

728. Hellpurpur. ♃. 7—8. Alpenabhänge.
729. Weiss oder hellpurpur. ♃.
7—S. Grasreiche Triften der
höchsten Alpen.
730. Gelb. ♃. 7 — 8. Wälder,
Gebüsch u. Abhänge.
h. Gelb. ♃. 9—10. Aus Nord-
Amerika; bei uns in Gärten.

247. BUPHTHÁLMUM L. Ochsenauge.
Bltt. ellipt.-lanzettf., etwas gezahnt, flaumhaarig,
d. unteren in 1 langen Stiel verschmälert; Hüllbltt. lanzettf.-zugespitzt, so lang als die Scheibe
salicifolium L. 731
var. schmalblätterig: B. grandiflorum L.

248. INULA L. Alant.
A. Hüllblätter der innern Reihe an der
Spitze verbreitert.
Bltt. ungleich-sägezähnig, unterseits filzhaarig;
d. stengelständigen herz-eyförm., umfassend
Helenium L. C
B. Hüllbltt. der innern Reihe zugespitzt.
a) *Früchte kahl.*
† *Zungenblm. wenig länger als d. Scheibenbl.*
Stengelbltt. ellipt.-lanzettf., entfernt-zahnig,
unterseits-wollig; Stengel ästig-vielköpfig-
büschelig . . . . . **germanica** L. 732
†† *Zungenblm. viel länger als d. Scheibenblm.*
° Blätter haarig (besonders unterseits).
Hüllblätter kahl, wimperig; Bltt. lanzettf.-
spitz, Stglbltt. am Grund herzf.; allgem.
Blthstd. reichblth., büschelig **media** M.B. 733
Hüllblätter dicht-steifhaarig, Bltt. eyf. bis
lanzettf., meist ganzrandig, Haare auf
1 Knötchen sitzend; allgem. Blthstd. fast
nur 1köpfig . . . . . . **hirta** L. 734
°° Bltt. (meistens) kahl, am Rand scharf.
Die oberen herzf.-umfassend, die unteren
lanzettförm-zugespitzt, erhaben-berippt;

---

731. Gelb. 2. 7—8 Bergwälder
n. trockene Triften (der Ka.-
F). Die Var. nach Schrk um
München.

C. Gelb. 2. 7—8. Feuchte Wiesen, Gräben und Flussufer,
wild in N.-Deutschland bei uns
in Bauerngärten gepflanzt.

732. Gelb. 2. 7—S. Steinige

Abhänge, Wald- u. Wegrän-
der (hie n. da, Mainthal: bei
Würzburg und Schweinfurt;
Rheinpfalz).

733. Gelb. 2. 7—8. Bergwiesen
(Rheinpfalz).

734. Gelb. 2. 7—8. Sonnige Abhänge u. Felsen (Rheinpfalz
und Würzburg),

140   COMPOSITAE.

Hüllblätter kahl oder etwas wimperig
                        salicina L. 735
Obere Blätter lineal-sitzend, längsrippig;
Köpfch. mit 3—6 besond. langen Hüllblttch.
                        ensifolia L. *
b) Früchte steif- oder flaumhaarig.
Bltt. lanzettf., ganzrandig oder gezähnt, un-
terseits zottig-haarig, die untern herzf.-um-
fassend; äussere Hüllbltt. länger als d. innern;
Stock ohne Laubtriebe . **Britanica** L. 736

249. CONÝZA L. Dürrwurz.

Stgl. ästig; allg. Blthstd. ebenstraussf.; Bltt. lanzettf.-
ellipt., unten schwach-filzig, die untern mit 1
Blattstiel . . . . **squarrosa** L. 737

250. PULICARIA Gärtn. Flohkraut.

Randblumen kurz, aufgerichtet.
Bltt. ellipt.-lanzettf., wellig, mit abgerundetem
Grund sitzend, etwas umfassend, wollhaarig
                        vulgaris Grtn. 738
Randblumen lang, ausgebreitet.
Bltt. ellipt. mit verbreitertem Grund tief-herzf.-
umfassend, weissfilzig **dysenterica** Grtn. 739

251. GALINSÓGA Rz. u. Pav

Bltt. gegenstd., kurz-gestielt, ei-herzf., etwas gezahnt, kahl . . . . . . **parviflora** Cav. 740

---

735. Gelb. ♃. 7—8. Feuchte
sumpfige Wiesen u. an Gräben.

* Gelb. ♃. 7—8. Steinige Abhg.
(nach Schrank bei Altersberg
[in der Ober Pfalz], nach Zucc.
in Rehb. Fl. exc. bei Frauen-
aurach.—?).

736. Gelb. ♃. 7—8. Feuchte
Triften, an Wegen u. Gräben
(hie u. da).

737. Jnula Conyza DC. Gelb. ☉
7—8. Steinige Abhänge in

Feld- und Waldgebüsch (der
Ka.-F.).

738. Jnula Pulicaria L. Gelb.
☉ 7—8. Feuchte Triften und
an Sümpfen.

739. Jnula...L. Gelb. ♃. 7—8.
Feuchte Wiesen, an Gräben
u. an Schlamm Sümpfen.

740. = Wiborgia Acmella Rth.
Weiss. ☉ 7—8. Aus Peru
stammend; bei uns in man-
chen Gegenden ein Unkraut
in Gärten und an Häusern.

a) MÁDIA Mol.

Bltt. ellipt., sitzend, klebrig-haarig; allgem. Blthstd.
ebenstraussförmig-traubig . . . **sativa** Mol. c

b) CALLIÓPSIS Rchb.

Stockbltt. 1fach oder doppelt-fiedertheilig, mit ganzen Zipfeln, d. oberen 3- u. mehrfach-fiederthl.,
mit linealen Z.; äussere Hüllbltt. sehr kurz; Fr.
ohne Flügel, feinknötig , . **tinctoria** Rchb. h
var. mit am Grund braunrothen Zungenblumen
bicolor Rchb.

c) RUDBECKIA L.

A. Blätter gleichförmig (die oberen wie
die unteren),
lanzett-eyf.-ungetheilt, an d. Stiel herablaufend;
Blmbltt. 2spaltig, sehr lang; Stengel glatt
purpurea L. h1
längl.-lanzettf., am Grund verschmälert, fast
herzf., steifhaarig; Hüllblttchen rauh. Stgl.
steifh. Frkr. unbemerkt . . **fulgida** Ait. h2
B. Blätter ungleichförmig.
Untere Bltt. gefiedert, Blttch. 3lappig. die obersten eyförmig . . . . . . **laciniata** L. h3

d) COREÓPSIS L.

A. Blätter gleichförmig,
am Grund 3theilig, Abschnitte ungetheilt oder
fiedertheilig, Zpf. lineal-lanzettl.; Randblumen
nicht von der Farbe der Scheibenblumen
verticillata Willd.
Abschnitte vielspaltig, Randblm. gleichfarbig mit h4

C. Gelb. ☉ 7. Oelpflanze aus
Chili: „Madi n. Melosa".
h. Gelb. ☉ 7—9. Zierpflanze
aus Arkansas.
h1. Purpurfarb., herabhängend,
2|. 7—8. Zierpfl. aus Virginien.
h2. Goldgelb, Scheibe schwarz-
roth. 2|. 7. Zierpfl. aus Pensylv.
bis Carolina.

h3. Gelb (lang), Scheibe braun.
2|. 7. An Sümpfen v. Canada
bis Virginien. Zierpflanze.
h4. = C. delphinifolia Lam.
Schk. T. 260. F. links. Scheibe
braun. Randblumen gelb. 2|. 8.
Zierpfl. aus Virginien, Carolina etc.

den Scheibenblumen. Frucht klein 2zahnig
                    tenuifolia Ehrh. h1
B. Blätter ungleichförmig, ganzrandig;
  Stockblätter gefiedert, Stengelblätter 3zählig-
lanzettförmig, gestielt . . . **tripteris** L. h2

(e ZINNIA L.

A. Blüthenkopf sitzend. Blätter gegenstän-
dig, herz - lanzettförmig, umfassend - sitzend.
Spreublätter stumpf . . . **pauciflora** L. h3
B. Blüthenkopf gestielt.
Eyrund-lanzettf., kurz-gestielt ; Spreubltt. stumpf
                    multiflora L. h4
Eyrund herzf.-sitzend. Stengel steifhaarig; Spreu-
blätter gesägt, zugespitzt . . **elegans** L. h5
  var. a) mit abstehenden Hüllbltt.: violacea.
      b) mit angedrückten Hüllbltt.: coccinea.

f) TAGETES Tournef. Türkennelke.
Blätter fiederspaltig, Köpfchen ey-keulenförmig.
Zipfel der Blätter lineal, gesägt. Blumenstiel
walzlich, Hülle glatt . . . . **patula** L. h6
Zipfel der Blätter lanzettf.-gesägt. Blumenstiel
oberwärts bauchig-aufgeblasen, Hülle eckig
                      erecta L. h7

g) XIMENÉSIA Cav
Stengel ästig. Blätter eyf. od. dreieckig, sägezähnig, am Grund geöhrt, stengelumfassend. Frucht
zottig, geflügelt, Zungenblumen tief 3zahnig
               encelioides Cav. h8

---

h1. = C. verticillata L. Randblumen u. Scheibe gelb. ♃. 8.
Zierpflanze aus Virginien u.
Carolina.
h2. = Chrysostomma... Less.
Anaeis .... Schk. Randblumen
gelb. Scheibe braun. ♃. 8.
Zierpfl. aus Virginien u. s. w.
h3. Randblume gelb. ⊙9. Zierpflanze aus Peru.
h4. Purpurfb. Varirt mit oberseits gelben u. rothen Randblumen. ⊙ 7—8. Zierpflanze
aus Mejico, Brasilien.

h5. Violett u. scharlachfarben
und mehrere Mischungen. ⊙.
7—9. Zierpflanze aus Mejico.
h6. Gelb od. gelbroth, fuchsfb.
Var. mit grössern u. kleinern
Köpfchen. ⊙ 7—9. Zierpfl.
aus Mejico.
h7. Citronengelb (grösser als
vorige), übelriechend. ⊙9—10.
Gartenpflanze „Türkennelke“
aus Mejico.
h8. = Pallasia serratifolia Sm.
Gelb. 8—10. Zierpflanze aus
Mejico.

h) DÁHLIA Cav.

Stengel nicht duftig.
Bltt. gegenstd., fiedertheilig, Blttch. eyf.-gesägt,
kahl; Blthkpf. vor dem Aufbl. nickend; Zungenblm. meist mit Griffeln **variabilis** Dsf. h1

252. BÍDENS L. Bubenlaus.
Stengelbltt. 3theilig, Blättch. lanzettf., sägezähnig.
Frucht verkehrt-eyförmig . . **tripartita** L. 741
Stengelblätter einf.-lanzettf., sägezähnig, am Grund
fast verwachsen. Fr. eyf.-kegelf. **cernua** L. 742
var. a) sehr klein mit nur 1—3 Blüthenkpf.:
B. minima L.
b) mit Randblumen, = Coreopsis Bidens L.

a) HELIANTHUS L. Sonnenblume.
Alle Bltt. herzf., sägezähnig, rauh; Blüthenkopf
nickend . . . . **annuus** L. C1
Obere Bltt. lanzettf., untere eyf.-herzf., sägezähnig,
rauhhaarig; Blüthkpf. aufrecht **tuberosus** L. C2

253. FILÁGO L. Ruhrkraut.
A- Alle Früchte frei und ohne die Hüllblättchen abfallend.
a) *Hüllbltt. lang-zugespitzt, mehr-*
reihig, in der Achsel eines jeden
1 Blümchen.
Köpfchen aussen schwach-eckig, in einen
dichten Filz eingehüllt. Frboden kegelf.
Bltt .ellipt.-lanzettf, wellig **germanica.** 743
Var. weiss-filzig. Bltt. verk.-ey-lanzettf.:
pyramidatum Gaud

---

h1. = Georgina variabilis Willd.
Randblumen purp., aber durch
Cultur in sehr vielen Abän-
derungen, auch mit lauter
Zungenblumen. ♉. 8 — 10.
Zierpflanze aus Mejico.
741. Gelb. ☉ 7... Sumpfige
Triften u. schlammige Gräben.
742. Gelb. ☉ 9... Sumpfige
Haiden u. an Wässern.

C1. Gelb. ☉ 7... Aus Peru,
bei uns als Garten- u. Nutz-
(Oel) Pflanze cultivirt.
C2. Gelb. ♉ 11. Aus Brasilien,
bei uns wegen der Knollen Gemüsepflanze: „Topinambur".
743. Gelblich-weiss. ☉ 7—8.
Aecker u. an Wegen von Trft.

*b) Hüllbltt. stumpf, 1 oder 2reihig.
Blättch. auf dem Fruchthoden frei.*
Köpfchen 5kantig, kegelf.; Hüllbltt. seidenhaarig, oben kahl, gelbl., d. äussern eyf.,
sehr kurz. Stamm gabelig-ästig. Laubbltt.
lineal-lanzettförmig . . **minima** Fr. 744
Köpfchen schwach 8kantig, walzl.; Hüllblätter wollhaarig, oben häutig, äussere
Blättchen sehr schmal, lineal; Laubbltt.
schmal, lineal . . . . **arvensis** L. 745
B. Früchte der äussern Reihe in d. Hüllblätter eingeschlossen, nur mit diesen
abfallend.
Köpfchen ey-kegelf., 5kantig. Hüllbltt. seidenhaarig, oben kahl, häutig. äussere Blätter
eyf., kurz. Stengel gabelästig. Laubblätter
lineal-pfriemlich . . . . . **gallica** L. 746

251. GNAPHALIUM L. Rainblume.

A. Blümchen alle zwitterig.
*a) Fruchtkrone aller Blümchen fa-
denfein oder an der Spitze unmerklich verdickt.*
⊥ *Stengel einfach.*
° Allgem. Blthstd. lang-ährenförmig.
Köpfchen in den Blattwinkeln gebüschelt;
Bltt. allmählig nach oben kleiner werdend; äussere Hüllbltt. 3mal so kurz
als d. Köpfchen . **sylvaticum** L. 747
°° Allgem. Blüthenstd. verkürzt-ährenförmig
bis einzelköpfig.
Wuchs einzelnstenglich, aufrecht; Köpfchen 3—9, äussere Hüllblttch. ¹/₃ so
lang als d. Kpf. v. Stützbltt. umgeben
norwegicum Gun. 748

---

744. = F. montana DC. u. Linn.
Gnaphal. mont. Huds. Weissgrau. ☉ 7—8. Sandige Aecker
u. Triften (d. Ki.-F.).
745. = F. montana L. Fl. suec.
Weiss. ☉ 7—S. Triften und
Haiden (d. Ki.-F.).

746. Weiss. ☉ 7—8. Aecker
(hie u. da: Rheinpfalz).
747. Bräunlich-gelb. ♃. 7—8.
Haidewälder, trockene Triften
u. lichte Waldstellen.
748. = Gn. fuscatum DC. Weiss.
Hüllbltt. braun. 7—8. Kahle
Abhänge d. Alpen u. Voralpen.

Wuchs ästig-rasenf., niederliegend, Köpfch.
wenige 1—5, meist endstd., äussere Hüllblättchen wenigstens halb so lang als die
Köpfchen, ohne Stützbltt. **supinum** L. 749
varirt in Anzahl der Köpfchen u. Farbe
der Hüllblättchen, wodurch Gn. supinum Willd, Gn. fuscum Scop. u. Gn.
pusillum Willd. entstehen.
°°° Allgem. Blüthenstand knäuelig-ebenstraussf.,
gebüschelt; Bltt. beiderseits wollflaumig,
Hüllblttch. blassgelb **luteo-album** L. 750
†† *Stengel vom Grund an ästig. Blthstand*
knäuelig, beblättert, Stengelhhlätter lineal
uliginosum L. 751
var. a) mit stachl. Fr.: G. pilulare Whlb.
b) mit kahl. Fr. u. Stgl. : G. nudum Hoffm.
b) Haarkrone der mittleren Blumen
keulenförmig-verdickt.
Stengel einf.; Blthstd. ebenstraussf.-gehäuft,
mit grossen Stützblättern umgeben, dicht-
weiss-filzig-wollig **Leontopodium** L. 752
B. Blümch. z. Theil eingeschlechtig, bei
d. zwitterigen alle Haare derFruchtkr.
oberwärts verdickt.
Stock mit Auslf. u. einf. Stgl.; Stockbltt. spatelf., unterseits weiss-filzig; Stengelbltt. alle
gleich-gross, angedrückt; Hüllbltt. d. weibl.
Blüthen farbig . . . . . **dioicum** L. 753
Stock ohne Auslf., mehrstenglich; Bltt. lanzettf., beiderseits wollig; Stengelblätter allmählich kleiner; Hüllblätter braun, spitz
carpathicum Wahlb. 754

---

749. = Gn. pusillum Hnk. et
Gn. fuscum Scop. Weiss. ♃.
7—8. Bewässerte Felsen der
Alpen.
750. Strohgelb. ☉ 7—8. Trockene sandige Triften (Ki.-F.).
751. Weiss-gelbl. ☉ 6—7. Ue-
berschwemmt gewesene Triften u. Felder, an Sümpfen
u. Ufern.

752. Weiss-grünlich. ♃. 7—8.
Höchste Felsenabhg. d. Alpen.
753. Weiss u. hellpurpur. ♃.
5—6. Kahle Triften, lichte
Waldstellen u. Halden.
754. = Gn. alpinum Good. Bläul.
u. hellbraun. ♃. 7—8. Bewässerte Felsen d. höchsten Alpen.

19

255. HELICHRYSUM Gärtn. Strohblume.

A. Wildwachsend.
Stock krautartig. Bltt. filz-haarig, die stockstd.
verk.-eyf.-lanzettl., die stengelstd. lin.-lanzettf.;
allgemeiner Blüthenstand ebenstraussförmig
arenarium DC. 755
B. Gartenpflanzen.
*a) Köpfchen zwitterbl. Fruchtboden
flach. Hüllblätter gelb.*
Köpfch. büschelig-ebenstraussf., klein (½"
Diam.) . . . . **orientale** L. h1
Köpfch. einzelnständig, gross (1"), strahlig.
Frucht glatt . . . **bracteatum** L. h2
var. chrysanthum Pers.
*b) Köpfchen eingeschlechtig. Frucht-
boden erhaben; Hüllbltt. weiss.*
Stengel filzhaarig, ebenstraussf.-ästig; Bltt.
unterseits weissfilzig, obers. grün, schmal-
lanzettförmig . **margaritaceum** L. h3

256. ARTEMÍSIA L. Beifuss.

A. Fruchtboden haarig.
Bltt. grün-weiss, d. stockstd. 3f., die stengelstd.
2fach-fiederspaltig mit lanzettf. stumpfen Zipfeln, die unter den Blüthenästen stehenden
einfach, ohne Oehrchen **Absinthium** L. 756
B. Fruchtboden kahl.
*a) Köpfchen ziemlich kugelförmig
oder eyförmig.*
† *Blätter fiedertheilig,*
* am Blattstiel nicht geöhrt.
Stengel holzig, aufrecht; Bltt. unten flau-

---

755. Schwefelgelb bis goldgelb.
⅘. 7—8. Trockene sandige
Triften u. Haidewälder.

h1. Schwefelgelb oder pomeran-
zengelb. Zierpflanze aus dem
Orient; bei uns Gartenpflanze:
„Immortelle".

h2. Gelb oder weisslich. Zierpflanze aus Neuholland, bei
uns in Gärten: „Strohblume".

h3. Weiss. ⅘. 7. Auf den südl.
Alpen (bei uns in Gärten),
soll auch bei Wolfsegg in Würtemberg vorkommen u. wird
von Schrank „auf fetten Wiesen um Hohenschwangau" angegeben; ihm folgend eben so
in Rchb. u. Sturm.

756. Gelblich-grün. ⅘. 7—8. Gebüsch der Abhänge u. Felsen
an Ruinen (hie u. da).

mig, alle gestielt, d. unteren 2f.-fiederig,
mit sehr schmalen linealen Zipf.; Köpfch.
grauweiss, nickend . **Abrotanum** L. c
** am Blattstiel geöhrt.
Köpfch. weiss-gräulich, nickend; Erdstock
kriechend, Stengel aufrecht, ruthenförmig;
Bltt. unterseits wollfilzig, oberseits kahl
oder grau, doppelt-gefiedert **pontica** L. *
Köpfch. kahl, meist aufrecht; Laubstengel
rasenf., d. Blthstgl. aufstrebend, rispen-
ästig; Bltt. seidenhaarig-grau oder kahl,
im Umfang rund-eyf., 2—öfach-gefiedert,
d. oberst.einf.-stachelsptiz **campestris** L. 757
var. a) seidenhaar.-glänzend:A. c. sericea.
b) zieml. gross, kahl: A. c. subalpina.
c) niedrig-einfach: alpina.
†† *Bltt. ungetheilt*, grün, kahl, lanzett-lineal,
d. grundst. an d. Spitze 8spaltig; Stgl. krautig; Köpfchen kugelig, nickend
Dracunculus L. c
*b) Köpfchen länglich-rund (aufrecht
oder nickend, filzig).*
Blätter unterseits weissfilzig, fiederspaltig,
Fiedern lanzettf.-zugespitzt, eingeschnitten,
sägezähnig oder ganz, am Grunde geöhrt
vulgaris L. 758

257. TANACETUM L. Rainfarn.
Bltt. doppelt-fiedertheilig, mit sägezähnigen Zipfl.
Allgem. Blüthenstd. ebenstraussf. **vulgare** L. 759
Bltt. ungetheilt, ellipt-eyf., sägezähnig, d. unteren
gestielt, die oberen sitzend, am Grund geöhrt
Balsamita L. 11

C. Gelblich-weiss. ħ. 9. Zierpfl.
aus Griechenland und Süd-
Frankreich.
* Gelblich. 4. 7—8. Sonnige
Felsen u. Abhänge (hie und
da: Rheingegenden).
757. Gelblich-grau. 4. 7—8.
Triften u. Wegränder. Felsen
u. Abhänge (der Ki.-Form.).
C. Gelblich. 4. 8—9. Bei uns
Gewürzpflanze ,,Estragon",
ursprünglich aus Sibirien.

758. Gel.lich. 4. 8—9. Abhg.,
Wege u. Ufergebüsch.

759. Gelb. 4. 7—8. Abhänge,
Wege u. Ufer.

11. =Balsam.major Desf. =Py-
rethum Tanac. DC. Gelb, ohne
Rdblm. 8—9. Wild im südl.
Tyrol u. Frankr., bei uns
von Landleuten in Gärten zum
Wohlgeruch: ,,Frauenmünze".

10 *

a) SANTOLINA L.

Blüthenzweige 1köpfig; obere Bltt. fast walzl., allseits mit Zäpfchen besetzt, stumpf, grauweiss. Stengel filzig . . . . **Chamaecyparissus** L. ♄

258. ACHILLEA L. Schaafgarbe.

A. Blüthenköpfchen mit etwa 10 Blümchen, die Zungenblumen so lang als d. Hüllkelch.

a) Blätter ungetheilt, lanzettf.- lineal, verschmälert, zugespitzt, mehr od. weniger tiefsägezähnig, mit angedrückten Zähnen . .
. . . . **Ptarmica** L. 760

b) Blätter fiedertheilig.
Stengelbltt. im Umfang ellipt.-keulenf., einfach-flederspaltig, Zipfel elliptisch-stumpf, ganz oder 2zahnig, seidenfilzig . . . .
. . . . **Clavennae** L. 761
varirt mit kahlen Blättern.
Bltt. ellipt., fiederspaltig, entfernt-behaart, Zipfel 2 — 3 fiederspaltig oder gefiedert-5spaltig mit lineal-spitzigen Zipfeln. Hüllblätter breit braungerandet . **atrata** L. 762

B. Blüthenköpfchen etwa mit 5 Blümch., die Zungenblumen kürzer als. d. Hüllk.

a) Stglbltt. im Umriss mehr od. w. lanzettf., wollig-zottig bis fast kahl, doppelt-fiederspaltig, mit stachelspitzigen Zipfeln, Hauptstiel nicht oder gegen die Spitze des Blattes etwas gezähnt
Millefolium L. 763

---

h. Gelb. ♄. 7. Wild im südl. Tyrol; bei uns im Topf als „Cypresse".
760. Weiss. ♃. 7—8. Feuchtes Gebüsch, Gräben und Ufer (der Ki.-F.)
761. Weiss. ♃. 7—8. Höchste Felsen der Alpen

762. = Matricaria .... Sehrk. Weiss. ♃. 7—8. Bewässerte Felsen u. an Abhängen der Gebirgspässe in den Alpen.
763. Weiss, gelblich weiss oder röthlich. ♃. 7.... Triften, Wiesen und an Abhängen.

Var. a) wollig: A. magna Willd.; b) weniger wollig mit unrein weissen Blm.:
polyphylla Schlch.; c) mitbreit schwarzberandeten Hüllbltt., fein zertheilten
Blttch.: alpestris; wenn so u. noch rothblühend: A. Seidlii Prsl.; d) mit borstenf. feinen Blattzipfeln u. obers. gelbl.
Blmch.: A. setacea M. et K.

b) *Stengelblätter im Umrisse ellipt.- eyf.*,
wollig - flaumig bis kahl, doppeltfiedertheilig, mit fiederig - gezähnten Abschnitten, Hauptstiel von d. Mitte an gezähnt
nobilis L. 764

259. ANTHEMIS L.

A. Spreubltteh. lanzettf. od. ellipt., ganzrandig, in eine steife Spitze zusammengezogen.

a) *Fruchtboden erhaben od. halbkugelig, Fr. ungleich 4kantig, zusammengedrückt.*

Randblumen gelb; Bltt. flaumhaarig, doppeltfiederspaltig, Abschn. kammf. gestellt, sägezähnig . . . . **tinctoria** L. 765
Randblumen weiss; Blttch. woll.-flaumhaarig, doppelt-fiederig, Abschnitte fiederig gestellt, zieml. gleich ganzrandig, stachelspitzig . . . . . **austriaca** Jacq. 766

b) *Fruchtboden verlängert, walzl. od. kegelf.; Fr. stumpf, gleichseitig 4kantig.*

Bltt. wollig-flaumig, doppeltfiederspaltig, Abschn. lineal-lanzettf., ganz od. 2—3 zähnig, spitz; Spreubltt. lanzettf., lang steif zugespitzt . . . **arvensis** L. 767

B. Spreubltteh. lineal, borstlich - spitz.

---

764. Weiss-gelbl. ⚇. 7—8. Triften u. sonnige Abhänge (der Ka-For. hie und da).
765. Gelb. ⊙ 7—8. Aecker, Triften u. Bergabhänge (besonders der Ka.-For.) hie u. da.
766. Weiss. ⊙ 7—8. Aecker u. Triften (Regensburg).
767. Weiss. 6... Sandige Trft. und Aecker.

Bltt. kahl, doppeltfiederspaltig, mit linealen, gauz-
raudigen od. 2—3zähnigen spitzigen Abschn.;
Fr. rundl., höckerig-gestreift . **Cotula** L. 768

a) PYRETHRUM Cass. Bertramskraut.
Strauchartig.
Bltt. gestielt, eyf., eingeschnitten od. fiedertheilig,
weich, d. oberst. ganzrdg.; Hüllschpp. breit-
trockenrandig, Randbl. kaum länger als d.
Hüllkelch (Kpf. klein 1″) . **indicum** Cav. h1
Bltt. gestielt, buchtigfiederthl., gezahnt, lederig,
graugrün; Hüllschpp. stumpf, schmal-trockenrdg.;
Zungeublm. sehr viel länger als d. Hüllk. (Köpfch.
2—3mal so gross als vorige) **sinense** Sabin. h2

b) ANACYCLUS L. Bertram.
Stengel aufrecht od. aufstrebend, 1kopfig, Spreu-
schpp. eyf.; Fruchtflügel knorpelig, undurchsich-
tig; Scheibenblumen gleichmässig 5zahnig
officinalis Hayne. C

260. MATRICARIA L. Chamille.
Hüllbltt. stumpf; doppelt-fiederthl., Zipfel lineal-
fadenförmig, ausgespreitzt **Chamomilla** L. 769

261. CHRYSANTHEMUM L. Wucherblume.
A. Randblumen weiss.
*a) Blätter ungetheilt od. einfach-
fiederspaltig.*
† *Blätter der Blüthenstengel mehr od. w.
gezahnt.*
* Früchte ohne Krone.
Stockbltt. lang-gestielt, spatelförmig, gekerbt . . . **Leucanthemum** L. 770

---

768. Weiss. ☉ 6 . . . Aecker,
Schutthaufen, Wege.
h1. = Chrysanthemum . . . L.
Gelb. ♃. Zierpfl. aus China.
h2. = Chr. indicum Truft. et
auct. Röthlich und gelb. ♄.
Zierpflanze aus China.
C. = A. Pyrethrum Lk. Weiss,

unten röthlich. ☉ 5—6. Südl.
Europa, bei uns in manchen
Gegenden cultivirt.
769. Weiss. ☉ 5—6. Aecker
und bebauter Boden.
770. = L. vulgare DC. = Matricaria Leuc. Schrk. Weiss. 6—7.
Feld und Waldwiesen.

var. niedrig (4—6″), untere Bltt. oberwärts stumpf 3lappig; Hüllbltt. breit
schwarzbraun gerandet: Ch. atratum
Gaud. (non L.).
** Fruchtkrone schief abgestutzt, fast so
lang als die Blumenröhre.
Stockbltt. ey-keulenf., 5—7zahnig,
Stglbltt. längl.-lineal. eingeschnitten-
gesägt, spitz-zahnig
coronopifolium Vill. 771
Stock- u. Stengelbltt. fiederthl., Zpfl lanz.-
lineal. **ceratophylloides** All. 772
†† *Blätter des Blüthenstengels ganzrandig.*
Stockbltt. rundl.-eyf., fiederzahnig; Frkr.
gleichf napfförmig; Hüllbltt. stumpf
alpinum L. 773
b) Blätter doppelt- od. mehr-fieder-
spaltig.
† *Früchte 5—10riefig,*
klein, harzig getüpfelt, weissl.-grau, Frkrone
sehr kurz; Bittabschn. längl.-rund, zart-
laubig. . . . . **Parthenium** Pers. 774
gross, fast ohne Harztupfen; Frkr. häutig,
gekerbt, Bittabschn. lanzettf., gesägt,
ziemlich derb. . **corymbosum** L. 775
†† *Früchte 3kantig (braun), Frkr. kurz.*
Bittabschn. lineal-fadenf. **inodorum** L. 776
B. Randblumen gelb.
Blttr. ungetheilt, keilf., vorn 3fach eingeschnitten,
d. oberen mit herzf. Grund umfassend, kahl;
Fr. mit schwacher Krone . . **segetum** L. 777
a) PINARDIA Cass.
Blttr. doppelt-fiederthl., geöhrt-umfassend, kahl,

771. =Pyrethrum Halleri Willd.
et DC. ♃. 7—8. Abhg. der h.
Alpen mit d. F\. in die benachbarten Ebenen gehend.
772. = Pyrethrum... Willd. et
DC. Weiss. ♃. 7—8. F. u.
Abhg. der höchst. Alpen (Lin-
kerskopf).
773. Weiss. ♃. 7—9. Felsen
der höchsten Alpen.

774. = Matricaria... L. u. Py-
rethr.... Sm. Weiss. ♃. 6—7.
Feuchte W., Mr., Schtt. (hie
und da).
775. Weiss. ♃. 6—7. BgWld.
776. Weiss. ⊙ 7... Aecker,
Schutt u. Wege in Dörfern.
777. = Matricaria... Schrk.
Gelb. ⊙ 7—8. Aecker (hie
und da).

Zipfl nach d. Spitze breiter, eingeschnitten-
gesägt; Aeste 1 blth. ; Hüllk. glockig, alle
Schuppen am Rand trocken **coronaria** Lss. h

262. DORONICUM L. Gemswurz.

Stockbltt. lang-gestielt, tiefherzf., Stglbltt. eyf.,
gezähnt, ohrf. umfassend; Auslfr. lang, am Ende
knollig u. blättertragend; Stgl. 1—3 köpfig
Pardalianches L. 778
Stockbltt fehlend, d. unt. od. 1—2 Stglbltt. kleiner,
d. folgd. zahlr., herzf.-zugespzt., d. o. lanzettf.;
Auslf. keine; Stgl. 3—8 köpfig **austriacum** Jacq. 779

263. ARONICUM Neck.

A. Blattfläche der Stockblätter in den
Blattstiel übergehend.
Bltt. weich, eyf.-ellipt., entfernt-gez. od. ganzrd.,
haarig, d. Haare des Blthstl. alle spitz, lang-
gliederig; Stgl. röhrig . . **Clusii** Koch. 780
Bltt. hart, eyf.-ellipt., gezähnt bis ganzrd.,
kahl, d. Haare des Blthstl. kurzgliederig,
spitzig; Stgl. steif, dicht **glaciale** Rchb. 781
B. Blattfläche d. Stockbltt. stumpf-abge-
stutzt od. herzförmig.
Haare der Blthstl. kurz-gegliedert, stumpf
scorpioides Koch. 782

264. ARNICA L. Wohlverleih.

Stockbltt. ellipt., verk.-eyf., 5 rippig, Stglbltt. meist
2, gegenstd.; Hüllk. drüsenflaumig **montana** L. 783

---

b. = Chrysanth.... L. Gelb. ⊙
Wild in den östl. Schweizer-
alpen, bei uns in Gärten.
778. Hellgelb. ♃. 5—6. Lichte
Bg.-W. (Pfalz u. Wrzbg.).
779. = D. Pardalianches α L.
= D. scorpioides Wm. et Gr.
Gelb. ♃. 6—8. Jüngstgefällte
W., WRd. mit lockrer Laub-
Erde in Alpen u. Voralpen.
780. = A. Doronicum Rchb. =
Arnica Doronicum Jacq. Gelb.
♃. 7—8. Bewss. Abhg. der
höchsten Alpen.

781. = Arnica glacialis Wlf. =
Arnica Clusii ♂ Kch. Syn.
ed. 1. = Arnica scorpioides γ
DC. Gelb. ♃. 7—8. Bewss.
Tft. u. Abhg. der höchst. Alpen in der Nähe von Glet-
schern.

782. = Arnica... L. Gelb. ♃.
7—8. Geröll-Abhg. u. F. d.
Alpen.

783. Gelb. ♃. 6—7. W.-Ws.
u. feuchte Abhg. bis in die
Alpen.

a) EMILIA Cass.

Stgl. zerstreut-flaumhaarig od. kahl, duftig; untere
Bltt. gestielt leyerf., Stglbltt. pfeilf. od. hrzf.
umfassend, etw. gezahnt, Blthstd. ebenstraussf.;
Kpfch. lang-gestielt; Hllk. walzl. so lang als d.
Blume . . . . **flammea** L. ʰ

265. CINERARIA L. Aschenpflanze.

A. Frucht kahl.
Stockbltt. am Grund herzf., eyf., grossgez.; kahl,
eben. . . . . **crispa** Jacq. *
Stockbltt. ellipt. in d. Blttstl. verschmälert, geschweift-gezähnelt . . . **pratensis** Hpp. ₇₈₄
**B. Frucht dicht-steifbaarig; Frkr. so
lang als die Blumenröhre.**
Stockbltt. mit eyf. Spreite, am Grund abgestutzt, gekerbt-zahnig, die folgend. eyf.-ellipt.,
in d. breitgeflügelten Blattstiel übergehend
spathulaefolia Gml. ₇₈₅
Stockbltt. eyf.-rundl., kurz-gestielt, ganzrd.
od. gekerbt; Hüllbltt. fast kahl
campestris Rtz. *

266. SENECIO L. Greiskraut.

§. Rand-Blumen gelb.
A. Blätter fiederig-eingeschnitten.
*a) Rand u. Scheibenblm. ohne od. mit
zurückgerollten Zungenblm. (Bltt.
fiedertbl. mit fiederf. zerschlitzten Zipfeln).*
† *Blthköpfch. ohne Zungenblm.;* Hüllbltt.
10, schwarzspitzig; Fr. schwach flaumh.
vulgaris L. ₇₈₆
†† *Blthköpfch. mit zurückgerollten Zungenblm.*

---

h. = Cacalia sonchifolia L. Saf-
ranfarb.⊙ 7—8. Zierpfl. aus
Ost-Indien.
* Gelb. ⅔.5—6. Alpen-Triften.
784. = Senecio... DC. Gelb.⅔.
5—6. Fcht. Ws. am Fuss der
Alpen.

785. = Cineraria campestris DC.
Fl. fr. ⅔. 5... Fcht. W.-Ws.
und Sümpfe (hie und da).
* = C. alpina γ. L. Sonnige
(Ka.-) Hügel, trockne Ws.
786. Gelb. ⊙ 3—11. Bebaute
Bd. u. Sandheid., an Wegen.

Fr. kahl; Bltt. drüsenhaarig **viscosus** L. 787
Fr. weissflaumig;   Bltt. spinnwebhaarig,
     Fiedern schmal   . . **sylvaticus** L. 788
b) Randblümchen zungenförmig, ab-
stehend.
   † *Blattfiedern ziemlich breit-laubig (d.*
     h. nicht fadenförmig.)
   * Zähne der Zipfel ausgebissen-zugespitzt.
     Fiederbltteh. allmähl. in d. Endlappen über-
     gehend   . . .   **nebrodensis** L. 789
   ** Zähne der Zipfel spitzbogig-zugespitzt.
   ○ Stengelbltt. mit nicht plötzlich viel grös-
     serem Endlappen; Fiederabschn nicht ge-
     zähnt.
     Endlpp. lanzettf., lappig-gezähnt, weich;
     Frkr. abfallend   **aquaticus** Huds. 790
     Endlpp. d. Stglbltt. in den nach u. nach
     breiter werdenden eingeschn.-gez. Sei-
     tenfiedern übergehend, starr; Stock
     kriechend   . . .   **crucifolius** L. 791
   ⊙○ Stengelbltt. mit eyf., grossen, gezahn-
     ten Endlappen.
     Endlpp. plötzl. sehr gross, grob einge-
     schuitten-gezahnt; Seitenfied. wenige,
     1 spitzig   . . **lyratifolius** Rchb. 792
     Endlpp. in Seitenfd. übergehd., Seitenzpfl.
     2 od. 3 spitzig, ausgeschweift-gezahnt
                 Jacobaea L. 793
     Bltt. breit keulenf., mit fiederig-einge-
     schnittener Spreite u. langem Bittstl.
             carniolicus Willd. 794

---

787. Gelb. ⊙ 6—10. Schutt, Sandfelder u. jüngstgefällte Waldplätze.
788. Gelb. ⊙ 7—8. Wälder (der Ki.-F.).
789. = Senecio rupestris W. et K. Gelb. ⊙ 5—6. Felsen der Ka.-Gbg. bis in die Alpen.
790. Gelb. ⊙ 7—8. Feuchte Ws. und flache Ufer (hie u. da).
791. = S. tenuifolius Jacq. Hell-

gelb. ♃. 7—8. Gebsch-Abhg. u. Feld-Gebsch. (d. Ka.- u. Th.-F.).
792. = S. alpinus L. fil. Gelb. ♃. 7—8. Abhänge der Alpen.
793. Gelb. ⊙ 7—8. Wiesen, Triften u. lichte Wälder.
794. = Senecio incanus Scop. Gelb. ♃. 7—8. Geröll-Abhänge der höchsten Alpen.

†† *Blattfiedern sehr schmal lineal-fadenf.,*
ungetheilt, kahl; Blüthenstand 6 — 10 kpf.;
Frucht kahl . . **abrotanifolius** L. 795
B. Blätter ungetheilt.
a) Blthstand ebenstraussf., reichbl.
†*]Blätter gestielt.*
° Mittlere Stengelbltt. herz-cyf., gestielt;
Randblumen abstehend; Frucht kahl
cordatus Kch. 796
°° Mittlere Stengelbltt. mehr od. w. lanzettf.
Die Bltt., welche d. Blthäste stützen, aus
breitem Grund lanzettf., zugesp., d. Sägezähne dichtgestellt mit einwärts gebo-
gener Spitze; Blthkopf mit 7 — 8 Zungenblumen; Erdstock kriechend
sarracenicus L. 797
Die Blätter, welche d. Blthäste stützen,
am Grunde in einen kurzen Blattstiel
verschmälert, lanzettf.-zugespitzt, d. Sägez. mit geraden Spitzen; Zungenblm.
meist 5—8; Erdstock nicht kriechend
nemorensis L. 798
var. a) d. ächte mit grossen Blthköpfen u.
5 —6 Zungenblumen: S. nemoren-
sis Willd.
b) mit stark riechenden Blth.: S. nemorensis Jacq.
c) 8blumig: S. nemorensis Ledeb.
d) mit meist gestielten Bltt., kleineren
Blthkpf. u. bisw. borstl.-linealen
Hüllbltt., Zungenblm. 5—6: S. nemorensis Gml.
†† *Bltt. sitzend,* fast umfassend, schmal
lanzettf.-zugespitzt, grobgesägt (meist unterseits flockig-haarig . **paludosus** L. 799

---

795. Dunkelgelb. ♃. 7—8. Felsen der Ka.-Alpen.

796. = S. alpinus DC. = Cineraria cordifolia Gou. Gelb.♃.
7—3. Trft. d. Alpen u. an
Wald-Rändern der Voralpen.

797. Hellgelb.♃. 7—8. Gebüsch
d. Fl.-Uf. (Main u. Donau).
798. Hellgelb.♃.7—8,Bg.-WWs.
(d. Ka.-F.) bis in die Alpen.
799. Hellgelb. ♃. 7—8. Sumpf.
Ws., Gräben, T. u. langsam
fliessende Wasser.

b) Blüthenstand mit 1 — 3 (grossen)
Blüthenköpfchen.
Bltt. hart, etwas rauh, meist grundstd., d.
mittl. ellipt. lanzettf.-gezähnelt; äussere
Hüllblätter zahlreich . **Doronicum** L. 800
§§. Rand-Blumen roth; Bltt. fiedertheilig.
Stgl. sehr ästig; Endlpp. d. Bltt. abgerundet,
etwas grösser; Blthstdäste spärl. schuppen-
blätterig, Hüllk. an d. Spitze schwarz, mit
Vorblättchen . **pseudo-elegans** Less. h1
Stgl. spärl. ästig; Blthstiel blattlos; Hüllk. an d.
Spitze grün, ohne Vorblättchen **elegans** L. h2

Unterfamilie 2. Cynarocephalae.
Griffel der Zwitterbltb. an d. Spitze unterhalb der
Theilung knotig-verdickt u. daselbst oft haarig.

267. CALENDULA L. Ringelblume.
Randfr. am Rücken dornig, geschnabelt, Stgl. niederliegend; Bltt. stengelumfassend **arvensis** L. 801
Randfr. am Rücken eben, gekrümmt; Stgl. aufrecht; Blätter sitzend . . . **officinalis** L. h3

268. ECHINOPS L. Kugeldistel.
Bltt. fiederspaltig, oberhalb drüsenflaumig, unterseits wollig; Haarkrone nur am Grund verwachsen . . . . . . **sphaerocephalus** L. 802

269. CIRSIUM Tournf. Kratzdistel.
A. Blätter auf d. Oberseite stachlig (Blm.
purpurfb.)

---

800. Goldgelb. ♃. 7—8. Steinige Abhänge der Alpen und
Voralpen.
NB. Schrank führt auch S. Do-
ria auf als um Ingolstadt gefunden, er ist seit neuerer
Zeit aber nicht wieder gese-
hen worden und überhaupt
kaum in Bayern vermuthlich
h1. = S. elegans Willd. et plur.
auct. Purpurfb., bisw. weiss.
⊙ u. ♃. 7—8. d. guten Hoffnung.
h2. Purpurf., Scheibenblmch.

bisw. an der Spitze roth. ⊙
7—8. Vorgeb. d. g. Hoffng.
801. Goldgelb. ⊙ 7—10. Aeeker
u. Weinbg. der niedrigeren
Gegenden.
h3 Pomeranzenfarb. ⊙ 8—11.
Zierpflze aus Süd Europa, hie
u. da verwildert (besonders
auf Friedhöfen.)
802. Weisslichblau. ♃. 7—8.
Fels. Bgabhg., Ruinen, in
Weinbg. (hie u. da... Nbg.,
Nördl., Straubing u. s. w.)

Blttr. herablaufend, Blthkopf eyf., spinnwebhaarig; Hüllbltt. pfriemf. in d. Spitze übergehend . . . . . . **lanceolatum** L. 803
var. a) Bltt. unterseits schwach-spinnwebig,
tiefgespalten, Kpfch. eyförm. : vulgare.
b) Bltt. unters. filzig-spinnwebig, wenig tiefgespalten, Kpfch. kugelig:
C. nemorale Rchb.
c) Bltt. unterseits haarig od. filzig, nur
gezahnt; Kpfch. klein : C. parado-
xum Naeg.
Bltt. nicht herablaufend; Blthköpfe breit-kugelig,
spinnwebig-haarig; Hüllbl. lanzettf. vor d.
Spitze verbreitert . **eriophorum** Scop. 804
B. Blätter oberseits nicht stachelig.
a) Köpfchen mit lauter Zwitterhlth.
α Blätter mehr od. weniger herablaufend.
Bltt. ganz herablaufend, tief-fiedersplt. mit 2
spaltigen lanzettf. ungeth. Lappen; Köpfch.
gebüschelt stehend; Hüllbltt. anliegend,
schwach-stachelspitzig **palustre** Scop. 805
β Blätter nicht herablaufend.
† *Hüllblätter verschmälert, an d. Spitze*
abstehend oder zurückgebogen.
° Blumen gelblich-weiss.
◯ Laubblätter bis unter die gehäuft-ste-
henden Blühenköpfe angerückt.
Stacheln der Hüllbltt. so lang als diese;
untere Blätter am Grund verschmälert,
die oberen stengelumfassend, alle fiederspaltig, mit sparrig-8spaltigen Lappen
spinosissimum L. 806
Stacheln der Hüllbltt. kurz, klein; un-

---

803. = Carduus... L. ⊙ 6—9.
Triften, Wege und Schutt.
Die Var. b. in Bayern noch
nicht gef.; die Var. c. bei
Speyer.
804. = Carduus... L. ⊙ 7—8.
Steinige Bergabhg. (d. Ka.-F.)

805.=Carduus ... p.L. Blassroth-
lila. ⊙ 7—8. Feuchte Ws.,
sumpfige Waldstellen u. Uf.

806. ♃. 7—8. Bewässerte Alpentriften u. an Gebirgsbäch.

tere Bltt. fiederspaltig, d. oberen ganz,
gezahnt, stglumfass. **oleraceum** L. 807
◯◯ Laubblätter nicht unter d. Blüthenköpfe
angerückt u. diese einzeln auf lg. Stielen.
Bltt. oberseits spärlich-flaumhaarig, tief-
fiederspaltig, reich-ungleich-dornwim-
perig, d. oberen nach d. Grunde verschmälert mit kleinen Endlappen. Köpfchen auf nickendem Stiel. Hüllblätter
dornig-zugespitzt, die mittleren zurückgebogen . . . **Erisithales** Scop. 808
°° Blumen roth. Köpfchen meist ein einziges.
Blätter spärlich-flaumig, dornig-wimperig,
umfassend-fiederspaltig, die unteren mit
zugespitzten spärl.-gez. Lappen; Stengel
oben blattlos . . . . **rivulare** Lk. 809
†† *Hüllbllt. angedrückt, öfters stumpf und
plötzlich in die Spitze übergehend.*
° Blätter schwach-buchtig oder ungezahnt,
Unterseits mattweiss, filzig, oberseits
kahl. Stengelbltt. zahlr. vorwärts-ge-
legt-eingeschnitten. Blüthenköpfe 1—3
           heterophyllum All. 810
°° Blätter tief-eingeschnitten-fiederig,
Unterseits spinnwebig-wollig, Lappen 2—3-
spaltig. Wurzeln spindelf. Blthkpf. 1—3
auf lang. unbeblt. Stiel **bulbosum** DC. 811
var. a) Stengel von d. Mitte an blattlos, 1—3köpfig, Blätter wenig-
stachlig: vulgare.
b) Stengel ästig, beblättert, 6—
15köpfig, Blätter sehr dornig:
ramosum.

---

807. ♃. 7—8. Feuchte Wiesen
und Ufer.
808. = Cnicus ... L. Cirsium
glutinosum L. ♃. 7—8. Berg-
und Alpenwälder.
809. ♃. 6—7. Feuchte Wiesen
der höheren Gebirgs- u. Alpengegenden nebst d. benachbarten Ebenen.

810. = Carduus ... L. ♃. 6—7.
Feuchte Wiesen u. Gräben in
den Voralpen und Alpen-Gegenden.
811. = Carduus tuberosus Poll.
Feuchte Wiesen (hie u. da);
die Var. a. u. b. in Bayern
noch nicht beobachtet.

c) Stengel einf., 1köpf.; Blätter
ganz oder gelappt, meist grundständig, d. stengelstd. oberhalb
des verbreiterten Grundes verschmälert: C. anglicum.
Unterseits kahl, buchtig-fiedersplt. Blthkpf
1zeln, auf sehr kurzem Stiel. Wurzel
fadenförmig . . . . . **acaule** All. 812
*b) Blüthenköpfe eingeschlechtig-blü-
thig. Frkr. zuletzt länger als d. Blm.*
Bltt. etwas herablaufend, ganzrandig oder
fiederig-buchtig. Kpf. eyf.-risp.-ebenstrauss-
förmig-beisammen. Hüllblätter angedrückt
arvense Scop. 813
varirt vielf in Behaarungsstärke, Länge
d. Blüthenstengel, Blatteinschnitte u. s. w.
C. Unechte Arten.
In dieser Gattung erzeugen die Arten besonders
leicht Zwischenformen (Bastarde), deren Merkmale zwischen denen der beiden Eltern lie-
gen, und theils mehr zur väterlichen (den Blu-
menstaub gebenden), theils mehr zur mütter-
lichen Stammpflanze sich hinneigen. Der Namen der ersteren steht voran, eben so sind
vorzugsweise die davon herrührenden Merkmale die auszeichnenden; sie werden hier
nicht näher angegeben, weil es sich beim
Aufsuchen alsbald zeigen wird, ob eine solche
Form vorliegt. Die folgenden sind bisher in
Bayern beobachtet worden, u. es genügt, dar-
auf aufmerksam zu seyn; meistens wachsen
sie in Gesellschaft der Stammarten.

Cirsium **palustri-bulbosum** . . . . a
-        **palustri-oleraceum** . . . b
-        **bulboso-acaule** c

---

812. = Carduus...L. ♃. 6—9.
Triften u. Bergwiesen.

813. = Serratula...L. Purpurf.
♃. 7—8. Aecker u. öde Plätze.
a. = C. semidecurrens Rchb. =
C. laciniatum Döll (Rh.-Pfalz).

b. = C. hybridum Koch bei DC.
= C. lacteum Koch syn. ed. I.
= Cn. pauciflorus Hell. Fl.
wircb. (Ober-Bayern, Unter-
Franken).
c. = C. Zizianum Koch Syn.
ed. I. (Rheinpfalz, Aischthal).

Cirsium **bulboso-oleraceum** . . . d
  rivulare-oleraceum . . . e
- **oleraceo-acaule** . . . . f

a) CNICUS L.   Kardobenedicte.
Bltt. scbmal-länglrd. mit herzf. Grund, stengelumfassend, buchtig, dornig-berandet **benedictus** L. C

b) CYNARA L.   Artischoke.
Blätter fiederspaltig bis ungetheilt, wenig-stachlig;
Hüllbltt. eyf., am Grund dick **Scolymus** L. C1
var. mit mehr dornigen u. lauter fiedertheiligen
Blättern: C. Carduncellus L.

c) SILYBUM Gärtn.   Frauendistel.
Bltt. länglrd., buchtig-dornspitzig, stengelumfassend,
weissfleckig . . . . **marianum** Gärtn. *

270. CARDUUS L.   Distel.
A. Blttch. des H.K. angedrückt oder zurückgebogen, aber nicht winklig zurückgebrochen. *Blüthenzweige kurz.
  *a) Blätter (des mittl. Stengelthl.) fie-
    derspaltig.
  † Blüthenzweige mehrfach durch auf-
    tauchende Laublappen kraus.
    Blthköpfe meist einzeln. Fr. feinrunzlig
                    acanthoides L. 814
    Blthköpfe zu 2—5. Fr. fein-längsstreifig
                    multiflorus Gaud. *
  †† Blüthenzweige mit wenigen Laublap-
    pen besetzt.

---

d. = C. Lachenalii Koch Syn.
ed. 1. zum Theil = C. inerme
Rchb. (Rheingegenden, Ries).
e. = C. semipectinatum Lam.
(Ober-Bayern, Ob.-Schwaben).
f. = C. rigens Wallr. = C. de-
coloratum K. u. C. Lachenalii
Koch z. Th. (Erlangen u. a. O.).
C. Blassgelb. ☉ 7—8. Als Arzneipflanze.
C1. Purpurfb. ♃. 9. Gemüsepflanze aus Süd-Europa: „Ar-

tischoke". Die Var. ist wahrscheinlich die wilde Art.
* = Carduus... L. Hellpurpurf.
☉ 8. Gärten, verwildert aus
Süd-Europa.

814. = C. crispus Huds. Hell-
purpurf.☉ 7—8. Hd.,Wg, Ack.
* = C. acanthoides Schrk. =C.
polyanthemos Schl. in Koch
Syn. ed. I. Purpurf. ☉ 7—8.
Haiden, Aecker, Wege.

Blthkopf gehäuft-stehend, Hüllbltt. pfriemlich-
lineal (ohne Stachel) gerade; Fr. gestreift
und querrunzlig . . . . . **crispus L.** 815
*b) Bltt. nur gegen den Grund hin fie-
derig-buchtig, gegen die Spitze gezahnt.*
† *Bltt. unterseits spinnwebig-wollig,* oberseits spärlich-behaart, die oberen eyförmig,
sägezähnig, die unteren breit-eyf., bis zur
Mitte fiederspaltig; Blthköpfe gehäuft; Blüthenstiel mit schmalen fiederf. Laublappen;
Hüllblätter pfriemenförmig-gebogen
Personata Jacq. 816
†† *Bltt. unterseits kahl,* in d. Rippenwinkeln
haarig, blaugrün (bisw. gleichfrb.), ge-
zahnt-gesägt oder gesägt-lappig, wimpern-
dornig; Blthkopf 1—3, lang-nacktgestielt;
Hüllblätter lanzettf.-stumpf, gerade
defloratus L. 817
B. Hüllblättchen oberhalb an der Basis
ein wenig eingeschnürt und winkelig-
zurückgebrochen.
Bltt. tief-fiederspaltig, herablaufend; Blüthenstiel
ohne Laublappen . . . . . **nutans L.** 818

271. ONOPORDUM L. Krebsdistel.

Aeussere Hüllbltt. aus eyf. Grund pfrieml., gerade-
abstehend; Blätter buchtig; Stengel mit breiten
Laublappen . . . . . . **Acanthium L.** 819

272. LAPPA L. Kletten.

A. Hüllblätter kahl, ¼ der Länge anliegend,

815. Hellpurpurf. ☉ 7—8. Haiden, Wege, Schutt.
816. = Arctium...L. Purpurfb.
♃. 7—8. Bäche in Gebirgen
bis in die Alpen.
817. Purpurfb. ♃. 7—8. Felsen-
Abhänge hoher Gebirge u. Alpen (bes. d. Ka.-P. im Jura).
Bemkg. Schrank führt auch C.
medius Gou. als bei Weltenburg gefunden an, dieser ist
= C. arctloides Willd. (= C.
alpestris W.K. = Arctium
Cardnelis L.), jedoch bisher
nur in d. südl. Alpen gefunden. Jener von Schrk. scheint
zu C. defloratus zu gehören.
818. Purpurlb. ☉ 7—8. Tro-
ekene Triften und Wege.
819. Hellpurpurfarben.☉ 7—8.
Halden und Wege.

alle pfriemenf., oben hakenförmig-eingebogen,
gleichfb.; allgem. Blüthenstand ebenstraussförmig
major Gärtn. 820
B. Hüllblätter mehr od. wen. spinnwebig;
Alle Hüllbltt. pfriemenf.-backig, ³⁄₄ anliegend,
die innern etwas gefärbt; allgem. Blüthenstand
traubig . . . . **minor** DC. 821
Die innern Hüllbltt. lanzettf. mit gerader Stachelspitze, gefärbt, halb-anliegend; allgem.
Blüthenstand ebenstraussf. **tomentosa** Lam-822

273. CARLINA L. Eberwurzel.

Blthzweige 1kopfig, einfach, kurz ($\frac{1}{2}$—$1\frac{1}{2}'$);
äussere Hüllbltt. unterwärts-verschmälert, innere
breit, glänzend . . . . **acaulis** L. 823
Blthzweige 2— mehrkopfig, ästig; äussere Hllbltt.
fiederig-dornig, d. innern am Grund verbreitert,
Deckblätter kürzer als der Kopf **vulgaris** L. 824

274. SAUSSUREA DC.

Bltt. unterseits spinnwebig-filzig, d. stockständ. ey-
lanzettf., am Grund abgerundet . **alpina** L- 825

275. SERRATULA L. Färberdistel.

Bltt. eyf., leyerf. od- fiederspaltig, scharf-gesägt.
Blthköpfe längl.-rund, ebenstraussförmig-gestellt
tinctoria L. 826

276. JURINEA Cass.

Blätter fiederspaltig, unterseits filzig; Hüllbltt. lanzettf.-pfrieml., filzig-weiss; Fr. eben od. schwach-
grubig . . . . **cyanoides** Rchb. 827

---

820. = Arctium Lappa α L. A.
Lappa Willd. Purpurfarb. ⊙
7—8. Sch.,Wege (bes.Th.-bd.).
821. = Arctium Lappa α. var. L.
Purpurfb. ⊙ 7. Schutt u.Wege.
822. = Arctium Bardana Willd.
Purpurfb. ⊙ 7—8. Schutt,
Wege und Abhänge.
823. Gelblichweiss, innere Hüllblätter silberweiss. ⊙ 7—8.
Trockene u. kahle Kalkbrg.
824. Hüllbltt. strohfb. ⊙ 7—8.
Unbeb. Trft. u. öde Waldplätze.

825. = Serratula...L. Pfirsichf.
♃. 7—8. Grasreiche Triften d.
höheren Alpen.

826. Bläulich-purpurfb. ♃. 7—8.
Schattige Wälder u. feuchte
Waldwiesen.

827. = Serratula...DC. Gärtn.
Carduus...L. Serratula Pollichii DC. in Koehs Syn. ed. I.
Hellpurpurfb. ♃. 7—8. Sandige Haiden u. unbeb. Hügel
(im Rhein- und Mainthal).

a) **CARTHAMUS L.** Safflor.

Blätter ungetheilt (hart) dornig-sägezähnig, kahl
                                 tinctorius L. c

277. **CENTAUREA L.** Flockenblume.

A. Hüllblätter mit trockenhäutigem zer-
schlitztem oder klein-bewimpertem
Rand und Spitze (sogenannte Anhängsel).
Trockenspitze wellig. Blätter lanzettf, in den
Blattstiel verschmälert, d. unt. buchtig-gez.
oder mit 2—4 Fiederlappen   **Jacéa** L. 828
Varirt sehr in d. Grösse ($3'$—$2''$), in Form
d. Bltt., deren Behaarung (wollig—kahl),
Zahl der Blüthenköpfe u. Beschaffenheit
der Hüllblätter.

B. Hüllblättchen mit deutlich bewimper-
pertem Rand.
   a) *Blumen roth.*
   † *Blätter ungetheilt.*
    * Frucht ohne Krone.
    Wimpern der äussern Hüllblttch. so breit
    als der Mitteltheil; Bltt. länglrd.-eyf.-ge-
    zähnelt, die untern leyerförmig
                       nigrescens Willd. *
    ** Fruchtkrone $\frac{1}{3}$ so lg. als d. Fr. Stgl. ästig.
    α Hüllblttch. gerad-aufstehend, die Wim-
    pern gleich-weit;
      die äusseren bedecken die innern ; Bltt.
      lanzettf., die untern etwas buchtig
      (rauh) . . . . . . **nigra** L. 829
    β Hüllblttch. bogig-abstehend, die untern
    Wimpern dichter stehend,
      die äussern Hüllbltt. lanzett-pfrieml., d.
      innern nicht bedeckend; Köpfch. eyf.;
      Bltt. ellipt.-sägez. **austriaca** Willd. 830

C. Feurig-gelbroth. ☉ 7—8. 829. ♃. 7—8. Waldgebüsch und
Aus Süd-Europa, bei uns hie   Wege (hie u. da).
u. da gebaut.   830. ♃. 7—8. Wiesen u. Trft.
828. Pfirsich—blutroth. ♃. 7 ...   hie u. da (Haine mit lockerem
Trockene Wiesen u. Triften.   Humusboden, im Ries gefun-
* ♃. 7—8. Wiesen, besond. der   den von Frickhinger.)
höh. Berge u. Alpengegenden.

11 *

die äussern Hüllbltt. lang-pfriemenf., die
innern überragend; Köpfch. rundlich,
Bltt. ellipt., ganzrd. od. etw. gezähnelt
      phrygia L. 831
°°° Fruchtkrone fast so lang als die Frucht.
Stengel 1kopfig; Bltt. lanzettf., ganzrnd.
od. gezähnelt, die untern tiefer-zähnig,
gegen den Grund hin starkz. u. endlich
abgestutzt . . . . **nervosa** Willd. *
†† *Blätter des Stengels u. d. Aeste fiederthl.*
Hüllbltt. rundl, Spitze hautrandig, schwarz,
schmäler als d. rippenlosen Hllbltt. u.
diese nicht bedeckend; Bltt. 3—4wollig,
einf. od. doppelt-fiederspaltig, mit lanzettf.
knorpelspitzigen Lappen; Frkr. so lang
als die Frucht . . . **Scabiosa** L. 832
Hüllbltt. rundl.-eyf. mit schwarzen dreieckigen Flecken; Frkr. halb so lang als die
Fr.; Stockbltt. doppelt-gefiedert; Stglbltt.
meist ungetheilt, lineal **maculosa** Lam. 833
b) *Blumen des Umkreises blau.*
 † *Stock ausdauernd.*
Wimpern der Hüllbltt. so breit oder kürzer
als d. hautige Rand; Bltt. ganzrd., oben
buchtig-zahnig, nur am Rand unterwärts
flockig-haarig . . . . **montana** L. 834
Wimpern der Hüllbltt. noch 1mal so lang
als d. hautige Rand; Bltt. mehr od. wen.
beiderseits weiss-filzig, die unteren meist
mit 2 gr. Zähnen u. breit-ellipt. Endlappen
      axillaris Willd. 835

---

831. ♃. 7—8. Wälder u. Berg-
 Wiesen bis in die Alpen.
* = Centaurera phrygia DC. u.
 Rchb. ♃. 7—8. Alpentriften.
832. ♃. 7—8. Trockene Hügel,
 Aecker u. Waldränder bis in
 die Alpen.
Bemkg. Schrank führt C. Stoebe
 an, vermuthlich war es aber
 L. (bei Weltenburg), eine Va-
 rietät der C. Scabiosa oder
 maculosa.

833. = Cent. paniculata Jacq
 Koeh. Syn. ed. 1. et omn. flor
 germanicarum. ☉ 7—8. Son
 nige kahle Triften u. Abhg.

834. ♃. 7—8. Wälder der höh.
 Berge (Franken, Ries) und
 Alpengegenden.

835. ♃. 7—8. Steinige sonnige
 Triften (bei München von mir
 1841 entdeckt)

†† *Stock einjährig.*
Rand der Hüllbltt. sägig-fiederig; Stengelbltt.
lin.-lanzettf., die untern am Grund gezahnt
oder 3spaltig . . . . . . **Cyanus** L. 836
C. Hüllbltt. mit holzig-dorniger Spitze.
Blthkopf wollhaarig, die endstdg. einzeln; Hüllblätter handf.-dornig; untere Bltt. leyerf., obere
lin.-lanzettf., weissgrau . **solstitialis** L. *
Blthkopf kahl, die seitl. sitzend; Hüllbltt. handf.-
dornig; die unt. Bltt. tief-fiederspaltig, oben
ungetheilt . . . . . . **Calcitrapa** L. 837

a) XERANTHEMUM L.

Hüllbltt. kahl, stachelsp., die innern noch 1mal so
lang als die Scheibe . . . . **annuum** L h

Unterfamilie 3. Cichoraceae.

(Polygamia aequalis L. z. Thl.)

Alle Blüthen zwitterig und zungenblumig; Griffel
nicht gegliedert; die Enden d. Narben fadenfein,
zurückgerollt.

278. LAPSANA L. Hasensalat.

Untere Stengelblätter leyerf., obere gezahnt; Stgl.
ästig . . . . **communis** L. 838

279. APOSERIS Neck.

Blüthenstengel 1köpfig; Bltt. schrot-sägef.-fiederthl.
foetida Less. 839

280. ARNOSERIS Gärtn. Lämmersalat.

Blthstgl. blättlos, 1—3köpfig, nach oben keulig-
verdickt (hohl); Bltt. verk.-länglrd., gezahnt
pusilla Gärtn. 840

836. Blau. ⊙ 6—8. Aecker und
Wegränder.
* Hellgelb. ⊙ 7—8. Aecker,
Wege u. öde Abhänge (hie u.
da vorübergehend vorkommd).
837. Rosenfarb. ⊙ 7—8 Oede
Plätze, Sch.u.Wege (hie u. da)
aus S.-Europa, u. aus d. Gärten verwildert.

h. Röthlich-lila. ⊙ 7—S. Zierpfl'
838. Gelb. ⊙ 7—8. Schutt, Gartenland, Aecker.
839. Hyoseris....L. Gelb. ♃.
7—8. Schattige Wälder und
Bäche in d. Voralpen u. Alpen.
840. = Hyoseris minima L. Gelb
⊙ 7—8. Sandige Aecker und
Haiden (der Ki.-F.).

281. CICHORIUM L. Wegwarte.

Bltt. der Blüthenstengel aus breitem Grund etwas
umfassend, lanzettf., fiederlappig **Intybus** L. 841
Bltt. der Blüthenstengel breit-eyf., herzf.-umfassend
Endivia L. c

282. THRINCIA Roth.

Erdstock abgestutzt, am Grund mit starken fadenf.
Faserwurzeln. Fr. geschnabelt. Blätter schmal-
lanzettförmig . . . . - . **hirta** Rth. 842

283. LEONTODON L. Löwenzahn.

A. Erdstock abgestutzt.
  a) Alle Strahlen der Frkr. fiederig.
  Blthstengel (auch vor d. Blüthezeit) aufrecht,
    allmählig verdickt u. schuppenblätterig. Bltt.
    fiederspaltig-gezahnt. Blüthenstengel ästig
    autumnalis L. 843
  b) die innern Strahlen der Frkr. fie-
  derig, die äussern kurz-rauh.
    † *Fruchtkrone rein-weiss.*
    Blüthenkopf schwarz, sehr rauh. Blüthen-
      zweig nicht beschuppt. Blätter ganz, fast
      kahl . , ... **Taraxaci** Lois. 844
    †† *Fruchtkrone schmutzig-weiss.*
    Blüthenkopf vor dem Aufblühen nickend
      Blüthenstengel 1—2 blätterig, nicht schup-
      pig, einfach; Bltt. gabelhaarig **hastilis** L. 845
    Var. a) rauhhaarig: L. hispidum L.
          b) kahl: L. hastile L. = L. danu-
          biale = Hierac. danub. Poll.
    Blüthenkopf vor dem Aufblühen nickend,
      Blthstgl. beschuppt; Blätter keil-lanzettf,
      1f.-haarig . . . . **pyrenaicus** Gou. 846

---

841. Hellblau. ♃. 7—8. Wege,
  Schutt u. Abhänge.
C. Blau. ☉ 7—8. Als Salatpfl.
  cultivirt.
842. = Th. Leysseri. Wallr. u.
  Rchb. Leontodon...L. Gelb.
  ♃. 7—8. Triften u. bes. fcht.
  Sandfelder (hie u. da).
843. = Apargia...Willd. Gelb

♃. 7... Wiesen u. Triften bis
  in die Alpen.
844. = Apargia... Willd. Gelb.
  ♃. 7—8. Trft. d. höchsten Alp.
845. Gelb. ♃. 5—9. Ws., Trft.,
  öde Plätze der Ebenen, bis in
  die höchsten Alpen.
846. = Apargia alpina Host.
  Gelb. ♃. 7—8. Alpen, Triften
  u höhere Berge.

B. Erdstock in eine Pfahlw. verlängert,
welche wenige feine Nebenzweige hat.
Junge Blüthenköpfe nickend.
Blüthenstengel nackt, oben verdickt, 1köpfig;
Bltt. lanzettf., rauh-weiss-wollig, ganzrd.
od. gez.; Fruchtkrone etw. länger als d. Fr.
incanus Schff. 847

284. PICRIS L. Bitterkraut.
Stengel steifhaarig; Stengelbltt. umfassend; allgem.
Blüthenstand ebenstraussf., äussere Hüllbltt. ab-
stehend, am Rücken steifhaarig, am Rande kahl;
Frucht am Ende eingeschnürt, querrunzlig
hieracioides L.848

285. TRAGOPOGON L. Bocksbart.
A. Randfrüchte schuppig-stachlig; Schnabel oben verdickt, sehr lang, kahl.
Blüthenzweige oben bedeutend verdickt, hohl;
Hüllblätter zu 10—12 . . . **major** Jacq. 849
B. Randfrüchte knotig-rauh; Hüllbltt. 8,
am Grund querfaltig.
Blüthenzweige oberw. kaum verdickt; Blume
halb so lang als d. Hüllbltt.; Blätter schlaff
minor Fr. 850
Blüthenzweige oberw. wenig verdickt; Schnabel der Fr. nicht verdickt, nicht sehr lang;
Blume so lang oder wen. kürzer als d. Hüllblätter Bltt. straff od. an d. Spitze gerollt
pratensis L. 851

286. SCORZONÉRA L. Schwarzwurzel.
A. Blumen gelb.
Randfrucht glattstreifig, äussere Hüllbltt. eyf.-

---

847. = Hieracium...L. =Apar-
gia...Scop. Hellgelb. ♃. 5—6.
Felsige Abhänge u. Felsspalten in Gebirgs- und Alpengegenden mit den Fl. bis in die
Ebenen.
848. = Leontodon umbellatum
Schrk. Gelb. ☉ 7—8. Oede

Plätze, Abhänge u. Wege (hie
und da).
849. Hellgelb.☉6—7. Trockene
Triften u. Kalkhügel.
850. Hellgelb. ☉ 5—6. Wiesen
(hie u. da Rheingegenden).
851. Hellgelb. ☉ 5—7. Wiesen
u. Triften.

längl., stumpf, verschmälert; Blüthenstengel
1—3kopfig . . . . **lanata** Schrk. 852
Randfrüchte höckerig-rauhstreifig; äussere Hüllblätter 3eckig-bespitzt . . **hispanica** L. C
var. a) breitblttr.. (S. denticulata Lam., {S.
edulis Mnch.)
b) schmal-lanzettf. (glastifolia Willd.).
B. Blumen rosenfarben.
Bltt. lineal-lanzettf.; Blthstengel 1blüth.; äussere
Hüllblätter ey-lanzettf.; Frucht glattstreifig
purpurea L. 853

287. PODOSPERMUM DC.

Stock einfach ohne Laubtriebe, Aeste rund-walzl.;
Blätter fiederspaltig mit linealen Abschnitten
laciniatum DC. 654

288. HYPOCHOERIS L. Ferkelkraut.

A. Aeussere Strahlen der Frkr. wenige,
borstenförmig; Stengel ziemlich kahl.
Zungenblm. so lang als die allg. Hülle. Rdfr.
ohne Schnabel; Blätter kahl, keil-lanzettf.,
wellig-buchtig, fiederig . . **glabra** L. 855
Zungenblm. länger als d. allg. Hülle, alle Fr.
lang-geschnäbelt; Blätter steifhaarig, keilig-
ellipt., buchtig-gezahnt . . **radicata** L. 856
B. Alle Strahlen der Frkr. fiederig (Stengel rauhhaarig).
Blüthenstengel 1—3kopfig; Zweige wenig-verdickt,
mit 1—2 Blättern; Hüllblätter am Rande ganz
maculata L. 857

---

852. = S. humilis L. Fl. suec.   853. Blasspurpur. ⚥. 5—6. Gras-
u. Schrk., welcher diese von   reiche Ka.-Hgl (hie und da).
seiner S. lanata trennt. Hell-   854. Scorzonera ... L. Blumen
gelb. ⚥. 5—6. Feuchte Wiesen   gelb. ☉ 5—7. Thonige u. Ka.-
u. Abhänge (hie u. da, bes.   Aecker, sonnige Hügel (Wzbg.,
bei Thonboden).   Ansbach, Rgsbg., Windsheim).
C. Hellgelb. ☉ 6—7. Gemüsepfl.   855. Gelb. ☉ 7—8. Sandäcker
aus Süd-Europa. Die Var. b.   (nicht in Schrk.).
verw. auf feuchten Wiesen u.   856. Gelb. ⚥. 7—8. Ws., Trft.
grasreichen Hügeln, im Gbsch.   u. Waldränder, auf Sand.
(hie u. da: München, Windsh.).   857. Gelb. ⚥. 7—8. Trft., Gebüschwälder. u. steinige Abhg.

Blüthenstengel 1kopfig; Zweige nach oben verdickt, unbeblättert; Hüllbltt. am Rand wimperig-
zerschlitzt . . . . **uniflora** Vill. 858

289. WILLEMETIA Neck.

Stockbltt spatelf.-lanzettl., schwach-buchtig-zahnig:
Hauptkelch mit schwarzen Hüllblättchen besetzt
apargioides Cass. 859

290. TARAXACUM Juss. Pfaffenröhrlein.

Bltt. schrotsägef.-fiederspaltig; Fr. lineal-keulenf., gestreift, am Ende schuppig-stachlig, der ungefrbt.
Theil des Schnabels länger als die Frucht
officinale Wigg. 860
var. a) alle Hüllbltt. lineal, die äussern zurückgerollt: Leontodon Taraxacum Poll.
b) d. äussern Hüllbltt. etw. lanzettf., gerade-
abstehend; Laub blaugrün: T. glaucum
M. und K.
c) die äussern Bltt. eyf., abstehend, d. inn.
an der Spitze flach: L. alpinum.
d) die Hüllbltt. wie vorige, aber an d. Spitze
hornförmig: L. taraxacoides Hpp.
e) die äussern Hüllbltt. angedrückt; Blätter
lanzettf.-ganzrandig bis schrotsägeförmig:
L. lividus W. u. K. (= Tar. erectum
Schrank).

291. CHONDRILLA L. Knorpelsalat, Besenlattig.

Stockbltt. schrotsägef., obere Stengelbltt. lineal,
spitz, sägez.; seitl. Köpfe einzeln **juncea** L. 861
var. mehr od. wen. dornzahnig u. breitblätterig.
Stockbltt. lanzettf., entf.-gez.; Stengel sehr wenig

---

858. = H. helvetica Wlf. Gelb.
2|. 7—8. Bergtriften der Alpen
und Voralpen.
859. = Hieracium stipitatum
Jacq. Gelb. 2|. 7—8. Feld- u.
Waldwiesen, in den Alpengegenden u. benachbart. Ebenen.

860. = Leontodon Taraxacum L.
Tar. vulgare Schrk. Gelb. 2|.
5—6. Trockene u. nasse Ws.,
öde Plätze, Moor- u. Sand-
wälder, e) auf Torfwiesen.
861. Hellgelb. ⊙ 7—8. Aecker,
Schutt, sonnige Hügel, Gbsch,
Wegränder (hie u. da).

beblättert, gabelspaltig; Endköpfchen gebüschelt
prenanthoides Vill. 862

292. PRENANTHES L. Hasensalat.
Bltt. mit herzf. Grund umfassend, kahl, unterseits
graugrün, die obern lanzettförmig zugespitzt
purpurea L. 863

293. LACTUCA L Salat.
A. Blumen gelb; Frucht mehrstriemig.
*a) Bltt. sitzend-eyf. od. elliptisch,
schrotsügef.-gebuchtet.*
† *Blattrippen unterseits stachlig.*
Bltt. eyf.-ellipt.-buchtig, horizontal; Fr
breitgerandet, am Ende kahl, d. weisse
Schnabel so lang als d. Frucht; allgem.
Blthstd. abstehend . . . **virosa** L. 864
Bltt. eyf.-länglrd., schrotsägef.-halbumge-
dreht; Fr. 6streifig, borstig-flaumhaarig,
schmal gerandet, d. weisse Schnabel länger als die Frucht . . **Scariola** L. 865
Bltt. meist kahl od. bisw. auf d. Rippen
stachlig; Bltt. ganz od. fiedersp.; allgem.
Blthstd. ausgebreitet, sehr vielkpf.; Fr.
weiss, vielstreifig, d. weisse Schnabel
so lang oder kürzer als die Frucht
sativa L. c
†† *Bltt. lineal-ganzrd., d. untern schrotsügef.-fledersp.*, Blthstand traubig-ährig;
der weisse Schnabel der Fr. doppelt so
lang als jene . . . . . **saligna** L. 866
b) Blätter gestielt, leyerf.-fiederspaltig,
mit eyf. eckigen Lappen; Frucht roth-braun,
mehrstreifig (grösser)
muralis Fr. 867

862. = Prenanthes chondrilloides
L. Gelb. ♃. 7—8. Geröll-Abhge
der Alpen (Kreuth, u. bisweilen bei München).
863. Bläulich-roth. ♃. 7—8.
Steinige Berg-Wälder.
864. ☉ 7—8. Felsige Abhänge
in Berg-Gegenden.

865. ☉ 7—8. Steinige Abhge,
Hgl u. Wge (bes. b. Th.Boden)
C. ☉ 8 ... Gemüsepflanze.
866. ☉ 7—8. Ackerränder (hie
u. da: Rhein- u. Mainthal).
867. = Prenanthes ... L. ☉. In
Berg-Wäldern, auf Gemäuer.

COMPOSITAE. 171

B. Blumen blau.
Bltt. kahl, fiederspalt. mit lineal - lanzettf. Lappen; Fr. jederseits 1riefig, so lang als der Schnabel . . . . . . **perennis** L. 868

294. SONCHUS L. Gänsedistel.

A. Hüllbltt. kahl od. mit einzelnen Härchen.
Fr. körnig - runzlig; Oehrchen der Blätter zugespitzt . . . . . . **oleraceus** L. 869
Fr. eben; Oehrchen der Blätter zugerundet **asper** L. 870

B. Hüllblätter reichlich - behaart.
Erdstock ohne Ausläufer; Bltt. der Mitte ganz, (lang) schmal - lanzettf., d. untern am Grund fiederlapp. pfeilf.- umfassend; Frucht schwarz **palustris** L. *
Erdstock kriechend; Bltt. d. Mitte schrotsägef. am Grund abgerundet- umfassend; Fr. blassbraun; Frkrone 2 mal so lang als die Frucht **arvensis** L. 871

295. MULGEDIUM Cass.
Allg. Blthstd. traubig, drüsenhaarig; Bltt. gezähntleyerf., Endlappen sehr gross pfeilf. - 3eckig **alpinum** Less. 872

a) TOLPIS Bivona.
Stengelbltt. wenige, länglrd., gezahnt; Bthst. 1kpfig..

---

868. ♃. 5—6. Steinige Abhge u. Felsenspalten (U.Franken u. frk. Jura von der Donau bis Bayreuth.)
869. Hellgelb. ☉ 5... Gärten, Gemüse - Aecker u. Schutt.
870. Hellgelb. ☉ 5... Gartenland und Aecker.
* Gelb. ♃. 6—8. Sumpfige Ws., Ufer (hie u. da; ist eigentlich eine Pfl. des nördl. Deutschlds, aber oft verwechselt: sie wird angegeben in d. Rheingegenden, bei Würzburg (v. Heller),

in Ob.Bayern (v. Schrank). Nach Schenk bei Würzb. bisher nicht wieder beobachtet. Schrank's Standort bei Nymphenburg u. am Mühlberge bei Hohenschwaugau sind noch zu untersuchen; nach dessen Anmerk. scheint sie irrig bestimmt.
871. Gelb. ♃. 6—8. Aecker (besonders bei Thonboden).
872. = Sonchus... L. Hellblau. ♃. 7—8. Schattige Gebirgs-Wd.

2 Strahlen der Frucht viel länger als die übrigen
barbata Grtn. h

296. CREPIS L. Pippau.

I. Frucht (der Mitte od. alle) deutlich ge-
schnabelt.
A. Blthstiel vor dem Aufblühen nickend;
Randfr. viel kleiner als die der Mitte.
Blätter schrotsägeförmig-fiederspaltig.t
Stgl. beblättert, steifhaarig; Hüllbltt. weisszot-
tig, die äussern lanzettförmig-zugespitzt . .
. . . . **foetida** L. 873
Stgl. nicht beblättert; innere Hüllbltt. steifhaarig, äussere kahl, eyf.-lanzettl. **rubra** L. h
B. Blthsiel vor dem Aufblühen aufrecht;
alle Früchte gleichgross.
Blätter schrotsägeförmig-gelappt.
Aeussere Hüllbltt. meist kahl, eylanzettf.-zu-
gespitzt, innere Hüllbltt. halb so lang als die
reife Frucht mit Frkr. **taraxacifolia** Thll. 874
var.: filz- u. rauhhaarig, in der Blattform
ohne Grenzen.
Aeussere Hüllbltt. borstig-haarig, spitz, innere
so lang als die reife Frucht mit der Fruchtkrone . . . . **setosa** Hall. f. 875
II. Frucht unterhalb d. Spitze verengert
aber nicht oder kaum schnabelförmig.
A. Frucht mit 10—13 Riefen; Fruchtkr.
weich, rein-weiss.
a) Stengel blattlos.
† *Blüthenstengel vielkopfig.*
Allgem. Blthstd traubenf., unt. zusammgesetzt ;

---

h = Crepis... L. Schwefelgelb.
Schbenbl. bräunlich. ☉ 7—8.
Zierpflanze aus Nord-Afrika.
873. = Barkhausia . . . DeCd.
Gelb. ☉ 7—8. Oede Plätze,
Wege, Aecker (hie u. da).
h. Blass-purpur. ☉. 6 — 7. Zierpflanze aus Istrien.
874. = Barkhausia . . . DC. et
Kch. Syn. ed. 1. — B. praecox Rchb. = Crepis taurinen-

sis Willd. Gelb. ☉ 5 — 6.
Trockne Wiesen u. steinige
Abhänge (d. Ka.-F. am Fusse
der Alpen).
875. = Barkhausia ... DC. Kochs
Syn. ed. 1. Gelb. ☉ 7 — 8.
Aecker u. Weinbg. (Rheingegenden; im diesseitigen Bayern
bei Nördlingen von Frickhinger zuerst gefunden 1846).

Bltt. eyf.-länglrd nach d. Grund verschmälert, gez. flaumhaarig **praemorsa** Tsch. 876
†† *Blüthenstengel* 1 *kopfig.*
Stengel u. Hüllk. (schwarz-) rauhhaarig;
Bltt. länglichrund-gezähnt od. schrotsägef.,
kahl . . . . **aurea** Cass. 877
Stengel u. Hüllk. filzhaarig u. rauhh.; Bltt.
lanzettförmig-gezähnt u. schrotsägeförmig
. . . . **alpestris** Tsch. 878
h) *Stengel reichhebl ättert, am Ende*
ebenstraussförmig.
† *Hüllbltt.* (*wenigstens am untern Theil*)
flaum- od. sammethaarig, äussere Blttch.
lanzettförmig-lineal od. pfriemlich.
° Stengelblatt flach, Frucht glattstreifig.
Bltt. am Grund umfassend-öhrig, gezähnt, d.
obersten ganzrd.; Hüllbltt. alle länglichrund-
lineal, stumpf, weiss-flaumig, innen seidenhaarig . . . . . . **biennis** L. 879
Bltt. am Grund pfeilf. etwas umfassend, rauhhaarig; Hüllbltt. lanzettlich-verschmälert,
weiss-filzig, innerseits kahl, am Rücken
dornhaarig . . . **nicaeensis** Balb. *
Bltt. sitzend, lineal, pfeilf., d. grundstd. aufgerichtet; Hüllbltt. d. äussern Reihe lineal
angedrückt, innen kahl; Fr. ober- u. unterwärts stumpf, nicht verschmälert, hellbraun; Fruchtboden kahl (Narben gelb) .
. . . . **virens** Vill. 880
°° Stengelblätter am Rand umgerollt,
pfeilf.-sitzend, lineal, d. grundständigen nie-
dergebreitet; Hüllbltt. d. äussern Reihe ab-

---

876. = Hieracium . . . L. Gelb.
2↓. 5—6. Steinige Abhänge
(der Ka.-Form.)
877. = Leontodon . . . L.— Hieracium . . . Scop. Pomeranzenf.
2↓. 7—8. Feuchte Alpentrft.
878. = Hieracium . . . Jacq. Gelb.
2↓. 7—8. Felsige Abhg. der
Alpen u. niedern Berge (Ka.-
F., schwäb. Jura.)

879. Gelb. ⊙ 5—6. Wiesen u.
feuchte Wälder.

* = Cr scabra DC. Gelb. ⊙ Mai u.
Anf. Juni. Auf trocknen Wiesen (bisw.)

880. = Crepis tectorum Pollich
Cr. polymorpha DC. Gelb. ⊙
5—8. Aecker, Triften, Wege.

174　　COMPOSITAE.

stehend, die innern innerseits haarig; Fruchtboden kurzhaarig (Narben braun); Frucht
an d. Spitze verlängert u. rauh (castanien-
braun) . . . . **tectorum** L. 881

†† *Hüllbltt. ganz kahl, d. äusseren eyf., zugesp. sehr kurz;* Stgl u. Bltt. drüsenh.; Stengelbltt. am Grund‾abgestutzt **pulchra** L. 882

B. Frucht mit 10—13 Riefen; Fruchtkrone
steifzerbrechlich, weissgelb.
　Blüthenstengel 1—5kopfig, mit lanzettf. kahlen
　gestielten Bltt., die äusseren der stockstän-
　digen ganzrandig, die Stengelbltt. schrotsä-
　geförmig lang-zugespitzt; Hüllbltt. wollig od.
　schwarz-rauhhaarig . . **Jacquini** Tsch. 883
　Blüthenstengel ästig-ebenstraussförmig, untere
　Bltt. länglichrund-zugespitzt, schrotsägef.-
　gezähnt, d. oberen eyf.-länglichrund mit herzf.
　Grund umfassend, d. obersten sehr lang zu-
　gespitzt; Hüllblätter lanzettförmig-drüsen-
　haarig . . . . . . , **paludosa** Mnch. 884
C. Frucht mit 20 Riefen; Fruchtkrone
weich, weiss.
　a) *Allgemeiner Blüthenstand eben-
　straussförmig-ästig.*
　　Bltt. länglichrund, undeutlich-gezähnt, kahl
　　od. einzelhaarig, d. stockstd. am Grund
　　auffallend verschmälert, gestielt, stumpf;
　　Blthstiel u. Hüllbltt. drüsenhaarig, d. äus-
　　seren halb so lang als d. inneren, ange-
　　drückt . . . **succisaefolia** Tsch. 885
　b) *Allgemeiner Blüthenstand ein-
　fach-ästig, 1—6 köpfig.*
　　Bltt. rauhhaarig, ellipt., gezähnt, d. stock-

881. = Crepis Dioscoridis Poll.
et DC. Fl. fr. Gelb. ⊙ 5—9.
Ak. im Brachfelde (hie u. da).

882. Gelb. ⊙ 6—7. Hügel, Weinberge, Gebüsch-Abhänge
(Rheingegenden).

883 = Hieracium chondrilloides

L. Gelb. ♃. 7—8. Felsenabhänge der Alpen.

884. = Hieracium ... L. Gelb.
♃. 5—6. Wiesen u. feucht-
schattige Wälder.

885. = Hieracium... All. Gelb.
♃. 6—8. Feuchte Bergwiesen
der Alpengegenden.

279

ständ. nach d. Grund verschmälert, d.
stengelständ. umfassend u. pfeilf.; äussern
Hüllbltt. abstehend, so lang als d. innern,
alle borstig gleichförmig rauhhaarig . .
. . . . **blattarioides** Vill. 886
Bltt. drüsenflaumig, gezähnt, d. stockstd.
länglichrund - lanzettf. in 1 breiten Blattstiel verschmälert, d. stengelstd. pfeilf.-
umfassend, lanzettf., (zieml.) ganzrandig,
Hüllbltt. der äussern Reihe schlaff, halb so
lang als d. der innern, alle rauhhaarig mit
Drüsen- u. Stachelhaaren . . . . . .
. . . . **grandiflora** Tsch. 887

297. SOYERIA Monn.

Bltt. (gross) ellipt.-länglrd, gez., d. stengelumfas-
senden sitzend; HK. sehr rauhhaarig; Blüthenstengel lang . . . . . **montana** Monn. 888
Bltt. fiederspaltig lang-gestielt; Blthhülle schwarz
rauh u. wollhaarig; Blüthenstengel kurz . . .
. . . . **hyoseridifolia** Koch. 889

293. HIERACIUM L. Habichtskraut.

I. Stockbltt. zur Blüthezeit vorhanden.
A. Haare der Blätter einfach-borsten-
förmig oder gabelig.
  *a) Blüthenstengel od. allg. Blthstd
  1kopfig od. gabelig 2spaltig, mit
  aufrechten Aesten.*
  † *Stock mit Ausläufern.*
  Stengel ohne Bltt., einköpfig; Ausläufer niederliegend; Hüllk. kurz-walzenförmig . .
  . . . . **Pilosella** L. 890

886. = Hieracium . . . L. spec.
Crepis austriaca Jacq. = Hieracium austriacumSchrk.Gelb.
4. 7 — 8. Alpen - u. Gebirgs-
Triften
887. = Hieracium . . . All. Gelb.
4. 7 — 8. Alpen - Triften.
888. = Hieracium . . . Jacq Hypochoeris pontana L. Gelb.4.
6 — 7. Alpen- u. Gebirgs-Trft.

889. = Hieracium . . . Vill. Gelb.
4. 7 — 8. Abhänge der höchsten Alpen.

NB. Die Blumen sind bei allen
reingelb, nur bei H. aurantiacum rothgelb.
890. Randblm. unterseits roth-
gestreift. 4. 5 . . . Trockene
Triften, Hügel, Heiden

varirt: 1) Mit kleinen Blthkpfch., drüsenhaarigem HK., langen dünnen Ausläufern u. unterseits filzigen Blättern: H.P. vulgare Monn. 2) gross, mit einf.-behaarten HK., dicken Auslf. u. weissfilzigen Bltt.: H. P. robustum. 3) Bltt. beiderseits, besonders aber unterseits sternhaarig-flaumig: H. P. farinaceum Horng. 4) sehr haarig, besonders d. HK.: H. Peleterianum Monn. 5) grossblumig, übrigens wie 1) aber mit dicken Ausläufern: H. P. grandiflorum (= alpestre Monn.) 5) wie voriges, aber mit stumpfen Hüllblättchen: H. pilosellaeforme Hopp.
Stengel meist mit 1 Bltt; 2 köpfig od. gabelästig; H.K. bei d. Reife eyförmig . . .
. . . . **bifurcum** MB. 891

†† *Stock ohne Ausläufer*
Stengel meist mit 2 Blthköpfen, welche bei der Reife fast kugelförmig werden . .
. . . . **furcatum** Hpp. 892

b) Allg. Blthstd. meist 2—5 kopfig, Aeste abstehend ebenstraussbildend.
Stock mit sehr kurzen od. keinen Ausläuf.;
Blätter blassgrün **angustifolium** Hpp. *
Stock mit niederliegenden Ausläufern; Blätter seegrün . . . . . **Auricula** L. 893
Blätter grasgrün, Stengel schwarzborstig
. . . . **aurantiacum** L. 894

c) Allg. Blthstd. ebenstraussf. vielköpfig (20 u. mehrblüthig)
Bltt. mehr od. w. graugrün, borstig-haarig;
Stgl. ohne od. mit nur 1 Bltt (Blthköpfe klein).

---

891. = H. flagellare Frs. et DC. ⅞. 5—7. Trockene Hügl, Wege (d. Th.- u. Ka.-F.; Rheingegenden).
892 = H. sphaerocephalum Fr. H. angustifolium Hopp. bei Sturm Fl. Blumen wie Nr. 390.
⅞. 7—8. Alpentriften bis an die Schneegrenze.
* ⅞. 6—8. Alpentriften.
893. = H. dubium Sm. ⅞. 6... Wiesen, Triften, Wegränder.
894. ⅞. 6—7. Alpentriften.

† *Stengel kahl od. spärlich borstenhaarig.*
Bltt. schmal-lanzettf., ober- u. unterseits
stern- u. lang-borstenhaarig . . . . .
. . . . **praealtum** Kch. 895
varirt: 1) Ohne Ausläufer, Stgl. kahl: H.
florentinum Willd. 2) mit sehr zarten Auslf.;
Stgl. kahl: H.Bauhini Schult. 3) Auslf. eben
so, oben aber steifhaarig: H. fallax Gaud.
4) ohne Auslf., aber oben steifhaarig: H.
fallax DC. 5) mit Auslf., Stgl. u. Bltt. dicht-
sternhaarig: H. hirsutum K. 6) wie voriges
aber mit niederliegenden Auslf.: H. piloselloides Wallr.
Bltt. lanzettf. u. verk.-eyf., oberseits nicht
stern- u. borstenhaarig **piloselloides** Vill. 896
†† *Stengel stern- u. kurz-rauhhaarig;* Bltt.
beiderseits sternh., verk. längl.-lanzettf.; HK.
weisshaarig; Blüthenästchen gebüschelt . .
. . . . **Nestleri** Vill. 897
varirt: 1) Mit langen einfachen Haaren an d.
Blthzweigen: H. cymosum Frl. 2) kurzhaarig; 3) kurzh. mit Drüsen- u. mit langen Haaren vermischt: H. Vaillantii.
††† *Stengel lang- u. feinhaarig, oben schwarz-
haarig, unten etwas beblättert;* Blthkpf.
dichtstehend . . . . **pratense** Tsch. 898

B. Haare der Bltt. gezähnelt-rauh, ohne
dazwischen befindl. Drüsenhaare; Blu-
menzähne kahl.

 a) *Bltt. meist seegrün, ohne eigentl.
Blattstiel, schmal-elliptisch.*

 † *Stengel meist mit 2—6 Blüthenköpfchen.*

 ° Blüthenzweige aufgerichtet (Bltt. starr).
Stengel nicht beblättert,

---

895. ♃. 6—7. Trockene Wiesen
u. Berg-Abhänge.

896. = H. florentinum Sturm.
♃. 6—7. Fels-Abhänge, son
nige Hügel, Fl. Uf. (hie u. da)

897. ♃. 5—6. Berg- u. Fels-
Abhänge (bes. im schwäb. u.
frk. Jura).

898. = H. cymosum Willd. u.
Sturm, H. dubium L. ♃. 6—8.
Hügel, W.Ränder, Torfwiesen.

12

Stock kriechend; Bltt. lineal.-abgerundet,
   meist ganzrandig **staticefolium** Vill. 899
Stengel beblättert,
   kahl; HK. etwas weiss-flaumig; Bltt. schmal-
   lanzettf. zugespitzt **bupleuroides** Gml. *
   rauhhaarig; Bltt. eben so, lanzettf., gezähnt,
   äussere Blättchen des Hüllkelches stumpf.
   . . . . **speciosum** Hm. **
°° Blüthenzweige sparrig od. weit abstehend;
Stock nicht kriechend; Hüllk. flaumhaarig.
   Kpfch. viel- (50—60) blüthig, gross, Spreublätter ⅓ so lang als d. Frucht; Bltt.
   lanzettf.-zugesp., gezähnt **glaucum** All. 900
   Kpfch. wenig- (25—30) blüthig; Bltt. lineal-
   lang, spitz . . . **porrifolium** L.***
   var. in d. Breite der Bltt. u. deren Rand
   u. Behaarung.
†† *Stengel meist mit einem, selten zwei*
   Köpfchen.
 ° *Stengel blattlos od. nur mit 1 od. 2 Bltt.*
   Bltt. verk.-lanzettf. ungezähnt; Hüllkelch
   lang-haarig, am Grund schwach-zottig
   . . . . **Schraderi** Schl. †
°° *Stengel mit 3—6 Blättern, stern- u.*
   borstig-haarig; Bltt. weich; Hüllkelch mit
   sehr spitzen Blättchen.
   Bltt. geschweift-zähnig, rauhhaarig, d. unt.
   in d. Blttstiel verschmäl. **dentatum** Hpp. 901
   Bltt. verkehrt-lanzettf., wellig, sehr kurz
   gestielt, die obern eyf.-sitzend, halb-
   umfassend . . . . **villosum** Jacq. 902

---

899. ♃. 6—7. Fels-Abhänge d.
Alpen u. Voralpen, Kiesbänke
der Gebirgs-Ströme.
* = H. polyphyllum Willd.; H.
glaucum Wahlb. ♃. 7 — S.
Felsen-Abhänge der Alpen u.
Vor-Alpen.
** ♃. Abhänge u. Triften der
Alpen u. Voralpen (Algäu).
900. = H. saxatile Jacq. n. Koch
Syn. ed. I. ♃. 7—S. Felsen-
Abhänge der Alpen u. Vor-

Alpen, von da auf d. Kiesbänken der Flüsse.
*** ♃. 7—S. Alpentriften. Wird
v. Schrank bei Füssen angegeben, ist aber sonst nur aus
d. innern Alpenkette bekannt.
† = H. alpinum Willd. ♃. 7—S.
Triften der höchsten Alpen.
901. ♃. 7—S. Felsen-Abhänge d.
Alpen.
902. ♃. 5—6. Felsen-Abhänge
der Alpen u. Voralpen.

Bltt. lanzettf., entfernt-gezähnelt, kahl .
. . . . **glabratum** Hpp. 903
b) Blätter mit deutlichem Stiel, d.
Spreite breit-elliptisch; allgem.
Blüthenstand sparrig, auf hohem
Stiel, mehrköpfig.
† *Blätter graugrün.*
Blthstd. ebenstraussf.; Stgl. 1blättrig, weiss-
haarig mit schwarzen Borsten; Bltt. ey-
lanzettf. vorwärts gezähnt, weissgrau . .
. . . . **Schmidtii** Tsch. 904
Blthstd. gabelästig; Stgl. zart, weissbaarig;
Stockbltt. lanzettf., zugespitzt, ungleich-
spärlich-gezähnt in den Blattstiel ver-
laufend . . . . . . **rupestre** All. 905
†† *Blätter grasgrün.*
Ey-lanzettf. od. eyf., am Grund verschmä-
lert vorwärts-gezähnt; Stengelbltt. 2−3;
Hüllkelch grasgrün, meist stark schwarz-
haarig . . . . . . **vulgatum** Kch. 906
Ey-lanzettf. od. eyf., am Grund herzf., die
untersten Zähne einwärts-gerichtet; Stgl.
nackt od. 1bltt.; Blthstand ausgebreitet;
Hüllkelch hellgrün . . **murorum** L. 907
C. Haare d. Bltt. meist drüsig; Bltt. grün.
† *Zähne der Blumenkrone aussen kahl.*
Stockbltt. gestielt, am Grund fiederzähnig,
Hüllkelch rauhhaarig; Stgl. niedrig, aufstei-
gend, meist 1−2kpf., bebltt. **Jacquini** Vill. 908
†† *Zähne der Blumenkrone aussen mit einem*
Bärtchen.
° Blätter dünn weich.
Stgl. kurzhaarig, wenigköpfig; Blthzw. spitz-
winklig aufrecht; Stockbltt. ganzrd. od. et-

903. = H. flexnosum DC. Fl. fr.
u. Frs. ♃. 6−7. Felsige Fluss-
Ufer der Alpen u. Voralpen.

904. ♃. 6−8. In Felsenspalten
(im fränk. Jura auf d. Ehren-
bürg bei Forchheim.

905. ♃. 6−7. Mit dem vorigen.

906. = H. murorum γ L.; H.
sylvaticum Lam., Vill. u. Sm.;
H. maculatum Schrk. ♃. 6−8.
Wälder, Heiden u. Gebüsch.

907. ♃. 6−7. Wälder, Abhge.

908. = H. punnilum Jacq. non
L. ♃. 6−7. Felsen u. steinige
Abhg. d. Alpen u. Voralpen.

12*

180   COMPOSITAE.

was gezähnt; Stgl.1—mehrköpfig; Hüllkelch
sehr zottig mit kurzen schwarzen Drüsenhaaren . . . . **alpinum** L. 909

varirt: 1) einköpfig sehr langhaarig: alpinum L.
2) einköpfig-kurzhaarig: pumilum Hpp. 3)
Bltt. am Grund mit einigen Zähnen: Halleri
Vill. 4) hoch, beblättert: sudeticum W. et
Gr. 5) Stockbltt. cyf., gestielt: nigrescens
W. et Gr.

Stgl. u. Bltt. lang gelbl.-haarig; Hüllkelch sehr
zottig; Blthzw. ebenstraussf.; Stockbltt. wenige breit-ellipt., gezähnt, rauhh.; Stützbltt. d.
Zweige u. Stglbltt. nach d. Grund verschmä-
lert-sitzend . . **pulmonarioides** Vill. 910
•• Blätter dick, etwas hart,
die grundst. keilig-ellipt., grob nach unten gezähnt, rauhhaarig, d. oberen ey- od. herzf.
sitzend od. etwas umfassend; Köpfchen u.
andere Theile lang gelbl.-haarig; Stengel
3—mehrköpfig . — **amplexicaule** L. *

II. Stockblätter zur Blüthezeit nicht
mehr (od. nic) vorhanden.
A. Haare der Blätter drüsig.
Zähne der Blumenkrone kahl; Stglbltt. buchtig-
gezahnt, verlängert-lanzettf., wie die Blüthenzweige klebrig-haarig . . **albidum** Vill. 911
Zähne der Blmkrone aussen mit einem Bärtchen;
Hüllkelch dicht-drüsenhaarig; Bltt. herzf. umfassend, sitzend, ey-lanzettf., gezähnelt, d.
untern geigenförmig **prenanthoides** Vill. 912
B. Haare der Blätter nicht drüsig oder
fehlend.

---

909. 4. 6—7. Triften d. Alpen
u. Voralpen.
910. = H. amplexicaule β et γ
Froel. bei DC. = H. intybá-
ceum Hpp. in Sturm mit Wulf's
Aut. 4. 6—7. Wiesen u. Trft.
der Alpen u. Voralpen.
* 4. 6—7. Abhänge der innern
Alpen. Es ist zweifelhaft, ob
diese ächte Art in Bayern ge-

funden wurde u. ob es nicht
vielmehr die vorige Art war,
welche Schrk. u. Zucc. unter
ersterem Namen angaben.
911. = H. intybaceum Wulf. 4.
7—8. Felsen u. Geröll-Ab-
hänge der Alpen.
912. 4. 7—8. Alpen u. Ge-
birgs-Wälder.

a) Obere Blätter nach d. Grund verbreitert.

† *Hüllblättchen am Rand heller grün.*

Blthstengel nicht viel verdickt; Köpfchen mit
1 od. 2 grossen Blättern gestützt, breit-eyf.,
abgestutzt; Stgl. dick, Bltt. eyf. kurz-gestielt, d. obern herzf.-sitzend (Frucht braun-
roth) . . . . **sabaudum** L. 913

Blthstengel verdickt; Köpfchen klein mit ange-
gedrückten Hüllblätt., deren äussere die
halb entwickelten Köpfchen überragen (Köpfchen beim Trocknen nicht schwarz werdend);
Bltt. ey-lanzettf. bis lin.-lanzettf. grobgezähnt,
die obern sitzend . . **rigidum** Hartm. 914

†† *Hüllblättchen gleichmässig dunkelgrün.*

Hüllkelch (klein) eyf. in d. verdickten Stengel
verlaufend; Blttch. angedrückt (oder doch
nicht zurückgebogen, beim Trocknen schwarz
werdend); Bltt. ey-lanzettf., d. untern lanzettl. in einen Stiel verschmälert, schwach
gezähnt (Frucht hellbraun) **boreale** Fr. 915
varirt in d. Breite d. Blätter u. mehr od. w.
starkem Wuchs.

*b) Obere Blätter(wie d. unteren) lineal-
lanzettf., sitzend;* Hüllblttch. mit dunklem Rand an d. Spitze zurückgebogen; Bltt.
gezähnt od. gangrandig; Stgl. steif, d. letzten
Aeste doldig (Fr. schwarz) **umbellatum** L. 916

var. sehr schmalblättrig, auch kahl bis rauh
u. rauhhaarig, selbst 1köpfig.

---

913. ♃. 8—9. Hügel, Triften,   915. — H. sabaudum L. fl. suec.
Gebüsch (hie u. da).   u. Lam. = H. sylvestre Tsch.
914. = H. laevigatum Koch Syn.   ♃. 7—9. Triften, Gebüsch-
ed. 1. = H. affine Tsch. u.   Abhg., Haide-Wälder, Wald-
Froel. ♃. 6—9. Lichte Wäl-   Rand.
der, steinige Gebüsch-Abhänge 916. ♃. 7... Wiesen, trockne
(d. Ki.-Form.)   Triften, Haid-Wälder, lichte
                                 Wald-Stellen (bes. d. Ki.-F.)

286

51. Familie. **AMBROSIACEAE.**

299. XANTHIUM L. Spitzklette.

U. Bltt. herzf., dreilappig, rauh **strumarium** L. 917

55. Familie. **CAMPANULACEAE.**

300 JASIONE L.

Wurzel einfach, Stock vielstenglig **montana** L. 918
var. a) aufrecht . . . major.
      b) niederliegend . littoralis.
Wurzel kriechend, Stock einstenglig . . . . .
. . . . **perennis** Lam. 919

301. PHYTEUMA L. Rapunzel.
Blüthenstand dicht ährenförmig od. kopfförmig
A. Blthstd. kugelig od. eyförmig-ährig-
bleibend.
    Bltt. lineal-ganzrd. od. an der Spitze etwas
    gekerbt; Deckbltt. eyf., zugespitzt-ganzrd.,
    zottig-bewimpert **hemisphaericum** L. 920
    Bltt. gestielt, eyf. od. ey-lanzettf.; Deckbltt.
    aus eyf. Grund lanzettförmig, etwas säge-
    zähnig . . . . . . **orbiculare** L. 921
B. Blthstd. nach d. Verblühen walzenf.
verlängert. (Bltt. gestielt, eyförmig, am Grund
herzförmig).
    Bltt. einfach gekerbt-sägig (Blumen runzlig)
    . . . . **nigrum** S. 922
    Bltt. doppelt gekerbt-sägez. **spicatum** L. 923

302. CAMPANULA L. Glockenblume.

A. Blüthenstand locker; Blumen deutlich
gestielt.

917. Grünlichgelb. ☉ 7—10.
Aecker, sand. Heiden, Wegränder (hie u. da)
918. Blau. ☉ 6—7. Sandige
Triften, Heide-Wälder u. Hgl.
919. Blau. ♃. 6—S. Felsige
Wald-Abhge (Rheingegenden).
920. Violett. ♃. 7—S. Grasige
Abhänge der höheren Alpen.

921. Dunkelviolett. ♃. 5—7
Triften, Wald-Wiesen bis in
die Alpen (hie u. da).
922. Dunkelviolett. ♃. 5—6.
Laubwälder, besonders westlich.
923. Grünlich-weiss. ♃. 5—6
Wälder u. Bergwiesen.

a) Kelchwinkel ohne Anhängsel
(Falten).
† *Stengelblätter lineal od. lanzettförmig.*
* Blume klein (½'' lang, ⅓ breit).
α Stockbltt. mit herzf. Grund (NB. Bei 925
bisw. abgestorben)
Unt. Stglbltt. ellipt., sägezähnig (Wuchs bu-
schig) . . . . . . **pusilla** Hk. 924
Unt. Stglbltt. lineal-lanzettförmig, ganzrandig
(Wuchs schlaff) . . **rotundifolia** L. 925
β Stockblätter in den Blattstiel verlaufend.
Blthstd. rispig; Blmäste meist 1blüthig, Knos-
pen od. Deckblätter über der Mitte des
Blumenstiels . . . . . . **patula** L. 926
Blthstd. traubenf.-rispig; Blumenstiele meist
3blumig; Knospen u. Blumen am Grund
der Stiele . . . . **Rapunculus** L. 927
** Blume gross; Blüthenstaud gipfelästig.
Stockbltt. langgestielt, länglich-lanzettförmig;
Stengel meist 1blumig **Scheuchzeri** Vill. 928
Stockbltt. in d. Blttstiel verlaufend; Stengel-
bltt. lineal feingesägt; Stgl. vielblumig (Blm.
1 — 1½'' weit) . . . **persicifolia** L. 929
†† *Stengelblätter ey-lanzettf., zugespitzt.*
* Untere Stengelblätter lang-gestielt, grob-
gesägt, steifhaarig, grösste Breite im u. ¼.
Stengel scharfkantig; Stock ohne Laubspros-
sen . . . . **Trachelium** L. 930
Stengel stumpfkantig; Bltt. herz-eyf.-zuge-
spitzt, ungleich gesägt, etwas rauhhaarig;
Blüthenstand einerseitswendig; Stock mit
kriech.Laubsprossen **rapunculoides** L. 931

---

924. = C. caespitosa Vill. non
Scop. Blau. ♃. 6—8. Felsen
u. Geröll-Abhänge der Alpen,
mit den Flüssen in d. Ebene.
925. Blau. ♃. 6 ... Trft., trockne
Wiesen, Wälder, Mauern.
926. Blassblau. ☉ 5 — 7. 'Ws.,
Waldränder, Gebüsch (hie u.
da, nicht in Rheinbayern vorh.)
927. Blau. ☉ 5 — 8. Trockne
Wiesen, Waldstellen, Heiden.

928. = C. rotundifolia γ L. C.
linifolia Lam. Blau. ♃. 7—8.
Alpen- u. Gebirgs-Triften.
929. Blau.♃.6—7. Bergwälder,
Gebüsch-Abhänge.
930. Blau. ♃. 7 — 8. Wälder u.
Gebüsch.
931. Blau. ♃. 7—8. Wälder,
Aecker, Gärten (allenthalben
gleich häufig.

ᶜᵒ Untere Stengelbltt. kurzhaarig, kurz-gestielt,
mit geflügeltem Blattstiel, grösste Breite
im u. ⅓ . . . . **latifolia** L. *
h) *Kelchwinkel mit herabgebogenen
Anhängseln* (Falten).
† *Blumen aufrecht;* Stengel rauhhaarig; Bltt.
elliptisch, gekerbt.
Kelchzipfel eyförmig, Anhängsel sehr lang
. . . . **medium** L. h
†† *Blumen hängend.*
Zottigwollhaarig; Bltt. lineal-lanzettf.; Kelchzipfel lanzett-pfriemlich; Anhängsel sehr
kurz . . . . **alpina** Jacq. 932
Rauhhaarig; Bltt. längl.-lanzettf.; Kelchzipfel
ey-lanzettf.; Anh. so lang als d. Kelchröhre;
Blm. 3mal länger als d. Kelch **barbata** L. 933
B. Blüthenstand dichtblüthig, traubenf.,
kurzgestielt.
a) *Blüthen dicht ährenf. stehend.*
Blumen gelblichweiss. . **thyrsoidea** L. 934
b) *Blüthen entfernt-spiralig oder
wirtelartig, blattwinkelständig.*
Blumen blau.
Bltt. steifhaarig; Stockbltt. lanzettf.-gkrbt,
in d. Blttstl. verschmälert, sehr lang, d.
obern lineal-lanzettförmig, stengelumfassend . . . . . **Cervicaria** L. 935
Bltt. rauhhaarig od. flaumhaarig (selten
kahl); Stockbltt. cyf. od. ey-lanzettf.
ungleich gekerbt, am Grund abgerundet
od. herzf., d. obern herzf. umf. sitzend;
Blüthenstand quirlf. **glomerata** L. 936
Var. a) weissfilzhaarig: C. farinosa Andrz.
b) grossblm., grün, alle Bltt. cy-herzf.:

---

* Blau. ♃. 7 — 8. Wälder u.
schattiges feuchtes Gebüsch.
h. Blau. ☉ 6 — 7. Zierpflanze
aus Süd-Europa.
932. Blau. ♃. 6 — 7. Trockne
Felsen Abhänge der Alpen.
933. Blau. ♃. 6 — S. Grasreiche
Abbge der Alpen u. Voralpen.

934. Gelblich-grün. ☉ 7 — 8.
Alpenwiesen.
935. Blau. ♃..7 — 8. Wälder u.
Gebüsch, Hügel (hie u. da:
nicht in Schrk. aufgeführt).
936. Blau. ♃. 5. ᵖ

C. speciosa Horm. c) grün, Blttstiel geflügelt: C. aggregata Willd. d) mit nicht
herzf., sond. ellipt., in d. Blttstiel sanft
übergehenden Blättern: C. elliptica Kit.
Bllt. kahl; Zähne mit Drüsenspitzen, d. unt,
verk.-länglrd., etwas herzf.-gestielt, die
obern sitzend; Blthstd. pyramidenf.-traubig;
Kelchzipfel abstehend, halb so lang als d.
Blumenkrone; Frucht kugelig, 5rinnig .
. . . . **pyramidalis** L. h

303. WAHLENBERGIA. Schrd.
Bltt. herzf.-rundl., eckig-lappig, gestielt; Stgl. zart,
niederliegend, ästig . . **hederacea** Rchb. 937

30ł. PRISMATOCARPUS l'Her.
Kelchzipfel lineal, so lang als der Fruchtknoten
Speculum l'Her. 935
Kelchzipfel lanzettf., länger als d. Blmkr., halb so
lang als der Fruchtknoten . **hybridus** l'Her.939

55. Familie. **VACCINIEAE.**

305. VACCINIUM L. Heidelbeere.
A. Blume kugelig-krugf. Blätter sommer-
grün.
Bltt. eyf., klein-gesägt; Blumen einzeln; Aeste
scharf-kantig . . . . . **Myrtillus** L. 940
Bltt. verk.-eyf., abgerundet, ganzrd., unter-
seits grau-grün, netzrippig; Aeste rund;
Blüthen gehäuft . . . **uliginosum** L. 941
B. Blume glockenf. Blätter wintergrün,
verk.-eyf., am Rand umgebogen, unterseits ge-

h. Blassblau. ♃. Einheimisch am
Littorale, bei uns Zierpflanze.
937. = Campanula ...L. Hellblau. ♃. 6—8. Torfige nasse
Waldwiesen (Rheinpfalz).
93S. = Campanula...L. Purpurviolett. ☉ 6—9. Aecker.
939. = Campanula . L. Purpurfb. ☉ 6—7. Aecker (Rheingegend).

940. Grünl.-weiss u. rosenfb.
Frucht schwarz. ♄. 5—6.
Schattige besonders Nadel-
Wälder (der Ki.-F.).

941. Röthl.-weiss. Fr. schwarz.
♄. 5—6. Torfige Nadelwälder
bis in die Alpen (besonders
in d. Kl.-F.).

tüpfelt; Blthstd. traubig; Griffel länger als die
Blumen . . . . . . **Vitis idaea** L. 942
C. Blume radf. mit längl.-runden Zipfeln;
Bltt. wintergrün, eyf.-zugesp. (klein), un-
terseits grau; Stengel kriechend; Blthstiel fadenf.
Oxycoccos L. 943

57. Familie. **ERICINEAE.**

306. ARCTOSTÁPHYLOS Adans. Bärentraube.
Bltt. dünn, klein-gekerbt . . . **alpina** Spr. 944
Bltt. dick, ganzrd., wintergrün **officinalis** Wimm. 945

307. ANDRÓMEDA L.
Bltt. lineal-lanzettf., am Rand umgerollt, unterseits grau . . . . **polifolia** L. 946

308. CALLUNA Salisb. Haidekraut.
Bltt. gegenständ., am Grund pfeilf.-hervorgezogen
vulgaris Salisb. 947

309. ERÍCA L. Haide.
Staubf. hervorstehend aus d. Blm., 2spitzig; Bltt.
zu 4, wirtelig, kahl . . . . . **carnea** L. 948

310. AZÁLEA L.
Bltt. gegenstdg., klein, oval, ganzrd., am Rand
umgerollt . . . . . . **procumbens** L. 949
(Von Blumenliebhabern werden viele Varietäten
der A. pontica L., A. indica L. = Rhodo-
dendrum indicum Wender. u. d. Rhod. sinense
Wender = Az. indica fl. alba hortul, gepflanzt).

311. RHODODENDRON L. Alpenrose.
A. Blumenkrone trichterf.; Blüthenstd.
doldenförmig.

---

942. Weiss. Frucht roth. ♄. 5—7. Haide-W. (der Ki.-F.).

943. Rosenfarb. Frucht roth. ♄. 7—8. Torfige Sumpfwälder (besonders der Ki.-F.).

944. = Arbutus... L. Weissl.-grün. ♄. 5—7. Trockene Fel-senabhänge der Alpen.

945. = Arbutus Uva Ursi L. Weiss-röthlich. ♄. 5—6. Haide-u. Nadelwälder, Felsenabhge.

946. Rosenfb. ♄. 6—7. Torfige Haiden u. Sümpfe.

947. Erica... L. Röthlich-lila. ♄. 7—9. Haidewälder u. san-dige Triften (der Ki.-F.).

948. Rosenfb. ♄. 4—5. Steinige Haidewälder u. Triften am Fuss der Alpen.

949. Rosenfb. ♄. 7—8. Felsen der höheren Alpen.

Bltt. unterseits drüsig u. schuppig-bräunlich;
Kelchzipfel kurz-eyförmig, breiter als lang
ferrugineum L. 950
Blätter unterseits drüsig-punctirt, am Rand
stumpf-gekerbt u. rückwärts gerichtet-wim-
perig; Kelchzipfel längl.-lanzettförmig
hirsutum L. 951
B. Blume radförmig; Blüthen meist paarweise. Blätter ellipt.-lanzettl., sägig-wimperig,
kahl, ohne Drüsenhaare **Chamaecistus** L. 952

312. LEDUM L. Porst.

Bltt. lineal, am Rand umgerollt, unterseits braun-
filzig . . . . **palustre** L. 953

58. Familie. **PYROLACEAE.**

313. PÝROLA L. Wintergrün.

A. Blüthenstand ährenförmig-traubig.
a) gleichseitig gerichtete Blthstiele.
† *Staubfäden oberwärts gebogen; Griffel an
der Spitze gekrümmt.*
Kelchzipfel verk.-eyf., lanzettl.-zugespitzt,
an der Spitze zurückgebogen, halb so
lang als d. Blmbltt. **rotundifolia** L. 954
Kelchzipfel eyf., kurz-zugesp., so lang als
breit u. ¼ so lang als die Blumenblätter.
chlorantha Sw. 955
†† *Staubfäden und Griffel nicht gebogen.*
Ring am Griffelende breiter als die Narbe
media Sw. 956
Narbe 5lappig, doppelt so br. als d. Griffel
minor L. 957

---

950. Purpurfb. ♄. 7—8. Felsen
d. höheren Alpen auf Kieselbd.

951. Purpurfb. ♄. 5—7. Felsen
der höheren Kalkalpen.

952. Weiss. ♄. 6—7. Auf Felsen der Kalkalpen.

953. Weiss. ♄. 7—8. Sumpfige
torfige Wälder (hie u. da).

954. Weiss. ♃. 6—7. Schattige
Wälder.

955. = Pyrola virens fl. Erl. P.
media Hayn. Weiss-grünlich.
♃. 6—7. Schattige Wälder.

956. Weiss. ♃. 6—7. Schattige
Wälder am Fuss der Alpen.

957. Röthlich-weiss. ♃. 6—7.
Schattige Wälder.

b) Blüthenstiele einseitswendig,
Blätter zugespitzt, gekerbt . **secunda** L. 958
B. Blüthenstand schaftförmig, 1blumig
uniflora L. 959
C. Blüthenstand doldenförmig.
Blätter lanzett-keulenf. . . **umbellata** L. 960

59. Familie. MONOTROPEAE.

314. MONOTRÓPA L. Fichtenspargel.
Blthstd. ährenf.; Blmbltt. gezahnt **Hypopitys** L. 961
var. a) kahl (M. Hypophegea Wallr.)
b) haarig (M. Hypopitys Wallr.).

60. Familie. AQUIFOLIACEAE.

315. ILEX L. Stechpalme.
Bltt. eyf., buchtig dornig-gezähnt od. ganzrd. mit
1 Enddorn; Blüthenstand traubig-doldig
Aquifolium L. 962

61. Familie. OLEACEAE.

316. LIGUSTRUM L. Hartriegel.
Bltt. längl.-lanzettf., kahl (gegenstd.) **vulgare** L. 963

a) SYRINGA L. Flieder, welscher Holler.
Bltt. herz-eyf. zugespitzt (gegenstd.) **vulgaris** L. h1
Bltt. ey-lanzettf., vorgezog. spitz **chinensis** Willd. h2
Bltt. lanzettf. (zartästig, niedrig) . **persica** L. h3

317. FRÁXINUS L. Esche.
Blüthen zwitterig, mit Blmbltt.; Bltt. 3paarig-ge-
fiedert; Blttch. gestielt . . . . . **Ornus** L. h4

958. Grünlich-weiss. ♃. 6—7. Schattige Wälder (der Kl.- u. Thon-Form.).
959. Weiss. (grossblumig). ♄. 6—7. Schattige W. (hie u. da).
960. Röthlich-weiss. ♃. 6—7. Schattige Nadelwld. (hie u.da).
961. Gelblich-weiss. ♃. 7—8. Schattige Wälder am Fusse der alten Bäume.
962. Weiss. ♄. 5—6. Bergabhg. u. Bergwälder höh. Gebirge.
963. Weiss. ♄. 6—7. Waldge- büsche, Abhänge, Hecken.
h1. Lila, blau, röthl. u. weiss.
♄. 4—5. Zierpflanze aus Persien: „rother Hollunder".
h2. Violett. ♄. 5—6. Zierstrauch aus China. (?)
h3. Lila. ♃. 6—7. Topfzier- strauch aus Persien „Agen".
h4. Weiss. ♃. 4—5. In Berg- wäldern der warmen Gegen- den, bei uns in Lustgärten.

Blüthen eingeschlechtig, ohne Blmbltt.; Bltt. 3—6-paarig-gefiedert; Blttch. sitzend **excelsior** L. 964

Familie JASMINEAE.

a) JASMINUM L.

Bltt. gegenstd., gefiedert, ungl. 3paarig, Endblttch. länger; Kelchz. fadenf., halb so lang als die Röhre der Blumenkrone . . . **officinale** L. h

62. Familie. ASCLEPIADEAE.

318. CYNANCHUM R. Brw. Schwalbenwurzel.

Blätter (d. mittleren Stengelgegend) herz-eyf., unterseits u. am Rand flaumig; Blmbltt flach-eyf., kahl . . . . . . **Vincetoxicum** R. Brw. 965

a) ASCLEPIAS L.

Bltt. gegenstd., eyf., abgerundet, unterseits filzh.; Blthstd. doldenf., nickend . . . **syriaca** L. h1

b) HOYA R. Brw. Wachsblume.

Bltt. eyf.-spitz, fleischig-dick, gegenstd.; Stengel rankend; Blmbltt. dick-saftig **carnosa** R. Brw. h2

63. Familie. APOCYNEAE.

319. VINCA L. Immergrün.

Bltt. ey-lanzettf, gegen Grund u. Spitze hin verschmälert; Stengel niederliegend; Blüthenzweige aufrecht, 1—2blätterig . . . . . **minor** L. 966

a) NERIUM L. Oleander.

Bltt. wirtelig, 3zählig, ausser der Mittelrippe quer-

---

964. ♄. 4—5. Bergwälder, bis in die Alpen; in Ebenen gepflanzt (u. vorzüglich zur Cultur an Strassen etc. zu empfehlen).
h. Weiss. ♄. 7—8. Zierstrauch aus Klein-Asien.
965. = Asclepias...L. Weissl.-grün. ♃. 5—7. Felsige Bergabhänge (der Ka.-F.).

h1. Unrein-rosenfarb. ♃. 7—5. Zierpflanze aus dem Orient: „Seidenpflanze".
h2. = Asclepias...L. Weiss, innen purpurfb. 6—7. ♄. Topfzierpflanze aus Ostindien.
966. Blau-lila. ♄. 4—5. Gebüschwälder u. schattige Gebüschabhänge.

rippig; Kelchzähne abstehend; Blumenzünglein
3spaltig . . . . **Oleander** L. b

64. Familie. **GENTIANEAE.**

320. **MENYANTHES** L. Fieberklee.

Bltt. gedreit, lang-gestielt; Stengel niederliegend,
wurzelnd . . . . **trifoliata** L. 967

321. **LIMNÁNTHEMUM** Gmel.

Bltt. kreis-herzf. (schwimmend); Blthstd. doldenf.
nymphoides Gml. 968

322. **CHLORA** L.

Stengelbltt. dreieckig-eyf., der ganzen Breite nach
miteinander verwachsen; Zipfel des Kelchs kürzer als die abgerundeten der Blumenkrone
perfoliata L. 969
Stengelbltt. eyf. oder ey-lanzettf. mit abgerundetem Grund verwachsen; Kelchzipfel lanzettf.-
pfrieml., so lang als die zugespitzten Blmzipfel
serotina Koch. 970

323. **SWERTIA** L.

Stockbltt. ellipt., gestielt, gross; Stengelblätter
klein, sitzend . . . . **perennis** L. 971

324. **GENTIANA** L. Enzian.

A. Blume radförmig-ausgebreitet.
Am Schlund kahl; Blthstd. quirlig; Kelch halbirt,
scheidenf.; Bltt. 3rippig . . . . **lutea** L. 972
B. Blume trichterförmig.

---

h. Dunkelrosenfarben. h. 7—8.
Topfzierstrauch aus Italien.
967. Weiss-röthlich. 2↓. 4—5.
Sumpfige Torfwiesen, Gräben
(hie und da).
968. = Menyanthes ... L. Vil-
larsia ... Vent. Gelb. 2↓. 7—8.
Stehende u. fliessende Wasser
(hie u. da: Nördlingen, Ingolstadt, Regensburg, Rheinpfalz).
969. Dunkelgelb. ☉. 7—8. Tor-

fige u. sumpfige Wiesen (hie
und da: Pfalz).
970. Dunkelgelb. ☉ 8—10.
Torfige u. sumpfige Wiesen
(Rheinpfalz).
971. Grünlich-violett. 2↓. 7—8.
Sumpfige Wiesen u. Gebüsch
der Alpen u. der Hochebenen.
972. Gelb. 2↓. 7—8. Triften der
Alpen u. Voralpen (hie u. da).

a) Blüthenstand quirlig oder kopff
† *Blumenzipfel* 6.
  Kelchzipfel lanzettf., zurückgebogen, Kelch
    ungleich-gespalten . **pannonica** Scop. 973
  Kelchzipfel lanzettf., aufrecht; Kelch gleich-
    gespalten . . . . **punctata** L. 974
†† *Blumenzipfel* 4.
  Blätter am Grund scheidenförmig-verwachsen
                              cruciata L. 975
*b) Blüthenstand einzelnblüthig, ach-
sel- oder endständig u. paarweiss.*
† *Stengel hochwüchsig; Blätter auseinan-
    dergerückt.*
    Bltt. aus eyf. Grund lanzettf.-zugespitzt;
    Blth. gegenüberstehd. **asclepiadea** L. 976
    Bltt. lineal-lanzettf., am Grunde etw. ver-
      wachsen, die unteren schuppenförmig;
      Blüthen einsam-endständig, oder einige
      in d. unt. Achseln **Pneumonanthe** L. 977
†† *Stengel verkürzt*, 1blüthig; Bltt. lanzettf.,
    grundständig, gedrängt-stehend **acaulis** L. 978
C. Blume röhrig.
  *a) Schlund der Blumen kahl, mit
      Falten in den Winkeln.*
    † *Stock ästig; Aeste je* 1*blumig.*
      Bltt. gleichgross, verk.-eyf., abgerundet, in
        den kurzen Blattstielen verschmälert, Grif-
        fel tief-2spaltig . . . . **bavarica** L. 979
      Bltt. gleichgross, rund-eyf., kurz-spitzig,
        dickl.-weich; Griffel ungetheilt
                              brachyphylla Vill. *
      Bltt. an Grösse nach oben abnehmend; Bltt.

---

973. Grünl.-gelb mit rothen Tupfen. ♃. 7—9. Sonnige Alpentriften.
974. = G. purpurea Schrk. Violett purpurfb. ♃. 8—9. Grasreiche Abhänge der Alpen.
975. Tiefblau-violett. ♃. 7—9.
  Trockene Triften u. Abhänge
  der Berggegenden (d. Ka.-F.).
976. Dunkelblau. ♃. 8... Steinige Gebüschabhänge der Al-

pengegenden (bis in d. Ebene
  bei München).
977. Innen tiefblau. ♃. 7...
  Torfige Waldwiesen u. Abhg.
978. Azurblau. ♃. 5—6 u. 7—8.
  Trft. d. Alpen u. bayr. Hoch-
  Ebenen (München, Augsburg).
979. Azurblau. ♃. 7—8. Bewässerte Triften d. höheren Alpen.
* Azurblau. ♃. 7—8. Abhänge
  der höchsten Granit-Alpen.

ellipt.-lanzettf.-zugesp., am Grund verschmälert, die grundständ. gedrängt-stehend; Griffel ungetheilt . . **verna** L. 980
†† *Stock einfach* (grundständige Bltt. ellipt,
Stengelbltt. längl.-eyförmig).
Kelch aufgeblasen, geflügelt-kantig; Griffel
lang . . . . **utriculosa** L. 981
Kelch kielig-kantig; grundständige Blätter
verk.-eyrund, die stengelständigen längl.-
eyf.; Griffel kurz (Pflanze sehr klein
nivalis L. 982
*b) Schlund kahl, ohne Falten zwi-
schen den Zipfeln.*
Blm. 4spaltig; Zipfel gefranzt; Bltt. lineal-
lanzettf.; Stengel gekniet . **ciliata** L. 983
*c) Schlund der Blume durch die zer-
schlitzten Nebenschuppen gebär-
tet; Kelch angedrückt.*
† *Blume* 4*spaltig; Kelchz. ungleich-gross.*
Bltt. eyf.-lanzettl.-zugesp. **campestris** L. 984
†† *Blume* 5*spaltig; Kelchz. zieml. gleichgross.*
Bltt. eyrund, aus breitem Grund zugespitzt
germanica Willd 985
Bltt. längl. u. stumpf, die obersten ey-lan-
zettförmig-spitz . **obtusifolia** Willd. 986
Bltt. aus breitem Grund lanzettl. od. lineal-
lanzettf.; 1 Blume ½ mal so gross als bei
den 2 vorhergehenden . **Amarella** L. *

325. CICENDIA Rchb.
Stengel vom Grund an ästig (sehr kl.); Blätter
pfriemenf.; Kelch 4zähnig **filiformis** Rchb. **

980. Azurblau. ⅔. 3—4. Feuchte
Bergtriften bis in die Alpen.
981. Dunkelhimmelblau (kleinblumig). ☉ 6—8. Torfige Triften der Berggegenden.
982. Himmelblau. ☉ 7—8. Triften der höchsten Alpen.
983. Himmelblau. ⅔. 8—9. W-rd.
d. Bergabhg. u. fcht. Triften.
984. Röthl.-blau. ☉ 6—8. Sonnige Triften d. Berggegenden.
985. = G. Amarella Poll und

mehrerer Floren. Röthl.-blau.
☉ 7—8. Wiesen und feuchte
Waldplätze.
986. = G. montana Nees. v. E.
Himmelblau. ☉ 7—8. Triften
der Gebirge.
* Röthl.-blau. ☉ 8—9. Wiesen
u. feuchte Triften (im nördl.
Dentschland).
** = Gentiana...L. Exacum...
Willd. Gelb. 7—8. Sandige
feuchte Triften (Rheinländer).

326. ERYTHRAEA Pers. Tausendguldenkraut.

Stengel aufrecht, oben ebenstraussf.-ästig;
Bltt. eyf.-länglrd., 5rippig; Blumenzipfel eyförmig
Centaurium Pers. 987
var. gedrängt-blüthig: C. capitata R. u. Sol.
Stengel vom Grund an vielf.-abstehend-
ästig; Bltt. eyf.-5rippig; Achselblüthen gestielt;
Blumenzipfel lanzettförmig . **pulchella** Fr. 988

Familie **BIGNONIACEAE.**

a) **CATALPA** Juss.

Bltt. lang-gestielt, herzf., zugespitzt, ganzrandig
syringaefolia Sims. h

65. Familie. **POLEMONIACEAE.**

327. POLEMONIUM L. Sperrkraut.

Bltt. fiederig, kahl; Blttch. ey.-lanzettf.-zugespitzt;
Bltühstd. rispig, drüsenhaarig; Kelchzipfel ey-
lanzettförmig-zugespitzt —. . **coeruleum** L. 989

a) **PHLOX.**

A. Stengel aufrecht, kahl; Blüthenstand
pyramidal.
Bltt. lanzettf, flach, am Rand scharf; Kelch-
zipfel borstig-zugespitzt **paniculata** L.. h1
Bltt. längl.-lanzettf., dicklich, rauh, gefleckt;
Kelchzipfel umgebogen, stumpf
maculata L. h2
B. Stengel aufstrebend, unbehaart.
Blätter schmal-lanzettf.; Kelchzipfel lanzett-spitz
glaberrima L. h3

---

987. = Gentiana...L. Rosenfb. ⊙ 6—8. Feuchte Waldwiesen u. Triften.
988. = Gentiana Cent.... β L. Rosenfarben. ⊙ Fcht. Triften, Gräben und Aecker.
b. = Bignonia Catalpa L. Weiss, roth getupft. ♄. 6. Zierbaum aus Nord-Amerika.
989. Blau. ♃. 0—7. Sumpfige

Wiesen, feuchte Waldränder u. Ufergebüsch (hie n. da).
h1. Rothlila. ♃. 7—8. Auf Wiesen in Virginien, bei uns Zierpfl.
h2. Purpur-lila u. var. ♃. Fcht. Wiesen von Neu-England — Carolina, bei uns Zierpflanze.
h3. Hellroth-lila. ♃. Nordcarolina und Kentucky, bei uns Zierpflanze.

13

C. Stengel niederliegend, niedrig, rauh-
flaumhaarig.
  Bltt. ey-lanzettf., meist wechselstd.; Blthstand
  wenigblüthig, ebenstraussf.; Blmbltt. herzf.-
  gespalten . . . . . . **divaricata** L. h4

b) GILIA Rz. u. P.

Stengel aufrecht, kahl; Bltt. fiederthl.; Lappen lineal; Blthstd kopff.-langgestielt **capitata** Dougl. h5
Stengel aufrecht, kahl; Bltt. fiederthl.; Blüthenstand
  3—5blüthig, rispig; Kelch klebrig-haarig
                          tricolor Bnth. h6

c) COBAEA Cav.

Blätter 2—3paarig-fiederthl., Mittelstiel rankend;
  Blättchen gestielt, ellipt, die untern am Grund
  geigenförmig geöhrt . . . **scandens** Cav. h7

Familie HYDROPHYLLEAE.

d) NEMOPHILA Nutt.

Stengel niederliegend; Blätter gegenstd, fiederthl.;
  Lappen breit-eyf., meist ungetheilt; Kelchzipfel
  lanzett-pfriemlich . . . **atomaria** F. u. M. h8

e) PHACELIA Juss.

Stengel aufrecht; Blätter meist 3—5fiedertheilig;
  Lappen eyf., zugesp., ganz, d. endstd. grösser;
  Blthstand knäulig-traubig; Blumen nochmal so
  lang als der Kelch; Staubfäden hervorragend
                          circinata Jacq. h9

---

h4. Lila. ♃. Von Virginien bis
  Canada, bei uns Zierpflanze.

h5. Blassblau. ☉ 6. Zierpflanze
  aus dem westl. Nord-Amerika
  am Columbia Fl.

h6. Saum blau-lila, Schlund
  purpur, Grund gelb. ☉ 7.
  Zierpfl. aus Neu-Californien.

h7. Grünlich, dann hell-violett-

purpur. ☉ Schlingende Zierpflanze aus Mejico.

h8. Grossblumig (1/2''). Weiss
  mit schwarz-rothen Tupfen.
  ☉ 6. Zierpfl. aus Neu-Californien (N.insignis blüht blau).

h9. = Hydrophyllum magellani-
  cum Lam. Bläul.-lila.♃.Zierpfl.
  aus Chili bis Californien.

66. Familie. **CONVOLVULACEAE.**

328. **CONVOLVULUS** L. Winde.

A. **Wildwachsend.** Bltt. ey-lanzettf., pfeilf..
Zwei breite Vorbltt. nahe an d. Blm. **sepium** L. 990
Vorbltt. von d. Blume entfernt **arvensis** L. 991
B. **Gartenpflanze.** Vorblätter von der Blume
entfernt.
Stengel aufstrebend, behaart; Bltt. sitzend,
lanzett-verk.-eyf., abgerundet **tricolor** L. h

a) PHARBITIS Choisy.

Bltt. herzf.-zugespitzt, gestielt, flaumhaarig; Blattstiel fast länger als die Blätter; Blthstiel 3—5-
blüthig; Kelchzipfel rauhhaarig, ey-lanzettförmig,
spitzig . . . . **hispida** Chois. h1
Bltt. 3lappig, Mittellappen grösser am Grund verbreitert; Blattstiel lang; Blthstiel 2—3blüthig,
meist länger als d. Bltt.; Kelchzipfel lang, ey-
lanzettförmig . . . . **Nil** Chois. h2
var. mit ungelappten Bltt. u. kurzen Blthstielen.

b) QUAMOCLIT Tournf.

Bltt. herzf.-zugespitzt, ganz oder am Grund eckig;
Blüthenstiel lang, vielblüthig; Kelch begrannt
coccinea Mnch. h3

329. **CUSCUTA** L. Flachsseide.

A. **Narbe gleichdick mit dem Griffel;
Kapsel rundum aufspringend.**

*a) Griffel so lang oder kürzer als
der Fruchtknoten.*

---

990. Weiss. ♃. 6—8. Feuchtes
Gebüsch, an Ufern.
991. Weiss u. rosenfb. ♃. 6—7.
Aecker, Haiden, Kiessbänke.
h. Saum blau, Grund gelb. ☉
7—8. Zierpfl. aus S.-Europa.
h1. = Convolvulus purpureus L.

Roth, violett, weiss. ☉ Zierpflanze aus Mittelamerika.
h2. = Convolvulus... L. Ipomea...Rth. Weiss u. purpur.
Zierpfl. aus d. Aequinoct.-Ggd.
h3. = Ipomea coccinea L. Hellroth. ☉ 6—7. Zierpflanze aus
dem südl. Amerika u. Ostind.

13*

Blume kugelig; Röhre doppelt so lang als
d Zipfel; Schuppen angedr. **Epilinum** L. 992
Blume walzenf.; Röhre so lang als der
Zipfel; Schuppen aufrecht - angedrückt,
2spaltig . . . . **europaea** L. 993
b) Griffel viel länger als der Frkn.
Schuppen zusammengeneigt; Blumen wal-
zenförmig . . . . **Epithymum** L. 994
Schuppen völlig fehlend; Kapsel eyförmig
Schkuhriana Pf. 995

B. Narbe kopfförmig; Kapsel nicht aufspringend, am Gipfel eingedrückt.
Blm. glockig; Blthstd. locker **suaveolens** Pf. *

67 .Familie. BORAGINEAE.

330. HELIOTROPIUM L. Sonnenwende.

Stengel (krautartig) aufrecht, ästig; Blätter eyf.,
ganzrandig, filzig-rauh; Blütheustand gabelährig
europaeum L. 996
Stengel holzig; Bltt. lanzett-eyf., runzlig, unterseits flaumig-rauh; Blüthenstand doldenstraussf.
peruvianum L. ♄

331. ASPERUGO L.

Blätter ellipt., klein-gezähnelt, d. unteren gestielt
die oberen quirlstd.-sitzend **procumbens** L. 997

332. ECHINOSPERMUM Lehm.

Bltt. lanzettf., gestriegelt-haarig, wimperig; Fruchtstiele aufrecht: Frucht mit 2 Reihen Hacken-
stacheln . . . . **Lappula** Lehm. 998

---

992. Weiss. ☉ 6—7. An Lein.　klee und an Aekerkräutern
993. Röthl.-weiss. ☉ 7—8. An　(bish. nur in Nassau u.Hessen).
　Nesseln, Hopfen, Weiden, 996. Weiss. ☉ 7—8. Aecker u.
　Hanf.　　　　　　　　　　Weinberge (Rheingegenden).
994. Röthlich-weiss (gross). ☉ h. Weiss-lila. ♃. 6—8. Topf-
　7—8. An Haidegbsch: Ginster,　Zierpfl. aus Chili u. Peru.
　Heide, Quendel.　　　　997. Blau-röthl. ☉ 5—6. Stei-
995. Weissröthlich. ☉7—8. An　nige Abhänge, Wege, Brach-
　Nesseln (Würzburg).　　　felder, Kalkfelsen.
* = C. hassiaca Pf. in Kochs 998. = Myosotis.... L. Blass-
　syn. ed. II. Weiss, Stengel　blau. ☉ 7—8. Abhänge, Hd.,
　gelbroth. ☉8—9. Auf Luzern　Schutt, Wegränder (hie u. da)

333. CYNOGLÓSSUM L Hundszunge.

Bltt. beiderseits filzig-weichhaarig, zugespitzt, die oberen etwas herzf.-umfassend, lanzettl.; Frucht mit einem hervorstehenden Rand umgeben **officinale L.**[999]

Bltt. spärlich-behaart, oberseits kahl, glänzend, unterseits etwas rauh, d. mittleren spatelförmig **montanum** Lam.[1000]

334. OMPHALÓDES Tournf.

Blatt gestielt, zieml. kahl, d. stockständigen herzeyf., die oberen ey-lanzettf.; Blüthenstd. endständig . . . . **verna** Mnch.[h]
Bltt. am Stock spatelf., d. oberen lanzettf.; Blüthenstiel achselständig . **scorpioides** Lehm.[1001]

335. BORÁGO L. Boretsche.

Untere Bltt. elliptisch, abgerundet, stachelhaarig; Blumenzipfel eyförmig, zugesp. **officinalis** L.[1002]

336. ANCHÚSA L. Ochsenzunge.

Bltt. lanzettf., steifhaarig; Haare der Rispen u. d. Kelches abstehend; Schlundschuppen eyförmig, sammethaarig . . . . . **officinalis** L.[1003]

337. LYCÓPSIS L.

Stgl. aufrecht; Bltt. lanzettförmig, wellig, gezähnt, steifhaarig; Blthstd. beblättert; Blumenröhre in der Mitte gebogen . . . . . **arvensis** L.[1004]

338. SYMPHYTUM L. Beinwell.

Wurzel spindelf.-ästig; Stgl. ästig; Bltt. weit her-

999. Roth-violett. ⊙6—7. Steinige Abhänge, Triften, Wegränder (der Ka.-F.)
1000. = C. officinale γ L. Roth-violett. ⊙ 6—7. Bergwiesen (Rheingegenden).
h. = Cynoglossum Omphalodes L. Himmelblau. ♃. 4—6. Schatt. Wälder in Krain etc. bei uns gepflzt; „Gartenvergissmeinnicht".

1001. Cynoglossum . . . Hk. ⊙ 4—5. Feuchte Gebüschwälder (angeblich bei Schweinfurt).
1002. Himmelblau. ⊙ 6 — 11. Verwildertes Unkraut in Gärten u. auf Schutt.
1003. Purpurviolett, dann blau. ⊙ u. ♃ 5—8. Steinige Abhänge, Mauern, Wege.
1004. Himmel lan. ⊙ 4 u. 9. Schutt, Aecker (d. Ki.-F.)

ablaufend, d. untern u. obern ey-lanzettf., erstere sehr gross langgestielt; Staubbtl. nochmal
so lang als die Fäden . . . **officinale** L.[1005]
Erdstock schief, knotig, knollig; Stgl. aufrecht einfach, kurz-ästig; Bltt. halbherablaufend, d. untern eyförmig, gestielt, kleiner als d. mittlern, zur
Blüthenzeit welkend; Staubbtl. doppelt so lang
als die Fäden . . . . . **tuberosum** L.[1006]

a) ONOSMA L.

Bltt. lineal-lanzettförmig steifhaarig; Haare auf glatter Warze; Staubbtl. am Rand gezähnelt-rauh.
. . . . **arenarium** W. et K.*

339. CERINTHE L. Wachsblume.

Blume bis ⅓ tief 5spaltig, mit pfriemf. lanzettl.
zusammengeneigten Zipfeln . . . **minor** L.[1007]
Blume 5zähnig, mit eyf. zurückgeschlagenen Zipfeln;
Staubfd. ¼ so lang als d. Beutel **alpina** Kit.[1008]

340. ECHIUM L. Natterkopf.

Bltt. lanzettf., steifhaarig; Blumenrohr kürzer als
d. Kelch; Staubfäden herabgebogen auseinanderstehend, an den Blumenrand eng angedrückt. .
. . . . **vulgare** L.[1009]

341. PULMONARIA L. Lungenkraut

A. Blätter der Laubtriebe herzförmig,
Stiel schmal geflügelt; Stengel borstenhaarig mit
wenigen Drüsenhaaren gemischt **officinalis** L.[1010]
B. Blätter der Laubtriebe lanzettförmig.

1005. Violett od. weiss. ⵉ. 5—6.
Ufergebüsch, Gräben.
1006. Gelblichweiss. ⵉ. 4—5.
Steinige schattige Bergwälder
(Ob.-Bayern, Eichstädter Alb).
* Gelblichweiss. ☉ 6—7. Trockne sandige Heidewälder(Rheingegend).
1007. Gelb. ☉ 5—7. Brach-
Aecker, Haiden (bayer. Hochebene).

1008. = C. glabra Gaud.; wahrscheinlich = C. major in Schrk.
fl. bav. Gelb u. purpur. ⵉ
7—8. Alpenwälder u. mit d
Flüssen in die Ebene.
1009. Röthlichblau. ☉ 6—9.
Schutt, Haiden, Wege, Mauern.
1010. Röthlichblau. ⵉ. 4—5.
Schattige Wälder (hie u. da).

a) *Stengelhaare weich*, klebrige Drüsen
tragend; Blattstiel breit geflügelt **mollis** Wulf. 1011
b) *Stengelhaare horstig*, mit wenigen
Drüsenhaaren; Blumen im Schlund behaart
. . . . **angustifolia** L. 1012
Stengelhaare ohne Drüsen; Schlund der Blume
unterhalb des Ringes kahl . **azurea** Bess. 1013

342. LITHOSPÉRMUM L. Steinsame.

A. Blume weiss od. gelblich-weiss.
Frucht glatt; Blätter sehr rauhhaarig; Stengel
ästig . . . . **officinale** L. 1014
Frucht runzlig-rauh; Blätter rauhhaarig; Fruchtkrone abstehend . . . . . **arvense** L. 1015
B. Blume rothviolett.
Blühende Stengel aufrecht; Laubtriebe niederliegend; Bltt. lanzettförmig, spitz, rauhsteifhaa-
rig; Fr. glatt. **purpureocoeruleum** L. 1016

343. MYOSÓTIS L. Vergissmeinnicht.

A. Kelch angedrückt-haarig.
Griffel fast so lang als der Kelch; Blätter zuge-
spitzt; Stengel eckig . . **palustris** With. 1017
Griffel viel kürzer als der Kelch; Blätter stumpf;
Stengel walzlich, mit 1 schwachen Furche be-
zeichnet . . . . . **caespitosa** Schltz. 1018
B. Kelch abstehend-behaart.
a) *Kelch bei der Fruchtreife zusam-
mengeneigt od. geschlossen.*
† *Fruchtstiel so lang als d. Kelch* (od. länger).

1011. Roth dann violett. ♃. 4—5.
Felsige schattige Abhänge
(Schweinfurt, Würzburg).
1012. = P. tuberosa Schrk. Roth
dann violett. ♃. 4—5. Laubwälder (hie u. da).
1013. = P. angustifolia Schrk.
Himmelblau. ♃. 4—5. Laub-
wälder (Ober-Bayern).
1014. Gelblichweiss. ♃. 5—6.
Bergabhänge.

1015. Weiss. ☉ 4—6. Aecker
u. Haiden.
1016. Rothviolett dann blau. ♃.
5—6. Laub- u. Bergwälder
(hie u. da: Franken).
1017. = Myos. scorpioides β L.
Himmelblau. ♃. 5—7. Wiesen,
feuchte Haiden, an Gräben u.
Sümpfen.
1018. = M. uliginosa Schrd.
Himmelblau, klein. ⊙ 6—7.
Gräben u. Sümpfe (hie u. da).

Blumenrand flach; Kelch zusammengeneigt. .
. . . . **sylvatica** Hoffm. 1019
var. niederer, dickzweigiger u. s. w. : M.
alpestris Schm.
Blumenrand ausgehöhlt; Kelch geschlossen . .
. . . . **intermedia** Lk. 1020
†† *Fruchtstiel kürzer als der Kelch.*
Blumenrohr zuletzt doppelt so lang als der
Kelch . . . . . . **versicolor** Pers. 1021
Blumenrohr kürzer als der Kelch; Blthäste
unten beblättert; Haare auf d. untern Blattfläche hackenförmig . . . **stricta** Lk. 1022
*b) Kelch bei der Fruchtreife offen-
stehend;* Fruchtstiel wagrecht abstehend, so
lang als der Kelch; Blumenrohr eingeschlossen . . . . **hispida** Schld. 1023

68. Familie. **SOLANEAE.**

a) LYCIUM L.

Blumenröhre doppelt so lang als der Saum; Blätter
lanzettf., am Grund verschmälert **europaeum**L. h
Blumenröhre so lang als der Saum; Blätter rhombisch eyf. od. lanzettförmig. . **barbarum** L. h1

314. SOLÁNUM L. Nachtschatten.

A. Stamm krautartig.
a) Blätter einfach (nicht fiedertheilig.)
Blätter u. Stengel filzwollig **villosum** Lam. *
Blätter abstehend-wollhaarig **miniatum** L. **

1019. = M. arvensis β Pers.
Tief himmelblau (wohlrie-
chend). ⊙ 5 — 6. Bergwälder;
die Var. auf den Alpen.
1020. = M. scorpioides α L. sp.
= M. arvensis Lehm. Himmelblau. ⊙ 4 — 8. Aecker.
1021. Gelb dann blau. ⊙ 5—6.
Feuchte sandige Aecker, Waldränder, Flusskiesbänke.
1022. = M. arvensis Rchb. bei
Sturm. Himmelblau. ⊙ 4 — 6.
Sandige Aecker u. Haiden (d.
Ki.· F.)

1023. Dunkler blau als vorige.
= M. collina Rchb.; M. ar-
vensis Lk. ⊙ 5 — 6. Hügel,
Wegränder, Aecker.
h. Hellviolett u. weiss. ♄. ?—6.
Zierstrauch aus Süd Europa.
h1. Purpurviolett.♄. 6—7. Zier-
strauch, leicht verwildernd;
aus Süd-Europa.
* = S. nigrum γ L. Weiss. Fr.
gelb. ⊙ 7... Schutt, Wgrd.
** = S. villosum Mill. Weiss.
Frucht roth. ⊙ 7 . . . Schutt,
Mauern, Wegränder.

SOLANEAE. 201

Blätter fast kahl, rhombisch, wellig-gezähnt
. . . . **humile** Bernh. *
Bltt. flaumhaarig, dreieckig-eyf., buchtig-gez.;
Haare aufwärts gebogen . . **nigrum** L. 1024
var. schmalblättrig u. grünfrüchtig.

b) Blätter gefiedert mit ungleichgrossen
Blättchen . . . . . . **tuberosum** L. c

B. Stamm holzig.
Bltt. ey-herzf., d. oberen 3zählig fiederspaltig,
Endlappen sehr gross . **Dulcamara** L. 1025
Bltt. lanzettförmig; Aeste walzenrund; Blumen
gefaltet . . . . **Pseudocapsicum** L. h

a) LYCOPERSICUM Tournef. Liebesapfel.

Bltt. fiedertheilig, Blättchen eingeschnitten; Frucht
wulstig-riefig . . . . **esculentum** Mill. h1

315. PHYSALIS L. Judendolde.

Bltt. paarweise stehend, ey-lanzettförmig, ganzrandig zugespitzt . . . . **Alkekengi** L. 1026

a) NICANDRA Gärtn.

Bltt. eyförmig, buchtig-eckig od. buchtig-gezäh-
nelt . . . . **physaloides** Grtn. *

316. ATROPA L. Tollkirsche.

Bltt. eyförmig - zugespitzt, ganzrandig, klebrig-
flaumig . . . . **Belladonna** L. 1027

---

* = S. nigrum ♂ M. et K.
Weiss. Frucht gelbgrünlich.
⊙ 7... Aecker, Wegränder.

1024. Weiss. Frucht schwarz.
⊙ 6 — 9. Aecker, Abhänge,
Schutt, Wegränder.

C. Hellviolett od. weiss. ⊝ 6—7.
Allgem. cult. „Kartoffel".

1025. Blauviolett. ♄. 6 — 8.
Ufergebüsch, feuchte Wldrd.

h Weiss. Frucht feuerroth. ♄.
4 — 6. Zierpflanze aus Süd-
Europa „Korallen".

h1. Hellgelb. Frucht hochroth.
⊙ 6 — 7. Zier- u. bisw. cult.
Pflanze.

1026. Weiss. Fruchtkelch u. Fr.
feuerroth. ♃. 6 — 7. Gebüsch-
Abhänge steiniger Gegenden,
Weinberge (frk. Jura, U.-Frk).

* = Atropa... L. Blassviolett-
gelbl. ⊙ 7—9. Aus Pern, auf
Schutt u. in Gärten verwildert.

1027. Grauviolett ins Gelbl. ♃.
7... Jüngst gelichtete Bergwälder.

347. HYOSCYAMUS L. Bilsenkraut.

Bltt. eyf.-längl.-rund, fiederbuchtig, d. untersten gestielt, d. ob. stengelumfss., drüsenh. **niger** L. 1028

a) NICOTIANA L. Tabak.

A. Blätter gestielt.
Eyförmig-stumpf; Blumensaum abgerundet-stumpf
. . . . **rustica** L.C
Herzförmig; Blumen ungleichförmig; Zipfel eyr.-spitz; Blüthenstand einseitig **glutinosa** L.C1
Eyrund-herzförmig; Blumenröhre keulenförmig, glatt, Stengel 1fach . . **paniculata** L.C2
B. Blätter sitzend.
Länglich-lanzettförmig, die untern verschmälert . . . . **Tabacum** L.C3
Ey-lanzettförmig aus geöhrtem Grund herablaufend . . . . **latissima** Mill.C4

b) PETUNIA Juss.

Stgl. aufr. kurz-rauhh.; Bltt. sitzend-eyf., ganzrd.; Kelchzpfl. zurückgebogen **nyctaginiflora** Juss. h

348. DATURA L. Stechapfel.

Bltt. eyf., kahl, ungleich buchtig-gezähnt; Frucht aufrecht, stachlig. . . . **Stramonium** L. 1029

69. Familie. VERBASCEAE.

349. VERBASCUM L. Wollblume.

A. Blätter wenig od. halb herablaufend; Haare der Staubfäden weiss.

1028. Unreingelb, Röhre violett. ⊙u.⊙ Schutt, an Gebäuden.
C. Gelbgrünlich. ⊙ 7—8. Cultivirt „Bauerntabak" bei Nürnberg.
C1. Gelb. ⊙ 7—8. Cultivirt bei Nürnberg.
C2. Gelblichgrün. ⊙ 7—8. Cultivirt, selten.
C3. Rosenfarben. ⊙ 7—8. Cultivirt um Nürnberg u. in der Rheinpfalz)

C4. = N. macrophylla Sprgl Rosenfarben u. grünlich ⊙ 7—8. Cultivirt um Nürnberg u. in der Rheinpfalz).
h. Weiss u. purpurfarben.⊙7—9 Zierpflanze aus d. südl. Amerika. (P. mirabilis hat zurückgeschlagene Kelchzipfel und purpurviolette Blumen.
1029. Weiss. ⊙ 7—9. Schutt, Gärten.

Bltt. gekerbt, gelb-filzhaarig; d. 2 längeren
Staubfäden spärlich haarig, 1½ bis 2mal so
lang als der einerseits lang herablaufende
Beutel . . . . . . **phlomoides** L. 1030
B. Blätter vollständig herablaufend bis
zum nächsten Blatt.
Blumenkrone ausgebreitet (radf.) gross, Blu-
menzipfel eyförmig; Staubfäden noch 1mal
so lang als der Beutel; Blätter stark ge-
kerbt-zugespitzt . **thapsiforme** Schrd. 1031
Blumenkrone trichterförmig, Blmblttzipfel elliptisch; Staubfäden 4mal länger als der
Beutel . . . . . . **Schraderi** Mey. 1032
C. Blätter nicht herablaufend.
a) Blüthen büschelf. beisammen.
† *Haare der Staubfäden weiss.*
Wollüberzug d. Bltt. u. Stgl. ablösend-flockig,
obere Bltt. lang zulaufend verschmälert; Stgl.
u. Aeste stielrund . . **floccosum** W.K. 1033
Wollüberzug nicht ablösend, staubartig; Stgl.
u. Aeste scharf kantig . . **Lychnitis** L. 1034
var. mit weissen Blumen.
†† *Haare der Staubfäden violettroth;* Bltt. gekerbt, oberseits ziemlich kahl, unterseits dünn-
wollig, die untern herzförmig-gestielt; Stgl.
scharfkantig . . . . . . **nigrum** L. 1035
b) Blüthen einzeln od. paarweise.
Bltt. unterseits flaumig, d. stockständigen gestielt, eyförmig-länglichrund, gekerbt, die
obern viel kleiner sitzend **phoeniceum** L. 1036
Bltt. kahl, d. untern verkehrt-eyförmig länglich
gegen d. Grund hin verschmälert, buchtig;

1030. Gelb. ☉ 7—8. Steinige
Abhänge, Dämme u. s. w.
(München).
1031. = V. Thapsus Mey. in
Koch Syn. ed. 1. ☉ 7—8. Sandige Haiden, Dämme, Abhänge,
Steinbrüche.
1032. = V. Thapsus Schrd. Gelb.
☉ 7—8. Standort mit vori-
gem, doch zugleich auf Kalk.
1033. = V. pulverulentum Sm

Blassgelb, anfangs von der
Wolle versteckt. ☉ 7—8. Sonnige Hügel, Wegränder (Rheingegend).
1034. Weissgelb u. weiss. ☉
Abhänge, Flussufer, Haiden
1035. Gelb. ☉ 7—8. Bergwälder, Wegränder.
1036. Purpurfarben. ☉ 7—8
Sonnige steinige Abhänge
(Ober-Bayern).

Blthstl. einzeln, 1½—2mal so lang als die
Deckblätter . . . . . . **Blattaria** L.1037
C. Hier gibt es öfters Mischlingsformen, sie sind
zum Theil wirklich aufgefunden, zum Theil wahr-
scheinlich vorhanden; sie tragen meist deutlich
die Merkmale der verschiedenen Stammältern an
sich; die bisher bei uns gefundenen sind:
Thapso-Lychnitis M. u. K.
Thapsiformi-Lychnitis Schrd.
Thapso-nigrum Schrd.
Thapsiformi-nigrum Schrd.
Nigro-Lychnitis Schrd.
Nigro-phoeniceum Schltz.

a) CALCEOLARIA L. Pantoffelblume.

Bltt. einfach, eyf., runzlig, klebrig, unterseits etwas weissflaumig; Blthstd. ebenstraussf.; Lippen
der Blumen zusammengeneigt, die untere wenig
grösser als die obere . **integrifolia** Murr. b
Bltt. fiederspaltig mit gezähnten u. lappigen Abschnitten; Oberlippe d. Blumen sehr kurz; Stgl.
rauh-flaumig . . . . **pinnata** L. h1

350. SCROPHULARIA L. Braunwurz.

A. Blüthenstand rispig-endständig.
*a) Blumen unterhalb d. Oberlippe mit
einem herzf. od. rundlich. Anhängsel* (dem verkümmerten 5ten Staubfaden).
Blttstiel ungeflügelt, Bltt. doppelt sägezähnig,
Kelch schmal-hautrandig . **nodosa** L.1038
Blttstiel breit geflügelt; Bltt. scharf gesägt,
Kelch breit-hautrandig (Anhängsel 2 lappig) . . . . **aquatica** Auct.1039

1037. Gelb, violett-haarig. ⊙
6—7. Feuchte Kiesplätze (hie
und da).
h. = C. rugosa Rt. ♄.4... Zierpflanze aus Chili.
h1. Blassgelb. ⊙ 7... Zierpfl.
aus Lima.
1038. Bräunlichroth u. grün. ♃.
6—8.Waldschatten, an Felsen,
seltner an Ufern.

1039. = S.Ehrhardti Stev. in K.
Synopsis ed. II. Roth u. hell-
grün. ♃. 7—9. Fluss-Ufer,
Gräben; Teiche (S. aquatica
L. hat stumpfgekerbte Blätter,
d. Anhängsel des beutellosen
Staubfd. ist rundl.-nierenf.
= S. Balbisii Horm. in Koch
Syn. ed. II., bisher nur vom
Mittelrhein bekannt).

*b) Blumen unterhalb d. Oberlippe mit
1 lanzettf.Anhängs. od. ohne diesen.*
Bltt. fiedertheilig; Fiedern ungleich-fieder-
zähnig; Kelchrohr 3mal so lang als die
Oberlippe . . . . **canina** L. *
B. Blüthenstand achselständig.
Bltt. doppelt gekerbt, flaumig; Stengel wollhaarig-
zottig; Kelchzähne länglichrund, nicht hautig-
berandet . . . . **vernalis** L. 1040

70. Familie **ANTIRRHINEAE.**

351. GRATÍOLA L. Gnadenkraut.
Blätter sitzend, lanzettförmig gesägt, am Grund
ganzrandig . . . . **officinalis** L. 1041

a) MIMULUS L.
Stengel eckig, meist klebrig-haarig, am Grund
ästig; Bltt. ey-herzförmig, ausgebissen-gezähnt,
d. untern etwas leyerförmig gestielt; Blmkr. sehr
gross, doppelt so lang als d. Kelch **luteus** L. h

352. DIGITÁLIS L. Fingerhut.
A. Blume roth od. roth gezeichnet.
Bltt. ey-lanzettf.-gekerbt; Kerben knorpel-spitzig,
unterseits u. an dem Blattstiel wollig-flaumhaa-
rig; Blumen weit-glockig . **purpurea** L. 1042
Bltt. längl.-lanzettf., sägez., kahl, nur unterseits
an d. Rippen flaumh. **purpurascens** Rchb. 1043
B. Blume mehr oder weniger gelbweiss.
a) Blume aussen flaumig (gross, 1—1½"
lang).

---

* Violett u. weisslich. ♃. 6—7.
Bergabhänge, Sandufer der
Seen, Kies der Flussbette
(Rheinthal).
1040.-Gelblich-grün. ☉ 5—6.
Ufergebüsch, Wegränder, an
Ruinen (Nürnberg).
1041. Weiss u.gelblich. ♃.7—8.
Feuchte Wiesen. Ufer, (Rhein-
u. Donauthal, Ober-bayer.
Moore).

h. Gelb mit rothen Tupfen u.
Flecken. ♃. 7—8. Zierpflanze
aus Californien u. Chili.
1042. Purpur-rosenfb. ☉ 7—8.
Bergwälder der Sandstein- u.
Thonschiefer-F. (nur in gewissen Gegenden· Vogesen,
Spessart, Fichtelgebirg; bayer.
Waldungen.).
1043. Gelb-röthlich überlaufen.
☉ 6—8. Bergwld. (Nahethal).

Obere Blätter etwas umfassend; Blm. weit-
glockig; Stamm niedrig **grandiflora** Lam. 1044
varirt mit stumpfen Blumenzipfeln: D.
ochroleuca Jacq.
Obere Bltt. sitzend; Blm. eng-glockig (Stamm
hoch) . . . . **media** Rth. 1045
b) Blume aussen, wie die Laubbltt.
kahl; klein (6—9″), Zipfel derselben spitz
. . . . **lutea** L. 1046

PÉNTSTEMON L'Her.

Blume bauchig, kaum 2lippig; Bltt. scharf-gesägt,
lang-zugespitzt, schmal bis ey-lanzettf.; Blthstiel
vielblüthig . . . . **campanulatus** Willd. h1
Blume wenig-bauchig, unten erweitert, 2lippig,
Oberlippe kürzer als die untere; Stengel u. Bltt.
meist rauhhaarig; Stockbltt. gestielt, ellipt., die
Stengelblätter umfassend **pubescens** Soland. h2

CHELÓNE L.

Bltt. sitzend, lanzettf.; Blüthenstand dicht-ährenf.;
Deckblätter u. Kelchzipfel eyförmig **glabra** L. h3

353. ANTÍRRHINUM L. Löwenmaul.

Kelchzipfel eyf.-stumpf, viel kürzer als die Blume
. . . . **majus** L. 1047
Kelchzpf. lanzettf., läng. als d. Blm. **Orontium** L. 1048

354. LINÁRIA Tournf. Leinkraut.

A. Blätter gestielt (breit).

1044. = D. ambigua Murr.
Schwefelgelb. ♃. 6 — 7. Stei-
nige Bergwälder der Porphyr-
F. der Ki.- u. Ka.-F.) bis in die
Alpen.

1045. Gelb, innen mit rostfrb.
Streifen. ☉ 6—8. Bergwälder
der Porphyr-F. (Nahethal).

1046. Gelb. ☉ 6—8. Bergwälder, steinige Abhänge (westl.
Alpen und Rheingegenden).

h1. = Chelone elegans HB. Roth-
blau. ♃. 6—8. Zierpflanze aus
Mejico.

h2. = Chelone Penstemon u. Ch.
hirsuta L. Blumen violett od.
weiss. ♃. 6—8. Nord-Amerika.

h3. Purpurfb.- weiss. ♃. 7...
Zierpflanze aus Nord-Amerika.

1047. Purpurfarb. ♃. 6—8. Alte
Mauern (Würzburg. Stadtgrb.,
im Rheinthal häufiger), oft
Gartenpflanze.

1048. Rosenfarben. ☉ 7....
Aecker und Schutt.

Blattspreite nierenförmig-5lappig, kahl . . .
. . . . **Cymbalaria** Mill. 1049
Blattspreite eyf.-spiessf.; Blüthenstiel kahl; Sporn
gerade . . . . **Elatine** Mill. 1050
Blattspreite längl.-rund; Blthstiel dicht-flaumig;
Sporn gebogen . . . . . **spuria** Mill. 1051
B. Blätter sitzend (mehr od. weniger lineal).
a) *Blüthen in den Blattwinkeln einzeln*, lang-gestielt, drüsenhaarig; Blume of-
fenschlundig . . . . **minor** Dsf. 1052
b) *Blüthen in endständigen Trauben
oder blattlosen Aehren* (Same flach,
geflügelt);
† *die unteren Blätter gegenüberstehend* oder
quirlf., lineal,
kahl; Blüthenstand eyf., kurz; Kelchz. kahl,
lanzettf., kürzer als d. Kapsel **alpina** Mill. 1053
drüsenhaarig; Blüthenstand kopff., später
verlängert . . . . . **arvensis** Dsf. 1054
†† *Alle Bltt. spiralständig*, lanzett-lineal; Mittelrippe oben eine Rinne machend; Blthstiel
drüsenhaarig . . . . . **vulgaris** Mill. 1055

71. Familie. **VERONICEAE.**

355. VERÓNICA L. Ehrenpreiss.

I. Blüthenstand ährenförmig.
A. Blüthenstand achselständig, ohne
Laubblätter.
a) *Kelch 4theilig.*
† *Kelch enger als die Kapsel.*

1049. NB. Linaria = Antirrhinum
L. — Blassviolett, Gaumen mit
2 gelben Flecken. ♃. 6—9. An
alten Mauern der Städte
u. Weinberge (hie u. da).
1050. Weiss u. gelb, Oberlippe
violett. ☉ 6—8. Aecker (der
Ka.- u. Th.-F. hie u. da).
1051. Weiss, Oberlippe violett,
Unterlippe gelb. ☉ 7—9. Aeck.
der Ka.- u. Th.-F.)
1052. Blassviolett, Lippen gelbl.-

weiss. ☉ 7—8. Aecker, Schutt
und Felsen.
1053. Blau, am Gaumen gelb-
roth. ☉ 7—8. Geröllabhänge
der Alpen, mit den Flüssen in
der Ebene auf Kiesbänken.
1054. Blassblau, violett gezeichnet. ☉ 7—8. Aecker u. Sandfelder (d. Ki.-F.) hie und da.
1055. Hellgelb, am Gaumen gelb-
roth. ♃. 7—9. Aecker, Dämme,
Wegränder, Triften.

° Blüthenstandzweige mehrere.
Bltt. eyf. oder eyf.-rundl., lang-gestielt;
Kapsel am Rand gekerbt, krautspitzig
. . . . **montana** L. 1056
Blätter sitzend, eyförmig, scharf-gesägt
. . . . **urticifolia** L. 1057
Blätter lanzett-lineal, zugespitzt, sitzend
. . . . **scutellata** L. 1058
°° Blüthenstandzweige einzeln; Blätter meist
grundständig . . . . . . **aphylla** L *
†† *Kelch nicht enger als die Kapsel.*
° Kapsel kaum ausgerandet, sehr vielsamig in
jedem Fach; Blätter kahl.
Stengel fast 4kantig; Bltt. sitzend, ellipt.,
zugespitzt . . . - **Anagallis** L. 1059
Stengel walzl.; Bltt. gestielt, eyf. oder
länglrd., abgerundet **Beccabunga** L. 1060
°° Kapsel am Gipfel ausgerandet, jedes Fach
mit 4—6 Samen; Blätter flaumhaarig.
Stengel mit 2 entgegenstehenden Haar-
leisten; Kelchzipfel länger als d. Kapsel
. . . . . . **Chamaedrys** L. 1061
Stengel ringsum haarig; Kelchzipfel viel
kürzer als die Kapsel **officinalis** L. 1062
b) Kelch 5theil., der 5. Zipfel kleiner.
† *Laubtriebe niederliegend;* Blätter lineal-lanzettf., kurz-gestielt, kerbig-gesägt, am Grund
etw. eingeschn. od. ganzrd **prostrata** L. 1063
†† *Laubtriebe aufsteigend oder aufrecht.*
Bltt kurz-gestielt, gekerbt od fiederig-sägez.,
lanzett-eyförmig . . . . **austriaca** L. 1064

1056. Blass-blau. ♃. 5—6. Schattige Laub-Bergwld. (hie u. da).
1057. Röthlich-blau. ♃. 5 — 7.
Bergwälder d. Alpengegenden.
1058. Weiss oder blassblau. ♃.
6—9. Teichrd., Sümpfe. Grb.
* Himmelblan. ♃. 6—8. Alpen-
Triften.
1059. Hellblau. ♃. 5—8. Bäche
und stehende Wasser.
1060. Hellblau. ♃. 5—9. Stehende
Wasser, Quellen, Bäche.

1061. Himmelblau. ♃. 4 — 6.
Trockene Wiesen, Waldrän-
der, Hecken.
1062. Blassblan. ♃. 6—7. Trft.,
Haidewälder bis in die Alpen.
1063. Himmelblau. ♃. 5—6. Sonnige Hügel, trockene Haiden
(der Ka.-F.).
1064. = V. Schmidtii R. et S. in
Zoec. Fl. v. Münch. Himmelblau.
♃. 6—7. vord. folg. blühd.; son
nige Hgl u Abbg. (München).

var. a) Bltt. lanzettf. od. lineal-lanzettf., rückwärts kerbig-gesägt: V. dentata Schm.; b)
Bltt lanzettf., fiederig-gesägt: V. austriaca L.
(polymorpha Willd.); Blätter doppelt-fiederspaltig: V. multifida L.
Bltt. sitzend aus eyf. Grund, eyf. od. länglrd.,
eingeschn.-gesägt od. fiedersp. **latifolia** L.1065
B. Blüthenstand end- und seitenständig
(Deckblätter klein).
a) *Blumenröhre walzenförmig* (länger als der Durchmesser); *Zipfel spitz.*
Blätter meist zu 2 gegenstd., bisw.
3 oder 4wirtelig, aus mehr od. wen.
herzf. Grund lanzettf.-zugespitzt, bis zur
Spitze scharf doppelt-gesägt; Deckblätter
pfrieml.-lineal; Blüthenstand dichtblüthig
. . . . **longifolia** L.1066
var. a) Bltt. mit tief-herzf. Grund: V. longifolia Schrd.; b) mit keilf. Grund: V.
media Schrd.; c) mit ganz kahlen
Bltt.: V. glabra Schrd. (elata etc.).
Blätter meist zu 3 oder 4wirtelig,
bisw. zu 2 gegenstd., längl.-lanzettf., meist
einfach gesägt-zähnig; Deckblätter lineallanzettförmig, so lang oder kürzer als d.
Blthstl.; Blthstd. lockerblthg. **spuria** L. h
Varirt mehrfach.
Blätter gegenstd., eyf. od. ey-lanzettf.,
gekerbt-gesägt, nach der Spitze hin ganzrandig; d. unt. stumpf; Deckbltt. lanzettpfriemlich . . . . . **spicata** L.1067
var. a) kraus od. drüsenhaarig, die unt.
Bltt. am Grund keilf.: vulgaris; b) d.
unt. Bltt. ey- bis herzf., schärfer gesägt: V. hybrida L.; c) borstig, Kelch
kahl, gewimpert: V. Barrelieri Schtt.;

1065. Himmelblau. ♃. 5—7.
Trockene Bergwälder u. Abhänge (hie u. da, besonders
der Ka.-F.).
1066. Blau. ♃. 7—8. Fenchte
Wiesen, Gräben, Flussufer.

h. Himmelblau.♃. 7—8. Gebüsch-
Wälder bei Halle, bei uns
Gartenpflanze.
1067. Himmelblau, auch röthl.
u. weiss. ♃. 7—8. Trockene
Triften (d. Ka.-F. hie u. da).

11

d) Blumenzipfel schmal, gedreht: V. orchidea
Crtz.

*b) Blumenröhre sehr kurz; Deckbltt.
in die Laubblätter übergehend.*

† Saame flach, schildförmig.

° Kapsel eyf., am Gipfel schwach-ausgerandet.

α) Stengel am Grund holzig (ausdauernd).
Blüthenstiele drüsenhaarig **fruticulosa** L. 1068
Blüthenstiele flaumhaarig, ohne Drüsen, Kapsel nach oben enger (Pfl. niederliegend,
kleinblätterig) . . . **saxatilis** Jacq. 1069

β) Stengel ganz krautig oder kaum holzig.
Untere Bltt. grösser als d. oberen, gedrängt-
stehend . . . . . **bellidioides** L. 1070
Untere Bltt. kleiner oder gleichgross mit
den mittl., weitläufig-stehend; Haare ohne
Drüsen . . . . **alpina** L. 1071

°° Kapsel herzförmig-ausgerandet.

α) Blätter fiederzähnig . . . . **verna** L. 1072

β) Blätter gekerbt oder gezähnt.

†† Fruchtkelch sehr kurz-gestielt od. sitzend.
Pflanze sehr flaumhaarig; Deckbltt. fast so
lang oder kaum länger als der Kapsel-
gipfel . . . . . . **arvensis** L. 1073
Pflanze kahl; Deckbltt. viel länger als die
Kapsel . . . . . **peregrina** L. *

††† Fruchtkelch gestielt, d. h. wenigstens so
lang als die Deckbltt.; Kapsel breiter als lang.
Stock einjährig; Stgl. flaumhaarig; Fruchtstiel meist doppelt länger als der Kelch;
Griffel kurz . . . . **acinifolia** L. 1074

1068. Rosenfarb. ♃. 7—8. Felsen
u. Bergtriften der Alpen.

1069. Himmelblau, am Schlunde
roth. ♃. 7—8. Triften u. Felsenabhänge der Alpen u. niederen Berggegenden.

1070. Trüb-himmelblau. ♃. 7—8.
Grasreiche Abhänge der Alpen
u. Voralpen.

1071. Himmelblau. ♃. 7—8. Be-

wachsene Triften der Alpen
und Voralpen.

1072. Himmelblau. ☉ 4—5. Sonnige Haiden, Felder u. sandige Wälder (der Ki.-F.).

1073. Himmelblau. ☉ 3—9. Aeck.
und Haiden.

* Blassblau. ☉ 4—5. Ackerland
in Nord-Deutschland.

1074. Himmelblau. ☉ 4—5. Aeck.
(Rheinpfalz).

Stock ausdauernd : Stengel fast kahl; Fruchtstiel so lang als d. Kelch **serpyllifolia** L.1075
†† *Samen auf der einen Seite ausgehöhlt*
(beckenförmig).
Stengelblätter fiederig-getheilt;
Kapsel kreisf; Same schwarz; Stengel
vom Grund an ästig . **triphyllos** L.1076
Stengelblätter ungetheilt, d. unteren
herzf.-eyf., gekerbt, abgerundet; Kapsel
länger als breit; Same hellbraun; Stengel
oben ästig . . . . . **praecox** All.1077
II. Blüthen einzeln, achselstd.; Fruchtstiel sehr lang.
A. Kelchblätter am Grund herzf., Rand
derselben aufwärts gebogen; Kapsel
rundl., 4lappig; Fächer je 2samig; Bltt.
rundl.-herzf., gekerbt-5lappig **hederaefolia** L.1078
B. Kelchblätter am Grund eyf.; Kapsel
herzförmig-ausgerandet, vielsamig.
*a) Kapsel sehr aufgeblasen, Seiten-
theile aufrecht.*
† *Staubfäden auf den untern Rand der Blumenröhre gelegt.*
Kapsel wenig-drüsenhaarig, in der Naht zusammengedrückt; Fächer 5samig; Blätter
länglichrund, gelblich-grün **agrestis** L.1079
Kapsel dicht-flaumhaarig, nicht in der Naht
zusammengedrückt; Fächer 10samig; Bltt.
rundlich, sattgrün . . . . **polita** Fr.1080
†† *Staubfd. aus d. Schlund der Blumenröhre;*
Kapsel kraus-flaumig; Fächer am Rand zusammengedrückt, gekielt . . **opaca** Fr.1081

1075. Weiss, blau gestreift. ♃.
4—8. Feuchte Tritten, Gräben
und Wegränder.
1076. Himmelblau.☉3—5.Aeck.
und Gartenland.
1077. Himmelblau.☉3—5.Aeck.
und Gartenland (hie u. da).
1078. Varirt mit spitzen Blattlappen. = V. Lappago Schrank

bayr. Fl. Hellblau. ☉ 3—5.
Aecker, Gartenland u. Haiden.
1079. Weisslich, blau.☉3.u.9.
Aecker und Gartenland.
1080. = V. didyma Koch Syn.
ed. I. Himmelblau. ☉ 3. u.9.
1081. Himmelblau.☉3—5.Aeck.
und Gartenland (hie und da).

14 *

b) Kapsel nicht sehr aufgeblasen:
Seitentheile auseinander-gespreitzt

           Buxbaumii Ten. 1082

356. LINDÉRNIA L.

Bltt. sitzend, 3rippig, längl.-eyförmig, ganzrandig,
stengelstd.; Blthstiele 1blüthig **Pyxidaria** All. 1083

357. LIMOSÉLLA L.

Blätter langstielig, spatelförmig, alle grundständig
. . . . **aquatica** L. 1084

72. Familie. OROBANCHEAE.

358. OROBÁNCHE L. Sommerwurz.

A. Blume nur mit Deckbltt., ohne 2 seitliche Vorblättchen.

*a) Staubfäden am Grund d. Blume
oder nahe daran eingefügt.*
† *Narbe gelb.*

Kelchbltt. mehrrippig, gleichf 2spaltig; Blm.
vorn am Grund kropff.; Staubfäden ganz
hinan behaart . . . **cruenta** Bartl. 1085

Kelchbltt. 1rippig, ungleich zweispaltig; Blm.
ohne Kropf; Staubfäden bis zur Mitte
dicht-behaart, oben spärlich-drüsenhaarig
. . . . **Salviae** Schlz. 1086

†† *Narbe roth* (mehr oder weniger violett oder
kastanienbraun).

° Staubfäden auch an der obern Hälfte
dicht-behaart; Blm. vorn sehr erweitert,
Oberlippe gerade vorgestreckt . **Galii** Dub. 1087

1082. = V. filiformis DC. Himmelblau. ⊙ 4—5. und 7—8.
Aecker u. Gartenland (hie n.
da: Erlangen u. Würzburg).
1083. Weiss-röthlich. ⊙ 7—8.
Ueberschwemmte Triften an
Seeen u. Fl.-Ufern (Regsbg.).
1084. Weiss - röthlich. ⊙ 7—8.
Ufer der Teiche u. Flüsse mit
Sand- u. Lehmboden.
1085. = O. vulgaris Gaud. = O.
caryophyllacea Schulz. Innen
braun-purpurfarben. ♃. 6—7.

Triften u. Wiesen, an Lotus
corniculatus und Hippocrepis
commosa (bayr. Hochebene).
1086. Gelb. ♃.6—7. Bergtriften
in den Alpengegenden, auf
Salvia glutinosa.
1087. = O. vulgaris DC. = O. caryophyllacea Sm. (u. Rebbeh.,
mit mehreren andern ange-
nommenen Arten) röthlich und
bläulich-weiss. ♃. 6—7. Hügel,
Haiden und Waldränder, auf
Galium verum et al.

** Staubfäden nur unten oder bis etwas über
die Mitte dichter behaart, oberwärts sehr
spärlich-behaart.
a Oberlippe 2lappig.
Kelchzipfel lanzettförmig,
Mehrrippig; Lippe d. Blm. stark-gekräuselt;
Staubfäden sehr spärlich behaart . . .
. . . . **Epithymum** DC. 1088
Zweirippig; Blumenlippe schwach-gezähnt:
Staubfd. auf d. halben Höhe reich-behaart
. . . . **lucorum** Al. Br. 1089
Kelchzipfel eyförmig . **Scabiosae** Koch. 1090
β Oberlippe ungetheilt . **Teucrii** F. W. Schlz. *
*b) Staubfäden in der Mitte der Blu-
menröhre eingefügt; Narbe röthlich oder violett.*
† *Blumenröhre gleich über dem Grund knie-
artig gekrümmt;* Kelchzipfel mehrrippig,
breit-eyf., halb so lang als die Blume . .
. . . . **rubens** Wallr. 1091
†† *Blumenröhre über dem Rücken hin von unten an gleichmässig sanft gebogen.*
° Oberlippe ausgerandet.
Kelch halb so lang als d. Blumenröhre, flaumhaarig; Oberlippe zurückgeschlagen, einfach
. . . . **flava** Mart. 1092
Kelch länger als die kleine Blumenröhre;
Blumenröhre über d. Fruchtkn. etwas eingeschnürt, Lippe amethystfarben, gewölbt,
spinnwebig . . **coerulescens** Steph. 1093

1088. Unrein-gelb und röthlich
(wohlriechend). ♃. 6—7. Hd.-
Wälder u. Triften. auf Thymus Serpyllum (Oberbayern
und Rheinpfalz).
1089. = O. loricata. Rchbch.
Gelb-röthlich. ♃. 6—7. Gebüsch-Wälder; auf Berberis
vulgaris et Rubus-Arten (Mön-
chen. Partenkirchen).
1090. Hell-ockerfarb. ♃. 6. Alpen-Triften; auf Scab. Colum-
baria et Carduus defloratus.
* = O. atrorubens Schultz Fl.

d. Pf. Braunroth. ♃. 6—7.
14 Tage später als O. Galli.
Sonnige Abhg., auf Teucrium
Arten u. Thymus Serp. (Rheingegenden).
1091. = O. elatior Rchb. Gelb-
bräunlichroth. ♃. 5—6. Aeck.
u. Triften, auf Medicago falcata et sativa.
1092. Gelb. ♃. 7. Fcht. Triften,
auf Tussilago nivea.
1093. Bläulich. ☉. 5—6. Geröll
der Fluss-Uler. auf Artemisia
campestris (Regensburg).

Blumenröhre gleichlaufend-weit; Lippe stumpf-
gezähnelt . . . . **minor** Sutt. 1094
°° O berlippe ungespalten; Staubfäden sehr
haarig; Stengel sehr haarig; Kelchzipfel 1—2-
rippig . . . . **Picridis** F. W. Schlz. 1095
B. Blume mit 1 Deckblatt und 2 seitlichen Vorblättern.
a) Blume walzlich, gehogen, mit zu-
gespitzten flachen Zipfeln;
Staubfäden fast kahl . . . **coerulea** Vill. 1096
h) Blume oben erweitert, straff, mit
stumpfen Zipfeln.
Stgl. meist ästig; Blm. klein (bläul.); Narbe
weiss oder bläulich . . . **ramosa** L. 1097
Stengel einfach; Blume gross; Narbe gelb
. . . . **arenaria** Borkh. 1098

359. LATHRAEA L.
Schuppenbltt. breit-eyf.-rundlich **Squamaria** L. 1099

73. Familie. RHINANTHACEAE.

360. TOZZIA L.
Bltt. eyf., spärlich-gezahnt, gegenstd. **alpina** L. 1100

361. MELAMPYRUM L. Schwarzwaizen
A. Blüthenstand gedrängt 4zeilig; Deckblätter zurückgebogen, kammf.-ge-
wimpert . . . . . . **cristatum** L. 1101
B. Blüthenstand schlaff.
a) Gleichseitig; Deckbltt. ey-lanzettl.-zu-

1094. ☉ 6—7. Auf Trifolium
pratense (Rheinpfalz).
1095. = O. pallens Schlz Fl. d.
Pfalz. Weiss-gelblich. ☉ 7.
Steinige Abhänge u. Triften,
auf Picris hieracioides (westl.
Rheinbayern).
1096. Röthlich-blau. ♃. 6—7.
Triften u. Abhänge, auf Achil-
lea Millefolium (hie u. da).
1097. Weisslich und roth-blau.
☉ 7—8. Aecker u. Saatfelder;
auf Hanf, Tabak, Kartoffeln.

1098. Röthlich-blau. ♃. 7—8.
Triften; auf Artemisia campestris (bei Thon- u. Sandboden hie u. da).
1099. Rosenfarben. ♃. 3—4.
Fcht. Laubwälder (hie u. da)
1100. Gelb. ♃. 7—8. Nasse
Felsenabhänge der Alpen und
Voralpen.
1101. Weisslich-gelb, Lippedun-
kel-gelb. ☉ 6—7. Wälder u
Bergwiesen (bes. der Ka.-F.)

*gespitzt, unten 2reihig, getüpfelt; Kelch
rauh, fast so lang als d. Blm.* **arvense** L. 1102
b) einseitswendig;
Kelch rauhhaarig, halb so lang als die Blumenröhre; obere Deckbltt. tief-herzf. (blau)
. . . . **nemorosum** L. 1103
Kelch kahl, obere Deckblätter lanzettförmig;
Kelch ½ so lang als die Blume; obere
Deckblätter am Grund meist mit 2 Zähnen
. . . . **pratense** L. 1104
Kelch so lang als die Blume; obere Deckblätter ganz . . . . **sylvaticum** L. 1105

362. PEDICULARIS L. Läusekraut.

A. Frucht flach, schief-eyförmig.

*a) Oberlippe schnabelf.-verlängert,
gefaltet.*
Kelch laubartig, gekerbt, kahl; Blumen
kurz-gestielt; Staubfäden nach oben haarig; Stengel schaftf. **Jacquini** Koch. 1106
Kelch einfach, 5zahnig, wollbaarig;
Staubfäden kahl; Schnabel sehr schmal;
Stengel beblättert . **incarnata** Jacq. 1107

*b) Oberlippe zusammengeneigt, jeder Zipfel plötzlich in 1 Spitzchen
übergehend.*
Stengel einfach, von unten an Blätter
tragend; Oberlippe in d. Mitte ohne Zahn;
Kelch laubartig, 5zahnig **sylvatica** L. 1108
Stengel vom Grund an ästig; Oberlippe in der Mitte mit 1 Zahn; Kelch
2lippig . . . . . . **palustris** L. 1109

1102. Purpurfarben. ☉ 6—7.
Aecker (Ka.- u. Thon-F.).
1103. Goldgelb, Röhre rostfb.
☉Schattige Wälder (hie u. da).
1104. Gelb, seltener weiss. ☉
6—7. Haide-Wld., feht. Trit.
1105. Goldgelb. ☉ 7—8. Wälder u. Wiesen der höh. Berggegenden und Alpen.

1106. = P. rostrata Jacq. Rosenfarb. ♃. 7—8. Bewässerte
Alpentriften.
1107. Rosenfarb. ♃. 7—8. Fcht.
Alpentriften.
1108. Rosenfarb. ♃. od. ☉ 5—7.
Sumpfige Wiesen n. Hd.Wld.
1109. Rosenfarb. ♃. od. ☉. 5—7.
Sumpfige Ws. u. Teich-Rnd.

c) Oberlippe abgerundet, stumpf.
† *Blume kahl.*
° Unterlippe kürzer als die Oberlippe;
Kelch kahl . . . . **recutita** L.[1110]
°° Unterlippe länger als die Oberlippe.
Obere Blüthen und Blüthenstand wirtelig;
Blattfiedern lanzettförm., verschmelzend
. . . . **verticillata** L.[1111]
Alle Blätter spiralig; Blattfiedern eyf.; Kelch
zottig . . . . . **versicolor** Whlbg.[1112]
†† *Blume wollhaarig.*
Kelch behaart; obere Bltt. noch sehr gross
. . . . **foliosa** L.[1113]
B. Frucht kugelig; Blumenrohr durch d. Ober-
lippe geschlossen; Blttfd. längl.-rund, stumpf-ge-
kerbt; Deckblätter einfach, gross . . . . .
. . . . . . **Sceptrum carolinum** L.[1114]

363. RHINANTHUS L.   Klappertopf, Kletschen.

A. Die Deckbltt. gleichfarbig, oft röthl-
überlaufen; Blumen sehr klein **minor** Ehrh.[1115]
var. mit sehr schmalen Blättern: R. augusti-
folius Gml.
B. Die Deckbltt. ungleichfarbig, blass-
gelbgrün.
a) Kelch einfarbig,
kahl od. etwas flaumig, Samenflügel breiter
als d. Halbmesser des Korns **major** Ehrh.[1116]
var. schmalblätterig.
zottig, Samenflügel schmäler als der Halbmesser des Korns **Alectorolophus** Poll.[1117]

1110. Bräunlich-purpurfarben.
2|. 7—8. Feuchte Wiesen u.
Gräben, Plätze d. höh. Alpen.

1111. Purpurfarben. 2|. 7—8.
Feuchte Wiesen u. Abhänge
der Alpen.

1112. Hellgelb mit rothen Fle-
cken an der Oberlippe. 2|. 6.
In Spalten bewässerter Felsen
u. Geröllabhänge der Alpen.

1113. Hellgelb. 2|. 7—8. Geröll-
Abhänge d. Alpen u. Voralpen.

1114. Gelb, an der untern Lippe
roth. 2|. 6—8. Torfige sumpfige
Wiesen der Alpen u. bayer.
Hochebene.

1115. = Rh. crista galli α L.
Gelb, Zahn der Oberlippe weiss
od. violett. ☉ 5—6. Wiesen.

1116. = Rh. crista galli β L.
Gelb, Zahn der Oberlippe blau.
☉ 5—6. Wiesen.

1117. = Rh. crista galli γ L.
= Rh. villosus Pers. Gelb. ☉
Aecker.

b) Kelch schwarz getüpfelt; ob. Lippe
aufsteigend; Bltt. lanzettf. **alpinus** Bmg. *

364. BARTSIA L.

Bltt. gegenüberstehend, eyförmig (rothgrün) stumpf
gesägt . . . . **alpina** L. 1118

365. EUPHRÁSIA L. Augentrost.

A. Lappen der Unterlippe ausgerandet,
Staubbeutel ungleich geschnäbelt.
a) Blätter eyf., jederseits 5zähnig.
Lappen der Oberlippe auseinanderstehend .
. . . . **officinalis** L. 1119
var. : a) drüsenhaar., Blm. gross weiss : pratensis.
b) Bltt. dornspitzig | mit drüsenlosen abste-
| den Haaren : neglecta.
gezähnt | mit krausen Haaren u.
| bläul. Blm. : nemorosa.
c) Bltt. schwach spitzlich - gezähnt, kraus-
haarig : alpina.
Lappen der Oberlippe zusammengeneigt . .
. . . . **minima** Schl. 1120
b) Blätter lanzettförmig, am Grund
keilförmig, jederseits gleichweit, 2 — 3 zähnig . . . . . **salisburgensis** Fk. 1121
B. Lappen an der Unterlippe ganzrandig,
Staubbeutel gleichmässig, kurz geschnäbelt.
Blm. dicht- flaumig; Staubbeutel durch Woll-
haare verbunden; Lippen aufgesperrt; Griffel
herausstehend . . . . . **Odontites** L. 1122
Blm. bärtig- bewimpert; Staubbeutel kahl, frei,
Staubfäden länger als d. Blumen **lutea** L. 1123

---

* Gelb, Zahn der Oberlippe blau. ⊙ 7—8. Bergwälder d. Alpen; die Var. in Ober-Baden.
1118. Röthlich - violett. ♃. 7—8. Auf sumpfigen Haiden d. bayer. Hochebene u. feuchten Geröll-Abhängen der Alpen.
1119. Weiss. ⊙ 7—8. Wiesen, lichte Wälder, Haiden.

1120. Weiss. Oberlippe bläulich, Unterlippe gelb. ⊙ 7—8. Alpenwiesen.
1121. = E. alpina DC. Weiss. ⊙ 7—8. Wiesen der Alpen und Voralpen.
1122. Rosenfarben. ⊙ 6—10. Feuchte Aecker u. Haiden.
1123. Hochgelb. ⊙ 7—8. Berg-Abhänge (d. Ka.-F. hie u. da).

74. Familie. **LABIATAE·**

a) ÓCYMUM L. Basilikum.

Bltt. entfernt-gezähnt, eyförmig od. olliptisch; hintere Zipfel der Unterlippe des Kelchs kurz zugespitzt . . . . **Basilicum** L.[h1]
Bltt. ganzrandig, eyförmig; hintere Zipfel der Unterlippe d. Kelchs nicht zugesp. **minimum** L.[h2]

b) LAVANDULA L. Lavendel.

Bltt.-länglrd. lineal od. lanzettl., ganzrand. **vera** DC.[h3]

366. MENTHA L. Minze.

A. Alle Blüthenstandquirle mit vollkommenen Blättern unterstützt, oder die oberen ährenförmig-gedrängt aber doch mit Laub-Blättern gestützt.
  a) Kelch bei d. Fruchtreife glockig-krugförmig, mit 3 eckigen Zähnen, welche so lang als breit sind; Bltt. gestielt, d. ob. fast so gross als d. unt. **arvensis** L.[1124]
Formen: a) allenthalben zottig-haarig: vulgaris.
      b) fast kahl: . . . . gentilis Sm.
      c) ganz kahl:. . . . praecox Sch.
  b) Kelch bei d. Fruchtreife röhrig-glockig, mit 3 eckigen lanzettf. zugesp. Z.
Bltt. gestielt, eyförmig-elliptisch mit abstehenden Sägezähnen, nach oben allmälig an Grösse abnehmend **sativa** L.[1125]
Formen: a) die Haare abw. gerichtet: vulgaris.
      b) die Haare fast verschwunden:
        M. rubra Sm. engl. fl.
      c) die Haare überall gerade abstehend:
        M. hirsuta.
      d) Bltt. aufgetrieben runzlig, haarig:
        M. dentata Rth.

---

b1. Weiss. ☉ 7 — 8. Küchengewächs, aus Ost-Indien.
h2. Weiss. ☉ 8... wie voriges.
h3. = L. spica α L. Hellblau. ♃. Trockne Hügel in Süd-Europa; bei uns in Gärten.
1124. Blumen bei allen mehr od. weniger blassviolett. ♃. 7—8. Ufer u. feuchte Aecker.
1125. ♃. 7—8. Ufer der Gräben und Teiche.

e) Bltt. aufgetrieben-runzlig, kahl: M.
dentata Mch.
f) Blm. kaum länger als der Kelch: M.
austrica Jacq.
Bltt. sitzend, lanzettförmig-elliptisch, nach
oben u. unten verschmälert, Sägezähne
scharf, vorwärts gerichtet **gentilis** L.1126
Formen: a) d. Haare abstehend: M. acutifolia Rth.
b) kahl . . . . . M. gracilis Sm.
B. Blüthenstandsquirle ährenf.-endstän-
dig, mit kleinen Stützblättern, nie
von Laub überragt.
a) Blätter gestielt.
Blüthenstandquirle wenig zahlreich, alle od.
die oberen abgerundet kopfförmig-ge-
nähert . . . . . . **aquatica** L.1127
Formen: a) starkhaarig, Bltt. kurz - gestielt:
M. hirsuta L.
b) kahl, nur der Kelch wimperig: M.
citrata Ehrh.
Blüthenstandquirle wenig zahlreich, die obern
kleiner (kegelförmig endend); Kelchzähne
von der Basis an pfriemlich; Deckblätter
der obern Quirle lineal.; Bltt. eyförmig,
gesägt . . . . . **nepetoides** Lej.1128
Blüthenstandquirle zahlreich, ährenförmig-
genähert od. die untern von einander entfernt; Deckbltt. lanzettlich **piperita** L.1129
Formen: a) flaumhaarig: M. Langii Std.
b) kahl: . . . M. officinalis Koch.
c) krausblättrig: M. crispa L.
b) Blätter alle sitzend.
Bltt. wollhaarig, eyf.-rundlich od. eyf., sehr
stumpf gekerbt, sehr steif u. stark berippt;
Deckbltt. eyf. od. lanzettf.; Blthstd. schmal;
Fruchtkelch bauchig **rotundifolia** L.1130

1126. =M. pratensis Koch's Syn.
ed. 1. 1. 2l. 7—8. Ufer u. feuchte
Wiesen.
1127. 2l. 7—8. Ufer u. Gräben.
1128. 2l. 7—8. Gräben u. Ufer,
Teichrd. (Erlangen).

1129. 2l. 7—8. Fluss-Ufer. Angeblich wild an der Laber bei
Regensburg.
1130. = M. rugosa Lam. 2l.
7—8. Gräben u. feuchtes Gebüsch (Rhein- n. Mainthal).

Bltt. filzig-seidenhaarig od. kahl, lanzettf.
ev-lanzettf., bisweilen länglichrund zugespitzt, gezähnt, Deckbltt. lineal-pfriemlich: Blüthenstände mit stumpfem Umriss
endend. . . . . . . **sylvestris** L.1131
Formen: a) die Blätter filzhaarig-flach.

  α) Filz schlaff, dicht {M. sylvestris Willd.
                {M. nemorosa Rchb.
  β) Filz angedr. weiss: M. nemorosa Willd.
  γ) Filz dick, die Blätter oberseits dünn-
    filzig: M. mollissima Borkh.
  b) Bltt. wellig, meist kürzer: M. undu-
    lata Willd. crispa Ten.
  c) flaumhaarig od. fast kahl: M. balsa-
    mea Willd.
  d) kahl: . . M. viridis (auct germ.)
  e) kraus   . . M. crispata Schrd.

367. PULEGIUM Mill. Polei.

Blüthenstandquirle kugelig, alle von einander getrennt: Kelch röhrig, der reife Kelch von 1 Haarkranz geschlossen . . . . . **vulgare** Mill.1132

368. LYCOPUS L. Wolfsminze.

Bltt. eyf.-länglichrund, grobeingeschnitten-gezähnt,
am Grund fiedertheilig. . . **europaeus** L.1133
Bltt. des untern Stengeltheils breit-eyförmig, die
obern lanzettlich, alle bis zur Mittelrippe fiedertheilig . . . . **exaltatus** L.*

a) MONARDA L.

Stützbltt. ellipt.-lanzettf., am Grund lang verschmälert farbig: Kelch farbig, am Schlund fast- die
Blumenkrone völlig kahl . . . **didyma** L.h1

●

1131. ♃. 7—8. Ufer, Gräben,   * Weiss. ♃. 7—8. Ufer (am
feuchtes Gebüsch.   Zusammenfluss vom Main u.
1132. = Mentha Pulegium L.   Rhein).
Blass-violett. ♃. 7—8. Ufer
u. Sumpfplätze (hie u. da).   h1. Scharlachfarben. ♃. Zier-
1133. Weiss. ♃. 7—8. Gräben,   pflanze aus Nordamerika.
Ufer, Wälder.

Stützbltt. lanzettf., kaum gefärbt: Kelch wenig-
farbig, am Schlud rauhhaarig; Blmkr. kahl bis
zottig (klein), Wuchs hoch . . **flstulosa** L. b2

b) ROSMARÍNUS L. Rosmarin.

Blätter lineal, sitzend . . . . **officinalis** L. b3

369. SÁLVIA L. Salbey.

A. Kelchschlund mit einem Haarkranz
oder häutigen Ring.
 Stock holzig: Bltt. elliptisch, diese u. d. jungen
 Zweige weissfilzig . . . **officinalis** L. C
 Stock krautig; Bltt. 3eckig-herzf. ungleich-
 gekerbt: Wirtel kugelig, getrennt: Griffel
 auf d. Unterlippe gelegt **verticillata** L. 1134
B. Kelchschlund nackt.
 a) *Kelchzähne d. Oberlippe äusserst
 kurz.*
  Stengel u. Bltt. klebrig-drüsenhaarig: Bltt.
  herzf. pfeilf., grob-gesägt, flaumhaarig, d.
  obern lang zugespitzt . **glutinosa** L. 1135
 b) *Kelchzähne deutlich, gerade vorgestreckt.*
  Bltt. u. Kelch weisswollig: Bltt. eyf.-herzf..
  ausgebissen gekerbt-gebuchtet, sehr runzlig;
  Kelchz. eyf. dorn-spitzig **Aethiopis** L. 1136
  Bltt. filzhaarig, doppelt gekerbt, d. unteren
  herzförmig, runzlig: Deckblätter farbig:
  Kelchzähne eyförmig, lang-dornspitzig:
  Stengel zottig . . . . . **Sclarea** L. *

---

b2. Purpur - rosenfarben. ♃.
Zierpflanze aus Nordamerika.
(Die Var. wurden zu vielen
Arten gemacht).
h3. Blassblau. ♄. Hügel in Süd-
Europa, bei uns in Gärten.
C. Blassviolett. ♄. 6 — 7. Fels-
Abhänge in Süd-Europa; bei
uns in Gärten. Arzneipflanze.
1134. Blau-violett. ♃. 7 — 8.
Steinige Abhänge u. Triften
(Oberbayern).

1135. Gelb. ♃. 6 — 7. Schattige
Wälder, feuchtes Gebüsch der
Alpengegenden u. Hochebenen.
1136. Weiss. Oberlippe bläulich. ☉ 6 — 7. Haiden, Abhänge. Wegränder (Kehlheim
an der Donau).
* Blassblau. Deckblätter rosenfarben. ☉ 6 — 7. Triften u.
Wegränder (westl. u. süd'
Deutschland).

c) *Kelchzähne klein, zusammennei-*
gend.
Deckbltt. farbig; Stengel beblättert, nebst
d. Unterseite der Blätter sowie der Kelch
weiss-flaumig . . . **sylvestris** L.*
Deckbltt. grün krautig; Stengel wenigblättrig,
nebst den Deckbltt., K. u. Blm. drüsenhaarig
(halb so gross als bei voriger); Blätter
ganz oder 3lappig, runzlig, unterseits
flaumhaarig . . . . . **pratensis** L. 1137

370. ORÍGANUM L. Dosten.
Kelch gleichmässig-5zähnig; Deckbltt. auf d. Innen-
seite drüsenlos; Bltt. eyf.-spitz . **vulgare** L. 1138
Var. in Farbe der Deckbltt., Grösse d. Blü-
thenstandes, Behaarung d. Kelchs u. Stengels.
Kelch 2lippig; Deckbltt. gefurcht, dicht stehend,
Blthstd. ährenf. zu 3; Bltt. elliptisch, stumpf,
beiderseits weiss-filzig . . . **Majorana** L. C1

371. THYMUS L. Quendel.
Bltt. am Rand zurückgerollt, Achselzweige sehr
kurz, blattreich . . . . . . **vulgaris** L. h
var. a) mit schmalen, unterseits weissgrauen
Blättern = Th. tenuifolius Mill.
b) mit breiteren, unterseits blasseren
Blättern = Th. adscendens Bernh.
Bltt. flach, lineal-ellipt. stumpf; Oberlippe ausgerandet eyf.-viereckig . . . **Serpyllum** L. 1139
Form.: a) Stengel 2reihig-haarig: Th. Chamaedrys Fr. Th. citriodorus u. Th.
sylvestris Fl. Erlg.

---

* Violett-blau. Deckblätter
purpurn. ♃. 7—8. Grasreiche
Abhänge, Wegränder.(In Oestreich u. im unteren Rheinthal.)
1137. Dunkelblau, rosenfarben
u. weiss. ♃. 5—7. Trockne
Tritten, Wälder, Wiesen u.
Abhänge (bes. d. Ka.-Form.).
1138. Röthlich. ♃. 7—8. Abhänge u. Gebüschwälder.
C1. Weiss. ☉ u. ♃. 6—7 u.

7—8. Aus Nord-Afrika, bei
uns Küchengewürz.
h. Blassviolett. ♄. 5—6. Fels-
Abhänge in Süd-Europa; bei
uns Küchen- u. Arzneipflanze.
var. a. französicher od. Som-
merthymian(d. offizinelle Art),
b) deutscher oder Winterthy-
mian.
1139. Blassviolett od. weiss. ♄.
7—9. Trit., Abhge, Hd. etc.

b) rauhhaarig: Th. lanuginosus Schrk.
c) allseits haarig, schmalblättrig: Th. angustifolius Pers.

a) SATURÉJA L. Bohnenkraut.

Stengel krautig; Blüthenstand ebenstraussförmig, achselständig, 5 blumig; Blätter lineal-lanzettförmig, stumpf . . . . . . **hortensis** L. c

372. CALAMÍNTHA Mönch.

Schlund des Kelchs mit einem Haarkranz.
A. Blüthen einfach gestielt (6 blumig).
Stock einfach; Kelch bei der Fruchtreife durch
Zähne geschlossen . . . . **Acinos** Clv.1140
Stock ästig; Kelch bei der Fruchtreife offen . .
. . . . **alpina** Lam.1141
B. Blüthen auf gabelästigen Stielen.
a) Blätter stark u. abstehend sägez.
Blthstd. (der Hauptzweige) meist 6blth.; Frucht
kugelig, schwarz . **grandiflora** Mnch. *
*b) Blätter schwach- u. niederliegend
sägezähnig.*
Blthquirle der Hauptstgl. wenig (3—6) blüthig,
obere Kelchzähne vielmal breiter als die untern; Fr. kugelig, braun **officinalis** Mnch. **
Blthquirle der Hauptstgl. viel- (12—15) blüthig;
Kelchzipfel ziemlich gleichgross; Frucht eyf.,
braun . . . . **Nepeta** Clv.1142

C. Blassviolett. ☉ 7—9. Kiesbänke in Süd Europa; bei uns Küchengewürz.
1140. = Thymus... L. Blassviolett. ☉ 6—8. Triften u. Berg-Abhänge (d. Kn.-F.).
1141. = Thymus... L. Blassviolett. ♃. 7—8. Gebüsch-Abhänge der Alpen u. Voralpen mit den Flüssen in die Ebenen.
* = Melissa... L. Rosenfarben.

7—S. Fels-Abhänge der südl. Alpen.
** = Melissa Calamintha L. = Calamintha umbrosa Rchb. Purpurfarben. ♃. 7—9. Gebüsch u. W.Rnd. (Rheinthal).
1142. = Melissa ... L. = Thymus Calamintha Scop. Bläulich-purpurfarben. ♃. 7—8. Fels-Abhänge (Donauthal bei Regensburg und Stadtmauern von Nürnberg).

373. CLINOPODIUM L. Wirbeldosten.

Stengel zottig-haarig; Quirle vielblüthig; Hülle bis
an die Kelchzähne reichend . . **vulgare** L. [1143]

a) MELISSA L. Melisse.

Stengel krautartig, ästig; Bltt. cyf. kerbig-gesägt,
d. untern am Grund herzf.; Blthquirle 1seitig;
Deckblätter eyförmig . . . **officinalis** L. c
var. zottenhaarig: M. romana Mill. (M cordifolia Pers.)

b) HYSSÓPUS L. Ysop.

Blätter lanzettförmig, ganzrandig; Kelchzähne aufrecht, ziemlich gleich . . . **officinalis** L. h

374. NÉPETA L. Katzenminze.

Bltt. ziemlich lang-gestielt, eyf., zugespitzt, gesägt, unterseits weissfilzig; Frucht eyf, braun,
kahl u. eben . . . . **Cataria** L. [1144]
Bltt. ellipt., beiderseits grün; Fr. schwarz **nuda** L. *

374. GLECHÓMA L. Gundelrebe.

Blätter nierenförmig, gekerbt; Kelchzähne eyf.,
⅓ so lang als die Röhre . **hederacea** L. [1145]

376. DRACOCEPHALUM L.

Blätter lineal-lanzettlich, ungetheilt ganzrandig ·
. . . . **Ruyschiana** L [1146]
Blätter lanzettf. gestielt, stumpf tief-gesägt, die Deck-
blätter stacheligsägezähnig . **Moldavica** L. li

1143. Purporfarben. ♃. 7—8.
Gebüsch, Waldränder, Ab-
bänge (besonders d. Ka.-F)

C. Weiss. ♃. 7—8. Waldränder
u. Gebüsch-Abhänge im südl
Tyrol; bei uns als Arznel-
pflanze gebaut.

h. Röthlich-violett oder rosenfarben. ♃. 7—8. Sonnige Fels-
Abhänge in Süd-Europa; bei
uns als Küchen- u. Arznel-
pflanze gebaut.

1144. Weiss-röthlich. ♃. 7—8.

Schutt, an Häusern u. Weg-
Rändern.

* Weiss od. lila. ♃. 7—S. Abhänge, Waldränder (Oestreich
und Schweiz).

1145. Blass-violett. ♃. 4—5.
Gebüsch-Wälder, feuchte lick.
und Wiesen-Ränder.

1146. Violett. ♃. 7—8. Triften
der Alpen u. Berg-Gegenden
(angeblich wild bei Schweinfurt u. Kitzingen).

b. Violett. ☉ 7—S Als Küchen-
pflanze gebaut.

377. MELITTIS L. Waldmelisse.

Blätter eyförmig od. ey-herzförmig, gleichförmig
gekerbt-gesägt; Kelch spärlich flaumhaarig . .
. . . . **Melissophyllum** L.1147

378. LAMIUM L. Taubnessel.

A. Blumenröhre gerade.

Bltt. kreis-nierenförmig, die oberen sitzend umfassend; Oberlippe behaart, Schlund innen
nackt . . . . . . **amplexicaule** L.1148
Bltt. eyf.-dreieckig, die oberen nicht sitzend,
ungleich-gekerbt; Blumen mit einem Haarring
im Schlund . . . . **purpureum** L.1149

B. Blumenröhre gekrümmt.

Haarring u. Einschnürung im Schlund querlaufend;
Bltt. herzf.-3eckig-spitzig **maculatum** L.1150
Haarring u. Einschnürung schief; Blätter herz-
förmig-zugespitzt . . . . . **album** L.1151

379. GALEÓBDOLON Huds. Waldnessel.

Blätter eyf., doppelt gekerbt-gesägt, Endblätter
plötzlich sehr klein . . . . **luteum** Huds.1152

380. GALEOPSIS L. Hanfnessel.

A. Stengel unter dem Blattansatz nicht
verdickt.

Blume weisslich-gelb, ohne violette Zeichnung . . . . . . **ochroleuca** Lam.1153
Blume hellpurpurn; Unterlippe mit 1 gelben
roth gezeichneten Flecken, Oberlippe ganz
od. 2zähnig; Bltt. lanzettf.-eyförmig filzig,

1147. Purpurfarben u. weiss.♃.
7—8. Berg-Wälder (hie u.
da, bes. d. Ka.-F.; aber auch
auf d. Schwanberg im Stei-
gerwald).
1148. Purpurfarben ☉ 3—4 u.
8—10. Aecker, Gartenland.
1149. Purpurfarben. ☉ 3—5 u
8—10. Aecker, Gartenland.
1150. = L. laevigatum L. Pur-

purfarben, Unterlippe lila. ♃.
7 u. 8. Fcht. Gbscn, W.-Rd.
1151. Weiss. ♃. 3—5. u. 8—10.
Gebüsch, Waldränder, Mauern.
1152. = Galeopsis Galeobdolon
L Gelb. ♃. 5—6. Schattiges
feuchtes Gebüsch u. Wälder,
an Felsen.
1153. = G. grandiflora Rth. ☉
7—8. Aecker n. Sandfelder
(hie u. da: westlich).

15

am Stengel eyförmig, an den Aesten ey-
lanzettförmig . . . . . . **Ládanum** L. 1154

var.: a) kleinblumig bei breiten Blättern: intermedia Vill.

b) weissflaumig ohne Drüsenhaare: ca-
nesceus Schult.

c) schmalblättrig (lanzettf. bis linealisch),
Blumen gross, bisweilen aber klein:
angustifolia Ehrh.

B. Stengel unter d. Blattansätzen mehr
od. weniger keulenförmig verdickt.

a) *Oberlippe u. Blumenröhre gelb.*
Stengel steifhaarig, Same eyförmig, braun
gefleckt, keilförmig **versicolor** Curt. 1155.

b) *Oberlippe u. Blumenröhre weiss
od. röthlich.*

† *Stengel steifhaarig.*
Blumenröhre so lang od. kürzer als d. Kelch,
Mittelzipfel der Unterlippe 4eckig, flach,
aderförmig gezeichnet, abgerundet oder
flach ausgerandet . . . **Tetrahit** L. 1156

Blumenröhre kürzer als der Kelch; Mittelzipfel
der Unterlippe länglichrund, ganzrandig,
ohne Zeichnung, an der Spitze ausgerandet
mit umgebogenem Saume **bifida** Bngh. 1157

†† *Stengel flaumhaarig od. nur an den s. g.
Gelenken spärlich steifhaarig.*
Bltt. breit-eyförmig; Blumenrohr länger
als der Kelch; Mittelzipfel flach, 4eckig;
Same eyförmig, braun **pubescens** Bess. 1158

381. STACHYS L. Ziest.

A. Deckblättchen halb- od. so lang als d.
Kelch; Blüthenstandquirle reichblth.

1154. ⊙ 7—S. Aecker. Die
Variet. c) vorzugsweise auf d.
Kalkfeldern der Juragegenden.

1155. = G. Tetrahit β L. Gelb.
Unterlippe mit violetten Mit-
tellappen. ⊙ 7—8. Gebüsch-
Wälder, Fluss - Kiesbänke,
Gräben (in den Voralpen, am
Jura bei Nördlingen).

1156. Blasspurpurfarben. Unter-

lippe mit gelbem Fleck. ⊙
7—8. Aecker, Schutt, Wege.
1157. Rosenfarben. Unterlippe
dunkler. ⊙ 7 — S. Aecker,
Wege, Waldränder (hie u. da).
1158. = G. cannabina Gm. (non
Poll.). = G. versicolor Spenner. Dunkelpurpurn, Röhre
weisslich, oben bräunlich-gelb.
⊙ 7 — 8. Aecker, Wege,
Mauern (hie-u. da).

Stgl u. Bltt. weiss wollig-filzig; die obern Blttr.
sitzend-lanzettförmig . . **germanica** L.1159
Stgl. rauhhaarig, oben drüsenhaarig; die obern
Bltt. gestielt, ey-herzförmig, spitz, kerbig-
gesägt, mit 1 Knorpelspitze; Kelch eyf. abgerundet, Kraut spitzig (farbig) . **alpina** L.1160
B. Deckblättchen klein; Blüthenstandquirle wenig-blüthig.
  a) *Blumen roth od. röthlich.*
    † *Blätter alle gestielt.*
    Eyförmig, zugespitzt . . **sylvatica** L.1161
    Lanzettförmig zugespitzt, Stengel steif-
    haarig . . . . . . **ambigua** Sm.1162
    †† *Blätter fast sitzend,*
    die mittlern lanzettförmig zugespitzt; Stgl.
    steifhaarig mit abwärts gerichteten Haa-
    ren . . . . . . **palustris** L.1163
    die mittleren eyförmig, abgerundet, ge-
    kerbt; Stengel mit abstehenden Haa-
    ren . . . . **arvensis** L.1164
  b) *Blumen gelblich-weiss.*
    Stock 1jährig; Bltt. gestielt, eyf., längl.-
    rund; Blthstdbltt. lanzettf. . **annua** L.1165
    Stock ausdauernd fast holzig; Bltt. längl.-
    rund bis lanzettf., rauhhaarig; Blthstdbltt.
    eyförmig, zugespitzt . . . . **recta** L.1166

382. BETONICA L. Betonie.
Kelch ohne Rippen; Blumenkrone aussen dicht
flaumig . . . . **officinalis** L.1167

1159. Rosenfarben. ☉ 7—8.
Unfruchtbare Aecker, steinige
Abhänge, Wegränder (besonders der Ka.-F.).
1160. Bräunlich-purpurfarben.
♃. 7—8. Gebirgswälder (Ka.-F.
Alpen, im Jura auf dem Hesselberg).
1161. Bräunlich-purpurfarben.
♃. 7—8. Schattige Wälder,
feuchtes Gebüsch.
1162. Dunkel-purpurfarben. ♃.
7—8. Schattige Waldplätze
(hie u. da).

1163. Purpurfarben. ♃. 7—8.
Ufer, sumpfige Wiesen, feuchte
Aecker.
1164. Blassrosenfarben. ☉ 7—9.
Aecker u. Haiden (hie u. da).
1165. Gelblich-weiss. ☉ 7—9.
Steinige Aecker (der Ka.-D.
Thon-F.).
1166. Purpurfarben. ♃. 5—9. Steinige Abhänge
u. Gebüsch (der Ka.-F.)
1167. Purpurfarben. ♃. 7—8.
Gebüsch, Waldwiesen, Haiden.

15*

var.: a) rauhhaarig: B. hirta Leyss. b) Kelch
u. Stengel kahl: B. officinalis Leyss. c) gross,
stark rauh, breitblättrig: B. stricta Ait.
d) sehr breitblättrig u. dichtährig: B. incana. Entfernung der Blüthenquirle varirt sehr.
Kelch oben netzförmig berippt; Blumen kahl,
Lippen aussen zottighaarig **Alopecurus** L.1168

383. MARRUBIUM L. Andorn.

Stgl. weissfilzig, am Grund ästig; Bltt. eyförmig
an den Blattstiel herablaufend; Kelchzipfel pfriemlich an der Spitze zurückgebogen **vulgare** L.1169

384. BALLOTA L. Mauernessel.

Bltt. eyf.; Kelchzipfel eyf., dornspitzig **nigra** L.1170
var.: a) Dornspitze der sehr breiten Kelchzipfel
so lang als diese: B. foetida Lam. b) Dornspitze der eyförmigen Kelchzipfel länger als
diese: B. ruderalis Fr. (vulgaris Lk.)

385. LEONURUS L. Wolftrapp.

Die unteren Blätter handspaltig u. eingeschnitten-
gesägt, die oberen dreilappig ganzrandig; Kelch
kahl; Unterlippe zusammengerollt **Cardiaca** L.1171

a) CHAITURUS Host.

Bltt. einfach, die untern eyförmig zugespitzt, grob-
gesägt, d. ob. lanzetf. **Marrublastrum** Rchb. *

386. SCUTELLARIA L. Helmkraut.

A. Blätter am Grund jederseits mit 1 od.
2 grossen Zähnen.

1168. Blassgelb. ♃. 7—8. Alpentriften.
1169. Weiss. ♃. 7—9. Sandfelder, Schutt, Wegränder,
Mauern (hie u. da).
1170. Roth.violett, bisweilen
weiss. ♃. 7—8. Sandfelder.
Wegränder schattiges Gbsch.,
Hecken.

1171. Rosenfarben. Unterlippe
gelblich. ♃. 7—8. Schutt,
Wege.

* = Leonurus... L. Rosenfarben. ☉ 7—8. Schutt, Weg
ränder (hie u. da; im östl
u. nördl. Deatschland).

LABIATAE. 229

Kelch drüsenflaumhaarig; Blmröhre am Grund
fast rechtwinklig gebogen; Deckblätter abnehmend kleiner . . . . **hastifolia** L.[1172]
Kelch rauhh.; Blumenröhre gerade **minor** L.[1173]
B. Blätter ohne Zahn am Grund, entfernt
stumpf kerbsägig.
Kelch kahl od. etwas flaumhaarig; Blumenröhre
fast rechtwinklig gebogen; Blüthendeckblät-
ter gross . . . . . **galericulata** L.[1174]

387. PRUNELLA L. Brunelle.
A. Die längeren Staubfäden mit einem
dornförmigen Zahn.
Blm. gelblich-weiss; Unterlippe des Kelchs
länglichrund, gerade, einf. berippt; Zähne
kammf., steif-bewimpert; Bltt. meist fiederspaltig (ändert ab mit ungetheilten Blättern) . . . . **alba** Poll.[1175]
Blm. blauviolett; Zähne der Unterlippe des
Kelchs ey-lanzettförmig, schwach bewimpert . . . . **vulgaris** L.[1176]
var. kleinblüthig u. fiederblttr. (P. intermedia).
B. Alle Staubfäden ohne Zahnanhängsel.
Untere Kelchzähne lanzettförmig, gewimpert;
Bltt. gewöhnl. längl.-eyf. **grandiflora** Jacq.[1177]
var. fiederblätterig.

388. AJUGA L. Günsel.
A. Blüthen zu mehreren in Quirlen (blau
od. roth).
a) Stock mit Ausläufern. Bltt. ellipt.,
ausgeschweift od. gekerbt . **reptans** L.[1178]

1172. Violett. ♃. 7—8. Feuchte   1176. Violett, bisweilen weiss.
Wiesen, Gräben, Teichränder   ♃. 7—8. Wiesen, Triften,
(hie u. da).   lichte Wälder.
1173. Violett. ♃. 7—8. Sumpf- 1177. = P. vulg. β L. Violett.
Wiesen u. Gräben (Rheinge-   ♃. 7—8. Steinige Bergabhge
genden).   (der Ka.-F., hie u. da).
1174. Blassviolett. ♃. 7—8.   1178. Blau, bisweilen rosenfar-
Feuchte Wiesen u. Ufer.   ben od. weiss. ♃. 5—6. Wie-
1175. Gelblich-weiss. ♃. 6—7. sen, Triften u. Wälder bis
Steinige Abhänge, Waldrän-   in die Alpen.
der, Felsen (Rheinpfalz).

b) Stock ohne Ausläufer.
Die untern Deckblätter 3lappig bis ganzrandig, die oberen kürzer als die Blume;
Stockblätter meist fehlend od. verwelkt .
. . . . **genevensis** L. 1179
Die untern Deckbltt. geschweift-gekerbt, die
obern länger als d. Blth. **pyramidalis** L. 1180
B. Blüthen einzelständig (gelb). Blumenröhre doppelt so lang als der Kelch; Bltt. 3spal-
tig mit linealen Lappen **Chamaepitys** Schrb. 1181

389. TEUCRIUM L. Gamander.

A. Kelch 2lippig. — Bltt. herz-eyf., kerbig-
gesägt, runzlig, flaumhaarig; oberer Kelchzahn
eyförmig, ungetheilt . . . **Scorodonia** L. 1182
B. Kelch gleichförmig-5zähnig.
a) Blüthenstand traubenförmig.
† *Deckbltt. den Stengelbltt. gleichgestaltet.*
Blätter doppelt fiederspaltig . **Botrys** L. 1183
Die untern Bltt. länglichrund, die obern läng-
lich-lauzettförmig, von der Mitte an ganzrandig, sitzend, gekerbt-gesägt **Scordium** L. 1184
Blätter eyförmig, zugespitzt (klein), unterseits graufilzig . . . . **Marum** L. h
†† *Deckblätter ganzrandig;* Stglbltt. gestielt,
keil-eyförmig eingeschnitten-gekerbt . . .
. . . . **Chamaedrys** L. 1185
b) Blüthenstand kopfförmig. — Bltt.

1179. = A. montana Rchb. Blau,
bisweilen rosenfarben. 24. 5—6.
Sandige Haide-Wälder, Felder, Wegränder der Berggegenden (hie u. da in d. Ka.-
F.: Jura).
1180. Blau. 24. 5—6. Lichte
Waldstellen u. Berg-Triften
(der Alpen-Gegenden, auch
in den Vogesen).
1181. = Teucrium... L. Gelblich-weiss. ☉ 6—9. Aecker
u. Felder (der Ka.-F.).
1182. Weiss-gelblich. 24. 7—8.

Steinige Gebüsch-Abhänge
(hie und da).
1183. Purpurfarben. ☉ 7—8.
Steinige Aecker und Abhänge,
Kiesbänke, Haiden (d. Ka.-F.)
1184. Purpurfarben. 24. 7—8.
Sumpfige Wiesen, Gräben
(hie u. da).
h. Rosenfarben. ☉ 7—8. Zierpflanze aus Süd-Europa.
1185. Rosenfarben. 24. 7—9.
Felsen, steinige Abhge, Wege,
Mauern (besonders d. Ka.-F).

lineal-lanzettförmig, ganzrandig, unter- oder
beiderseits weissflaumig . **montanum** L. 1186

74. Familie. VERBENACEAE.

390. VERBÉNA L. Eisenkraut.

a) Wildwachsend.
Blthstd. ästig, ährenförmig; Bltt. eyf.-länglrd.
3spaltig, geschlitzt-gekerbt **officinalis** L. 1187
b) Gartenpflanzen.
Blthstd. ebenstraussförmig; Stgl. stielrund, Bltt.
länglich-lanzettförmig eingeschnitten - gesägt,
beiderseits rauhhaarig . **Melindres** Gill. h1
Blthstd. traubig-ährenförmig; Stgl. scharf rauh;
Bltt. eyförmig, 3spaltig eingeschnitten-gezähnt,
ziemlich kahl . . . . . . **Aubletia** L. h2

a) LIPPIA L.
Blätter zu 3 quirlig, lanzettf., ganzrandig-scharf;
Blthstd. ährenf, quirlig-rispig **citriodora** Kth. h3

b) LANTÁNA L.
Blätter gegenständig, eyf.-runzl., gekerbt, unterseits wollhaarig; Blüthenstand kopfförmig; Aeste
meist ohne Stacheln . . . . . **Camara** L. h4

c) CLERODENDRON R. Br.
Blätter (gross) herzf., gezahnt, flaumhaarig; Blüthenstand ebenstraussförmig **fragrans** R. Br. h5

1186. Gelblich-weiss. ♃. 7—8.
Steinige Abhänge u. Triften
der Gebirgsgegend. (d. Ka.-F.)

1187. Blass-violett. ☉. 6—9.
Haiden, Mauern, Wege.

h1. Scharlachroth. ♃. Zierpflanze aus Süd-Amerika.

h2. Purpurfarben u. var. = V.
chamaedrifolia Hort.☉. Zierpflanze aus dem südl. Nord-
Amerika.

h3. = Verbena triphylla l'Her
Weiss „Zitronenkraut". Topf-
zieratrauch aus Süd-Amerika.

h4. Anfangs gelb, dann rothgelb. Topfzierstrauch aus S.-
Amerika.

h5. Hellpurpur und weissl. =
Volkameria japonica Jacq. ♄.
wohlriechend, Topfzierstrauch
aus Japan.

75. Familie. LENTIBULARIEAE.

391. PINGUICULA L. Fettkraut.

Bltt. ellipt.-zungenf., am Rand umgebogen, grundstd
Sporn der Blume keilf.; Frucht zugespitzt, geschnabelt . . . . **alpina L.** 1188
Sporn der Blume pfriemlich; Frucht eyf., abgerundet . . . . **vulgaris L.** 1189
  Varirt sehr in der Grösse der Blumen; gross:
  P. leptoceras Rchb.; klein: P. gypsophila Wall.;
  ebenso var. sehr in der Grösse der Bltt.: P. longifolia Ram.

392. UTRICULARIA L. Wasserschlauch.

A. Blätter 2zeilig; Lappen dornspitzig ge-
zahnt; Sporn an der Unterlippe angedrückt;
Fruchtstiel aufrecht . . **intermedia** Hayne. 1190
B. Blätter nach allen Seiten gerichtet.
Blattlappen entfernt-feindornig; Unterlippe mit
aufgeblasenem Gaumen; Staubbeutel verwachsen
. . . . **vulgaris L.** 1191
Blattlappen kahl; Sporn sehr kurz; Fruchtstiel
herabgebogen;
Unterlippe flach ausgebreitet, fast kreisrund
. . . . , . . **Bremii** Heer. *
Unterlippe an der Seite zurückgeschlagen, ey-
förmig . . . . **minor L.** 1192

76. Familie. PRIMULACEAE.
393. TRIENTALIS L. Siebenstern.

Blätter über der Mitte der Stengel fast wirtelig,
verk-eyf.-ellipt., unters. graugrün **europaea L.** 1193

1188. Weiss. ☉ 4—5. Schwammige Wiesen der Alpen und
Voralpen (auch auf den Mösern u. Kiessbänken).
1189. Violett. ♃. 4—6. Schwammige Torfwiesen.
1190. Hellgelb, Oberlippe und
Gaumen mit purpurnen Streifen. ♃. 7—8. Stehende Wasser u. Gräben (hie u. da).
1191. Dunkelgelb, Gaumen mit

rothgelben Streifen. ♃. 6—8.
Stehende Wasser.
* Hellgelb, Gaumen braun gestreift. ♃. 8—9. Sümpfe,
Teiche und Gräben.
1192. Blassgelb, Gaumen rostfarben gestreift. ♃. 6—8.
Sümpfe u. Gräben (hie u. da).
1193. Weiss. ♃. 5—7. Schattige
Bergwälder (des Jura: Hesselberg, Hetzles u. Fichtelgebirg).

394. LYSIMÁCHIA L. Weiderich.

A. Blüthenstand in achselständigen, gestielten dichten Trauben, welche kürzer als die Tragblätter sind; Blätter lanzettf., zu 3—4 in Quirlen . **thyrsiflora** L.1194
B. Blüthenstand rispig-endständig.
Blüthenstiel aufrecht; Blmblattzipfel zugespitzt, am Rand kahl, 5 Staubfäden bis zur Mitte verwachsen; Blätter eyförmig oder elliptisch, meist zu 3 stehend . . . . **vulgaris** L.1195
C. Blüthen einzelständig; Stengel niederliegend.
Blätter herzf., fast kreisrund; Blüthenstiel kürzer als die Blätter; Kelchblätter herzförmig
. . . . **Nummularia** L.1196
Blätter eyf. oder etwas herzf., zugespitzt; Blüthenstiel länger als die Blätter; Kelchblätter lineal-pfriemlich . **nemorum** L.1197

395. ANAGALLIS L. Gauchheil.

Stengel niederliegend; Blumenbltt. gekerbt, kleindrüsig-bewimpert (roth); Kelch so lang als die Frucht . . . . **arvensis** L.1198
Stengel ziemlich aufrecht; Blumenblätter gekerbt, fast ohne Drüsenhaare (blau); Laubblätter mehr zugespitzt; Kelch länger als d. Fr. **coerulea** L.1199

396. CENTUNCULUS L.
Bltt. wechselständig, eyf.-zugespitzt **minimus** L.1200

397. ANDRÓSACE L. Mannsschild.
A. Blüthen einzelständig, sehr kurz ge-

1194. Gelb. ♃. 6—7. Teichufer, Sümpfe, Gräben (hie u. da).
1195. Goldgelb. ♃. 6—7. Sümpfe, Waldbäche, Ufergebüsch.
1196. Hellgelb. ♃. 6—7. Gräbenränder, sumpfige Wiesen und Wälder.
1197. Hellgelb. ♃. 6—7. Schattige Gebüschwälder bei lockerem Humus.

1198. = An. phoenicea Lam. Hellroth. ☉ 6—10. Aecker, Weinberge, Gartenland.
1199. Hellblau. ☉ 6—10. Aecker, Gartenland (besond. d. Ka.-F. hie und da).
1200. Weiss-röthlich. ☉ 6—7. Feuchte Aecker, Tritten und Haidewälder (der Ki.-F.)

stielt; Blätter dicht aufeinander gelegt, rauh
durch abwärts stehende Haare **helvetica** Gaud. 1201
B. Blüthenstand doldenförmig.
a) Stock ästig (Blätter ganzrandig).
  Stengel, Dolde u. Blattränder zottig (von ge-
  gliederten Haaren); Bltt. lanzettf, d. grundständigen ausgebreitet; Blthstiel kürzer als
  die Hüllblättchen **Chamaejasme** Host. 1202
  Stengel, Doldenstiel u. Blattränder flaumig
  (von sehr kurzen Sternhaaren); Blthstiele
  länger als d. Hüllblättch. **obtusifolia** All. 1203
  Stengel, Doldenstiele u. Kelch kahl; Blätter
  lanzett-lineal, kahl oder am Rand spärlich
  bewimpert; Blüthenstiel lang; Blumenkrone
  länger als der Kelch . . . . **lactea** L. 1204
*b) Stock einfach, oberwärts ästig;
  Blätter gezähnt.*
† *Schlund durch Vorsprünge verengert; Sten-
  gel sternhaarig-flaumig.*
  Kelch länger als die Blume **elongata** L. 1205
  Kelch kürzer als d.Blm. **septentrionalis** L. 1206
†† *Schlund nicht verengert* (Vorspr. aufrecht)
  Kelch länger als d. Blume (reif sehr gross);
  Stengel zottig . . . . . **maxima** L. 1207

398. PRIMULA L. Schlüsselblume.

A. Blattfläche in den Blattstiel verschmälert.

*a) Hüllblätter mit sackf.-verdick-
  tem Grund.*

1201. = A. bryoides DC. = Dia-
pensia...L. Weiss, Schlund
gelb. ♃. 7—8. In Felsspalten
der höchsten Alpen.
1202. = A. villosa Jacq. Weiss,
im Schlund gelb. ♃. 6—8.
Felsen der Alpen u. Voralpen.
1203. = And. Chamaejasme.
Wulf. Weiss oder röthlich,
Röhre gelb. ♃. 6—7. Felsen
der höchsten Alpen.

1204. Weiss, am Schlund goldgelb. ♃. 7—8. Felsen d. Alpen.
1205. Weiss, Schlund gelb. ☉
7—8. Sonnige Hügel, Haiden
u. Sandäcker (hie u. da).
1206. Weiss, Schlund gelb. ☉
5—6. Sand. Aecker (Würzbg).
1207. Weiss od. röthl. ☉ 4—5.
Aecker u. Felder (Rheinpfalz).

Bltt. eyf.-längl., stumpf-gekerbt, kahl, unters. mehlig; Kelchzpf. eyf. **farinosa** L.1203
*b) Hüllblätter aus eyförmiger Ba-
sis pfriemlich.*
† *Blätter runzlig.*
° Blüthenstengel sehr kurz; Haare länger als
der Durchmesser der ersteren, Blmzpf. flach
. . . . **acaulis** L.1209
varirt mit **2—3** blüthigen Blüthenstengeln.
°° Blüthenstengel lang; Blumen trichterförmig.
Haare der Blüthenstiele so lang als d. Durchmesser der ersteren, Zipfel der Blumenblätter flach . . . . . **elatior** Jacq.1210
Haare der Blüthenstiele sehr kurz, sammet-
artig; Zipfel d. Blumenblätter ausgehöhlt-
glockig . . . . . . **officinalis** Jacq.1211
†† *Blätter eben,* kahl, keilf., nach vorn abgestutzt, kerbig, stachelspitzig; Blüthenstengel 1—2 blüthig; Hüllblätter so lang als
der Kelch . . . . **minima** L.1212
c) Hüllblätter eyf.-abgerundet, kurz.
Blätter eben, schmal, verk.-eyf., schwach-
sägezähnig, am Rand mehlig u. wimperig;
Schlund der Blume mehlig; Staubfäden der
kurz-griffeligen Blumen am Schlund eingefügt . . . . **Auricula** L.1213
B. Blattfläche plötzlich erweitert; Stiel
walzlich, deutlich.

1208. Hellroth-violett. ♃. 6—8.
Torf-Wiesen u. Sümpfe der
Ebenen u. Berggegenden (in
den Alpen u. oberbayr. Hochebenen, aber auch im Ries,
dann in Franken bei Ansbach,
Würzbg. Schweinfurt u. s. w.).
1209. = Pr. hybrida Schrk. bayr.
Flora. Hellgelb. ♃. 3—4. Fcht.
Haiden der Alpengegenden bis
an die Donau.
1210. = P. veris β L. Hellgelb.
♃. 4. Feuchte Waldwiesen.
In Gärten mit braunpurpurfb.
Saum der Blumenkrone und
andern Varietäten.

1211. = Pr. veris α L. Goldgelb mit gelbrothen Tupfen
am Schlund. ♃. 4—5. Feuchte
Wiesen und Wälder.

1212. Rosenfarb., seltener weiss.
♃. 7—8. Feuchte Felsenabhg.
der Alpen.

1213. Blassgelb. ♃. 4—5. Fcht.
Felsenspalten d. Alpen (8—9),
auf der bayer. Hochebene in
den Mösern; allenthalben in
den Gärten cultivirt u. hier
in der Färbung der Blumen
mannigfach abweichend.

Blattfläche eyrund-herzf., gelappt, rauhflaumig;
Blüthenstand quirlförmig **chinensis** Lindl. ʰ

399. HOTTONIA L.

Blüthen in Quirlen; Blumenkrone länger als der
Kelch; Bltt. quirlständig, kammförmig - fiederspaltig . . . . **palustris** L.1214

400. CORTUSA L.

Blätter lang-gestielt, rundl.-herzf., eingeschnitten-
lappig . . . . **Matthioli** L.1215

401. SOLDANELLA L. Drottelblume.

A. Schlund der Blumen ohne Schuppen
zwischen den Staubfäden; Blüthenstd.
meist einzelblüthig.
Blätter herz-nierenförmig; Blüthenstiele drüsig-rauh; Staubbeutel am Grunde gespitzt
. . . . **pusilla** Bmg. *
Blätter kreisf., in den Blattstiel verlaufend;
Blüthenstiel drüsig, flaumig, Staubbeutel am
Grunde rund . . . **minima** Hpp.1216
B. Schlund der Blumen mit 5 Schuppen
zwischen den Staubfäden; Blüthenstd.
meist 2—4blüthig.
Bltt. herzf.-rund; Blüthenstiel drüsenflaumig
. . . . **montana** Willd.1217
Blätter nierenf.-rund; Blüthenstiel drüsig-rauh
. . . . , ... **alpina** L.1218

402. CYCLAMEN L. Erdscheibe.

Bltt. herzf.-rundl., geschweift oder stumpf-gekerbt
. . . . **europaeum** L.1219

---

b. = Auganthus praenitens Lk.
Rosenfb. ♃. Zierpfl. aus China.
1214. Weiss-röthlich. ♃. 5—6.
Sümpfe u. stehende Wasser
(hie und da).
1215. Hellroth-violett. ♃. 5—6.
Bewässerte Felsenabhänge u.
Ränder d. Giessbäche d. Alpen.
* Röthlich-violett. ♃. 5—7. Nasse
Abhänge der höchsten Alpen.

1216. Blass-lila, innen purpur-
gestreift.♃.6—7. Nasse Felsenabhg. der Alpen und Voralpen.
1217. Hellblauviolett. ♃. 5—7.
Torfige schwammige Wiesen
der Alpen und Voralpen.
1218. Röthl.-violett. ♃. Feuchte
Abhänge der Alpen.
1219. Rosenfarb.♃.8—10.Berg-
Wälder d. Alpen u.Voralpen.

403. SÁMOLUS L. Pungen.

Bltt. eyf.-länglrd., abgerundet; Deckblätter an die
Mitte der Blüthenstielchen hinangedrückt . . .
. . . . **Valerandi** L.1220

404. GLAUX L. Milchkraut.
Blätter lineal-lanzettl bis oval, eingedrückt-ge-
tüpfelt (dickl.), die unt. gegenstd. **maritima** L.1221

77. Familie. GLOBULARIEAE.

405. GLOBULARIA L. Kugelblume.
A. Stengel krautig.
Blüthenstengel beblättert; Stockblätter spatelf.-
ausgerandet oder kurz 3zähnig, Stengelblätter
lanzettförmig . . . . . . **vulgaris** L.1222
Blüthenstengel blattlos; Stockblätter länglichrd.,
keilförmig-abgerundet . . **nudicaulis** L.1223
B. Stengel holzig, niederliegend.
Blätter nach unten keilf.-verschmälert, an der
Spitze sehr stumpf oder 3zahnig-ausgerandet
. . . . **cordifolia** L.1224

78. Familie. PLUMBAGINEAE.

406. STÁTICE L. Grasnelke.
Blätter lineal, spitz, gewimpert; äussere Hüllbltt.
zugespitzt, die innern abgerundet, krautspitzig
. . . . **elongata** Hoffm.1225
Blätter lineal, abgerundet, äussere Hüllblätter abgerundet, krautspitzig, die innern stumpf, ohne

---

1220. Weiss. ♃. 6—8. Feuchte
Triften u. Gräben. (Rheingegenden; nach Sehrank-auch
bei Reichertshofen bei Ingolstadt).

1221. Rosenfarb. ♃. 5—6. Salz-
getränkte Wiesen in d. Nähe
von Salinen.

1222. Hellblau. ♃. 5—6. Trockene
Abhänge u Felsen der Ge-

birgsgegenden; Jura u. bayer.
Hochebene (Ka. F.).

1223. Violett. ♃. 5—7. Felsige
Abhänge der Alpen, mit den
Flüssen bisw. in die Ebene.

1224. Blau. ♃. 5—6. Geröllabhänge der Alpen u. steinige
Tritten der Hochebene.

1225. = St. Armeria L. fl. suec
Rosenfarb. ♃. 5—9. Sandige
Haiden u. Abhg. (der Ki.-F.)

Krautspitze mit vor der Spitze verschwinden-
der Rippe . . . . . . **purpurea** Koch. 1226

79. Familie. **PLANTAGINEAE·**

407. **LITTORELLA L.** Ströndling.
Bltt. lineal, einrippig, unten scheidig **lacustris** L. 1227

408. **PLANTAGO L.** Wegerig.
A. Blätter stockständig, ungetheilt.
  a) Blätter lanzettförmig his lineal.
    † *Blumenröhre kahl.*
    Deckblätter sehr stumpf, trockenhäutig, mit
    krautiger Mittelrippe; Blüthenstengel eben-
    rund . . . . . . **montana** Lam. 1228
    Deckblätter eyf. zugespitzt, ganz häutig;
    Blüthenstengel gefurcht **lanceolata** L. 1229
    varirt kopfig-wollig.
    †† *Blumenröhre flaumhaarig.*
    Blattrippen gleichweit voneinander; Aehre
    lang, 8—16 mal so lang als breit; Kapsel
    länglich-eyförmig . . . **maritima** L.*
    Blattrippen ungleich weit gestellt, die seitl.
    näher am Rand als an der Mittelrippe;
    Aehre 6—8 mal so lang als breit; Kapsel
    breit-eyförmig . . . . . **alpina** L. 1230
  b) Bltt. eyförmig his länglich-rund.
    Blüthenstengel wenig länger als die kahlen
    Blätter; Blüthenstand 20—30 mal so lang als
    breit; Kapsel 8—12 samig . . **major** L. 1231
    varirt mit sehr langem Blthstgl: P. procera.
    Blüthenstengel viel länger als die haarigen

1226. Dunkelrosenfarb. ♃.7—8.
Sumpfige Wiesen u. Triften
(Memmingen).

1227. Weiss·röthlich. ♃. 6—8.
Flache sandige Ufer d. Teiche
(hie u. da: Erlangen).

1228. = P. atrata Hpp. Weisslich. ♃. 7—8. Triften d. Kalk-
Alpen.

1229. Weisslich. ♃. 5—9. Triften und Wiesen.
* Weisslich. ♃. 7—9. Salzge-
tränkte Wiesen u. Alpenabhg.
1230. Weisslich. ♃. 5—7. Alpentriften; die Var. auf Salzboden: bei Kissingen.
1231. Schmutzig-weiss. ♃.7—9.
Triften, Wegränder bis in
die Alpen.

Blätter; Blüthenstand 6—12 mal so lang als
breit; Kapsel 1—2 samig . . **media** L.[1232]
B. Blätter stengelständig, gegenständig;
Stengel ästig, krautig, vordere Kelchbltt. schief,
spatelförmig, abgestutzt, die hinteren lanzettf.
arenaria L.[1233]

3. Classe. **Blumenblattlose.**

(Apetalae s. Monochlamydeae.)

Familie **NYCTAGINEAE.**

a) MIRABILIS L. Wunderblume.

Blätter gegenständig, gestielt, herzf.-eyrund; Blüthen einzelnständig oder gehäuft; Hülle kelchf.,
5spaltig . . . . - . . **Jalapa** L.[b]

80. Familie. **AMARANTACEAE.**

409. AMARÁNTUS L.[*])

A. Mit 3 Staubfäden in den Blüthen.
Blüthenhäufch. alle von einem gr. Laubblatt gestützt, der Hauptstengel aufrecht; Bltt. rhombisch, am Rand wellig, an der Spitze nicht
ausgerandet; Deckblättch. so lang als d. Blth.
. . . . **sylvestris** Dsf.[1234]
Blüthenstand unten mit gr. Bltt. gestützt, oberwärts ohne Blätter, alle Stengel niederliegend,
kahl; Blätter eyf..rhombisch, sehr abgerundet
oder ausgerandet; Deckblättch. kürzer als die
Blüthe . . . . **Blitum** L.[1235]
B. Mit 5 Staubfäden; Blüthenknäulchen
ährig beisammen.
Stengel u. Blüthenstand (blassgrün) aufrecht,
haarig; Bltt. eyf.-verschmälert, abgerundet;

1232. Weiss. ♃. 5—7. Wiesen
u. Triften, bis in die Alpen.
1233. Gelblich-weiss. ☉ 7—8.
Sand-Haiden (hie u. da, an d.
Regnitz u. Rheingegenden).
h. Weissroth. ☉ Zierpflanze
aus Süd-Amerika.

*) NB. Nicht Amaranthus.
1234. Grünlich. ☉ 7—8. Gartenland, Wegränder, Schuttstellen (Rheingegend).
1235. = A. viridis Poll. Grünlich. ☉ 7—8. Schutt, Weg-
ränder (hie und da).

344

Deckblättch. nochmal se lang als d. Blume,
dornspitzig . . . . . **retroflexus** L. 1236
Stengel u. Blüthenstand überhängend (roth);
Blätter lanzett-eyförmig . . **caudatus** L. h1

a) GOMPHRENA L.
Stengel aufrecht, behaart; Bltt. ey-lanzettf., ganzrandig, behaart; Blüthenstand kopff. **globosa** L. h2

b) CELOSIA L.
Blüthenstand traubenf., pyramidal (oder durch Ver-
wachsung flach, am Rand wellenf.); Bltt. ellipt.,
eyf.-lanzettl.; Stiel rund, gestreift **cristata** L. h3

81. Familie. **CHENOPODEAE.**

410. SALSOLA L. Salzkraut.
Wuchs sparrig-ästig; Bltt. pfriemlich, dornspitzig,
abstehend; Blüthen einzeln, achselständig; Fruchtdecke knorpelig, ohne Rippe . . . **Kali** L. 1237

411. SALICORNIA L. Glasschmalz.
Stengel krautig, gegliedert; Blüthen zu 3en; Blume
3eckig-gestellt . . . . . . **herbacea** L. 1238

412. CORISPERMUM L. Wanzensame.
Flügel des Samens gezähnelt, an der Spitze ausgerandet, 2spitz.; Bltt. lineal **Marschallii** Stv. 1239

413. POLYCNEMUM L. Knorpelkraut.
Blätter starr, 3kantig, pfriemenförmig.
Deckbltt. kaum so lang als d. Blm. **arvense** L. 1240
Deckbltt. länger als die Blume **majus** A. Br. 1241

1236. = A. spicatus Lam. ⊙
7—8. Schutt, Wegränder (hie
und da).
h1. Roth. ⊙6—9. Gartenpflanze
aus Asien „Fuchsschwanz".
h2. Deckblätter violett od. weiss-
röthlich. ⊙ 5—10. Garten-
pflanze aus Indien „Rothe Im-
mortellen",
h3. Roth oder gelblich. ⊙6—9.
Zierpflanze aus Indien „Hah-
nenkamm".
1237. Grün-röthl. ⊙7—8. San-

dig- salzige Haiden (Rheingegenden).
1238. Weiss-grünlich. ⊙ 8—9.
Salzige Triften.
1239. = C. squarrosum L. Grün.
⊙ 7—8. Sandhaiden (der
Rheinfläche).
1240. Weiss-grünlich. ⊙ 7—8.
Sandige Aecker und Haiden
(hie n. da in d. Ki.-F.)
1241. Grünlich-weiss. ⊙ 7—8.
Sandige Aecker und Wege
(Rheinthal).

414. KOCHIA Roth.

Rauhhaarig; Bltt. pfrieml.-fadenf., unterseits mit
einer Rinne; Blüthen zu 3, Anhängsel d. Fruchtdecke ungleich-gross, rhombisch **arenaria** Rth. *

415. CHENOPODIUM L. Gänsefuss, Molden.

I. Stengel und Blätter nicht haarig, aber
   mehlig oder kahl.

A. Blume bei der Fruchtreife zusammengeneigt.
   *a) Blätter am Stiel herzf., buchtig-
      gezahnt, mit vorgezogenen Lap-
      pen;* Same grubig; Blüthenstand gabelig,
      doldentraubig . . . . **hybridum** L. 1242
   b) Bltt. in d. Blattstiel verschmälert.
   † *Blüthenstandzweige ohne Blätter.*
      ° Samen matt, gekielt,
         Blätter glänzend, rhombisch-eyf., buchtig-
         gezahnt; Blüthenstand ebenstraussförmig
         . . . . **murale** L. 1243
      °° Samen glänzend.
      α Blätter ohne auffallenden Geruch.
         Blätter lanzettl.-rautenförmig bis dreieckig;
         Samen glatt.
         Zähne vorwärts-stehend, an den oberen
            Blättern fehlend; Blüthenstand knäuelig,
            unterbrochen, ährig . . **album** L. 1244
            var. a) mit ährenf.-gestellten Blthknäulen.
              b) mit ebenstraussartig - gestellten
                 Blüthenknäulen.
         Zähne dreieckig, gerade abstehend; Blü-
            thenstand knäuelig-ährig **urbicum** L. 1245

---

* Weiss-grünlich. ☉5—7. Sandige Haiden (Rheinthal).
Alle Chenopodien haben grüne,
weisslich gerandete Blumen.
1242. ☉ 7—8. Schutt, Dün-
gerhaufen, Mauern.

1243. ☉ 7—9. Schutt, an Bauern-
häusern und Wegrändern.

1244. ☉ 7—9. Aecker, Gartenland, Schuttstellen d. Var. a)
= Ch. album L., d. Var. b)
= Ch. viride L.
1245. ☉ 8—9. Aecker u. Gartenland, Hofräume u. Wege
in Dörfern, d. Var. a) = me-
lanospermum Wallr. b) = intermedium M. u. K.

16

var. a) mit kurzen Zähnen, gewöhnlich.
    b) mit vielen und langen Zähnen;
    Blüthenstd. dicht-straussförmig
Blätter mehr oder weniger dreilappig.
Mittel- und Seitenlappen fast gleich-gross,
    breit; Samen glatt **opulifolium** Schrd.[1246]
Mittellappen sehr gross, vorgezogen, schmal;
    Same eingestoch.-getüpf. **ficifolium** Sm.[1247]
β Pflanze widrig-riechend; Bltt. rhombisch,
    ganzrandig, mehlig . **foetidum** Lam.[1248]
†† *Blüthenstandzweige reichlich heblättert;*
Stengelblätter lanzettf., entfernt-gezahnt, un-
    terseits drüsig . . . **ambrosioides** L.[1249]
B. Blume bei der Fruchtreife auseinan-
    derstehend.
Blätter ganzrandig, stachelspitzig, ganz kahl;
Blüthenstand blattlos; Samen glänzend
    . . . . **polyspermum** L.[1250]
var. Blüthenstand a) doldentraubig; Stengel
    niederliegend; Bltt. stumpf: polysp, vulgare.
    b) ährentraubig; Stengel mehr oder wen.
    aufrecht; Blätter spitz: acutifolium.
II. Stengel flaumhaarig-drüsig.
Blätter fiederbuchtig; Blüthenstand verlängert-
    dolden-straussförmig . . . , **Botrys** L.[1251]

416. BLITUM L. Erdbeerspinat.

A. Blume bei der Frucht-Reife saftig-
    fleischig.
Blätter spiessf., am Grund wenig-gezahnt;
Blüthenstand oben ohne Stützblätter; Samen
    kantig-gerandet . . . . **capitatum** L. *
Blätter dreieckig, tief-gezahnt; alle Blüthen-

1246. ⊙ 7—9. Abhänge, Weg- | 1250. ⊙ 7—9. Gartenland, Schtt,
ränder, Schutt (hie u. da). | Wegränder, Fluss-Kiessbänke.
1247. = Ch. viride Curt. ⊙ | 1251. ⊙ 7—8. Schutt, Fluss-
7—8. An Gräben, Häusern in | Kiessbänke (hie u. da).
Dörfern (Rheinthal). | * Reife Blüthendecke roth. ⊙
1248. = Chenopodium Vulvaria | 7—8. Gartenland u. Schutt,
L. ⊙ 7—9. Wegränder, Schtt, | südl. vom Gebiete. bei uns
Düngergräben. | wie d. folg. zuweilen Garten-
1249. ⊙ 6—7. Gartenland, Fluss- | flüchtling.
Kiessbänke (hie u. da).

standknäule mit Stützblättern; Samen mit
stumpfem Rand, auf der einen Seite gerinnelt . . . . **virgatum** L.**

B. Blume bei der Reife nicht saftig.

  *a) Blüthenstand endständig, nur am
  Grund beblättert,* übrigens nackt; Bltt.
  3eckig, pfeilf., ganzrdg. **bonus Henricus** L. 1252

  *b) Blüthenstand vorzugsweise ach-
  selständig: Stützblätter his fast
  zum Gipfel vorhanden.*
    Blätter dreieckig-rhombisch (glänzend), buch-
    tig-gezahnt, mit lanzettförmigen Zipfeln
    . . . . **rubrum** Rchb. 1253
      varirt wenig-zahnig: Ch. botryodes Sm.
    Blätter elliptisch, entfernt buchtig-zahnig,
    unterseits matt-grau . **glaucum** Koch. 1254

a) BETA L. Mangold.

Wurzel einen einfachen Stengel treibend; Blätter
  eyf.-stumpf. etwas herzf.; Narbe eyf. **vulgaris** L. C1
    var. a) Wurzel walzlich, hart: B. Cicla **L.**
      und hat Abarten mit flachen oder bla-
      sigen Blättern, jede mit weissen oder
      farbigen Blattrippen verschieden;
    b) Wurzel fast kugelig, fleischig: B. vul-
      garis Mill., ändert ab besonders in
      Farbe der Wurzel.

b) SPINACIA L. Spinat.

Blätter länglich-rund-eyf.; Frucht ohne Höcker
  . . . . **inermis** Mnch. C2

** Blume bei der Reife roth.
  ⊙ Gartenland, Wegränder,
  Süd-Europa.

1252. = Chenopodium . . . . L.
  Grün. ⁊. 5—8. Wegränder,
  Dungstätten, Schutt.

1253. = Chenopodium . . . L. ⊙
  7—9. Schuttstellen, an Häusern u. Gräben u. Wegen in
  Dörfern (hie und da).

1254. = Chenopodium . . . L. ⊙
  7—9. An Gräben u. Pfützen
  in Dörfern.

C1. Einheimisch am Mittelmeer.
  ⊙ oder ⊖, je nach der Cultur: a) als Gemüsepflanze:
  „Mangold"; b) als Runkel-
  rübe, Rahne, Kaffeerübe.

C2. = Sp. oleracea ⁊ L. ⊙ v.
  ⊖ 5—6. Sommerspinat; Gemüsepflanze.

16*

211 CHENOPODEAE.

Blätter unten beiderseits spiessf.-zahnig; Frucht
mit Höckern . . . . . . **spinosa** Mnch. C3

417. ATRIPLEX L. Melde.

A. **Blume der Griffelblüthen bis auf die
Basis 2theilig.**

*a) Blätter nahe an der Basis am
breitesten*, mehr oder weniger gerade
abgeschnitten oder pfeilförmig;

† *Fruchtdeckenklappen häutig, netzrippig,
ganzrandig*; Bltt. beiderseits matt od. oben
3eckig, fast ganzrandig . **hortensis** L. C4
Bltt. oberwärts glänzend, unterseits mehlig,
stark-gezahnt . . . . . **nitens** Reb. *

†† *Fruchtdeckenklappen krautig, auf dem
Rand und Rückenfläche gezahnt* (Tragbltt.
auch noch spiessförmig) **latifolia** Whlbg. 1255
var. schuppig-graugrün: A. lat. salina.

*b) Blätter an der Basis breiter, aber
von da allmählich in den Blattstiel
übergehend, auch meist viel schmäler als in a.*
Blthstandzweige reich-beblättert, im fruchtr.
Zustande steif; untere Aeste sparrig; Bltt.
lanzettf.; Fruchtdecke 3 oder mehrzahnig,
spiessförmig . . . . . . **patula** L. 1256
Blüthenstandzweige wenig beblättert, im
fruchtr. Zustande schlaff, hängend; Aeste
aufrecht; Bltt. ey.-lanzettf.; Fruchtdecke
ganzrandig und eben . . **tatarica** L. 1257

B. **Blume der Griffelblüthen bis auf die
Mitte verwachsen, unten knorpelig, am
Rand zahnig.**
Blüthenstandzweige ohne oder mit sehr klei-

C3. = Sp. ol. β L. ☉ und ☉
Winterspinat; Gemüsepflanze.
C4. ☉ 7—8. Gebaut „wilder od.
rother Spinat", bisw. verwildert auf Schuttstellen.
* ☉ 7—8. Schuttstellen, Wege.
1255. ☉ 6—8. An Häusern,
Wegen, Schutt, in Dörfern:

d. Var. an Salinen b. Kreuz-
nach und Kissingen.
1256. ☉ 7—8. Wegrd., Schuttstellen, an Häusern.
1257. = A. oblongifolia WK.
☉ 7—8. Wege, unbebaute
Felder, oede Triften, Raine
(Rheinfläche).

uen Tragblättern, dicht-besetzt; Blätter tief-
buchtig, etwas pfeilförmig **laciniata** L.1258
Blüthenstandzweige mit grossen dreieckigen
Tragbltt.; Bltt. eyf.-buchtig, gezahnt **roseaL.**1259

82. Familie. **POLYGONEAE.**

418. RUMEX L. Ampfer.

A. Blüthen zweigeschlechtig od. viel-
chig; Griffel frei; Blätter am Blattstiel nicht pfeilförmig (u. nicht sauer).

*a) Innere Blumenblätter bei der
Reife ganzrandig, ohne eigent-
liche Zähne.*

† *Innere Blumenblätter stumpf, lanzettf.,*
alle 3 derselb. mit 1 Schwiele; Blthstdzweige
beblättert; untere Stengelbltt. herzf., ellipt.
stumpf od. spitz **conglomeratus** Murr.1260
Nur 1 derselb. mit 1 Warze; Blthstdzweige
ohne Bltt.; mittlere Stengelbltt. geigenförmig . . . . . **sanguineus** L.1261
var. mit rothen Blattrippen: R. sanguineus I.
Gaud.; mit grünen Blattrippen: R. nemorosus Schrd.

†† *Innere Blumenblätter eyf. od. dreieckig
schwach herzförmig,*
° An der Spitze breit-rundlich.
Bltt. am Grund herzförmig, am Rand ge-
kerbt-gewellt . . . . . **crispus** L.1262
Bltt. am Grund in den Blattstiel verschmälert, ganzrandig . . . **Patientia** L.c
°° An d. Spitze vorgezogen,
α Mit länglicher Schwiele; Blttstiel oben flach,

1258. ☉ 7—8. Schuttstellen,
Wege um Dörfer, (bei Würzb.
nach Hell., von Schenk noch
nicht beobachtet).
1259. ☉ 7—8. Schuttstellen,
Wege, Abhänge (Rheinpfalz).
1260. = R. acutus Sm. et DC.

= R. undulatus Schrk. ♃. 7—8.
Ufer, Gräben, Sümpfe.
1261. = R. Nemolapathum DC.
♃. 7—8. Feuchte Waldstellen.
1262. ♃. 7—8. Wiesen, Aecker,
Abhänge.
C. ♃. 7—8. „Englischer Spinat“.

350

Spreite in den Stiel verschmälert, ganzrandig . . . **Hydrolapathum** Huds. 1263
Bltt am Grund schief-herzf. od. eyf., am
Rand fein gekerbt . **maximus** Schrb. 1264
β Ohne Schwiele, Blttstiel oben rinnenförmig.
Untere Stglbltt. rund - ey - herzförmig, mit
stumpfer breiter Spitze; Blttstiel tiefrin-
nig . . . . **alpinus** L. 1265
Untere Stglbltt. herz-eyförmig zugespitzt .
. . . . **aquaticus** L. 1266
*b) Innere Blumenblätter bei der
Reife stark gezähnt.*
† *Blumenblätter schmal, Zähne meist länger
als der Breitedurchmesser derselben.*
° Untere Stglbltt. am Grund herzf.; Blumbltt.
breit-lanzettf., beiderseits 2zähnig; oberer
Blüthenstand ohne Tragbltt. . **Steinii** Bk. *
°° Untere Stglbltt. in den Stiel übergehend;
Blthstd bis zum Gipfel beblättert.
Innere Blthbltt. rhombisch, Zähne so lang
als jene; Blthstdzweige bis zum Gipfel
beblättert . . . . **maritimus** L. 1267
Innere Blthbltt. länglich-eyf.; Zähne kür-
zer als jene . . . . **palustris** Sm. 1268
†† *Blumenblätter eyförmig-rundlich.*
° Stengel sparrig, Blthstdzweige viel bebltt.
Blthquirle sehr entfernt; Stglbltt. geigenf.
od. gleichbreit; innere Blumenblätter viel-
zähnig . . . . **pulcher** L. **
°° Stengel aufrecht straff.
Untere Bltt. eyf.-länglichrund mit herzf. Basis; innere Blüthenblätter eyf.-dreieckig,
spitz, verschieden stark pfrieml.-gezähnt

1263. = R. aquaticus Poll. u. *2|. 7 — 8. Fluss-Ufer. (Am
A. 2|. Teichränder, Flussufer, Main bei Frankfurt.)
Sümpfe.
1264. 2|. 7 — 8. Teichränder, 1267. ☉ 7 — 8. Teichränder,
Gräben (hie u. da). sumpf. ausgetrocknete Teiche.
1265. 2|. 7 — 8. Bewässerte Al- 1268. ☉ 7 — S. Sümpfe, Teich-
pentriften, um die Sennhütten. ränder hieu. da (d. Kl. - F.)
1266. 2|. 7 — 8. Teichränder,
Gräben. ** ☉ 5 — 6. Wegränder, Schutt.

u. alle od. nur 1 mit 1 Schwiele; Blüthenquirle genähert . . **obtusifolius** L.[1269]
var. a) mit rothen Stengeln u. Blattrippen;
   b) mit kleinen u. wenigen Zähnen an
   den innern Blüthenblättern.
Untere Bltt. länglrd. schmal (1:3), mit herzf.
Basis; innere Blmbltt. eyf. ungleichmässig
breit, spitz-gezähnt **pratensis** M. et K.[1270]
B. Blüthen eingeschlechtig, einhäusig
  od. vielehig; Bltt. am Grund spiessf.
  (sauer); innere Blmbltt. ohne Zähne.
   a) *Endlappen der Bltt. mehr od. we-*
   niger lanzettf. bis lineal., am Grund
   durch 2 od. mehr vorwärts gerichtete, ein-
   fache od. 3lappige Zähne spiessförmig . .
   . . . . **Acetosella** L.[1271]
   var. mit mehr od. weniger lanzettf. Bltt.
  b) Endlappen eyförmig od. rundlich,
  breit herzförmig bis pfeilförmig.
  † *Blüthenstandquirle sehr wenigblüthig.*
   Blätter am Grund mit mehr od. weniger
   deutlichen Lappen . . . **scutatus** L.[1272]
  †† *Blüthenstandquirle reichblüthig.*
  * Stengelblätter 1—2, gestielt; Schwiele abwärts gedrückt, Blthstd. blattlos **nivalis** Heg.[1273]
  ** Stengelbltt. sitzend, pfeilförmig.
   Schwiele länglich-elliptisch; Blattrippen ästig
   vertheilt . . . . . **hispanicus** L. c
   Schwiele herabgebogen;
   Blattrippen vom Grund aus strahlig verlau-
   fend, Nebenbltt. ganzrandig **arifolius** All.[1274]
   Blattrippen ästig verlaufend, Nebenbltt. ge-
   schlitzt-gezähnt . . . . **Acetosa** L.[1275]

1269. ♃. 7—8. Wiesen, an den
Häusern in Dörfern „Butter-
blatt". Die Varietät a. besonders in Ober-Bayern.
1270. ♃. 7—8. Wiesen (hie u.
da, Rheinthal).
1271. ♃. 5—7. Triften, Sandhaiden, Aecker (der Ki.-F.)

1272. ♃. 5—7. In Felsenspalten
der Alpen u. Voralpen.
1273. ♃. 7—8. Geröll-Abhänge
der höchsten Alpen.
C. ♃. 5—7. Gemüsepflanze.
1274. ♃. 7—8. Alpentriften.
1275. ♃.5—6. Wiesen, Dämme,
lichte Wälder.

var. schmal- u. breitblätterig u. ersterer? mit
mehr od. weniger schmalen (auriculatus) u.
gebogenen Pfeilzipfeln.

419. OXYRIA St. Hil.

Bltt. nierenf. ausgerandet, langgestielt, wenige nur
grundständig . . . . **digyna** Cmpd. 1276

420. POLYGONUM L. Knöterich.

I. Blätter am Grund herzförmig od. in den
Stiel verlaufend.
A. Blüthenstand ährenförmig, Griffel
2—3, unten verwachsen.
a) *Aehren dicht besetzt, einzeln od.
endständig, meist aufrecht.*
† *Stengel einfach, Narben sehr klein.*
Bltt. am Grund herzf., längl.-eyf., welligrandig am Stiel herablaufend **Bistorta** L. 1277
Bltt. eyf., lanzettl. am Stiel nicht herablaufend, am Rand umgerollt **viviparum** L. 1278
†† *Stengel ästig, jeder Ast mit 1 Aehre,
Narbe grosskopfig.*
° Stock ausdauernd, kriechend; Staubfd. 5;
Bltt. elliptisch-lanzettf. **amphibium** L. 1279
var. schwimmend, kriechend auf Schlamm u.
an d. Spitze aufgerichtet (venosum), od.
auf d. Trockenen wachsend, Bltt. welligrandig (terrestre).
°° Stock einjährig.
α Stbfd. 6; Bltt. eyförmig-elliptisch-lanzettl.
Scheiden kahl od. wollhaarig, kurz u. fein
bewimpert; Blthstiel u. Blthbltt. drüsig-
rauh; Fr. kreisf. zusammengedrückt, beiderseits ausgehöhlt **lapathifolium** L. 1280
Scheiden rauhhaarig, lang wimperig; Bltt.,

1276. = Rumex... L. ♃. 7—8.   in der Ebene in der Nähe von
In bewässerten Felsspalten der   Alpenströmen.
höchsten Alpen.   1279. ♃. 6—7. Teichränder u.
1277. ♃. 6—7. Feuchte Wiesen   Teiche.
der Berggegenden (Ka.-F.).   1280. ☉ 7—9. Feuchte Aecker
1278. ♃. 7—8. Alpentriften u.   u. Fluss-Ufer.

Blthstiel u. Blmbltt. ohne Drüsen; Frucht
theils kreisf. zusammengedr. mit erhabenen
Flächen, theils dreieckig **Persicaria** L. 1281
β Staubfd. 7; Aehren überhängend; Bltt. eyf.,
Nebenbltt. rauhh. u. gewimpert **orientale** L. h

b) Aehren locker besetzt.
   † *Blumenblätter drüsig.*
   Bltt. lanzettf. od. ellipt.; Scheiden zieml. kahl,
   kurz gewimpert (rauh) **Hydropiper** L. 1282
   †† *Blumenblätter kahl.*
   Blth. meist 6beutelig; Bltt. lanzettl. od. längl.
   lanzettl., Scheiden rauhh. lang gewimpert;
   Blthstd. bogig-hängend . **mite** Schrk. 1283
   Blth. meist 5beutelig; Bltt. lanzett-lineal,
   Scheiden angedrückt-haarig, lang wimperig;
   Blthstd. aufrecht . . . **minus** Huds. 1284
B. Blüthenstand büschelförmig od. ein-
   zelnblüthig, achselständig.
   Aeste bis zur Spitze mit lanzettf. Bltt. besetzt;
   Frucht matt mit fein gestreiften Flächen,
   Scheiden anfangs 2spaltig, später mehrfach
   zerschlitzt . . . . . . **aviculare** L. 1285
II. Blätter am Grund pfeilförmig.
A. Stengel kletternd; Blüthenstand bü-
   schelig achselständig.
   Stgl. kantig; äussere Blumenbltt. stumpf-gekielt;
   Frucht matt . . . . **Convolvulus** L. 1286
   Stgl. streifig; d. äusseren Blumenbltt. häutig-
   geflügelt; Frucht glänzend **dumetorum** L. 1287
B. Stengel aufrecht nicht kletternd.
   Endständiger Blthstd. ebenstraussf.; Kanten der
   Frucht gerade . . . . **Fagopyrum** L. c

1281. ⊙ 7—9. Feuchte Aecker, angustifolium Rth. ⊙ 7—9. Grä-
Kiesbänke, Fluss-Ufer.   ben, feuchte Schuttstellen.
h. ⊙ 7—10. Purpurfarben. Zier- 1285. ⊙ 7—9. Wege, Triften,
pflanze aus Ostindien.   Aecker.
1282. ⊙ 7—9. Feuchte Wald-   1286. ⊙ 7—9. Aecker, Gärten.
stellen, Gräben. Teichränder. 1287. ⊙ 7—8. Hecken, Ge-
1283. ⊙ 7—8. Feuchte Wald-   büsch (hie u. da).
stellen, Gräben, Dorfpfützen. C. ⊙ 7—8. „Haidekorn, Buch-
1284. = P. Persicaria β L. = P. waizen" (hie u. da: Kl.-F.).

Endständiger Blthstd. unterbrochen ährenf.; Kanten der Frucht wellig . . **tataricum** L. c

83. Familie. THYMELEAE.

421. PASSERÍNA L.

Stengel kahl; Bltt. lanzett-lineal, kahl, aufrechtabstehend; Blth. einzeln od. zu 3—5, aussen flaumhaarig . . . . **annua** Wicks. 1288

422. DÁPHNE L. Seidelbast.

A. Blüthen in endständ. Ebensträussen.
  a) Bltt. lanzett-eyf., flaumh. **alpina** L. 1289
  b) Bltt. lineal-lanzettf.-keilig.
    Deckblätter u. Blüthen kahl; Blüthen sitzend
    . . . . **striata** Tratt. 1290
    Deckblätter u. Blüthen flaumig; Blüthen kurz
    gestielt . . . . **Cneórum** L. 1291
B. Blüthen in dies- od. vorjährigen Blattachseln, längs eines mit Laubknospen endenden Zweiges.
    Blth. flaumhaarig, einzeln od. zu 2—3 sitzend,
    Laubblätter weich . . . **Mezeréum** L. 1292
    Blth. kahl, in 1—5blthg. abwärts gebogenen
    Sträussen; Laubblätter hart **Lauréola** L. *

80. Familie. SANTALACEAE.

423. THESIUM L. Leinkraut.

A. Blth. an der ganzen Länge des Stengels, bis zum Gipfel, jede mit 3 Deckblättern.

C. ☉. Wie voriger.
1288. = Stellera Passerina L. Grünlich. ☉ 7—8. Aecker, sonnige Abhänge der Gebirgsgegenden (Ka.-F. hie u. da).
1289. Weiss. ♃. 7—8. Felsenspalten der Alpen.
1290. Rosenfarben. ♄. 7—8. Felsenspalten der Alpen (Tegernsee).

1291. Dunkelrosenfarben. ♄. 5—7. Trockne Triften, Haidewälder der Gebirgsgegenden (Rheinpfalz, Oberbayern).
1292. Rosenfarben. ♄. 2—3. Lichte Bergwälder.

* Grünlichgelb. ♄. 2—3. Gebirgswälder (Schweiz).

a) *Blthbltt. nach dem Verblühen zu
einem kurzen Knopf eingerollt.*
 Stengel hoch (1½ — 2'), Bltt. meist 5rip-
 pig; Frucht kugelig **montanum** Ehrb. 1293
 Stengel niedrig (½—1'), Bltt. meist 3rip-
 pig; Frucht eyf. **intermedium** Schrd. 1294
b) *Blthbltt. nach dem Verblühen ge-
rade-röhrig od. nur an d. Spitze
eingebogen; Frucht kugelig.*
 Stengel meist ästig; Fruchtäste wagrecht-
 abstehend; Blätter schwach, 3rippig . .
 . . . . **pratense** Ehrh. 1295
 Stengel einfach; Aeste 1blüthig, einseitig,
 aufrecht-abstehend; Blätter 1rippig . .
 . . . . **alpinum** L. 1296
B. **Blüthen nicht bis zum Gipfel entwickelt; daher der Stengel oben mit leeren Deckblättern.** Jede Blüthe mit 1 Deckblatt.
 Erdstock vielköpfig; Frucht kugelig, sitzend,
 halb so lang als d. eingerollte Blüthenröhre,
 mit weicher Aussenschichte, gelbröthlich
 . . . . **rostratum** M. u. K. 1297

85. Familie. **ELAEAGNEAE.**

a) ELAÉAGNUS L.

Bltt. lanzettf., beiderseits glanzschuppig; Blüthen
 gestielt . . . . **angustifolia** L. h

424. HIPPÓPHAË L. Sanddorn.

Bltt. lineal-lanzettf., gebüschelt; Blth. rostfarben-
 schuppig, in Knäueln . . **rhamnoides** L. 1298

1293. 4. 7—8. Felsige Bergabhänge. NB. Die Blumen aller innerseits weiss, aussen
grünlich.

1294. = Th. linophyllum Poll.
und A. 4. 7—8. Bergwiesen,
Gebüschabhänge (hie u. da).

1295. 4. 6—7. Triften u. Wiesen der Gebirgsgegenden u. d.
Alpen.

1296. 4. 6—7. Haidewälder u

Triften der Ebenen, Gebirgs
gegenden u. Alpen (hie u. da)
1297. = ? Th. bavarum Schck.
 4. 6—7. Waldige Triften u.
Wiesen in der Nähe der Gebirgsströme (O-Bayern u. Alp.
h Blume innerseits rothgelb. h.
 5—6. In Lustgärten.
1298. Rostfarben. h. 4—5. Fluss-
Ufer u. Kiesbänke der Alpenströme, mit ihnen bis an die
Donau.

86. Familie. **ARISTOLOCHIEAE.**

425. ARISTOLÓCHIA L. Osterluzei.

Erdstock kriechend; Bltt. tief-herzf., gestielt, kahl;
Blüthen in Büscheln, achselständig, am Rand
löffelförmig . . . . **Clematitis** L. 1299
Stamm holzig, kletternd; Blth. einzelnständig, am
Rand 3theilig . . . . **Sipho** L. h

426. ÁSARUM L. Haselwurz.

Bltt. nierenförmig, abgerundet **europaeum** L. 1300

87. Familie. **EMPETREAE.**

427. EMPETRUM L. Rauschbeere.

Stock niederliegend; Bltt. zahlreich, lineal, länglrd.
mit umgebog. Rande ; Narbe 9strahlig **nigrum** L. 1301

88. Familie. **EUPHORBIACEAE.**

a) BUXUS L.

Bltt. eyf., unterseits bleich **sempervirens** L. h
var. a) hochwüchsig mit matt-dunkel-grünen Bltt.;
b) niedrig mit glänzenden hellgrünen Bltt.

428. EUPHORBIA L. Wolfsmilch.

A. Randdrüsen d. Blüthenbechers rundl.
oder quer-elliptisch.

a) Samen gruhig.
Dolde 5, 3, 2ästig; Bltt. keilf., verk.-eyf.,
in der oberen Hälfte feingezähnelt . . .
. . . . **Helioscopia** L. 1302

b) Samen eben.
† *Kapsel warzig oder stachlig.*

1299. Gelb-grünlich. ♃. 5—6 u. 9.
In Hecken und Gebüsch.
h. Bräunlich-violett. ♄.
1300. Purpurfb. ♃. 3—4. Berg-
Wälder, schattige Gbschabhg.
1301. Rosenfarb. ♄. 4—5. Felsenabhänge der Alpen und
Sumpfgründe d. Berggegenden.
h. Gelblich-grün. ♄. 4—5. Berg-
Abhänge der südl. Alpen, bei
uns in Gärten.
1302. Drüsen gelb. ☉ 7—9. Gartenland und Aecker.

* Stock einjährig; Bltt. verk.-lanzettf., mit herzf.
Basis sitzend; Frucht ziemlich gross (3—4'''),
Warzen halbkugelig; Same graubraun, me-
tallisch-glänzend, rund **platyphylla** L. 1303
Warzen lang-walzenförmig; Same röthlich-
braun, länglich-eyförmig . **stricta** L. 1304
** Stock ausdauernd.

α Deckblätter nächst dem Blüthenbecher eyf.,
3eckig, am Grund abgestutzt oder etwas
herzf.; Erdstock kriechend, gliederförmig u.
dick-fleischig . . . . . **dulcis** Jacq. 1305

β Deckblätter eyf.-längl.-rund, fein-gesägt, am
Grund verschmälert.
Erdstock senkrecht.
Stengel dicht-zottig; Bltt. völlig-sitzend,
ellipt.-lang; Hüllblätter ganzrdg.; Aus-
wüchse der Frucht fadenförmig
. . . . . . **epithymoides** Jacq. 1306
Stengel kahl,
schlank (2—3 Spannen hoch), von
unten an ausgebreitet-ästig, aufsteigend; allgem. Blüthenstand 4—5zwei-
gig; Blätter unterseits behaart . . .
. . . . **verrucosa** Lam. 1307
stark (3—9 Spannen hoch) einf.; allg.
Blüthenstandzweige ungleich, meist von
Laubzweigen überragt; Blätter kahl
. . . . **palustris** L. 1308

†† *Frucht nur erhaben-getüpfelt, oder eben.*
Dolde reichstrahlig; Bltt. graugrün, lang-lineal,
ganzrandig, kahl; Hüllblätter stachelspitzig
. . . . **Gerardiana** Jacq. 1309

1303. Dr. gelb. ☉ 7—9. Triften, Aecker, Grb., Wegabhg.

1304. Dr. gelb. ☉ 6—9. Fchte
öde Triften, Gebüsch - Ufer
(Rheinthal).

1305. = E. solisequa Rchbch.
Dr. schwarz-roth. ♃. 4—5.
Lichte Wälder der Berggegen-
den (Oberbayern u. Jura).

1306. Dr. gelb. Fr-zapfen roth.
♃. 5—6. Steinige Waldabhge

(von Dr Einsele bei Landshut
angegeben).

1307. Dr. wachsgelb (die ganze
Pflanze bisw. röthl.). ♃. 5—6.
Triften, Wegränder (hie und
da; der Ka.-F.?).

1308. Dr. braungelb. ♃. 5—6.
Feuchte Triften und Gebüsch
an grossen Flüssen.

1309. = E. EsulaPoll. Dr. gelb.
♃. 6—7. Sandhaiden, Wegrd.
(Rheingegend und Franken).

B. Randdrüsen des Blüthenbechers halb-
mondförmig oder 2hörnig.
   a) Samen eben.
   † *Hüllblätter verwachsen;* Dolde vielstrahlig;
      Fr. kahl; Stock holzig **amygdaloides** L. 1310
   †† *Hüllblätter frei.*
    ° Erdstock fast wagrecht (kriechend).
      Laubblätter gleich-breit oder nach d.¯Grund
        hin schwach - verschmälert, ganzrandig,
        kahl . . . . . . **Cyparissias** L. 1311
      Laubblätter mehr oder weniger lanzettf.-li-
        neal bis lanzettf., dünn, nach dem Grund —
        hin verschmälert, am Rand der Spitze
        rauh . . . . **Esula** L. 1312
  °° Erdstock senkrecht, ästig.
      Blätter lanzettf., hart, mattgrün, in der un-
        tern Hälfte gleich-breit, nach oben ver-
        schmälert . . . . . **virgata** W.K. 1313
b) Same runzlig, knotig oder grubig
   † *Blätter spiralständig.*
    ° **Frucht auf dem Rücken mit 2 Rie-
      fen geflügelt.**
      Blätter gestielt, keilf., sehr abgerundet,
        ganzrandig . . **Peplus** L. 1314
  ** **Frucht ohne Flügelleisten; Blätter
    sitzend.**
      Hüllblätter nierenf. oder rhombisch, sta-
        chelspitz, Dolde 5strahlig; Fr. auf dem
        Rücken mit 1 Reihe Puncte; Bltt. grau-
        grün, linienf., die oberen breiter . .
      . . . . **segetalis** L. *
      Hüllbltt. schief-eyf. oder ellipt., stachelsp.;
        Dolde 3ästig; Same mit 4 Querreihen

1310. Dr. gelblich oder röthl.
  ♃. 4 — 5. Schattige Gebirgs-
Wälder (der Ka.-F. hie u. da).
1311. Dr. wachsgelb. ♃. 4 — 5.
Sandige Triften, Wegränder,
Bergabhänge.
1312. Dr. wachsgelb. ♃. 6 — 8.
Wiesen, besond. mit Waiden-
gebüsch, Gräben (hie u. da)

1313. Dr. gelb. ♃. 5 — 6. Triften u. Aecker, (von mir 1834
bei Nördlingen gefunden und
auch jetzt noch daselbst bisweilen vorkommend).
1314. Dr. gelb. ⊙ 7. . . . . Aecker
und Gärten.
* Dr. gelb. ⊙ 6 — 7. Aecker
(Thüringen).

von Grübchen; Bltt. lanzettf., die untersten spatelf., stumpf . . **falcata** L.1315
Hüllblätter lineal mit herzf. Basis; Same – runzl.-höckerig; Bltt. lineal, am Grunde schief; Dolde 3ästig . . **exigua** L.1316
†† *Blätter gegenständig*, graugrün bereift
. . . . **Lathyris** L. *

429. MERCURIALIS L.

Bltt. gestielt, ey-lanzettförmig oder lanzettförmig.
Stengel ästig; weibl. Blth. sitzend **annua** L.1317
Stengel einfach; weibliche Blüthen lang-gestielt
. . . . **perennis** L.1318

89. Familie. URTICEAE.

430. URTICA L. Nessel.

Blätter eyf., eingeschnitten-gesägt; Blüthenstand kürzer als die Tragblätter . . . **urens** L.1319
Blätter längl.-rund-herzf., vorgezogen, grobgesägt; Blüthenstand länger als d. Tragbltt. **dioica** L.1320

431. PARIETARIA L. Mauerkraut.

Stengel aufrecht-einfach; Bltt. ellipt.-eyf.; Deckblätter sitzend; Blüthendecke glockig, so lang als die Staubfäden . . , . **erecta** M. u. K.1321
Stengel niedergestreckt; Blätter eyf.; Deckblätter herablaufend; Blüthendecke zuletzt nochmal so lang als die Staubfäden , . **diffusa** M. u. K.1322

1315. Dr. gelb. ☉ 7... Saatfelder (Rheinthal, Thüringen).

1316. Dr. gelb. ☉ 6... Aecker und Gärten (hie u. da).

* Blassgelb. ☉ 6 – 7. Gärten, Schuttstellen.

1317. ☉ 6... Gärten u. Aecker (hie u. da bei Mergelboden ungeheuer häufig).

1318. ♃. 4 – 5. Berg-Wälder (Ka. F.).

1319. ☉ 7... Gartenland, Schutt, Wege.

1320. ♃. 6 – 9. Feuchtes Gebüsch, Mauern etc.

1321. = P. officinalis Willd. ♃. 7... An Mauern, Gebüsch, Ruinen (Rheingegend).

1322. = P. off. Poll. und A. P. judaica Hoffm. und Anderer. ♃. 7... Mauern, Wege, in Weinbergen (Rheingegend).

a) CÁNNABIS L. Hanf.
Bltt. unten wechsel- oben gegenständig, 5 theilig
. . . . **sativa** L. c

432. HÚMULUS L. Hopfen.
Bltt. 3—5lappig mit zugespitzten gesägten Lappen . . . . **Lupulus** L.1323

a) FICUS L. Feige.
Bltt. herzf., ganz od. tief 3—5lappig, mit grossem
Mittellappen . . . . **Cárica** L. h

b) MORUS L. Maulbeere.
Bltt. herzf., am Grund schief, lappig od. ganz,
sägezähnig; Blüthendecke am Rand kahl; weibl.
Blüthenstand so lang als der Stiel . **alba** L. c
Blüthendecke am Rand u. auf dem Rücken rauhh.;
weibl. Blüthenstand fast sitzend . . **nigra** L. Ci

c) CELTIS L. Zürgel
Bltt. längl. lanzettf., zugespitzt, scharf gezähnt,
oberseits rauh, unterseits weichh. **australis** L. h

433. ULMUS L. Ulme, Rüster.
A. Blüthen mehr oder weniger sitzend.
Blattknospen der Laubtriebe eyförmig.
Blumen ganz sitzend; Flügelspalt oberhalb des
Samens so breit als dieser, Bltt. lang ge-
stielt, der ungleiche Laubtheil angewachsen,
Zähne gerade . . . . **campestris** L.1324
Blumen stielartig verlängert, runzlig, Flügel-
spalt 1½—2mal so lang als der Same;
Blattstiel sehr kurz, der ungleiche Laub-
theil frei . . . . **montana** Sm.1325

C. Grünlich. ☉ 7—8. In Indien
  einheimisch. (Gewebpfl.)
1323. Grün. 7—8. ♃. Gebüsch.
  Die weibl. Pflanze cultivirt.
h. ♄. 7—8. Süd-Europa.
C. ♄. 5... Aus Süd-Europa.
  Frucht weiss.
C1. ♄. 5... Aus Süd-Europa.
  Frucht schwarz-purpurn.

h. Grün. ♄. 5... Süd-Europa,
  bei uns in Lustgärten.

1324. Röthlich n. grün. ♄. Ende
  März. Feldgebüsch der Ebenen
  um Dörfer.

1325. Röthlich n. grün. ♄. Anfangs März. In Bergwäldern.

B. Blüthen lang-gestielt; Blüthenknospen
lanzettf.-spitz; Fr. gewimpert; Blätter unterseits
flaumig; Blattstiel lang, d. ungl. Lappen angewachsen, Zähne einwärts gebogen **effusa** Willd. 1326

Familie JUGLANDEAE.

a) JUGLANS L. Welsche Nuss.

Blätter 5—9paarig-gefiedert mit 1 Endblatt; die
Blättchen eyförmig und kahl . . . **regia** L C
Blätter 15—20paarig-gefiedert, mit 1 Endblatt;
Blättchen lanzettf.-lang-zugespitzt, unters. fein-
haarig; Fruchtkern kugelig, getüpfelt, ohne
Wulstnaht . . . . **nigra** L. h

90. Familie. CUPULIFERAE.

434. FAGUS L. Buche, Rothbuche.

Blätter eyförmig, kahl, flach, undeutlich gezahnt,
wimperrandig . . . . . . **sylvatica** L. 1327

a) CASTÁNEA Tournf. Kastanie.

Blätter ellipt.-lanzettf.-vorgezogen, stachelspitzig-
gesägt, kahl . . . . . . **vulgaris** Lam. c

435. QUERCUS L. Eiche.

Blätter kahl, am Grund mehr oder weniger ausgerandet, stumpf-buchtig.
Blüthenstiel der weibl. Blüthen kürzer od. so lang
als der Stiel des Stützblattes **sessiliflora** Sm. 1328
Blüthenstiel der weibl. Blüthen vielmal länger als
der Stiel des Stützblattes **pedunculata** Ehrh. 1329

1326. = U. ciliata Ehrh. ♄.
Röthlich u. grün, Ende März.
Wälder der Berggegenden u.
Ebenen (hie und da).
C. ♄. 5. Obstbaum in wärmeren
u. geschützten Gegenden.
h. ♄.5. In Lustgärten, aus Nord-
Amerika.
1327. ♄. 5. Waldbaum d. Ebe-
nen u. niederen Gebirge (be-
sonders der Ka.-F.).
C. = Fagus Castanea L. ♄. 6.

Aus Süd Europa; bei uns in
den wärmeren Thälern, hie
u. da cultivirt, besonders am
Rhein, aber auch im Main-
thal u. selbst an der fränk.
Retzat bei Spalt.
1328. = Q. Robur β L. ♄. 5.
Waldbaum der Berggegenden
und Voralpen.
1329. Q. Robur α L. ♄. 4.
Waldbaum der Ebenen und
Niederungen.

17

436. CÓRYLUS L. Haselnuss.

Hülle der Frucht an der Spitze offen, kurz; Nuss
rundlich . . . . **Avellana** L. 1330
var. sehr gross-früchtig, etwas zusammengedrückt: maxima.
Hülle der Frucht über deren Spitze hinausragend
u. dort verengert; Nuss walzl. **tubulosa** Willd. c

437. CARPÍNUS L. Hainbuche, Weissbuche.

Deckblätter der weibl. Blth. 3lappig mit lanzettf.
langem säge- oder ganzrandigem Mittelzipfel .
. . . . **Betulus** L. 1331

100. Familie. SALICINEAE.

438. SALIX L. Weide. °)

§. Männlicher Zweig.
A. Wuchs baumartig, d. h. mit einem deutlichen Hauptstamm od. doch sehr dicken Aesten;
Zweige aufstrebend, meist ruthenförmig.
a) *Blüthen zugleich mit den wenigstens halb-entwickelten Laubtrieben vorhanden.*
† *Staubfäden zwei; Deckblättchen ellipt.*
ª Blätter beiderseits grün (unters. bisweilen
seidenhaarig).
Deckbltt. ellipt., gewimpert; Blüthentrieb
ʳ mit ziemlich grossen Blättern besetzt
. . . . **fragilis** L. 1332
Deckblätter spatelig, vorn lang-behaart;
Blüthentriebe mit sehr kleinen Blättern
besetzt . . **hippophaëfolia** Thll. 1333

1330. ♄. 2—3. Bergabhänge (besonders der Ka.-F.), Feldgebüsch, Hecken).
C. ♄. 2—3. Aus den südlichen
Alpen: „Zellernuss".
1331. ♄. 4—5. Waldbaum der
Berggegenden.
* Es ist fast immer sicherer u.
leichter, die weibliche Pflanze
zu bestimmen und stets räth-

lich, am Standort nach beiden sich umzusehen, da ihr
Zusammengehören bald er-
kannt und dann eine vollstän-
digere Kenntniss erreicht wird.

1332. ♄. 4—5. Ufer, Sümpfe,
feuchtes Gebüsch.
1333. ♄. 4—5. Ufer. fcht. Abhänge (Rhein- u. Mainthal).

°° Blätter unterseits graugrün . . **alba** L.1334
†† *Staubfäden 3; Deckblätter kurz, verk.-*
eyförmig, zottig . . **amygdalina** L.1335
††† *Staubfäden 5—10; Deckblätter ellipt., ab-*
gerundet . . . . . **pentandra** L.1336
b) Blüthen vor den Laubtrieben vor-
handen, oder diese sind doch noch
sehr wenig entwickelt.
† *Aehrchen dick, walzlich-elliptisch, gross.*
° Deckblättchen nur an der Spitze braun
oder unterwärts gelbbraun.
α Aestchen kahl; Deckblätter lang-zottig.
Sind an der männlichen Blüthe nicht
zu unterscheiden (s. d. weibl. Pflanze)
. . . . . . ⎰**grandifolia** Ser.1337
. . . . . . ⎱ **Cáprea** L.1338
β Aestchen flaumhaarig;
Deckblättch. kurz-zottig **cinerea** L.1339
°° Deckblättch. schwarz-braun (fast bis zum
Grunde),
·rhombisch-eyf., sehr lang behaart, meist
mit einem Spitzchen; Zweige meist hie
und da grauduftig **daphnoides** Vill.1340
zugespitzt-lanzettf. **Smithiana** Willd.1341
elliptisch-breit, an der Spitze dachf. · u.
etwas wellig-zahnig **acuminata** Sm.1342
†† *Aehrchen schlank, walzenförmig.*
Deckblättchen einfarbig, gelblich oder nur
an der Spitze gelbbraun, elliptisch, an d.
Spitze wellig-zahnig . **incana** Schrk.1343

1334. ♄. 4—5. Fluss-Ufer.
1335. = S. triandra L. ♄. 4—5.
Fluss-Ufer und Sümpfe.
1336. = S. polyandra Schrank.
♄. 5—6. An Gebirgsflüssen d.
Alpengegd., bis an d. Donau.
1337. ♄. 3—4. Feuchte Wälder.
1338. ♄. 4—5. Wld.d. Voralpen.
1339. ♄. 4—5. Feuchte Triften,
im Feldgebüsch.
1340. = S. praecox Hpp. ♄.
3—4. Fluss-Ufer der Alpengegenden u. nahen Hochebene,
(bis an die Donau, am Rhein
bis Pforzheim).

1341. = S. mollissima Sm. ♄.
3—4. Fluss-Ufer u. feuchtes
Gebüsch (hie u. da: Glahn-
und Nahe-Thal.
1342. ♄. 4. Fluss-Ufer, feuchte
Triften (hie u. da: Rheinpfalz,
Kaiserslautern, nur d. männliche Stock).
1343. = S. riparia Willd. ♄.
4—5. Fluss-Thäler der Alpengegenden, mit den Strömen
bis an die Ebenen, Rhein:
Pforzheim.

17 *

Deckblättchen (klein) an der Spitze dunkelbraun, verk.-eyf.-rundl. **viminalis** L.[1344]
B. Wuchs strauchartig, mit ziemlich
dünnen Hauptästen, meist abstehend-
verzweigt.
*a) Strauch ziemlich gross (3—15')
meist sparrig-verzweigt (1347 u. 1348)
meist ruthenförmig.*
† *Aehrchen vor dem Erscheinen der Laubtriebe vorhanden.*
° Wuchs aufrecht, gross (5—15').
α Aehren dick, ellipt-walzlich;
Staubfäden am Grund kahl,
Deckblättchen verkehrt-eyrund . . .
. . . . **phylicifolia** L.*
Deckblättchen elliptisch-zugespitzt . .
. . . . **nigricans** Frs.[1345]
Staubfäden am Grund haarig: Deckblättchen spatelig-ellipt, nur an der Spitze
dunkelbraun . . . . . **aurita** L.[1346]
β Aehren schlank, fast rein-walzenförmig:
Staubfäden 1, mit 2 verwachsenen Beuteln (letzt. bisw. getrennt) **purpurea** L.[1347]
Staubfäden nur im untern Viertheil verwachsen . . . . . . **rubra** Huds.[1348]
°° Wuchs niederliegend, klein (2—4').
α Blätter (auch schon in erster Jugend
kenntlich) elliptisch-eyf.,
mattgrün,
unterseits kahl; Aehren klein . . . .
. . . . **myrtilloides** L.[1349]

1344. ♄. 3—4. Fluss Ufer, fcht. Gebüsch.
* = S. bicolor Ehrh. ♄. 5—6. Fluss-Ufer der Gebirgsgegenden (Harz, Sudeten).
1345. = S. phylicifolia K. u. S. Amaniana Willd. ♄. 4—5. Feuchte Gebüsch-Wld., sumpf. Wiesen, Fluss-Ufer der Alpengegenden, bis an die Donau, am Rhein bis Rastadt, fränk. Jura: Hetzles.

1346. ♄. 4—5. Feuchte Triften u. Wiesen.
1347. = S. monandra Hoffm. ♄. 3—4. Fluss-Ufer, fcht. Trft., bis auf die Voralpen.
1348. = S. fissa Ehrh. ♄. 3—4. Fluss-Ufer u. feuchte Triften (hie und da).
1349. ♄. 5—6. Sumpfige Haidegegenden, Moore (der Alpen u. Möser d. bayr. Hochebene).

unters.zottig.stark-berippt **ambigua**Ehrh. 1350
glänzend-grün, unters. seidenh.**repens** L. 1351
β Blätter schmal-lanzettförmig-lineal . . .
. . . . **rosmarinifolia** L. 1352
†† *Aehren zugleich mit den halbentfalteten*
Laubtrieben vorhanden.
Blätter kahl, unterseits bereift; Aehren
kurz-eyf.; Staubfd. behaart **glabra** Scop. 1353
Blätter unterseits flaumig oder seidenhaarig; Staubfäden kahl . . **hastata** L. 1354
b) Strauch sehr klein (2"—1½'), meist
an die Erde angedrückt.
† *Blätter unterseits filzig od. weiss-grün,*
matt.
Aehren sitzend, dick; Blätter dicht-seiden-
haarig, elliptisch-längl. **Lapponum** L. 1355
Aehren gestielt, schlank; Bltt. unterseits
graugrün, stark netzrippig, eyförmig oder
kreisrundlich . . . . **reticulata** L. 1356
†† *Blätter unterseits kahl oder flaumig,*
° an der Spitze zugespitzt oder abgerundet.
α Aeste stark;
Deckblttch. ellipt., zugesp. **arbuscula** L. 1357
Deckblättchen eyf., abgestutzt oder ausgerandet; Aehren gross **Myrsinites** L. 1358
β Aeste fadenf.-dünn; Blüthen meist nur 3—6
beisammen; Bltt. eyf.-rundl. **herbacea** L. 1359
°° an der Spitze ausgerandet, keilf **retusa** L. 1360

1350. = S. incubacea L. ♄.
4—5. Schwammige Sümpfe,
teuchte Triften (hie und da).
Bastard v. aurita et repens?
1351. = S. depressa Hoffm. ♄.
4. Feuchte Triften, Sandhaiden, schwammige Triften der
Niederungen.
1352. ♄. 5. Schwammige Sümpfe,
Bayerischer Wald?
1353. = S. Wulfeniana Willd.
u. S. coruscans Willd. ♄.
5—6. Gebirgspässe u. feuchte
Abhänge der Alpengegenden.
1354. ♄. 6. Feuchte Alpentriften
u. Bergabhänge der höheren
Alpengegendddu.

1355. = S. limosa Wahlbg. =
arenaria Willd. ♄. 5—6. Fcht.
sumpfige Niederungen d. Alpen.
1356. ♄. 7—8. Bewässerte Felsenabhg. der höchsten Alpen.
1357. ♄. 6—7. Nasse Bergabhg.
der Alpengegenden.
1358. ♄. 6—7. Feuchte Abhänge
u. Triften der höheren Alpen.
1359. ♄. 7—8. Bewässerte Felsenspalten an d. Schneegränze
der Alpen.
1360. ♄. 7—8. Sumpfige, bewässerte, felsige Stellen der
Alpen.

262 SALICINEAE.

§§ Weiblicher Zweig*)..
A. Baum (wie vorn).
a) Blüthenähren zugleich mit den Laubtrieben vorhanden.
† *Blätter ganz kahl.*
* Aeste aufrecht.
α Deckblättchen abfallend.
   Stiel der Frucht doppelt so lang als d. Drüse
   . . . . **pentandra** L. 1336

> Bltt. eyf.-ellipt., zugesp., gedrängt sägez., ganz kahl;
> Nebenblättchen eyförmig-ellipt., gleichseitig, gerade.
> Var. mit breiteren Bltt. (u. vielen Staubfd.), so wie
> mit schmäleren Bltt. (u. wenigeren Staubfd.).

   Stiel der Frucht 2—3 mal so lang als die
   Drüse . . . . **fragilis** L. 1332

> Bltt. lanzettf.-zugesp., völlig kahl od. in d. Jugend
> etwas seidenh., eingebogen-sägez.; Nebeubltt. fas:
> herzförmig.
> Var. a) Aestchen lederfarbig, Knospen schwarz-braun,
> untere Bltt. breit, stumpf: S. decipiens Hffm.
> b) Aestchen bräunlich, untere Bltt. elliptisch-eyf.:
> vulgaris; c) mit seidenh. Bltt. kleiner gesägt u.
> zugespitzten Nebenbltt.: S. Russeliana Sm.

β Deckblättchen bleibend; Griffel sehr kurz . .
   . . . . **amygdalina** L. 1335

> Bltt. lanzettf. od. ellipt., zugesp., sägez., völlig kahl;
> Nebenblätter halbherzförmig.
> Var. a) mit unterseits graugrünen Bltt.: S. triandra L.
> in Sturm's Fl.; eben-u. kleinbltt.: S. Hoppeana
> Willd. b) gleichfarbig: S. triandra L. sp.

** Aeste hängend. Blüthenähren gekrümmt,
Deckblätter lineal-lanzettförmig, wenig behaart . . . . **babylonica** L. ʰ

> Bltt. schmal-lanzettf., kahl, feingesägt-randig.

---

*) Allgem. Bemerk. Die Gestalt der Blätter ist hier im
erwachsenen Zustande verstanden; die Merkmale, welche
mit grösserer Schrift benannt sind, sind zur Blüthezeit genommen, wenn nicht ohnehin von einer andern Zeit es
sich versteht. — Wegen anderer Merkmale als bei §.
können die Arten nicht dieselbe Reihenfolge und Nummern
erhalten, die hier stehenden Nummern verweisen auf die
des §, wo auch die andern Beziehungen und Standorte
angegeben sind.

h. ♄. Mai. Aus Kleinasien. Hievon wird nur d. weibl. Stamm
„Trauerweide" angepflanzt gefunden.

SALICINEAE. **263**

†† *Blätter seiden- od. flaumhaarig.*
Griffel sehr kurz; Deckblttch. abfallend **alba** L. 1334

Bltt. lanzettf. lang-zugesp. sägez., beiderseits seidenh.;
Nebenblättchen lanzettförmig.
Var. a) die ausgewachsenen Bltt. kahl: S. coerulea
Sm.; b) die Aestchen rothgelb: S. vitellina L.

Griffel lang, Deckblttch. bleibend, filzhaarig;
Stiel der Frucht so lang als die Drüse . .
. . . . **hippophaëfolia** L. 1333

Bltt. lanzettf. lang-zugespitzt, kleindrüsig gezähnelt,
flaumh., zuletzt kahl; Nebenbltt. halbherzförmig.
Var. a) flachblätterig; b) welligraudig mit kahlen
Fruchtknoten.

*b) Blüthenähren vor d. Laubtrieben,
od. diese nur sehr wenig entfaltet;*
† *am Grund ganz blattlos od. nur mit einigen
sehr kleinen Blüttchen versehen.*
* Frucht kahl . . . . . **daphnoides** L. 1340

Bltt. ellipt.-lanzettf., zugesp., drüsig-sägez., kahl,
die jüngeren so wie d. Aestchen zottig, Nebenbltt.
halbherzförmig.
Var. ohne od. (meist) mit blauem Duft auf d. Aestchen,
letztere auch kahl od. rauhh., Deckbltt. mehr od.
weniger langhaarig; auch in der Breite d. Blätter.

** Frucht wollhaarig.
α Blattknospen u. junge Aeste flaumh. **cinerea** L. 1339

Bltt. ellipt. od. lanzettf., verk.-eyrd., kurz-zugespitzt,
flach, wellig-gesägt, graugrün, oberseits flaumig,
unterseits filzhaarig, rauh; Nebenbltt. nierenf.
Var. mit sehr breiten Bltt.: S aquatica Sm.

β Blattknospen u. Aeste kahl (nur an d. Bltt. zu
unterscheiden).

Bltt. verk. länglichrund-eyf., zugesp., flach,
schwach wellig-gesägt-randig, unterseits aschgrau-
grünl., flaumhaarig, Nebenbltt. nierenf., sehr gross
. . . . **grandifolia** Ser. 1337
Bltt. eyf.-ellipt., flach, zurückgebogen-zu-
gespitzt, schwach wellig-gesägt, oberseits kahl,
unterseits graugrün filzh., Nebenbltt. nierenförmig
. . . . **Cáprea** L. 1338
Var. mit in der Jugend beiderseits filzh. Bltt. u. flau-
migen jungen Aestchen, auch mit ganzrandigen Bltt.:
S. sphacelata Willd.

†† *Blüthenähren am Grund mit einigen deutl.*

368

Blättern u. auch die der Laubtriebe ziemlich entwickelt.

ᵇ Deckbltteh. an d. Spitze mehr od. w. braun.

α Blüthenähren ziemlich dick; Frkn. gestielt. Griffel kürzer als die Narben. diese meist zweitheilig . . . . **Smithiana** Willd.1341

Bltt. elliptisch-lanzettf. od. lanzettf., zugesp., welliggekerbt, äusserst klein gezähnt, unterseits seidenglänzend filzig; Nebenbltt. nierenförmig, halbherzförmig zugespitzt.
Var. a) mit rothbraunen Zweigen: S. molissima Kch.
b) mit lederf.-graul. Zw.: S. lanceolata Fr.

Griffel so lang als die Narbe, diese ungetheilt . . . . **acuminata** Sm.1342

Bltt. ellipt.-lanzettf. vorgezogen-zugesp., etw. welligrandig, klein drüsig-sägez., unterseits graugrün, matt filzig, Nebenbltt. eyf.-halbherzf. spitz.
Var. unterseits kahl, grün: S. ac. virescens Mey.

β Blüthenähren schlank; Frkn. sitzend. Narben ungetheilt, Haare der schwarzbraunen Deckbltt. silberweiss, bis zum Griffel reichend . . . . **viminalis** L.1344

Bltt. schmal-lanzettf. zugesp.-ganzrandig, etw. wellig, unterseits glänzend-seidenhaarig, Nebenbltt. lineallanzettförmig, kürzer als der Blattstiel.

ᶜᶜ Deckbltt. einfarbig gelblich-grün, an d. Spitze etwas rostfarben; Blthähre meist gebogen; Fr. lang gestielt, kahl . . . . **incana** Schrk.1343

Bltt. lanzett-lineal., zugespitzt-gezähnelt, unterseits filzig-weiss.

B. Wuchs strauchartig
a) *Strauch ziemlich gross, meist sparrig-verzweigt.*
† *Blthähren mit Entfaltung der Laubtriebe erscheinend.*
Deckbltt. zottig-haarig, mit bleibenden krausen Haaren; Griffel 2spaltig . **hastata** L.1354

Bltt. elliptisch klein-gesägt, Aestchen dick.

Deckbltt. haarig, später fast ganz kahl, Narben genähert . . . . . **glabra** Scop.1353

Bltt. verkehrt-eyförmig, gekerbt.

†† *Aehren vor Entfaltung der Laubtriebe vorhanden.*

369

SALICINEAE. 265

° Strauch aufrecht.
α Blätter schmal (schon sehr jung als solche erkennbar).
Narben eyf., Frkn. sitzend **purpurea** L.1347

   Bltt. lanzettl.-keilf., oben breiter, zugesp., scharfsägig, kahl, flach.
   Var. a) niedrig mit etwas sparrigen Aesten u. sehr schlanken Aehren: S. purpurea Sm.; b) mit nochmal so dicken Aehren u. breiteren gr. Bltt.: S. Lambertiana; c) mit anfr.-abstehenden Zw. u. schmalen Bltt.: S. Helix; d) mit getrennten Staubbeuteln: S. monadelpha; e) mit in der Jugend seidenh. Bltt.; f) mit einhäusigen Blth.: S. mirabilis Hpp.

Narben lineal; Frkn. sitzend **rubra** Huds.1348

   Bltt. schmal lanzettf. zugesp., geschweift-gezähnelt, am Rand etwas umgerollt, flaumh., später kahl; Nebenbltt. linealisch.
   Var. mit seiden-flaumigen Blättern: S. elaeagnifolia Tsch.

β Blätter breit (mehr od. weniger eyförmig).
Griffel lang.
Stiel der Fr. 2—3mal länger als d. Drüse;
Aehren langhaarig, dick **phylleifolia** L.*

   Bltt. eyf.-ellipt.-lanzettf., entfernt geschweift-gesägt od. ganzrandig, unterseits graugrün, später kahl; Nebenbltt halbherzf. mit se iefer Spitze.

Stiel d. Fr. 3—4mal länger als die Drüse;
Aehre kurzhaar., verlängert **nigricans** Fr.1345

   Bltt. eyf.-ellipt. bis lanzettf. wellig-gesägt, unterseits aschgran, gegen d. Spitze grünlich, jung flaumig, später kahl; Nebenbltt. halbherzf., eyförmig mit gerader Spitze.
   Var. mit ganz filzh. od. rauhh., am Grund kahlen Frkn.: S. Halleri Ser.; b) Bltt. unters. grün glänzend: S. nigr. punctata Hrtm.

Griffel kurz, Narben eyf., ausgerandet (Wuchs sehr sparrig, Aeste dünn) . . **aurita** L.1346

   Bltt. verk.-eyf. od. ellipt.-eyf. mit gekrümmter Spitze, wellig-gesägt, runzlig, oberseits flaum-, unterseits graugrün, filzhaarig-rauh; Nebenbltt. niereuförmig; Knospen kahl.

°° Strauch niederliegend.
α Aehren sitzend.
Griffel ziemlich deutlich ; Narben kurz.

Griffel etwas bemerklich ; Narbe gelbl. ; Aehre
bei der Reife eyförmig . . . **repens** L. 1351

> Bltt. meist eyf- (bis ellipt.-lanzettf.) rückwärts gebo-
> gen bespitzt, am Rand etwas umgebogen, ganzrd.
> od. entfernt drüsig-zahnig, unterseits seiden-glän-
> zend; Nebenbltt. lang, spitz
> Var. a) mit filzh. Fr. u. entweder lanzettf. Bltt.: vul-
> garis; od. mit ellipt. eyf. Bltt.: S. fusca Lm.;
> od. breit-eyf. Bltt.: S. argentea Sm.; b) mit
> kahlen Frkn. bei seidenh. Unterseite d. Bltt: S.
> fusca α Mey.; od. bei kahlen Bltt.: S. finn-
> marchica Willd.

Griffel kaum bemerklich, Narben braun, Aehren
rundlich bleibend . **rosmarinifolia** L. 1352

> Bltt. lineal. od. lin.-lanzettf. verschmälert-zugesp..
> am Rand flach; Spitze gerade, ganzrd. od. entfernt
> drüsig-zahnig; Nebenbltt. lanzettförmig.

Griffel deutlich (aber kurz); Narben strahlig,
lineal . . . . **ambigua** Ehrh. 1350

> Bltt. ellipt. verk.-eyf.-lanzettl., unterseits runzlich-
> berippt, angedrückt zottig-seidenh., später kahl;
> Nebenbltt. halbeyf. gerade.

β Aehren gestielt . . . . **myrtilloides** L. 1349

> Bltt. eyf., am Grund herzf. ellipt.-herzf. ganzraudig.
> matt, völlig kahl, unterseits netzf.-berippt; Ne-
> benbltt. halb eyf.
> Var. sehr in d. Blattform, ruudl.-eyf., am Grund
> herzf. bis lanzettf. u. beiderseits spitz.

b) Strauch sehr klein (2" — 1½'), *an
die Erde angedrückt.*
✝ *Blätter seiden-od.filzhaarig, unterseits matt.*
Aehren dick, zottig-haarig; Griffel fadenförmig
lang . . . . **Lapponum** L. 1355

> Bltt. lanzett-ellipt., zugesp. ganzrandig od. gesägt,
> jung seidenhaarig-zottig, alt oberseits runzl., un-
> terseits mattfilzig.
> Var. Bltt. nur in d. Jugend etwas filzh., später nur
> am Rand flaumfilzig: S. glauca Sm.

Aehren schlank auf beblättertem Stiel; Griffel
äusserst kurz . . . . . **reticulata** L. 1356
✝✝ *Blätter kahl.*
° Aehren reich- u. dichtblüthig.
Narben 2, Griffel 2spaltig; Frucht ey-lanzett-
förmig . . . . **Myrsinites** L. 1358

Bltt. ellipt.-lanzettf., beiderseits netzrippig-glänzend
einfarbig, Rand dicht drüsen-sägig.
Var. a) Bltt. beiderseits dicht seidenh.; b) mit kahler
Fr.; c)mit ganzrd. Bltt.: S. Jacquiniana Willd.

Narben4; Fr. eyf.-kegelförmig **arbuscula** L. 1357

Bltt. kahl, lanzettf., spitz, od. eyf., am Grund u.
Spitze abgerundet u. kurz zugespitzt, mehr oder
weniger dicht-gesägt, oberseits glänzend, unterseits
matt graugrün.
Var. a) Bltt. entfernt u. angedrückt sägezähnig; Griffel
gespalten: S. Waldsteiniana; b) dicht sägez.;
Griffel ungetheilt: S. prunifolia Ser.; c) wellig
sägerandig; Griffel kurz, Deckblttch. lederfarben:
S. prunifolia Sm.

°° Aehren wenig- u lockerblüthig.
Bltt. eyrund kreisf. abgerundet od. ausgerandet,
gesägt, kahl, beiderseits glänzend . . .
. . . . **herbacea** L. 1359
Bltt. verk.-eyf.-keilig, ganzrandig od. am Grund
drüsig-gezähnt; Aeste dick . **retusa** L. 1360

Var. a) grösser u. reichblth : S. Kitaibeliana;
b) kleiner, sehr niedergedrückt, wenigblth.: S.
serpyllifolia Scop.

439. PÓPULUS L. Pappel, Alber.

A. Deckblttch. gewimpert; jüngere Aeste
meist filz- oder rauhhaarig; Knospen
nicht klebrig.
Blätter rundl.-eyf., die der Endzweige herzf.-
handförmig-5lappig, unterseits schneeweiss
filzig . . . . **alba** L. 1361
Blätter (auch die der jungen u. Endzweige)
rundlich-eyförmig, eckig-gezähnt, unterseits grau-weissfilzig . . **canescens** L. 1362
Blätter kreisf., stumpf gezähnt (nur die jungen
Schossenzweige haarig) . . **tremula** L. 1363
var. mit beiderseits angedr.-haarigen Bltt:
P. villosa Lg.

1361. ♄. 3—4. Feuchte Wld. in
der Nähe grösserer Fl.: Donau,
Rhein.
1362. ♄. 3—4. Wie vorige
(hie u. da, aber auch in Lust-

gärten u. an Strassen mit jener
häufig gepflanzt.)
1363. ♄. 3—4. Feuchte Wälder.
Die Varietät hie u. da: Erlangen.

B. Deckblättchen kahl, jüngere Aeste d.
Wurzelschosse kahl; Knospen klebrig.
Blätter ganz kahl, gesägt.
Aeste aufrecht . . . **pyramidalis** Roz. C
Aeste abstehend . . . . **nigra** L. 1364
Blätter am Rand wimperig, ganzrandig. . . .
. . . . **monilifera** Ait. C

101. Familie. BETULINEAE.

410. BÉTULA L. Birke.

A. Blätter ästig-berippt, d. h. mit starken Hauptrippen.
Flügel der elliptischen Frucht doppelt so breit
als diese, aber kürzer als die Narben-
spitzen . . . . **alba** L. 1365
Flügel der verkehrt-eyförmigen Frucht so breit
u. so lang als diese; Blätter in der Jugend
flaumig, die erwachsenen in den Winkeln ‒
behaart . . . . . **pubescens** Ehrh. 1366
B. Blätter ohne deutliche Hauptrippen
dicht aderförmig-netzförmig berippt;
Deckschuppen der Frucht mit zieml.
gleichgrossen Flügeln.
Bltt. rundl.-eyf., scharf gesägt, Fruchtstand
aufrecht, kurz-gestielt . **humilis** Schrk. 1367
Bltt. fast kreisf., od. breiter als lang, stumpf,
schwach-gekerbt, Fruchtstd. aufrecht, fast
sitzend . . . . **nana** L. 1368

441. ALNUS L. Erle.
A. Blume 3blätterig.

C. = P. fastigiata Poir. ♄. 3—4.
Aus dem Orient, bei uns vorzugsweise an Strassen, aber
immer nur der männl. Stamm
gepflanzt. „Chausseepappel".
1264. ♄. 4.... Feuchte Wälder
u. Fluss-Ufer (hie u. da).
C. ♄.... Aus Nord-Amerika,
bei uns bisw. an Strassen u.
in Lustgärten gepflanzt.
1365. ♄. 4—5. Wälder (bes. d.
Ki.-F.) bis in die Vor-Alpen.

1366. = B. odorata Bechst. ♄.
4—5. Feuchte Wld, schwam-
mige Sümpfe.

1367. = B. fruticosa Willd. ♄.
4.... Schwammige Sümpfe d.
oberbayer. Ebene u. Alpen-
Gegenden.

1368. ♄. 5.... Schwammige Sümpfe schattiger Bergschluchten
der oberbayer. Hochebene.

Laubbltt. beiderseits gleichfarbig, kahl, unterseits
an den Rippen kurzhaarig; Frucht breitgeflügelt . . . . **viridis** DC. 1369
B. Blume 4spaltig; Frucht ohne Flügel.
Blätter eyförmig-spitz, scharf doppelt sägezähnig, unterseits graugrün, flaumig oder
filzig. . . . . **incana** DC. 1370
Blätter rundl. od. verk.-eyf., stumpf od. d. oberen
zugespitzt, doppelt gekerbt-gesägt, beiderseits
grün, unten flaumig . . **pubescens** Tsch. *
Blätter rundl. sehr stumpf an d. Spitze eingedrückt,
am Grund keilf., kahl, in d. Winkeln d. Blattrippen bartig . . . . **glutinosa** Gärtn. 1371

Familie PLATANEAE.

a) PLÁTANUS L. Platane.
Blätter herzf., 5lappig, entfernt-gezähnt, am Grund
abgestutzt (Zweige ausgebreitet) **orientalis** L. b1
Blätter 5eckig, schwach-gelappt, buchtig-gezähnt,
am Grund keilf., unterseits flaumh. (Zweige aufrecht-abstehend) . . . . **occidentalis** L. b2

102. Familie. CONIFERAE.

442. TAXUS L. Eiben.
Blätter lineal zugespitzt, in eine Fläche gerichtet;
weibl. Blüthen einzeln, sitzend . **baccata** L. 1372

443. JUNÍPERUS L. Wachholder, Kranewitt.
A. Blätter mehr od. w. lineal, abstehend,
dornspitzig. lanzett-lineal, gebogen, obers. schwach
gerinnelt: Fr. so lang als d. Tragbltt. **nana** Willd. 1373

1369. = Betula ovata Schrk. h.
5—6. Feuchte Alpenabhänge.
1370 h. 2—4. Fluss-Ufer der
Alpenströme u. Abhänge mit
jenen in die Ebene, bis an d.
Donau. aber auch auf der
Rhön u. bei Cadolzburg.
* = Alnus barata C. A. Mey.
h. 3.... um 3 Wochen später
als vorige. Feuchte Tritten,
Fluss Ufer (Rheingegenden).
1371. = Betula Alnus α L. h.

2—3. Sumpfige Waldstelle
u. Fluss-Ufer.
b1. h. 5.... Aus Klein-Asien,
bei uns in Lustgärten.
b2. h. 5.... Aus Nord-Amerika,
bei uns in Lustgärten gepflanzt.
1372. h. 4—5. Wälder der höheren Gebirgsgegenden: Alpen,
fränk. Jura.
1373. = J. communis γ' L. h.
7—8. Felsen-Abhänge der Alpen u. Voralpen.

pfriemenf. - lineal., gerade, oberseits scharf-
rinnig, abstehend; Frucht 2 mal kürzer als d.
Tragblatt . . . . **communis** L. 1374
theils (an d. untern Theil der Zweige) lineal-
dornspitzig, weich u. theils (oberwärts) ellipt.,
anliegend, Fr. auf einem kurzen Seitenzweig -
aufrecht . . . . **virginiana** L. h1 .
B. Blätter rhombisch - lanzettf., dicht-
angedrückt; Frucht gestielt, herabgebogen .
. . . . **Sabina** L. h2:

a) THUJA L. Lebensbaum.

Blätter schuppenförmig,
die der flachen Seite der Aestchen gefurcht;
Fruchtschuppen an der Spitze hackig; Samen
ungeflügelt . . . . . . **orientalis** L. h3
die der flachen Seite der Aestchen mit einem
Höckerchen; Fruchtschuppen an der Spitze
höckerig; Samen geflügelt **occidentalis** L. h4

414. PINUS L. Nadelholzbaum.

Blätter lineal, fadenförmig od. flach.
A. Blätter jährlich abfallend, weich,
in Büscheln stehend; Fruchtzapfen eyf., Schuppen sehr stumpf, schlaff, abstehend **Larix** L. 1375
B. Blätter ausdauernd, hart,
a) *zu zweien in einer Scheide,*
graugrün; junge Zapfen hackig-herabgebogen
. . . . **sylvestris** L. 1376
grasgrün; junge Zapfen auf geraden od. schwach

1374. ♄. 4 — 5. Kahle Hügel, 1375. = Larix europaea DC. ♄.
Haiden u. Wälder.   5 . . . . Wälder der Alpen - Ge-
b1. ·. 5. . . . Aus Nord-Amerika, genden u. Voralpen; ausser-
bei uns in Lustgärten.   dem öfteis gepflanzt in mehr
h2. ♄. 4 — 5. Alpengegenden,   od. weniger grossen Bestän-
ausserdem von Landleuten in   länden. „Lerche".
Hausgärten häufig gepflanzt.   1376. ♄. 5. . . . „Föhre od. Man-
h3. ♄. 5. . . . Zierbaum aus China.   telbaum". Waldbaum d. Ebe-
h4. ♄ 5. . . . Zierbaum aus Nord-   nen u. niedern Berggegenden
Amerika.   (bes. d. Kl.-F.), seltner in d.
     Alpen u. nur bis zu 5000'.

gebogenen Stielen; Laubknospen eyförmig
od. länglich walzenförmig **Mughus** Scop. [1377]
Var. a) Stamm aufrecht: P. uliginosa Neum.;
  b) Stamm vom Grund an ästig, mit aufwärts
gebogenen Zweigen: P. Pumilio Hk.

b) Blätter zu 3—5 in einer Scheide,
kurz ($1\frac{1}{2}$—2"), dick; Zapfen eyförmig abgestutzt, Samen ohne Flügel . **Cembra** L. [1378]
lang (3—4") fein; Zapfen spindel-walzenf.,
Same breitgeflügelt . . . **Strobus** L. [c]

c) Blätter einzelständig,
in eine Fläche gerichtet, ausgerandet, flach,
unterseits mattgrau; Zapfen aufrecht walzenf,
Deckblättchen herausragend; Schuppen abfallend . . . . **Picea** L. [1379]
allseitig hin stehend, rundlich-kantig, gleichfarbig; Zapfen hängend, spindelig-walzenf,
Deckbltt. versteckt, Schuppen bleibend . .
. . . . **Abies** L. [1380]

1377. ♄. 5—6. Felsige feuchte Abhänge der Alpen u. Voralpen (d. Ka.-F.) mit den Flüssen in die Ebene. „Legföhre,Leggerten". DieVariet.a. in d. Alpenthälern u. selbst in dem bayer. Wald; d.Var. b. auf d. Torfmooren d. b. Hochebene. **1378.**♄. 6.... „Arve od. Zirbel". Gebirgsschluchten der höchst. Alpen (hie u. da: Berchtesgaden). C. ♄. „Weyhmouthskiefer". 5...

Aus Nord-Amerika, bei uns in Lustgärten u. in kleinen Beständen hie u. da (Ansbach) gepflanzt. **1379.** = Abies pectinata DC. ♄. 5.... „Weisstanne". Waldbaum der Berggegenden, Voralpen; in d. Alpen bis zu 4500'. **1380.** = Abies excelsa Poir. ♄. 5...,.Rothtanne, Daxen, Fichten". Waldbaum der Berggegenden (bes. d. Th.-F.), in den Alpen bis zu 5500'.

II. Unterabtheilung.

Einkeimblatt-Pflanzen.

(Plantae monocotyledoneae.)

Familie **HYDROCHARIDEAE.**

415. HYDRÓCHARIS L.

Blätter kreisrundl., schmal-herzf.-eingeschnitten, scheidig . . . . . . **morsus ranae** L. 1381

Familie **ALISMACEAE.**

416. ALISMA L. Froschlöffel.

Früchtchen in einem rundl. 3eckigen Haufen beisammen, an der Spitze abgerundet, stumpf, am Rücken mit 1 oder 2 Rinnen; Bltt. alle wurzelständig, herz-eyf. bis lanzettl. **Plantago** L. 1382
Var. a) lanzett-blätterig.
    b) lineal- (gras) blätterig mit schwimmenden Blättern.
Bemerkg. Das ächte A. natans hat zugespitztgeschnabelte, vielgestreifte Fr. in kreisförmigen Haufen, einen beblätterten Stengel und grosse Blumen.

447. SAGITTARIA L. Pfeilkraut.

Blätter lang-gestielt, tief-pfeilf., bisweilen fast 3zinkig . . . . **sagittaefolia** L. 1383
Bemerkg. In gewissem Alter hat die Pflanze mehrere lineale untergetauchte Blätter und nur 1—2 pfeilf.-zartstielige Bltt. mit schwimmender Fläche: S. heterophylla.

1381. Weiss. ♃. 7—8. Stehende
Wasser der Niederungen (hie
und da).

1382. Röthlich-weiss. ♃. 7—8.
Sümpfe, Teichränder u. Grb.
1383. Weiss. ♃. 6—7. Teiche,
Sümpfe.

105. Familie BUTOMEAE·

418. BÚTOMUS L. Wasserliesch.
Blätter lineal (gedreht) sehr lang; Erdstock wagrecht . . . . umbellatus L.1384

106. Familie. JUNCAGINEAE.

419. SCHEUCHZÉRIA L.
Blätter pfriemlich, scheidig, 2—3 grund-, 1 stengelständig . . . . palustris L.1385

450. TRIGLOCHIN L. Dreizack.
Blätter pfriemlich, grundständig.
Früchte zu 6, eyf., eckig, unter den Narben
zurückgebogen, eingeschnürt maritimum 1386
Früchte zu 3, nach oben keulenf.; Narbe sitzend
. . . . palustre L.1387

107. Familie POTAMEAE.

451. POTAMOGETON L. Laichkraut.
A. Blätter eyf.-elliptisch oder lanzettf.,
die oberen meist schwimmeud.
   a) Die Blätter verschiedenartig, d.
   h. die oberen schwimmend und derber als die untergetauchten, welche
   bisweilen ohne Spreite (und nur als
   Scheiden vorhanden) sind.
   † Untere Blätter sitzend, bisweilen nach
   dem Grund verschmälert.
   Die schwimmenden Blätter längl.-eyrund, in
   einen kurzen Stiel verschmälert; Stiel des
   Fruchtstandes rund . rufeseens Schrd.1383

1384. Rosenfarb. ♃. 7—8. Teiche,
Sümpfe (hie u. da, besonders
der Ki.-F.).
1385. Grünlich. ♃. 5—6. Schwammige Torfgründe, besonders
am Fuss der Berge.
1386. Grün. ♃. 6—8. Feuchte
Wiesen mit Salzwasser.

1387. Grün. ♃. 6—7. Feuchte
Triften u. quellige Abhänge.
Die Blumen aller sind mehr oder
weniger unrein-grün.
1388. — P. obscurum DC. fl. fr.
♃. 7—8. Stehende Wasser ».
Bäche (hie und da).

18

Die schwimmenden Blätter eyf., seltener lanzettf., lang-gestielt; Stiel des Fruchtstandes
aufgeblasen . . . . . **gramineus** L.[1389]
    var. mit schlaffen (P. gramineus L.) und
    starren untergetauchten Blättern ;(P. hy-
    bridus Thl.).
†† *Alle Blätter gestielt.*
 ° Frucht linsenf., auf dem Rücken kantig, untere Blätter zart-durchscheinend, schmal
   spatelf., obere Blätter eyf.-länglichrund, viel
   kürzer als der Stiel **spathulatus** Schrd.[1390]
°° Frucht mit abgerundetem Rücken.
   Blätter am Grund nicht in eine Falte gebogen, oberseits erhalten, am Rande scharf,
   die unteren zur Blüthenzeit noch vorhanden, verlängert, lanzett-eyförmig . . .
    . . . . **fluitans** Rth.[1391]
   Blätter am Grund mit einer Falte; die unteren zur Blüthezeit verwittert; die oberen eyf.-ellipt.; Frucht gross; Fruchtstand
   lückig . . . . **natans** L.[1392]
    var. schmal-blätterig, in raschen Wässern.
   Die unteren Blätter zur Blüthezeit vorhanden, lanzettf., die oberen lederig, länglich-rund, eyf., schwach herzf; Frucht
   klein (beim Trocknen rostfarben); Fruchtstand gedrängt, schlank **oblongus** Viv.[1393]
    var. sehr niedrig: P. parnassifolius Schrd.
*b) Alle Blätter zart (durchscheinend),
   meist untergetaucht, krauss.*
† *Alle Blätter gegenständig, herzf.-stengel-
   umfassend* . . . . **densus** L.[1394]
    var. in der Breite u. Zuspitzung der Blätter.
†† *Blätter abwechselnd, zweizeilig.*

1389. = P. heterophyllus Schrb.   1392. ♃. 6—8. Stehende und
♃. Teiche und langsam flies-   fliessende Wasser.
sende Wasser‾(hie und da).
1390. = P. Koehii F. W. Schltz.   1393. ♃. 7—8. Gräben sumpfi-
♃. 7—8. Kalte Gebirgsbäche.   ger Wiesen und Haiden mit
(westl. Gegend. d. Rheinpfalz).   Torfgrund (Rheinpfalz).
1391. = P. natans β u. γ M.   1394. ♃. 7—8. Stehende und
u. K. ♃. 7—8. Rheingegenden.   fliessende Wasser (hie u. da).

* Blätter mit breit-herzf.-umfassendem Grund
  sitzend . . . . . **perfoliatus** L. 1395
** Blätter nicht umfassend, sitzend oder etwas
  gestielt.
  Frucht lang-geschnabelt; Bltt. wellig-krauss
  . . . . **crispus** L. 1396
  Frucht kurz-geschnabelt;
  Blätter fast flach, gestielt, eyf.-zuge-
  spitzt, am Grund herzf.; Stiel des
  Fruchtstandes schlank; Frucht zusammengedrückt, stumpf-randig . . . . .
  . . . . . . **Hornemanni** Mey. *
  Blätter ey-lanzettf., stachelspitz, am Rd.
  gesägt-rauh; Stiel des Fruchtstandes
  oben verdickt . . . . **lucens** L. 1397
B. Blätter gleich-breit, gleichförmig
   sehr schmal.
   a) *Die oberen Blätter (scheinbar) ge-*
   genständig. Scheide fast ganz an den
   Blattstiel hinan verwachsen, den Stengel
   lang-scheidig-umfassend **pectinatus** L. 1398
   b) *Alle Blätter entfernt-zweizeilig.*
   Scheide nicht mit den Blättern verwachsen.
   † *Stengel geflügelt-zusammengedrückt.*
   Blüthenstand 10—12blüthig, walzenförmig .
   . . . . **compressus** L. 1399
   Blüthenstand 4—6blüthig, kugelig . . . .
   . . . . **acutifolius** Lk. 1400
   †† *Stengel zusammengedrückt* (aber nicht geflügelt).
   Blätter spitzlich, stachelspitz; Aehre 4—8-
   blüthig, unterbrochen, 3—4mal kleiner als
   der Stiel . . . . **pusillus** L. 1041

1395. ♃. 7—8. Teiche u. Flüsse   1398. ♃. 7—8. Teiche u. Flüsse.
(hie und da).   1399. ♃. 6—7. Stehende und
1396. ♃. 6—8. Stehende und   langsam fliessende Wasser.
fliessende Wasser.   1400. ♃. 7—8. Stehende Was-
* = P. coloratus Hornem. ♃.   ser und Bächlein.
7—8. Stehende Wasser (Rhein-   1401. ♃. 7—8. Stehende Was-
fläche).   ser und Bäche.
1397. ♃. 6—8. Teiche u. Bäche.

18*

Blätter stumpflich-stachelspitz; Aehre 6—8-
blüthig, so lg. als d. Stiel **obtusifolius** L. 1402
var. a) gross, Blätter 1''' breit,
    b) gewöhnlich, Blätter $\frac{1}{2}$''' breit,
    c) sehr schmal.
††† *Stengel stielrund*; *Bltt. borstlig-lineal*,
  1rippig.
Blüthenstand 4—8blüthig, 3—4mal kürzer als
der Stiel; Frucht halbkreisf. **trichoides** Ch. 1403

452. ZANNICHELLIA L.

Griffel halb so lang als die kurz-gestielte Frucht;
Blätter schmal-lineal . . . . **palustris** L. 1404

108. Familie. **NAJADEAE.**

453. NAJAS L.

Blätter lineal, geschweift-zahnig, straff; Scheiden
ganzrandig . . . . **major** Rth. 1405
Blätter borstlich-lineal, geschweift-zahnig, zurückgebogen; Scheiden wimperig . . **minor** All. 1406

109. Familie. **LEMNACEAE.**

454. LEMNA L. Wasserlinse.

A. Laubstock lanzettf. - längl.-rund, an
einem Ende stielf.-verschmälert, untergetaucht, 3 gabelig-ästig **trisulea** L. 1407
B. Laubstock eyrund oder kreisförmig,
  a) viele Wurzeln herabsenkend (unter-
    seits roth, gross) . . . **polyrrhiza** L. 1408
  b) jeder Stock nur mit 1 Wurzel;
    unten flach; Frucht 1samig . . **minor** L. 1409

1402. = P. compressum Rth. ♃. — 7—8.Seeen u.Teiche(hie u.da). 1403. ♃. 7—8. Seeen u. Teiche (bisher nur bei Nürnberg). 1404. ♃. 7—9. Stehende und fliessende Wasser (hie u. da). 1405 = N. marina α L. ☉ Seeen u. Teiche (hie u. da: Erlangen).

1406. = Caulinia fragilis Willd. ☉ 7—8. Tümpfel u. Gräben (Rheinpfalz). 1407. ☉ 4—5. Stehende Wasser u. Gräben (hie und da). 1408. = Spirodela .... Schldn. ☉ 4—5. Auf stehendem Wss. 1409. ☉ 4—5. Auf stehendem Wasser.

unten aufgeblasen-gewölbt; Frucht 2—6samig
. . . . **gibba** L. 1410

110. Familie. **TYPHACEAE.**

455. **TYPHA L.** Rohrkolben.

A. Blätter länger als der Blüthenstengel.
  a) *weibliche Blüthen ohne Deckblätt-*
  chen, d. h. alle sogenannten Haare
  gleichförmig; Narben rhombisch-
  lanzettlich . . . . . . **latifolia** L. 1411
  b) *weibliche Blüthen mit am Ende*
  spatelförmigen Deckblättchen.
  Weibl. Blüthenstand kurz (3—4″) , scheckig;
  Narben spatelförmig, in der Länge kaum
  die Perigonhaare erreichend . . . . . .
  . . . . **Shuttleworthii** Koch.*
  Weibl. Blüthenstand lang (6—8″), gleichfarbig (fuchsbraun); Narben lineal-lanzettl., d.
  Perigonhaare überragend **angustifolia** L. 1412
B. Blätter kürzer als der Blüthenstand-
  stengel, die d. Laubtriebe sehr schmal
  (1—2‴); Fruchtstand eyf.-walzlich . .
  . . . . **minima** Hpp. 1413

456. **SPARGANIUM L.** Igelkolben.

A. Stengel oben ästig; Blätter 3kantig, tiefrinnig; weibl. Blüthenstände von männl. über-
  setzt; Fr. breit-keilf., eckig **ramosum** Huds. 1414
B. Stengel nicht verästelt.
  a) *steif, ziemlich stark.*
  Weibliche Blüthenstände gestielt, 2—4.
  Blätter 3kantig, mit ebenen Flächen; Frucht

1410. = Telmatophace…Schldn. 4—5. Auf stehendem Wss.
1411. Blüthenstand schwärzlich-braun. 7—8. Stehende Was-ser und Flüsse.
* Weiss oder roth-braun ge-spreckelt oder gescheckt. 7—8. Ufer der Gebirgsströme (Schweiz; Starenberg?).

1412. Blüthenstand rothbraun. 7—8. Teiche u. Flussufer.
1413. = T. angustifolia β L. Bräunlich-roth. 4—5. An Sümpfen, am Fuss der Alpen u. an Gebirgsströmen, auch im Rheinthal.
1414. = Sp. erectum ιι L. 7—8. Gräben, Flussufer.

gestielt, ellipt., über der Mitte eingeschnürt;
Narben sehr lang . . .   **simplex** Huds. 1415
Weibl. Blüthen sitzend, selten die untersten
etwas gestielt; Stengelblätter 4—5 nach der
Basis verbreitert; Frucht länglichrund, verschmälert; Narben schmal, kurz, aufrecht
. . . . **affine** Schnzl. *
b) *Stengel schwach, zart.*
Weibl. Blüthen sitzend, selten die unterste
gestielt; Blätter nach der Basis verschmälert; Frucht eyf., sitzend; Narbe breit,
sitzend, auswärts-stehend . . **natans** L. 1416

111. Familie. **AROIDEAE.**

457. ARUM L. Aron.
Blätter pfeilförmig; Kolben gerade keulenförmig
. . . . **maculatum** L. 1417

458. CALLA L. Drachenwurz.
Blätter herzf., langscheidig; Blüthenstandscheide
flach . . . . **palustris** L. 1418

a) RICHARDIA L.
Blätter pfeilf.; Blüthenscheide tutenförmig - spitz
. . . . **aethiopica** L. h

459. ÁCORUS L. Kalmus.
Blätter schwertförmig; Blüthenstand zwei-blattf.,
seitl die Aehre tragend . . . **Calamus** L. 1419

112. Familie **ORCHIDEAE.**

460. ORCHIS L. Knabenkraut.
I. D e c k b l ä t t e r e i n r i p p i g.

1415. = Sp. erectum β L. ⁄. 2↓.   1418. Innenseite der Scheide
7—8. Sümpfe u. Gräben.   weiss. 2↓. 7—8. Waldsümpfe
* 2↓. 7—8 (?). In Teichen der   ausgedehnter Wälder d. Nie-
höheren Gebirge des Westens   derungen (hie u. da).
(Vogesen, Elsass).
1416. 2↓. 7—8. Teiche u. Sümpfe   h. = Calla ... L. Blüthenscheide
(hie und da).   rein-weiss. 2↓. 2—5. Zierpfl.
1417. 2↓. 5. Schattige Laubwäl-   aus dem südlichen Africa.
der der Berggegenden.   1419. 2↓. 6—7. Teiche u. Fl-Uf.

A. **Lippe der Blume 3theilig, der mittlere Lappen nach vorn breit, 2spaltig, meist mit einem Zähnch. in der Bucht.**

a) *Deckblätter halb so lang als der Fruchtknoten. Aeussere Blumenblätter bis auf den Grund frei* (Blume klein) . .

. . . . **ustulata** L.1420

b) *Deckblätter viel kürzer als der Fruchtknoten; äussere Blumenbltt. am Grund verwachsen.*

† *Helmblätter eyf. kugelig-zusammengeneigt* (braunpurpurfarben); Abschnitte des Mittellappens der Lippe 6–8mal breiter als die seitlichen . . . . **fusca** L.1421

†† *Helmblätter eyf.-lanzett zusammengeneigt* (graul.-rosenfarben); Seitenabschnitte d. Lippe schmal.

* Zipfel des Mittellappens so breit als die Seitenlappen.

Zipfel so lang als die Helmblumenblätter, gerade; Lippe pinselig - purpurhaarig . .

. . . . **militaris** L.1422

Zipfel nochmal so lang als die Helmblmbltt., einwärts - gebogen; Lippe flaumig - punctirt (Stengelblätter meist 6) . **Simia** L.*

** Zipfel des Mittellappens breiter als die Seitenlappen, kurz, auseinanderstehend . . .

. . . . **variegata** All.**

B. **Lippe tief 3spaltig, der Mittellappen ellipt., ganz oder abgestutzt - ausgerandet.**

1420. Helm dunkelpurpurfarben. ♃. 5—6. Bewässerte Wiesenabhänge (hie u. da).
1421. = O. militaris β u. γ L. Helmblatt dunkelpurpurfarben, dunkler getüpfelt. ♃. 5—6. Bergwälder (hie u. da), besonders der Ka.-F., aber auch im Thonboden, z. B. dem des Steigerwaldes.
1422. Helmbltt. hellgrau-rosen-

farben. ♃. 5—6. Feuchte Haine u. Gebüschabhänge der Ka.-Form. (hie und da).
* = tephrosanthos Vill. Helmbltt. grau-röthlich. ♃. 5. Grasreiche Kalkhügel (am Ober-Rhein).
** = O. Simia Vill. Blass-rosenfarben. ♃. 5. Triften und Wiesen d. Berggegenden (Ober-Baden).

Lippe herabhängend, der Mittellappen ganz,
die seitlichen kürzer; Sporn keilf.; Blätter
lineal-lanzettförmig . . **coriophora** L. 1423
Lippe hervorgestreckt; Mittellappen ausgeran- -·
det; Sporn walzl.; Bltt. lanzettf. **globosa** L. 1424
C. Lippe 3lappig; Lappen breit, kurz;
Knollen ungetheilt.
a) Helmbltt. alle zusammengeneigt
. . . . **Morio** L. 1425
*b) Helmblätter der äusseren Reihe
zurückgeschlagen.*
Lippe schwach 3lappig, mit ganzrandigen
Seitenzipfeln; am Schlund seidenhaarig;
Helmblätter stumpf: Aehre eyförmig; Blätter
verk.-eyförmig, stumpf . . **pallens** L. 1426
Lippe tief 3lappig, mit gezahnten Seitenzi-
pfeln, am Schlund haarig; Aehre verlängert;
Bltt. verk.-länglrd.-lanzettf. **mascula** L. 1427
var. mit mehr oder weniger stumpfen oder
spitzen Helmblättern.
II. Deckblätter 3 bis mehrrippig u. alle
oder die unteren netzrippig.
A. Knollen ungetheilt (oder nur an der
Spitze schwach 2lappig).
Lippe 3lappig; Mittellappen tief 2spaltig; Sporn
wagrecht oder aufwärts stehend; Seiten-
Helmblätter zurückgeschlagen; Laubblätter
lin.-lanzettl.; Blthstd. locker **laxiflora** Lam. 1428
Lippe schwach 3lappig; Sporn herabstehend;
seitliche Helmblätter abstehend; Laubblätter
lanzettförmig, nach vorn verbreitert . . .
. . . . **sambucina** L. 1429
var. purpurfarbig: O. incarnata Willd.

1423. Helmblatt unrein-purpur-
farben. ♃. 5—6. Bergwiesen.
1424. Rosenfarben. ♃. 5—6. Ws.
d. Gebirgs- u. Alpengegenden.
1425. Helmblatt purpurfarben
mit grünen Linien. ♃. 4—5.
Triften d. Berggegd. (Ka.-F.).
1426. Gelblich-weiss. ♃. 4—5.
Gebüsch-Abhänge und Berg-
Wälder (Ka.-F.).

1427. Purpurfarben. ♃. 5—6.
Waldwiesen.
1428. = O. palustris Jacq. Vio-
lettpurpurfarben. ♃. 5—6.
Sumpfige Torfwiesen am Fuss
der Gebirge (hie und da).
1429. Hellgelb, bisweilen roth.
♃. 5—6. Waldwiesen der
Berggegenden und Alpen.

B. Kn ollen handförmig-gespalten.
a) Stengel dicht (sehr [10] *beblättert).*
Blätter allmäblich kleiner, die obersten weit
von der Aehre entfernt, die mittleren bei-
ders. verschmäl.; Lippe flach **maculata** L. 1430
b) Stengel hohl (4—6*blätterig*).
Seitliche Helmblätter aufwärts - zurückgeschlagen, die mittleren und untersten Deckblätter länger als die Blume; Lippe zurückgebogen; Laubblätter abstehend, ey-lanzettf.-
stumpf . . . . **latifolia** L. 1431
Seitliche Helmblätter abstehend, später zurückgeschlagen; alle Deckblätter länger als
die Blume; Laubblätter aufrecht, verschmä-
lert-lanzettf., an der Spitze eingezogen, das
oberste überragt den Anfang der Aehre .
. . . . **incarnata** L. 1432

461. ANACAMPTIS Rich.

Lippe halb 3spaltig, am Grund mit 2 Schüppchen;
Sporn sehr dünn, lang; seitl. Blumenblätter abstehend; Bltt. lanzett-lineal **pyramidalis** Rich. 1433

462. GYMNADENIA Rich.

A. Blumen weiss. Lippe tief 3theilig, mit sehr
schmalen Zipfeln; Sporn ⅓ des Fruchtknotens:
alle Blumenbltt. zusammengeneigt **albida** Rich. 1434
B. Blumen roth; Sporn sehr lang, dünne.
Sporn fast doppelt so lang als der Fruchtknoten;
Blätter schmal-lanzettf. **conopsea** R. Brw. 1435
Sporn kaum so lang als der Fruchtknoten; Blät-
ter lineal-lanzettförmig **odoratissima** Rich. 1436

1430. Blass-lila. ♃. 6. Wld.Ws.   Gebüsch-Abhänge (der Ka.-
1431. = O. majalis Rehbch. Pur-   Hügel; hie u. da).
purfarben. ♃. 5—6. Feuchte 1434. = Satyrium...L. Weiss-
Wiesen.   lich-grün. ♃. 6—8. Grasreiche
1432. = O. angustifolia W. u.   Abhänge der Alpen und hö-
Gr. in K. Syn. ed. 1. Rosen-   heren Berggegenden.
farben. ♃. 6. Sumpfige und   1435. = Orchis... L. Purpurf.
torfige Waldwiesen.   ♃. 6 — 7. Bergwiesen.
1433. = Orchis....L. Purpur- 1436. = Orchis... L. Purpurf.
farben. ♃. 5—7. Wiesen und   ♃. 6 — 7. Gebirgswiesen.

463. HIMANTHOGLÓSSUM Spr.
Lippe lineal-3theilig, d. mittlere Lappen sehr lang,
gerollt oder gewunden, die seitlichen krauss,
kurz . . . . **hircinum** Rich. 1437

464. COELOGLOSSUM Hartm.
Lippe lineal, an der Spitze 3zähnig; Sporn kurz
. . . . **viride** Hrtm. 1438

465. PLATANTHÉRA Rich.
Lippe ungetheilt gleichbreit; Laubblätter ein Paar.
Beutelfächer parallel . . . . **bifolia** Rich. 1439
Beutelfächer nach unten auseinanderstehend . .
. . . . **chlorantha** Cust. 1440

466. NIGRITELLA Rich.
Sporn verkehrt-eyf., ⅓ so lang als d. Frkn.; Bltt.
lineal; Aehre eyförmig **angustifolia** Rich. 1441

467. OPHRYS L. Ragwurz.
A. Lippe ohne Anhängsel an der Spitze.
Lippe 3lappig, sammetig mit bläul. viereckigem
Flecken, Mittellappen 2spaltig; d 2 innern Blu-
menbltt. fadenf., sehr kurz **muscifera** Huds. 1442
Lippe ganz od. etwas ausgerandet, gewölbt, d.
inneren 2 Blumenblätter eylanzettf. stumpf . .
. . . . **aranifera** Huds. 1443
B. Lippe an der Spitze mit einem An-
hängsel.
Anhängsel vorgestreckt, Staubbeutelsäule in

1437. = Satyrium... L. Grünlichweiss u. roth gestreift. ♃.
5 — 6. Gebüsch-Abhänge der
Bergtriften (hie u. da).
1438. = Satyrium... L. = Ha-
benaria... R. Br. Gelblich-
grün.♄.6...'Feuchte Wiesen u.
Abhänge der Laubwälder in
Gebirgsgegenden.
1439. = Orchis ... L. Weiss.
♃. 6 — 7. Schattige Wälder.
1440. = Orchis virescens Zoll.
Grünlichweiss. ♄.6—7. Schattige Bergwälder.

1441. = Satyrium nigrum L.
Purpurf. ♃. 5 — 8. Grasreiche
Abhg. d. Alpen u. Voralpen.
1442 = O. myodes Jacq. Lippe
braun-violett mit bläulichen
Flecken. ♄. 6... Bergwälder
u. Triften der Gebirgsgegenden (Ka.-F,)
1443. Lippe braunpurpurf. mit
2 bläulichen Streifen.♃. 5—6.
Hügel u. Berg-Abhänge der
Ka.-F. (hie u. da)

einen kurzen geraden Schnabel endigend .
. . . . **arachnites** Reich.1444
Anhängsel (verborgen) an dem nach unten um-
geschlagenen Rand der Lippe; Staubbeutelsäule in einen langen, hackig gebogenen
Schnabel endigend . . . **apifera** Huds.1445

468. CHAMAEORCHIS Rich.

Lippe eyförmig - länglichrund, abgerundet, am
Grund beiderseits mit einem schwachen Zahn;
Bltt. schmal lineal, länger od. so lang als der
Stengel . . . . **alpina** L.1446

469. ÁCERAS R. Brw.

Lippe 3theilig, Mittellappen mit 2 den Seitenlappen
gleichen linealen langen Zipfeln; Helmbltt. zusammengeneigt . **anthropophora** R. Brw.1447

470. HERMINIUM R. Brw.

Innere Blumenbltt. 3lappig, Lippe an der Spitze
3zähnig, je 3spaltig, die Seitenlappen abstehend;
Blätter elliptisch . . **Monorchis** R. Brw.1448

471. EPIPOGIUM Rich.

Stengel gegliedert, schuppenblättrig; Blumen 2 od.
3, überhängend . . . . . **Gmelini** Rich.1449

a) LIMODÓRUM Tournef.
Stgl. scheidnblttr.,Lippe eyf.,welliga**bortivum**Sw. *

472. CEPHALANTHÉRA Rich.

A. Fruchtknoten kahl.
Deckbltt. länger als der Frkn.; Lippe breit-herz-

1444. Lippe dunkelpurpurn mit gelber Zeichnung, Anhängsel gelblich-grün. ♃. 6 ... Kalk-Hgl. u.Gbsch-Abhg. (hie u. da).

1445. Lippe braunpurpurn, gelb gezeichnet, seitl. Bltt. röthlich. ♃. 6 — 7. Gebüschabhänge der Berggegenden (hie und da: Rh.-Pfalz).

1446. = Ophrys... L. Gelblich-grün. 6 — 8. Triften der höh. Alpenregionen.

1447. = Ophrys..., L. Grünlich-

gelb, roth berandet; Lippe gelb-roth. ♃. 5—6. Bg-Trft., feuchteAbhge(Ka.-F. hie u.da).

1448. = Ophrys ... L. Grün-gelb. ♃. 5 — 6. Wiesen u Triften der Berggegenden, besonders am Fusse der Alpen.

1449. = Satyrium... L. Blass-gelbl. u. rosenf. ♃. 7 — 8. In faulendem Laubboden schattiger Bergwälder von mir 1842 bei Tegernsee gefunden.

*Stengel u. Blm. violett. ♃. 5—6 Gebüschabhänge (Ob.-Baden)

281 ORCHIDEAE.

eyförmig; alle Blumenbltt. stumpf; Bltt. ey-
lanzettförmig . . . . . **pallens** Rich. 1450
Deckbltt. viel kürzer als der Frkn.; Lippe sehr
stumpf, die äusseren Blumenbltt. spitz; Bltt.
lanzettförmig oder lineal-lanzettförmig zugespitzt . . . . **ensifolia** Rich. 1451
B. Fruchtknoten flaumhaarig.
Lippe lanzettförmig zugespitzt; Deckbltt. länger
als der Fruchtknoten . . . . . **rubra** L. 1452

473. EPIPACTIS Rich.

A. Blätter lanzettförmig.
Spreite der Lippe rundl.-stumpf, so lang od. etwas
länger als d. seitl. Blmbltt. **palustris** Crtz. 1453
B. Bltt. eyf., rauhflaumig; Spreite der –
Lippe zugespitzt.
Alle Blumenbltt. kahl, Höcker am Grund kahl;
Deckblätter meist länger als die Blume . .
. . . . **latifolia** All. 1454
Die äusseren Blumenbltt. etwas flaumhaarig,
Höcker am Grund faltig-gekraust; Deckbltt.
kürzer als die Blume **rubiginosa** Gaud. 1455

474. LISTÉRA R. Brw.

Stengel mit 2 gegenständigen Blättern.
Bltt. eyförmig (gross); Lippe lineal, 2spaltig .
. . . . **ovata** R. Brw. 1456
Bltt. herzförmig (klein); Lippe 3spaltig, der
Mittellappen 2spaltig . . **cordata** R. Brw. 1457

1450. = Serapias grandiflora
Scop. =Ser. Lonchophyllum L.
in Schrk.? Weiss gelbl. 4. 5—6.
Bergwiesen.
1451 =Serapias... Sm. Weiss.
Lippe mit gelbeu Flecken. 4.
5–6. Gebirgswälder (hie u. da).
1452. =Serapias... L. Purpurfarben. 4. 6—7. Bergwälder
in Gebüschabhängen d. Ka.-F
Alpen, fränk. Jura etc.
1453. = Serapias ... L. Graugrün u. rosenfarben. 4. 6—7.
Sumpfwiesen (hie u. da: am
Fuss der Gebirge).

1454. Grünlich u. rosenf. 4.
7—8. Bergwälder, Gebüsch-
Abhänge.
1455. = E. latifolia β L. Grau-
grünlichviolett u. rostf. 4. ..
Stelle Bergabhänge (Ka.-F.)
1456. =Ophrys... L. Grüngelb.
4. 5—6. Bergwiesen u. schattige Waldabhänge.
1457. =Ophrys... L. Grüngelb.
4. 5—7. In leichter Lauberde
u. auf verfaulten Baumstäm-
men der Bergwälder u. Al-
pengegenden.

475. NEOTTIA Rich.
Stengel scheidenblätterig; Lippe an der Spitze
2spaltig . . . . **nidus avis** Rich. [1458]

476. GOODYERA Rich.
Stockbltt. gleichsam gestielt, zart, stark rippig .
. . . . **repens** Rich. [1459]

477. SPIRANTHES Rich.
Blthstengel beblättert, Bltt. lanzett-lineal, ohne
Laubtriebe; Lippe an der Spitze abgerundet;
Knollen spindelförmig . . **aestivalis** Rich. [1460]
Blthstengel ohne Laubbltt., Stockbltt. des Laub-
triebes gestielt, eyf.-länglichrund; Lippe ausge-
randet; Knollen eyförmig **autumnalis** Rich. [1461]

478. CORALLORRHIZA Hall.
Stengel scheidenblätterig; Wurzelstock gabelästig.
schuppig; Aehre wenigblumig **innata** R. Brw. [1462]

479. STURMIA Rchb.
Stengel 3kantig, 2—6blüthig, am Grund 2blttrg.,
Blttr. elliptisch-lanzettförmig; Lippe eyf. stumpf-
gekerbt . . . . **Löselii** Rchb. [1463]

480. MALAXIS Sw.
Stengel 3kantig, vielblüthig, unten 3—4blätterig
. . . . **paludosa** Sw. [1464]
Stengel 5kantig, unten meist 1blätterig . . . .
. . . . **monophyllos** Sw. [1465]

1458. = Ophrys ...L. Hellbräun-
lich. ♃. 5—6. Schattige Bergwälder (Ka.- u. Th.-F.)
1459. = Satyrium... L. Weisslich. ♀. 6—8. Schattige Wälder d. Berggegenden u. Alpen.
1460. = Ophrys... Lam. Weiss.
♃. 6—7. Triften u. feuchte
schwammige Wiesen, am Fusse
der Gebirge (Algäu).
1461. = Ophrys spiralis L.
Weisslich-grün. ♃. 8—10.
Triften der Berggegenden (hie
und da).

1462. = Ophrys... L. Hellgrün.
♀. 6—8. In lockerer Lauberde
schattiger Bergwälder der Alpengegenden.
1463. = Ophrys... L. Gelbgrünlich. ♃. 6—8. Schwammige
Sümpfe am Fusse der Gebirge
u. Niederungen.
1464. = Ophrys... L. Grüngelb.
♃. 7—8. Torfsümpfe, Torf-
moore. (Rheinpfalz.)
1465. = Ophrys... L. Grünlich.
♃. 7... Moorige Sumpfwiesen
n. Niederungen der Alpengegenden (hie u. da).

481. CYPRIPEDIUM L. Frauenschuh.
Stengel beblättert, untere Bltt. eyförmig, beider-
seits zugespitzt (sehr breit); Mittelstück der
Griffelsäule herabgebogen . . **Calceolus**₰L. 1466

Familie MARANTACEAE.

a) CANNA L.
Blüthenstand 3—6blüthig; Bltt. breit lanzettförmig
zugespitzt . . . . **indica** L. h1

113. Familie. IRIDEAE.

482. CROCUS L. Safran.

A. Blume gelb.
Blumenzipfel schmal-lanzettf., spitz; Narbe wag-
recht abstehend, eingerollt **susianus** Gawl. h2
Blumenzipfel elliptisch-stumpf; Narbe aufrecht
abstehend . . . . **luteus** Lam. h3
B. Blume violett od. weiss.
Stengel mit 1 Scheidenblatt.— Schlund der Blm.
bartig, weisslich; Narbe halb so lang als der
Blumenzipfel, aufrecht; Zwiebelstock faserig
bedeckt . . . . **vernus** All. 1467
Stengel mit 2 Scheidenblättern.
Schlund der Blume bartig (blau); Narben so
lang als d. Blmzipfel, hängend; Blm. glockig;
Zwiebelstock faserig umhüllt **sativus** L. h4
Schlund der Blm. kahl (gelblich); Narben aufrecht, kürzer als der Blmzipfel; Blume trom-
petenförmig; Zwiebelstock schuppig umhüllt
. . . . **biflorus** Mill. h5

1466. Lippe gelb; seitliche Bltt.
braun-purpurn. ♃. 5—6.
Schattige Bergwälder (Ka.-F.,
Alpen, fränk. Jura).
h1. Scharlachroth. ♃.7—8. Zierpflanze aus Ost-Indien.
h2. Goldgelb; die äusseren Bltt.
unterseits braun gezeichnet.
♃. 3—4.
h3. = Cr. vernus Auct. Hoch-

gelb.♃.3—4. Zierpflanze aus
dem Orient.
1467. Hellviolett, bisw. weiss.
♃. 3—4. Triften der Berggegenden u. Alpen (hie u. da).
h4. Violett.♃.8—9. Zierpflanze
aus Süd-Europa.
h5. Weiss od. blasslila, Schlund
gelb. ♃.... Zierpflanze aus
Ober-Italien.

483. GLADIOLUS L.

Netz des Zwiebelstocks derb, mit runden u. eyf.
Maschen; Kapsel länglich verkehrt-eyrund,
gleichmässig 6kantig, an der Spitze abgerundet . . . . **palustris** Gaud. [1463]
Netz des Zwiebelstocks derb, parallel-faserig mit
schmalen Maschen; Narbe v. Grund an warzig,
Kapsel verkehrt-eyförmig, 3kantig an d. Spitze
eingedrückt . . . . **communis** L.*

484. IRIS L. Schwerdt-Lilie.

I. Aeussere Blumenbltt. mit einer Haar-
   leiste.
A. Innere Blmbltt. u. die Narben mehr od.
   weniger blau, violett od. weiss.
   a) Stengel viel höher als d. Blätter.
   † *Deckbltt. ganz häutig.*
   Zipfel der Narben vorgestreckt, Staubfäden
   halb so lang als die Narben, länger als
   die Beutel . . . . . **pallida** Lam. [h1]
   †† *Deckbltt bis zur Hälfte krautig*
   Blume weiss od. duftig-bläulich, Zipfel der
   Narben vorgestreckt . **florentina** L. [h2]
   Blume blau; Zipfel der Narben auseinander-
   gespreitzt, zurückgerollt; Staubbeutel so
   lang als der Faden . . **germanica** L. [1469]
   b) Blüthenstengel wenig höher od.
   gleichhoch mit d. Blättern u. diese
   ihn später überragend.
   † *Innere Blumenbltt. verschmälert-gestielt;*
   Blm. aus d. Deckbltt. lang hervorstehend;
   Stengel 1blüthig; Bltt. graugrün **pumila** L.*
   †† *Innere Blumenbltt. genagelt,*

1463. = Gl. Boucheanus Schldl.
Purpurfarben. 2. 5—6. Sumpfige Haine und Wiesen am
Fusse der Alpen u. Berggegenden. (1844 von Frickhinger
auch im Ries gefunden.)

* Purpurfarben; Schlund gelb-
röthlich. 2. 5—6. Zierpflanze
aus dem N O Deutschlands.

h1. Blass-violett. 2. 5—6. Stel-
nige Abhänge im südl. Europa.
h2. Weiss-blau. 2. 5 — 6. Zierpflanze aus Süd-Europa.
1469. Violett; innere Blmbltt.
blasslila. 2. 4 — 5, vor h1 u.
1470. Feuchte Abhänge der
südl. Gebirge.
* Violett. 2. 4—5. Sonnige Gebirgsabhänge d. östl. Deutschl.

ganzrandig, abgerundet; Deckbltt. ganz dünn
krautig, aufgeblasen, eyförmig; Bltt. sichelförmig; Frkn. rund . **bohemica** Schm.*˟
Ausgerandet u. gesägt, Deckbltt. am Rand u.
Spitze häutig (blau) höckerig, Frkn. 3kantig;
Bltt. blaugrün zugespitzt **hungarica** WK.***
Ausgerandet mit 1 Zahn in d. Bucht; Deckbltt.
am Rand häutig, lanzettf.; Frkn. 3kantig; Bltt.
hellgrün vorgezogen, spitz **Fieberi** Seidl. *
B. Innere Blumenzipfel u. Narben mehr
od. w. gelb; Stengel höher als d. Bltt.
  *a) Deckblätter halb krautig, halb
    trocken; innere Blmbl. gestielt,
    kerbig-randig.*
    Zipfel d. Narben genähert **sambucina** L. 1470
    Zipfel d. Narben eyförmig, vorgestreckt,
    abfallend . . . . . **squalens** L. **
  b) Deckbltt. durchaus krautig; in-
    nere Blumenbltt. verschmälert zulaufend;
    Bltt. sichelf, niedrig . . **variegata** L. h
II. Blumenblätter ohne Haarleiste (Bart).
A. Stengel walzenrund,
  a) dicht, mehrblumig.
    Blume gelb, innere Blmbltt. schmäler als d. Narbe;
    Kapsel kurz geschnabelt **Pseudácorus** L. 1471
    Blume blau; Kapsel lang-geschnabelt; Bltt. lang
    verschmälert zugespitzt . . **spuria** L. 1472
  b) hohl, 2blumig; Nagel d. äussern Blmbltt.
    kurz, innere Blmbltt verschmälert, Narbenzpfl
    übergreifend, genähert, geschlitzt **sibirica** L. 1473

** Violett. ♃. 5... Sonnige Ge-
birgsabhänge d. östl. Deutschl.
*** Violett. ♃. 5... Bergabhge
(Böhmen).
* Violett. ♃. 5... Sonnige Trft.
u. F.-Abhänge (östl. Deutschl.)
1470. Aeussere Blmbltt. violett,
innere graublau u. gelblich.
♃. 6... Steinige Bergabhänge
(fränk. Jura: Monheim).
** Aeussere Blmbltt. blassvio-
lett, innere unrein-gelblich.
♃. 6... Steinige Bergabhänge
(Rheingegenden).

h. Aeussere Blmbltt. gelb, braun-
roth gezeichnet. ♃. 5 — 6.
Bergabhänge (Oestreich).
1471. Gelb, fein braun-roth gezeichnet. ♃. 6 — 7. Gräben,
Teich- u. Fluss-Ufer.
1472. Aeussere Blmbltt. gelblich-
weiss, blau gezeichnet, innere
violett. ♃. 6... Feuchte Wiesen der Niederungen (Rheingegenden).
1473. Hellviolett. ♃-6...Feuchte
Wiesen der Niederungen (hie
und da).

B. Stengel 2kantig. — Aeussere Blmbltt. mit
eyförmiger Spreite, welche breiter und kürzer
ist als der breite Nagel . . . **graminea** L.1474

114. Familie. AMARYLLIDEAE.

485. NARCISSUS L. Josephsblume.
A. Kranz d. Blume kurz, schüsselförmig.
Kranz mit rothem Rand: Stengel 1blüthig, Blume
rein weiss . . . . **poëticus** L. h
Kranz gleichfarbig; Stengel 2blüthig; Blume
gelblichweiss . . . . . . **biflorus** Curt. h1
B. Kranz der Blume glockenförmig,
ganzrandig, ⅓ so lang als d. lanzett-eyf. Blumenbltt.; Stengel 3—10blth. . **Tazetta** L. h2
welligkraus, so lang als d. Blumenbltt.; Stengel
1—3blüthig . . **Pseudonarcissus** L.1475

486. LEUCOJUM L. Hornungsblume.
Einblüthig: Griffel keulenförmig; Bltt. dunkelgrün
glänzend . . . . **vernum** L.1476
Vielblüthig; Griffel fadenförmig . **aestivum** L.1477

a) GALÁNTHUS L. Schneetropfen.
Stengel 1blüthig; Blätter lineal-abgerundet oder
graugrün . . . . **nivalis** L. *h

115. Familie. ASPARAGEAE.

487. ASPÁRAGUS L. Spargel.
Bltt. schuppenförmig, in deren Winkel Büschel von

1474. Aeussere Blumenbltt. purpurviolett, am Grund weiss,
innere dunkelviolett. ♃. 5—6.
Wiesen u. grasreiche Hügel
der Berggegenden (hie n. da).
h. ♃. 4—5. Südl. Gebirgsgegenden (bei uns verwildert).
h1. ♃. 4—5. Gebirgswiesen (der
westl. Schweiz).
h2. Weiss; Kranz gelb. ♃. 3...
Aus Süd-Europa.
1475. Blume n. Kranz gelb. ♃.
3 — 4. Gebirgswiesen (Te-
gernsee).

1476. Weiss mit grünen Tupfen
an der Spitze. ♃. 2—3. Feuchte
sumpfige Haine (hie u. da).
1477. Wie vorige. ♃. Anfang
Mai. Wiesen der Berggegenden
(westl. Rheinpfalz).

*h. Weiss. Innere Blumenblätter
mit grünen Tupfen. ♃. 2—3.
Feuchte Hügel der Gebirgsgegenden (es werden zwar mehr-
fache Wohnorte angegeben, ob
wirklich wild?).

19

290　　　ASPARAGEAE.

grünen borstenförmigen Stielen; Aeste ganz kahl
. . . . **officinalis** L.1478

488. STRÉPTOPUS Mchx.
Bltt. ey-lanzettförmig-umfassend; Stengel kahl .
. . . . **amplexifolius** DC.1479

489. PÁRIS L. Einbeere.
Bltt. zu 4 quirlständig, eyförmig, beiderseits zugespitzt . . . . **quadrifolia** L.1480

490. CONVALLARIA L. Maiblume.
A. Blätter nur grundständig.
Bltt. breit lanzettf.; Blthstd. traubig **majalis** L.1481
B. Blätter stengelständig.
 a) *Bltt. quirlständig* zu 6, schmal lanzettförmig; Frucht roth . **verticillata** L.1482
 b) *Bltt. wechselständig,* ey-lanzettf.,
  kahl; Frucht blauschwarz.
  Stgl. eckig; Blthstd. je 1—2blumig; Blume
   glock.-röhrf.; Stbf. kahl **PolygonatumL.**1483
  Stgl. walzlich; Blthstd. je 3—5blth.; Blume
   eingeschnürt-röhrig . **multiflora** L.1484

491. MAJÁNTHEMUM Wigg. Zweiblättlein.
Stgl. mit 2 herzf. gestielten Bltt. **bifolium** W.1485

Familie DIOSCOREAE.

a) TAMUS L. Schmerwurz.
Bltt. herzförmig, zugespitzt gestielt; Stengel windend . . . . **communis** L. *

1478. Grünlich. ♃. 6—7. Waldränder, Abhänge (als Gemüsepflanze gebaut.)
1479. = Uvularia... L. Grünlich-weiss. ♃. 7—8. Wald-
Ränder u. Gebüsch der Alpen-
Gegenden.
1480. Grün; Fruchtknoten violett. ♄. 5... Schattige Berg-
Wälder.
1481. Weiss. ♃. 5—6. Schattige Bergwälder.

1482. Weiss-grün; Frucht roth.
♃.5—6. Bergwälder (hie u. da).
1483. Weiss; Frucht violett. ♄
5 — 6. Steinige Bergwälder
(der Ka.-F.)
1484. Weiss; kleiner als vorige.
♄. 5 — 6. Feuchte Bergwälder.
1485. = Convallaria... L. Weiss.
♄. 5 — 6. Schattige Wälder.
* Grünlich. ♃. 3 — 4. Wälder,
Gebüsch der Berg-Abhänge u.
Fluss-Ufer (Schweiz u. Rheinthal).

116. Familie. **LILIACEAE.**

492. TULIPA L. Tulipane.
Blthstiel vor dem Aufblühen nickend, Blumenbltt.
zugespitzt; Staubfäden bartig . **sylvestris** L. 1466 :
Blthstiel aufrecht, Staubfäden kahl.
Blumenblätter zugespitzt . . . . **turcica** L. h1
Blumenblätter abgerundet **Gessneriana** L. h2

493. FRITILLARIA L. Schachblume.
Bltt. lineal, rinnig, zurückgebogen, alle wechselstd.;
Blm. an d. Spitze ausw. gebogen **Meleagris** L. 1487

a) PETILIUM L. Kaiserkrone. 🌸
Blm. hängend, kopfförmig wirtelig, vom Laubtrieb
überragt . . . . **imperiale** L. h3

494. LILIUM L. Lilie.
A. B l u m e n a u f r e c h t.
Bltt. abstehend, zerstreut, Warzen der Blume
schwarzroth . . . . . **bulbiferum** L. 1488
Bltt. angedrückt, in d. Mitte des Stengels plötzlich abnehmend, lineal; Warzen in d. Blume
gleichfarbig. . . . **chalcedonicum** L. h4
B. Blm. nickend; Blmbltt. zurückgerollt.
Bltt. spiralständig, dichtstehend, zahlreich,
lineal, abnehmend kleiner, nur am Rand bewimpert . . . . . . **pomponium** L. h5
Bltt. meist wirtelständig, die untern ey-lanzettförmig, wenige . . . **Martagon** L. 1489

1486. Gelb. ♃. 4—5. Aecker,
Weinberge, Waldwiesen (Franken u. Rheingegenden).
h1. Purpurrosenfarben. ♃. 4—5.
Zierpflauze aus dem Orient.
h2. Gelb, roth u. werschieden-
farbig. ♃. 5... Zierpflauze aus
dem Orient.
1487. Hellpurpurn, würfelförmig
dunkler gefleckt. ♃. 4—5.
Feuchte Waldwiesen. (Nahe
vor Birkenfels bei Ansbach,
von dem Pfr. Schoizlein vor
45 Jahren zuerst entdeckt u.
bis in die neueste Zeit von

mir wiederholt daselbst an-
getroffen).
h3. Fritillaria...L. Feuerfarben.
♃. 5... Zierpflanze aus dem
Orient.
1488. Feuerfarben. ♃. 5-6. Wälder
der Gebirgs- u. Alpengegenden
(hie u. da).
h4. Scharlachroth, schwarz ge-
getupft. ♃. 5—6. Zierpflanze
aus den südl. Alpen.
h5. Blutroth. ♄. 5—6. Zierpflanze aus Süd-Europa.
1489. Purpurfarben. ♃. 7—8.
Gebirgswälder (bes. d. Ka.-F.)

19°

a) LLOYDIA Salisb.

Stgl. 1 blüthig; Bltt. fadenförmig . **serotina** S. *

495. ANTHERICUM L. Spinnenkraut.

Blthstd. traubig, Griffel herabgebogen **Liliago**L. 1490
Blthstd. rispig, Griffel gerade . **ramosum** L. 1491

496. ORNITHÓGALUM L. Vogelmilch.

A. Staubfäden einfach.
   Blthstd. ebenstraussf., die unteren Blthstiele bei
   bei der Reife wagrecht abstehend . . .
   . . . . . . **umbellatum** L. 1492
   Blthstd. verlängert-traubig, verblühte Stiele angedrückt; Blmbltt. lineal-elliptisch; Fr. eyförmig nach der Spitze verschmälert; Blätter
   grün . . . . . **sulphureum** R. et S. **
B. Staubfäden 2zähnig. Blthstd. traubig;
   Blm. hängend; Frkn. oben eingedrückt; Bltt. lang
   lebend . . . . **nutans** L. 1493

497. GAGEA Salisb. Ackerstern.

A. Zwiebeln zu 3, nackt (d. h. ohne gemeinschaftliche Hülle).
   Blth. einzeln, flach, scharfgekielt; Blthstiel
   kahl, einfach, nach dem Verblühen allerseits
   abstehend . . . . . **stenopetala** R. 1494
   var. das untere Tragblatt scheidenförmig:
   G. pratensis K.
B. Zwiebeln paarweise, aufrecht, in
   gemeinschaftliche Haut eingeschlossen, dieNebenzwb. ohneWurzelfasern.

---

* = Anthericum... L. Weiss, roth gezeichnet. ♃. 7—8. Sonnige Abhänge der höheren Alpengegenden.
1490. Weiss. ♃. 5—6. Grasreiche Hügel, Gebüsch-Abhänge u. Felsen.
1491. = Asphodelus... Schrk. (L.) Weiss. ♃. 6—7. Steinige Berg-Abhänge (bes. d. Ka.-F.)
1492. Innen weiss. ♃. 4—5.

Wiesen, Aecker, Abhänge (hie und da).
** Gelb. ♃. 5—6. Hügelige Triften, Wiesen (westl.: Saargegenden).
1493. Weiss. ♃. 4—5. Gebüsch-Abhänge, Triften (Rheingegenden).
1494. = Ornithogalum luteum Hoffm. et A. Gelb. ♃. 4—5. Aecker.

a) Zwiebelblätter zwei, fadenf., oberseits
rinnig; Zwiebel rund.
  Stgl. mit 2 gegenständigen Bltt. unterhalb des
  Blthstd., kahl; Blthstd. meist mehrblüthig;
  Blmbltt. lanzettf. zugesp. **arvensis** Schult. 1495
  Stgl. mit einigen wechselstd. Bltt., flaumh.;
  Blthstd. meist 1blüthig; Blmbltt. elliptisch,
  stumpf . . . . . **saxatilis** Kch. 1496
b) Zwiebelblätter eines, beiderseits fast
flach; Blthstdblatt 1, scheidig, Blthstd. 2 — 5
blüthig, kahlstielig; Blumenbltt. lineal-lanzettf.
zugespitzt; Zwiebel eyf. . **minima** Schult. 1497
C. Zwiebel einfach, ohne Nebenzwie-
    bel, mit 1 Blatt.
  Bltt. lineal-lanzettf. plötzlich zugespitzt, flach,
  scharf gekielt; Blthstdbltt. 2, gegenständig;
  Blthstiele kahl; Blumenbltt. länglichrund,
  stumpf . . . . **luten** Schult. 1498

498. SCILLA L. Sternhyacinth.
A. Zwiebel mehrblätterig.
  Deckbltt. sehr kurz, abgestutzt od. gezähnt;
  Blthstd. ebenstraußförmig . . **amoena** L. h
  Deckbltt. 2, eines so lang als d. Blthstiel; Blthstd.
  traubig, ey-kegelförmig . . . **italica** L. h1
B. Zwiebel 2—3bltt, lanzett-lineal. an der
  Spitze abgerundet; Blthstd. ebenstraussf, aufrecht-
  stielig; Deckbltt. fehlen . . . . **bifolia** L. 1499

    a) EUCOMIS L. Schopflilie.
Bltt. elliptisch-lanzettförmig (unterseits rothbraun
getüpfelt); Blthstd. ährenförmig von einem Laubtrieb überragt . . . . . **punctata** L. h2

1495. = Or. minimum Roth. ♃.
  4 — 5. Aecker u. Gartenland.
1496. Gelb. ♃. Anfang März.
  Feuchte Felsenritzen der Gebirgsabhänge (Rheingegenden
  u. Thüringen).
1497. = Ornith.... L. Gelb. ♃.
  Haine, Feldgebüsch, Waldwiesen der Berggegenden u. Alpen.
1498. = Or. sylvaticum Pers.
  Gelb. ♃. 4 — 5. Haine, Wald-

wiesen (hie u. da bis in die
  Alpen).
h. Blau. ♃. 4 — 5. Wiesen u.
  Haine, des östl. Deutschlands.
h1. Blau. ♃. 4 — 5. Triften u.
  Haiden (hie u. da).
1499. Blau. ♃. 3 — 4. Feuchte
  Haine, Triften, in der Nähe
  von Flüssen (hie u. da).
h2. Weissgrünlich. ♃. 7 — 8.
  Zierpflanze v. Cap d. g. Hoffn.

499. ALLIUM L   Lauch.

I. Erdstock kriechend, mit Zwiebeln besetzt.

A. Blätter zum Theil stengelständig, eylanzettförmig kurz-gestielt; Zwiebel netzig . .
   . . . . **Victorialis** L. 1500

B. Blätter nur grundständig, lineal-flach, unterseits 5rippig, durch die Mittelrippe scharf-kantig; Dolde flach, ihre Scheide 2—3 spaltig . . . . . **acutangulum** Schrd. 1501
unterseits kaum rippig; Dolde gewölbt mit kurz gestielten Blm.; Stbfd. u. Stempel doppelt so lang als d. Blmbltt. . . . **fallax** Don. 1502

II. Erdstock einfach zwiebelförmig.

A. Blätter eyförmig-elliptisch, flach, zu 2 grundstd., langgestielt, verkehrt gedreht; Zwiebel häutig . . . . . **ursinum** L. 1503

B. Blätter lineal, mehr od. w. flach.

a) Staubfäden sämmtlich einfach pfriemenförmig.

† *Scheide des Blthstd. schief-abgestutzt, kürzer als die Dolde;* Stbfd. am Grund d. Blmbltt..
Stbfd. 1½ mal so lang als d. Blmbltt.; Bltt, etwas rinnig, unterseits scharf gekielt . .
. . . . **suaveolens** Jacq. 1504

†† *Scheide des Blthstd. auf d. einen Seite lang geschnabelt;* Dolde zwiebeltragend; Stbfd. oberhalb der Basis der Blumenblätter.
Stbfd. zuletzt nochmal so lang als d. Blmbltt., letzte abgestutzt oder ausgerandet; Bltt. 3—5streifig, flachrinnig; Frkn. verkehrteyförmig . . . . . **carinatum** L. 1505

1500. Grünlich-weiss. ♃. 7—8. Felsen, Abhänge der Alpen.
1501. = All. angulosum Poll. et Alior. Rosenfarben. ♄. 7—8. Feuchte Wiesen der Niederungen (hie u. da).
1502. = A. acutangulum β M. et K. = A. senescens W. et Gr. Rosenfarben. ♃. 7—8. Felsen d. Alpen u. fränk. Jura. (Ka.-Geb.)

1503. Weiss. ♃. 4—5. Lockerer Waldboden feucht-schattiger Laubwälder (hie u. da).
1504. Hellpurpurfarben. ♃. 7—8. Sumpfige u. Torfwiesen der bayer. Hochebene (Freising, Memmingen, Dachau).
1505. = All. flexum W.K. Blass rosenfarben mit violetten Streifen. ♃. 6—7. Gbsch-Abhg.. Hk. u.Felsen(hie u. da: Rheinpflz.)

Stbfd. so lang als d. Blmbltt., diese stumpf
u. kleinspitzig; Bltt. vielstreifig, halbrund;
Frkn. walzlich . . . **oleraceum** L. 1506
*b) Staubfd. (der äussern Reihe) beider-
seits mit 1 mehr od. w. starken Zahn.*
† *Zähne stumpf: Dolde zwiebeltragend; Bltt.
breit-lineal; Scheide einseitig, sehr lang,
abfallend.*
Zwiebelchen cyf.-länglich . **sativum** L. C1
Zwiebelch. rundlich **Ophioscórodon** Don. C2
†† *Zähne lang spitzig-fädl.* Dolde ohne Zwblch.
α Blätter flach.
Staubfd. so lang od. etw. länger als d. Blmbltt.
Träger nochmals so lang als der Beutel;
Zwiebel einfach, wenig verbreitert . . .
. . . . **Porrum** L. C3
Träger so lang als der Beutel; Zwiebel
platt-kugelig an der Basis mit Brutzwb. .
. . . . . . **Ampelóprasum** L. *
Staubfd. kürzer als die Blumenblätter:
Spitze des Trägers ⅓ so lang als d. Beutel;
Zwiebel trockenhäutig mit zahlreichen
Zwiebelchen . . . . **rotundum** L. 1507
β Blätter halbrund, oberseits tiefrinnig;
° Dolde ohne Zwiebelchen.
Staubfd. hervorragend, Träger halb so lang
als der Beutel **sphaerocephalum** L. 1508
°° Dolde mit Zwiebelchen.
Staubfd. (mit d. Beutel) länger als d. Blmbltt.;
Träger kürzer als der Beutel; Bltt. walz-
lich . . . . **vineale** L. 1509

1506. Blassrosenfarben u. grün-
lich. ♃. 6—7. Aecker u. Gar-
tenland).
C1. Unrein-weiss. ♃. 7—8. Ge-
würzpflanze „Knoblauch.“
C2. Unrein-weiss. ♃. 7—8. Ge-
würzpflanze „Rockenbolle.“
C3. Rosenfarben. ☉ u. ♃. 6—7
Gemüsepfl. „Lauch, Porre.“
* Hellpurpurn. ♃. 6—7. Aecker
(Basel).

1507. Hellpurpurn. ♃. 7—8.
Aecker u. Saatfelder (Rhein-
u. Mainthal, Ries).

1508. Purpurfarben. ♃. 6—7.
Saatfelder u. Gartenland (hie
und da).

1509. = A. arenarium L. Purpurfarben. ♃. 6—7. Aecker
und Gartenland.

Stbfd. kürzer als d. Blmbltt.; Bltt. flach, am
Rand scharf . . **Scorodoprasum** L. 1510
C. Blätter vollkommen hohl-röhrig, halb
od. ganz rund; Scheide des Blthstd.
kurz, 2theilig.
  a) Staubfäden ohne Zähne.
  Blätter pfriemlich; Stengel gleichdick, Staub-
  fäden kürzer als die Blumenblätter . . .
  . . . . . . **Schoenoprasum** L. c1
  Var. in allen Theilen grösser u. mit schmalen
  Blmbltt.: A. sibiricum Willd.
  Blätter u. Stengel aufgeblasen-röhrig; Stbfd.
  länger als d. Blmbltt. . **fistulosum** L. c2
  b) Staubfäden mit 2 kurzen Zähnen.
  Bltt. pfriemlich; Stbfd. etwas länger als d.
  Blmbltt.(Zwblch. violett)**ascalonicum** L. c3
  Bltt. aufgeblasen: Stbfd. länger als d. Blmbltt.
  (Zwbl. spärlich, blass) . . . **Cepa** L. c4

500. HEMEROCALLIS L.

Blmbltt. einfach parallelrippig . . . **flava** L. 1511
Blmbltt. parallel- u. quer-rippig, d. inneren welligrandig . . . . **fulva** L. h

  a) FUNKIA Spr.

Bltt. eyf.-zugespitzt, bogig berippt; Blthstd. traubig-
einseitswendig, Blm. hängend . . **ovata** Spr. h1

501. MÚSCARI Tournef. Muskathyacinthe.

A. Blüthenstand ährenf., schlaff, mit

1510.=A. arenarium Sm., Schrk.
u. A. Dunkelpurpurn. ♃. 6—7.
Wiesen (hie u. da). Nach d.
Merkmalen bei Schrank rich-
tig u. bei Ingolstadt angegeben.
C1. Rosenf. ♄. 6—7. Feuchte
Abhänge, Flussufer; im Rheinthal hie u. da; Gemüsepfl.
„Schnittlauch" in Gärten, u.
von da verwildert. Die Varietät in den Alpen u. den
bayer. Hochebenen.
C2. Weisslich. ♃. 6—7. Gemüsepflanze „Winterzwiebel".

C3. Weiss. ♃. 6—7. Gewürzpfl.
„Chalottenzwiebel".
C4. Weisslichgelb. ♃. 6—7. Küchengewürz „Sommerzwiebel".
1511.Hellgelb.♃. 6... Sumpfige
schattige Waldplätze (hie u.
da: Nymphenburg, ob wirk-
lich wild?)
h. Hellpurpur - rostfarbig. ♃.
7—8. Zierpflanze aus den
südl. Alpen.
h1. = Hemerocallis coerulea
Andr. Blassviolett. ♄. 5...
Zierpflanze aus Japan.

einem Schopf lang gestielter unfruchtb. Blumen
endigend . . . . . . **comosum** Mill.1512
B. Blüthenstand gedrängt kegelf.-ährig
mit herabhängenden Blumen.
Blätter ausgebreitet, zurückgebogen, lineal
schmal . . . . . **racemosum** Mill.1513
Blätter straff, lanzett-lineal **botryoides**Mill.1514

a) HYACINTHUS L. Hyacinthe.

Blm. trichterförmig, am Grund erweitert, Zipfel
zurückgebogen . . . . . . **orientalis** L. h

117. Familie. **COLCHICACEAE·**

502. CÓLCHICUM L. Herbstzeitlose.
Blätter breit-lanzettförmig (nach der Blüthezeit
erscheinend); die abwechselnden Staubfäden
tiefer . . . . **autumnale** L.1515

503. VERÁTRUM L. Germer, weisse Niesswurz.
Blüthenstand pyramidenf.-traubig, flaumig; Blumenblätter ellipt.-lanzettl. gezähnelt, viel länger als
die Blüthenstiele; Blätter breit-ellipt., gefaltet,
flaúmig **album**1516
varirt grün-blumig : V. Lobelianum.

504. TOFIELDIA L.
Blüthenstiel mit 2 Deckbltt., deren oberes kelchf.-
3lappig ist und nahe an d. Blume steht; Blätter
vielrippig, schwerdf., reitend **calyculata**Whlbg.1517

1512. Hyacinthus... L. Bräun-
lichviolett u. grün. ♃. 5 — 6.
Aecker, Weinberge (hie u. da).
1513. = H.... L. Dunkelblau.
♃. 4 — 5. Aecker, Weinberge,
Waldränder (hie u. da).
1514. H.... L. Dunkelblau. ♃.
4 — 5. Aecker, Weinberge,
feuchte WRnd. (hie u. da).
h. Röthlich-blau, weiss od. rosenfarben. ♃. 4 — 5. Zierpfl.
aus Süd-Europa u. Asien.

1515. Rosenfarben. ♃. 8 — 10.
Feuchte Wiesen.
1516. Gelblich-weiss. ♃. 7—8.
Feuchte Alpentriften, bisw. in
der nahen Hochebene.
1517. = Anthericum... α L. =
Heritiera anthericoides Schrk.
Gelb. ♃. 7—8. Sumpfige Wiesen der Gebirgsgegenden und
Alpen; über der Donau, bis
im Ries bei Wemding.

Familie **COMMELYNACEAE.**

a) **TRADESCANTIA L.**

Blätter lanzett-lineal, scheidig; Blüthenstand dol-
denförmig-büschelig . . . . **virginica** L. h

118. Familie **JUNCACEAE.**

505. JUNCUS L. Simse.

**A. Blühende Stengel ohne Blätter, am
Grund mit Scheiden, welche keine od.
eine Stachelspitze haben.**

*a) Blüthenstand auf einem Stiel
über das Deckblatt hervorgeho-
ben. knäuelf., endstd., 4—8blüthig.*
Staubbeutel mehr als nochmal so lang als
d. Faden: Erdstock kriechd. **Jacquini** L. 1518

*b) Blüthenstand seitlich aus dem
Grund des untersten Deckblat-
tes mehr oder weniger ästig.*

† *Stengel eben* (getrocknet feinstreifig).
Blüthenstand lang- u. vielf.-ästig; Stengel
gedrängt-stehend, ununterbrochen-markig;
Frucht verk.-eyf., oben eingedrückt; Scheiden hellbraun . . . . . **effusus** L. 1519
var. mit dicht-gedrängtem Blüthenstand.
Blüthenstand einf., wenig-blüthig; Stengel
locker stehend, dünn, fadenf., nickend;
Frucht sehr abgerundet, etwas stachelspitz
. . . . **filiformis** L. 1520
var. mit beblättertem Stengel

†† *Stengel gestreift oder feinrinnig* (getrocknet tiefer rinnig).

* Mark ununterbrochen: Stengel leicht-gestreift.
Blüthenstand dicht-gedrängt; Griffel sehr kurz;

---

h. Blau. ♃. 5—7. Aus d. südl.
Nordamerica.

Allgemeine Bemerkung. Die Blumenbltt. aller Simsen sind auf
dem Rücken mehr od. weniger
rostfarben-braun, am Rand
weisslich oder grünlich.

1518. ♃. 6—7. Nasse Alpenabhänge der höheren Bergwiesen

1519. ♃. 5—6. Gräben, feuchte
Triften.

1520. ♃. 6—7. Sumpfige Wiesen der Alpen u. Gebirgsgd.

Staubfäden 3; Frucht eyf., oben eingedrückt;
Scheiden hellbraun **conglomeratus** L.1521
var. mit lockerem Blüthenstand.
Blüthenstand vielf. ästig, lang-gestielt; Griffel
deutl.; Staubfäden 6; Frucht ohne reife Samen; Scheiden schwarzroth: Stengel hell-
grasgrün . . . . . . **diffusus** Hpp.1522
** Mark unterbrochen; Stengel stark gestreift.
Blüthenstand ästig; Griffel deutlich; Frucht
ellipt.-zugespitzt; Stengel graugrün: Scheide
glänzend purpurfarben . **glaucus** Ehrh.1523
B. Blühende Stengel Blätter tragend.
*a) Blüthen gehäuft, ungestielt, in
einzelnen Köpfchen.*
Deckblätter so lang als der Blüthenstand,
breit-lanzettförmig . . **triglumis** L.1524
Deckblätter doppelt so lang als der Blüthenstand, lineal-lanzettf.; Frucht kürzer als
die Blumenblätter . **capitatus** Weig.1525
Deckblätter etwas länger als der Blüthenstand, dieser arm (1—3) blüthig; Frucht
ellipt.-spitz, länger als die Blumenblätter
. . . . **stygius** L.1526
*b) Blüthen einzeln oder zu 2—3, ge-
stielt; Deckblätter sehr lang: Erdstock kriechend.*
Blätter sehr kurz, pfriemlich, rinnig: Staubfäden lang . . . . . **trifidus** L.1527
Blätter halb so lang als der Stengel: Staubfäden sehr kurz . . . **triglumis** L.1528

1521. ♃. 5—6. Sumpfige und
feuchte Triften (bes. d. Ki.-F.).

1522. ♃. 6—7. Gräben (hie und
da: bei Regensburg u. Nördlingen. (Ueber die Bastardna-
tur dieser Art, siehe die „Ve-
getationsverhältnisse der Jura-
u. Keuper-Format. v. Schnizlein und Frickhinger").

1523. = J. inflexus Leers. ♃.
6—8. Feuchte Triften u. Grb.

1524. ♃. ? od. ☉ 7—8. Torfige
sumpfige Stellen d. Alpentrit.

1525. = J. gracilis Rth. J. eri-
cetorum Poll. ☉ 6—8. Feuchte
sandige Triften u. Aecker (d.
Ki.-F. (hie u. da: Rheinthal,
Regnizthal: Erlangen)

1526. ♃. 7—8. Sumpfige schwammige Moore der höheren Alpen u. der nahen Hochebene:
(Rothenbuch in Oberbayern).

1527. ♃. 6—8. Bewässerte Felsspalten u. Ufer der Gebirgsbäche.

1528. ♃. 7—8. Torfige Sumpfplätze der Alpen.

c) *Blüthen in (mehreren) Köpfchen, deren die seitlichen die mittleren
überragen.*
† *Staubfäden so lang oder länger als die
Beutel;* allgem. Blüthenstand armblth., 4—6-
kpf.; Stgl. niedrig (Blm. meist mit 3 Stbbeu-
teln) . . . . **supinus** Mnch. 1529
var. a) kriechend-wurzelnd: J. uliginosus
Rth, b) fluthend; c) aufrecht, 6beutelig,
mit am Gipfel eingedrückter Frucht: J. nigri-
tellus Koch Syn. ed. I.
†† *Staubfäden kürzer als die Beutel;* allgem.
Blüthenstand viel- (5—30) köpfig.
* Zweige sparrig.
  Alle Blmbltt. stumpf; Aestchen fast wagrecht
abstehend; Frucht so lang als d. Blmbltt,
stachelspitzig; Stockscheiden blattlos; Erdstock kriechend (Köpfch. vor dem Aufblühen
silberig) . . . . **obtusiflorus** Ehrh. 1530
  Innere Blmbltt. stumpf, die äusseren spitz
(braun); Frucht zugespitzt, länger als die
Blmbltt.; Stockscheiden Blätter tragend;
Stengel zusammengedrückt, aufsteigend . .
. . . . **lamprocarpus** Ehrh. 1531
  Alle Blmbltt. spitz; Frucht sehr spitz, etwas
länger als die Blumenblätter; Stengelblätter
3—4; Köpfch. reichblth.; Blttscheiden abgerundet . . . . . . **sylvaticus** Rchd. 1532
** Zweige straff-aufrecht; Frucht stumpf; äussere Blmbltt. mit kl. Stachelsp. **alpinus** Vill. 1533
d) *Blüthen einzeln mehr oder weni-*

1529. = J. bulbosus L. spec. et
J. fasciculatus Schrk. 2. 7—8.
Feuchte Triften. Ufer, Teichränder. — Die Varietät c. auf
den Mooren d. bayr. H.Ebene.
1530. 2. 7—8. Gräben und
Waldsümpfe (hie und da).
1531. = J. articulatus α et β L.
2. 7—8. Gräben, feuchte Trft.
und Teichufer.
1532. = J. acutiflorus Ehrh.

= J. articulatus γ L. = J.
subnodulosus Schrk. 2. 7—8.
Gräben u. sumpfige Waldstellen (der Ki.-F.).
1533. = J. fusco-ater Schreb. in
flora Erlg. = J. geniculatus
Schrank. 2. 7—8. Fcht. Ws.
u. Gräben der Alpen u. Gebirgsgegenden oder bisweilen
in den Niederungen, d. Ki.-F.:
Erlangen, Rheinthal.

ger gestielt, in 3 gabeligem rispi-gem Blüthenstand.

† *Blätter alle grundständig, abstehend;* Stengel eckig; Blmbltt. ey-lanzettf.; Staubfäden ¼ so lang als d. Btl.; Fr. eyf. **squarrosus** L. 1534

†† *Blätter auch stengelständig.*
* Blumenblätter stumpf.
    Frucht rundlich-kugelig, weit länger als die Blmbltt.; Narbe hellroth; Griffel halb so lang als der Frkn.; Stengel zusammengedrückt . . . . . **compressus** L. 1535
    Frucht kantig, oben breit-rundlich, so lang als d. Blmbltt.; Narben dunkelroth; Griffel so lang als der Fruchtkn. **Gerardi** Lois. 1536
** Blumenblätter zugespitzt.
    Blthstd. gabelig-verlängert, mit kurzen Deckbltt. Narben stern-pinself.; Frucht breit-verk.-eyf., dunkel-braun . . . . . **Tenageja** L. 1537
    Narben fadenf.; Frucht elliptisch, hellbraun . . . . **bufonius** L. 1538
    Blthstd. büschelig, von 2—3 Debkbltt. überragt: Frucht eyf.-ellipt, kaum kürzer als die Blmbltt.; Staubfäden länger als die Beutel . . . . **tenuis** Willd. 1539

506. LÚZULA DC. Hainsimse.

A. Blüthenstand gabelig- oder büschelig-rispig.
    a) Samen am Gipfel mit kammförmigem Anhängsel.
    † *Stock mit Ausläufern.*

1534. ♃. 7—8. Haidewälder, Torfwiesen der Ki.-F. hie u. da (Vogesen der Pfalz, Niederungen, in Mittelfranken: Erlangen, Ahrberg.)
1535. = J. bulbosus L. et Poll. ♃. 6—8. Feuchte Wiesen. Triften, Wegränder.
1536. = J. bottnicus Wahlbg. ♃. 7—8. Wiesen mit salzhaltigem Wasser getränkt (Rheinpfalz und Kissingen).
1537. ☉ 6—7. Feuchte sandige Triften (hie und da).
1538. ☉ 7—8. Feuchte Triften u. Waldplätze, Aecker.
1539. ? = J. alpinus Schrk. ♃. 6—7. Feuchte lichte Waldstellen u. Wegränder (hie u. da, bei Memmingen).

Blüthenstiele bei der Reife aufrecht . . .
. . . . **flavescens** Gaud.1540
†† *Stock ohne Ausläufer, büschelig-bewurzelt.*
Blüthenstiele auch bei der Reife aufrecht;
Blätter lineal . . . . **Forsteri** DC.1541
Blüthenstiele bei der Reife zurückgebogen;
Blätter lanzettförmig . . **pilosa** Willd.1542

b) Samen mit kaum bemerkbarem Anhängsel.

† *Blumenblätter weisslich,*
° so lang als die Frucht; Deckblätter kürzer
als der Blüthenstand, meist 3blüthig; Staubfäden sehr kurz; Bltt. lanzett-lineal, randhaarig . . . . **maxima** DC.1543
°° länger als die Frucht; Deckblätter länger als
der Blüthenstand.
Kpfch. meist 4blth.; Blmbltt. spitz; Staubbeutel fast sitzend . . . **albida** DC.1544
Kpfch. meist vielblth., büschelig; Blmbltt.
stumpf; Staubfäden so lang als der Beutel
. . . . **nivea** DC.1545
†† *Blumenblätter braunroth; Blüthenstand
länger als das Deckblatt.*
Blätter lanzettf., kahl; Blüthenstiel 1blüthig
. . . . **glabrata** Hpp.1546
Blätter lineal, wimperig; Blüthenstiel 4blth.
. . . . **spadicea** DC.1547.

B. Blüthenstand ährenf.-büschelig; Samen mit kegelförmigem Anhängsel.
a) Allgemeiner Blüthenstand doldenförmig.
Blüthenstiele bei der Reife herabgebogen;

1540. Gelblich. ♃. 6—7. Feuchte
Wälder der Voralpen.
1541. ♃. 6—7. Wälder der Gebirgsgegenden und Voralpen.
1542. = J . . . . α L. ♃. 4—5.
Lichte Wälder.
1543. = L. sylvatica Gand. ♃.
5—6. Wld. d. Gebgegd. u. Alp.
1544. = Juncus . . . Hoffm. Weiss-

lich. ♃. 6—7. Wälder d. Berggegenden und Alpen.
1545. = J. . . . L. ♃. 6—7. Schattige Wälder d. Alpengegenden.
(Bei Schrk z. Th. unt. d. folg.).
1546. = L. spadicea γ M. n. K.
♃. 6—7. Trft. der Ka.-Alpen.
1547. ♃. 6—7. Triften der Alpen und Voralpen.

Staubbeutel 6mal so lang als der Faden
. . . . **campestris** DC.¹⁵⁴⁸
Blüthenstiele bei d. Reife aufrecht: Staubbeutel eben so lang als der Faden . . .
. . . . **multiflora** Lej.1549
var. a) mit fast sitzenden gelbbraunen
Achren: L. congesta Lej.; b) mit gestielten schwarzbraunen Aehren u. oft
ganz kahlen Blättern: L. nigricans DC.;
c) Blthstd. kopff., schwarz: L. alpina
Hpp.; d) Aehren kugelig, sitzend, sehr
hellbraun: L. pallescens Hpp.

*b) Aehrentraube einzeln oder zu 2,
nickend;* Blätter rinnig, am Grund haarig
. . . . **spicata** DC.1550

119. Familie. **CYPERACEAE.**

507. CYPÉRUS L. Cypergras.

A. Stock faserig-bewurzelt, einjährig.

Narben 2; Deckblättchen der Aehrchen dicht
aufeinander liegend, bräunlich-gelbgrün . .
. . . . **flavescens** L.1551

Narben 3; Deckblättchen der Aehrchen entfernt stehend, klaffend (kleiner), braunschwarz
. . . . **fuscus** L.1552
var. Deckbltt. hellbraun und schmalstreifig:
C. virescens Hoffm.

B. Erdstock kriechend, ausdauernd,
mit Knollensprossen; die läng. Blthäeste
einfach; Deckblätter eyf.-stumpf, blassbraun
. . . . **esculentus** L. C
mit einfachen Fasern; die läng. Blthäeste

1548. J. ...L. ♃. 3—5. Trft., | 1551. ☉ 7—8. Feuchte sandige
Haidewälder, Abhänge. | Triften und Teichränder.
1549. =Luz. intermedia Spenner. | 1552. ☉ 7—8. Wie voriger
= J. erectus Pers. ♃. 5—6. | (aber nur hie und da).
Haidewälder der Berggegenden | C. ♃. 7—8 Aus Süd-Europa;
(hie und da). | hie u. da(Nürnberg) cultivirt
1550. ♃. 7—8. Alpentriften. | „Erdmandel".

wiederum doldig; Deckblätter rostbraun . .
. . . . **longus** L. 1553

508. SCHOENUS L.

A. Blüthenstand ein vielblth. Köpfchen;
Hüllblatt gross aufr., schwarz; Blätter
pfrieml., halb so lang als der Stgl. **nigricans** L. 1554
B. Blüthenstand wenig- (2—3) blüthig;
Hüllblätter eben so lang als dieser; Bltt. pfrieml.,
viel kürzer als der Stengel **ferrugineus** L. 1555

509. CLADIUM R. Brw.

Blthstd. vielf.-ästig; Aehrch. kopff.-knäuelig; Stgl.
rund; Bltt. am Rand u. Kiel scharf-sägezähnig
. . . . **Mariscus** R. Brw. 1556

510. RHYNCHÓSPORA Vahl.

Blm. weiss; Hüllbltt. so lang als der Blüthenstd.;
Blumenborsten 9—12; Wurzel faserig **alba** V. 1557
Blm. braun-roth; Hüllbltt. viel kürzer als d. Blthstd.;
Blmborsten 3; Stock kriechend **fusca** R. u. S. 1558

511. HELEÓCHARIS R. Brw. Sumpfbinse.

A. Stock kriechend.
a) *Stengel* 4*kantig: Frucht längl., fein-
gestreift; Narben* 3.
Aehre eyf., wenig-blth. **acicularis** R.Brw. 1559
b) *Stengel rund; Frucht verk.-eyf. zusammengedrückt, glatt; Narben* 2.
Unterstes Deckblatt breiter und den Grund
der ganzen Aehre fast umfassend; Aehre
weniger blüthig (als folgend.) u. dunkler
. . . . **uniglumis** Lk. 1560

1553. ♃. 7—8. Gräben, feuchte Wiesen, Sümpfe (Lindau: am Fuss des Hojerberges).
1554. Schwarzbraun. ♃. 5—6. Torfige Wiesen (hie u. da).
1555. Schwarzbraun. ♃. 5—6. Torfige Wiesen (hie u. da).
1556. = Schoenns...L. = germanicum Schrd. ♃. 7—8. Gräben, Sümpfe, Teichränder

(hie und da: Ober-Bayern, Rheinfläche).
1557. = Schoenns...L. Weisslich. ♃. 7—8. Torfsümpfe, Hd.
1558. = Schoenns...L. ♃. 6—7. Torfwiesen (hie und da).
1559. ☉ 7—8. Sümpfe, Teichrnd.
1560. = Scirpus... M. u. K. = S. tenuis Schrb. in fl. Erl. ♃. 7—8. Sümpfe u. feuchte Ws.

Unterstes Deckblatt der Aehre kaum halb um-
umfassend . . . . **palustris** R. Brw. 1561
B. Stock büschelig bewurzelt.
Stengel walzl.; Aehre eyf. kugelig, reichblth.;
Frucht eben, Narben 2. . . **ovata** R. Br. 1562

512. SCIRPUS L. Binse.

A. Blüthenstand aus einer einzigen end-
ständigen Aehre bestehend.
Oberste Blattscheide mit einer Blattspitze; un-
terste Deckbltt. stachelsp. **caespitosus** L. 1563
Scheiden abgestutzt, unterste Deckbltt. stumpf
. . . . **pauciflorus** Lghtf. 1564
B. Blüthenstand aus mehreren Aehrchen
gebildet.
a) Allgem. Blüthenstd. zweizeilig.
Bltt. so lang als d. Stengel **compressus** Pers. 1565
*b) Allgem. Blüthenstd. knäuelf., die
Aehrch. sitzend, Deckbltt. ganzrd.*
† *Stengel walzenrund; Frkn. ohne Blmborsten.*
Fr. längsrippig, gelblich; Hüllblätter kurz . .
. . . . **setaceus** L. 1566
Fr. querrunzlich, dunkelbraun; Hüllbltt. lang .
. . . . **supinus** L. 1567
†† *Stengel 3kantig; Frkn. mit Blmborsten.*
Hüllbltt. seitlich abgebogen, breit, Aehrchen
4—8; Fr. querrunzlich; Deckblätter kraut-
spitzig . . . . . **mucronatus** L. 1568
C. Allgem. Blüthenstd. rispendoldig, d.
Knäuelchen mehr od. wen. gestielt;
Deckblättchen ausgerandet.

1561. = Scirpus... L. ♃. 6—8.
Sümpfe, Gräben, Teichränder.
1562. = Scirpus... Rth ☉ 6—7.
Teichränder, überschwemmte
Plätze (hie u. da).
1563. ♃. 5—6. Torfsümpfe der
Alpengegenden u. Hochebene.
1564. = Sc. caespitosus Poll.
Sc. Baeothryon Ehrh. ♃. 6—7.
Torfige Sümpfe, feuchte Wie-
sen, Ufer.

1565. Schoenus... L. ♃. 7—8.
Feuchte Wiesen u. Triften.
1566. ☉ 7—8. Feuchte Wiesen,
Teichränder.
1567. ☉ 7—8. Feuchte Wiesen,
Ufer (hie u. da: Rhein-Ge-
genden).
1568. ♃. 7—8. Teiche (hie u.
da: Erlangen zuweilen).

20

† *Stengel ohne Blätter, Blüthenstd. scheinbar seitlich,*

* walzenrund.

Deckbltt. kahl; Narben 3; Stengel meist dunkelgrün . . . . . . **lacustris** L. 1569

Deckbltt. rauh getüpfelt; Narben 2; Stgl. meist graugrün . **Tabernaemontani** Gml. 1570

°° Stengel mehr od. weniger dreikantig, unten rund, oben stumpf3kantig **Duvalii** Hpp. 1571

scharf 3kantig . . . . . . **triqueter** L. 1572

var. mit helleren (Sc. L e j e u n i i Wh.) u. dunkleren Deckblättern (Sc. H o p p i i Wh.).

†† *Stengel beblättert; Blthstd. endständig mit mehreren Hüllblättern.*

* Rispe gedrängt, meist mit einfachen Aesten. Aehrchen bräunlich; Deckblätter 2theilig . .
. . . . **maritimus** L. 1573

°° Rispe vielfach - ästig; Aehrchen grünlich, sitzend od. gestielt.

Deckbltt. kurz krautspitzig; Blumenborsten gerade, rückwärts hackig, so lang als die Frucht . . . . **sylvaticus** L. 1574

Deckbltt. ohne Krautspitze; Blumenborsten gedreht, 3 mal so lang als die Frucht; Aehrchen alle gestielt . . . **radicans** Schk. 1575

513. ERIÓPHORUM L. Wollgras.

A. Aehrchen einzeln, endständig.

a) Blätter kürzer als der Stengel.

Stengel rauh; Bltt. sehr kurz, Blmwolle gekräuselt; Aehrch. ellipt. . **alpinum** L. 1576

1569. ♃. 6—7. Teiche u. langsam fliessende Wässer.

1570. ♃. 6—7. Teiche, Gräben (hie u. da).

1571. = Scirpus trigonus Nolte. ♃. 6—7. Fluss- u. Teichufer (hie und da: Niederbayern, Rheinpfalz).

1572. ♃. 7—8. Teich- u. Fluss-Ufer (hie u. da: Rheinpfalz, Niederbayern).

1573. ♃. 6—8. Teichränder u. Flussufer (hie u. da).

1574. 6—7. Feuchte Waldwiesen, Ufergebüsch.

1575. ♃. 7—8. Sumpfige im Winter überschwemmte Wiesen, Teichränder (Zweibrücken).

1576. ♃. 3—4. Torfige Stellen der Voralpen, Alpen u. den Filzen der oberbayer. Hochebene.

Stengel u. Bltt. glatt, letztere mehrf. länger
als die Scheide; Blmwolle gerade; Aehrchen
kugelig . . . . . **Scheuchzeri** Hpp. 1577
h) Blätter länger als der Stengel,
pfriemlich, rinnig, oberste Scheide blattlos,
aufgeblasen . . . . . **vaginatum** L. 1573
B. Aehren zu doldenf. allg. Blüthenstand
beisammen.
  Bltt. flach, nach d. Spitze 3kantig; Blthstiele rauh; Aehren eyf. **latifolium** L. 1579
  Bltt. lineal, rinnig; Blthstiele glatt; Aehre
  eyf. u. kurz . . . **angustifolium** L. 1580
    var. Bltt. 2''' breit (vulgare); 3''' breit,
    hoch: E. longifolium Hpp.; sehr
    schmal, klein: E. alpinum Gaud.
  Bltt. 3kantig; Blthstiel filzig-rauh; Aehrch.
  lang elliptisch . . . . . **gracile** Kch. 1581

514. ELYNA Schrad.
Blätter halbwalzlich, fast so lang als der Blüthenstengel . . . . **spicata** Schrd. 1582

515. CAREX L. Riedgras.
§. Aehre einzeln endständig.
I. Ohne Borste am Grund der Frucht (im
Schlauch °).
A. Narben 2; Aehrchen zweihäusig.
  Schlauch eyförmig-rundlich; Stengel glatt; Stock
  mit Ausläufern . . . . **dioica** L. 1583

1577. ♃. 6—7. Torfstellen der
höhern Alpen.
1578. ♃. 3—4. Torfige Sümpfe
u. Haiden, bis in die Alpen.
1579. = E. pubescens Sm. = E.
polystachyum β. L. ♃. 3—4.
Feuchte Wiesen der Ebenen
u. Gebirgsgegenden.
1580. = E. polystachyum α. L.
♃. 3—4. Sümpfe u. Torfwiesen bis in die Voralpen.
1581. = E. triquetrum Hoppe. ♃
5 — 6. Schwammige Torf-
sümpfe.
1582. = Kobresia . . Willd

♃. 6—7. Bewässerte Triften
der höchsten Alpenregionen.
* Bem. Es gehört zu denselben
Unrichtigkeiten, welche pag.
XII. berührt sind, die Hülle
der Fr. als diese selbst zu bezeichnen u. ist gerade so als
wollte man den Kelch bei
Physalis „Frucht" heissen;
Schlauch ist also hier gleich
mit dem, was die Meisten bei
Carex Frucht nennen.
1583. ♃. 4 — 5. Schwammige
torfige Wiesen bis in die Voralpen (hie u. da).

20 °

Schlauch spindelf.; Stengel rauh; Stock ohne
Ausläufer . . . . . . **Davalliana** Sm. 1584
B. Narben 2; Aehrchen einhäusig, oben
männlich.
Schl. spitz-ellipt., abwärts gerichtet; Deckbltt.
abfallend, schmal-elliptisch **pulicaris** L. 1585
Schl. rundlich-eyförmig, zusammengedrückt;
Schnabel 2spaltig, Deckblätter bleibend,
breit-rundlich . . . . . **capitata** L. 1586
C. Narben 3.
Aehrchen 4blüthig, oben mit 1 männl. Blüthe;
Schlauch pfriemenförmig zugespitzt abwärts
gerichtet . . . . . . **pauciflora** Lghtf. 1587
II. Mit einer Borste am Grund der Frucht
(im Schlauch).
Aehrchen 9—12blüthig, wovon 3—4 männliche;
Schlauch pfriemlich-zugespitzt, abwärts gerichtet . . . . . **microglochin** Whlbg. 1588
§§. Mehrere Aehrchen, zwei-seltener einge-
geschlechtig; Blthstand zusammengesetzt-ährig
od. rispig.
I. Allgem. Blüthenstand kopff. knäuelig,
mit 2—3 grossen Hüllblättern am Grund.
Narben 2, Aehrchen unten männl.; Schlauch sehr
lang geschnabelt, Hüllbltt. 3; Deckblättchen
grünlich . . . . **cyperoides** L. 1589
Narben 3, Aehrchen oben männl.; Schlauch sehr
kurz geschnabelt, Hüllbltt. 3, abstehend; Deckblättchen stumpf, weiss . . **baldensis** L. 1590
II. Allgem. Blthstd. ährenf. od. unterbrochen knäuelig, mit 1 Hüllbltt. am Grunde.
A. Narben 3, Aehrchen oben männlich.

1584. ♃. 4—5. Torfige, moo-
sige Wiesen.
1585. ♃. 4—5. Feuchte Wiesen
u. Triften (hie u. da).
1586. ♃. 5 ... Torf- u. Sumpf-
Haiden d. oberbayer. Hochebene.
1587. = Carex petraea Schk. ♃.
♃. 6—8. Triften der höch-
sten Alpenregionen.
1588. Blassbraun. ♃. 5 ... In

den Alpen 7—8, auf schwam-
migen Torfsümpfen der oberbayer. Hochebene.
1589. ♃. 8—9. Teichränder mit
Sandgrund hie u. da. (biew
in grosser Menge: Erlangen,
Zweibrücken).
1590. Weiss. ♃. 6—7. An Giessbächen der höchsten Alpenregionen (Garmisch)

Stock ohne Auslf., allgem. Blthstd. ellipt.-knäuelig;
Deckblätter schwarzbraun. . **curvula** All.1591
B. Narben 2; Aehrchen oben (seltener die
mittleren) männlich.
a) Stock mit Ausläufern.
Schlauch am Rand glatt gerippt, an d. Spitze
häutig trocken, 2spitzig; Aehrchen wenig-
blüthig . . . . **chordorrhiza** Ehrh.1592
Schlauch am Rand sägezähnig gerippt; Aehrch.
vielblth., d. mittl. männl. **intermedia** Good.1593
Schlauch oben in einen breithäutigen feinge-
sägten Rand zusammengedrückt; Aehrchen
oben männlich . . . . . **arenaria** L. *
*b) Stock ohne (oder mit äusserst kurzen)
Ausläufern.*
† *Deckhlttch. weissgerandet, fast so lang als
der Schlauch, dieser am Grund höckerig,
mehr od. weniger braun.*
* Schlauch gleichmässig berippt.
Stock von d. Resten d. Blttscheiden schopfig;
Stgl. stark erhaben 3kantig **paradoxa** L.1594
°° Schlauch eben, nur am Rücken mit 2 Falten.
Stgl. flach dreikantig; allgemeiner Blüthenstd.
schlaff . . . . **paniculata** L.1595
Stgl. erhaben 3kantig, zart; allgem. Blthstd.
gedrängt; Stock etwas kriechend . . . .
. . . . **teretiuscula** Good.1596
†† *Deckhlttch. nicht weiss gerandet, länger
als der Schlauch, dieser gleichmässig ge-
wölbt, grünlich od. gelblich.*
Stgl. schlank mit flachen od. wenig erhabenen

1591. ♃. 7—8. Alpentriften (hie * ♃. 5—6. Sand Haiden (Nord-
und da). Deutschland; der Verwechs-
lung wegen angeführt).
1592. ♃. 5—6. Nasse Torfsüm- 1594. ♃. 5—6. Torfige Wiesen,
pfe der oberbayer. Hochebene Waldgräben.
u. Rheinpfalz. 1595. ♃. 5—6. Schwammige
1593. = C. disticha Huds. = C. Torfsümpfe.
spicata Poll. = C. arenaria 1596. = C. diandra Roth. ♃.
Leers. ♃ 5—6. Feuchte Ws. 5—6. Sumpfwiesen.

Seiten, etwas rauh, untere Aehrchen einfach . . . . **muricata** L. 1597
var. a) mit weiter von einander entfernten Aehrchen, bleichen Deckblttch. und grünem Schlauch: C. virens Lam.; b) mit oben nahe, unten entfernt stehenden Aehrchen, bleichen Deckblättern, kleinerem Wuchs, überhängendem Stengel: . . C. **divulsa** Good. 1598
Stgl. stark, mit rinnigen Flächen, sehr scharf; untere Aehren zusammengesetzt **vulpina** L. 1599

C. Narben 2; Aehrchen unten männlich; zweizeilig wechselständig.

a) *Stock Ausläufer treibend; Schlauch wimperzahnig.*

† *Deckblättchen braun.*

Schlauch so lang als das Deckblättchen, Aehrchen gerade . . . . . **Schreberi** L. 1600
Schlauch 1½ mal so lang als das Deckblättchen . . . . **Ohlmülleriana** Lg. 1601

†† *Deckblättchen bleichgelb.*

Schlauch etwas länger als das Deckblättchen; Aehrchen gekrümmt . . . **brizoides** L. 1602

b) *Stock ohne Ausläufer.*

† *Unteres allgem. Deckbl. länger als d. Blthstgl.*

Schläuche aufrecht stehend, eyrund, wenige; Stengel überhängend . . . . **remota** L. 1603
Schläuche abstehend, längl.-rund, zahlreich: Stengel gerade . . . . . **elongata** L. 1604

†† *Unteres allgem. Deckbltt. so lang als der Blüthenstengel.*

* Schlauch zusammengedrückt mit breit häutigem Rand . . . . **leporina** L. 1605

1597. = C. canescens Leers. = C. contigua. ♃. 5—6. Wiesen, Wegränder, Wassergräben; die Var. a. auf felsigen bewässerten Waldstellen.

1598. ♃. 5—6. Lichte Waldstellen (hie u. da).

1599. = C. spicata Schrk. nach Schrb. Hndschrft. ♃. 5—6. Sümpfe, Gräben. Ufer.

1600. = C. praecox Schrb. ♃. 5—6. Haiden, Trft (hie u. da).

1601. ♃. 5—6. Sumpfwiesen (Rothenbug in O.-Bayern).

1602. ♃. 4—5. Feuchte Waldstellen (d. Ki.-F.)

1603. ♃. 5—6. Schattige, feuchte Waldstellen.

1604. ♃. 5—6. Smpf. Wiesen.

1605. ♃. 6—7. Wiesen, Triften. Wegränder; die Var. b in der Rheinpfalz.

var. mit weissen Deckblttch.: C. argyroglochin H.
°° Schlauch ohne häutigen Rand.
α Stengel glatt.
Aehrchen 3—4 genähert; Schlauch glatt, angedrückt . . . . . **lagopina** Whlbg. 1606
Aehrchen 3—5, entfernt; Schlauch zahnig,
sparrig . . . . . **stellulata** Good. 1607
β Stengel rauh.
Untere Aehrchen zusammengesetzt, 8—12,
kurz gestielt; Deckblättchen breit elliptisch,
stachelspitzig **Bönninghausiana** Wh. 1608
Untere Aehrchen einfach.
Aehrchen 3—4, genähert; Schlauch zusammengedrückt, 3kantig, glatt; Deckblättchen breit-eyförmig, so lang als der un-
getheilte Schnabel **Heleonastes** Ehrh. 1609
Aehrchen 5—6, entfernt; Schlauch zusammengedrückt, zart streifig, Schnabel ausgerandet; Deckbltt. bleichgrün, eyförmig,
zugespitzt, länger als der Schl.; Scheiden
weisslich . . . . . **canescens** L. 1610
Aehrchen 5—8, rundl., die oberen genähert;
Schlauch hinten gespalten, am Rand gesägt; Deckblttch. graubraun, länger als
der Schlauch . . **Persoonii** Sieb. 1611
§§§. Mehrere Aehrchen je eingeschlechtig, die oberen männlich (seltener das
oberste an der Spitze zwitterig oder mehrere
männlich).
I. Narben 2.
A. Schlauch mit gerandetem vorne flachem Schnabel,
flaumhaarig, am Rande rauh; Schnabel 2spal-

1606. L. Lachenalii L. ♃. 7—8.   Wiesen der Alpengegenden u.
Feuchte Stellen der höchsten   auf den Filzen der bayer.
Alpenregionen.   Hochebene.
1607. = C. muricata Poll. ♃.   1610. = C. elongata Leers. =
5—6. Feuchte Wiesen.   C. cinerea Poll. ♃. 5—6. Fcht.
1608. ♃. 6—7. Sumpfige Wiesen   Wiesen, Teichränder u. Ufer
(Rothenbug in Oberbayern).   1611. = C. Gebhardi Hpp. ♃.
1609. ♃. 5. Sumpfige Torf   6—7 Feuchte Trft. d. Alpen

tig, länger als die zugespitzten Deckblätter . . . . **mucronata** All. 1612
kahl, am Rande rauh, Schnabel lang 2zähnig;
Deckblättchen breit - weiss - gerandet . . .
. . . . **Gaudiana** Guthn. 1613

**B. Schlauch ohne od. mit sehr kurzem,
rundem, abgestutztem od. 2zähnigem
Schnabel.**

*a) Stock ohne Ausläufer (daher dichte
Rasen bildend).*
Männl. Aehrchen meist einzeln, weibl. 3, oft
an der Spitze männl.; Schl. mit abgeglie-
dertem Stielchen; Schnabel kurz; Bltt. blaugrün; Scheiden der unteren Bltt. netzförmig
zerreissend . . . . **stricta** L. 1614

b) Stock mit Ausläufern.
Männl. Aehrchen meist 2—3, mit spatelf.-
lanzettl. Deckblttch.; weibl. Aehrch. 4—5,
die unteren gestielt, am Grund lockerblth.;
Deckbltt. geöhrt; Schl auf walzlichem ab-
gegrenztem Stielchen, keilf.-ellipt., spitz;
Scheiden (meist) ganz bleibend **acuta** L. 1615
Männl. Aehrchen 1, weibl. 3, sehr kurz gestielt; Schl. dicht gestielt mit breitem sehr
kurzem Stielchen, platt, kürzer als d. breit-
lanzettl. abgerundeten Deckblttch.; Scheiden
geschlossen . . . . . **caespitosa** L. 1616

II. Narben 3.

**1. Schlauch ohne Schnabel od. derselbe
ist stielrund, abgestutzt od. 2zähnig,**
A. glatt, kahl.

a) Allgem. Deckhltt. nicht scheidig.
† *Untere Aehrchen fast sitzend,*

1612. ♃. 7—8. Felsenabhänge
  der Alpen u. Voralpen.
1613. ♃. 6—7. Sumpfige Torf-
  Wiesen d. Alpen (hie u. da)
1614. ♃. 4—5. Schwammige
  Sümpfe, Teiche.
1615. = C. rufa Schrk. ♃. 5..
  Sümpfe, Gräben, Ufer.
1616. = C. vulgaris Fr. ♃. 4—5.
  Feuchte Wiesen, Waldstellen.

reichfrüchtig, oberste zwitterig . . . . . .
. . . . **Buxbaumii** Whlbg. 1617
armfrüchtig (5–8); Deckbltt. der männl. Aehrchen sehr breit . . . . **supina** Whlbg. 1618
✝✝ *Untere Aehrchen gestielt,*
die unterste fast grundständig, langgestielt;
Deckbltt. schwarzbraun . . . **atrata** L. 1619
die unterste stengelständig, gestielt; Deckbltttch.
hellbraunroth . . . . . . **limosa** L. 1620
b) Allgemeines Deckblatt scheidig.
✝ *Stock mit Ausläufern.*
* Blätter wimperhaarig.
Schlauch zieml. geschnabelt, unten stielförmig
verschmälert . . . . **pilosa** L. 1621
** Blätter kahl.
α Aehrchen (4–6) wenigfrüchtig; Deckblätter
bleich weisslich . . . . **alba** L. 1622
ß Aehrchen reichfrüchtig,
aufrecht, Schlauch kugelig, so lang als die
lanzett-linealen Deckblätter **panicea** L. 1623
das unterste nickend.
Schlauch zusammengedr, nochmal so lang als
d. breit eyf. spitzl. Deckbltt. **glauca** L. 1624
Schlauch ellipt.-lanzettlich rippig, 3kantig,
schief abgestutzt . . **strigosa** Huds. *
✝✝ *Stock ohne Ausläufer.*
* Fruchtähren 2–3, aufrecht, gleich dicht besetzt.
Schl. eyf.-stumpf, ohne Schnabel; Bltscheiden
haarig; allgem. Deckblätter am Grund querfaltig . . . . **pallescens** L. 1625

1617. = C. polygama Schk. ♃.
4–5. Sumpfige Wiesen (hie
n. da: Erlangen, Dachauer
Moos, Rheinpfalz).
1618. ♃. 4–5. Lichte Wälder,
trockne Trft.,Hd.(Rheinfläche).
1619. ♃. 6–8. Trockne Felsen-
Abhänge der Alpen.
1620. ♃. 5–6. Sumpfstellen u.
Torfmoore (hie u. da bis in
die Alpen).
1621. ♃. 4–5. Waldränder der
Berggegenden (hie und da:
Oberbayern).

1622. = C. nemorosa Schrk. ♃.
4–5. Lichte Wälder der Alpengegenden u. bayer. Hochebenen.
1623. ♃. 5–6. Feuchte Wiesen
u. Waldstellen.
1624. = C. flava u. C. pendula
Schreb. ♃. 4–5. Trft., lichte
feuchte Waldstellen.
* = C. leptostachys Ehrh. ♃.
5... Feuchte Waldstellen,
Gräben (Rheinfläche).
1625. ♃. 5... Feuchte Wiesen,
Triften, lichte Wälder.

Schl. ober- u. unterw. zugespitzt **capillaris** L. 1626
°* Fruchtähren 3 - 6, hängend, nach unten locker,
reichblüthig; Schlauch u. Schnabel 3kantig
. . . . **maxima** Scop. 1627
B. Schlauch flaum- oder wollhaarig.
    a) Allgem. Deckbltt. nicht- oder sehr
    kurz scheidig.
    † *Stock mit Ausläufern.*
    * Unterste (weibliche) Aehrchen meist gestielt;
    Schl. feinhaarig; Deckblttch. schmal-zugespitzt,
    glattrandig . . . . . . **praecox** Jacq. 1628
    var. a) im Waldschatten mit hochwüchsigem
    Stengel: C. umbrosa Host; b) mit aus-
    gerandeten lang-krautspitzigen Deckbltch.:
    C. mollis Host: c) mit oberhalb der er-
    sten Aehre geknicktem Stengel: C. re-
    flexa Hpp.
    ** Alle Aehrchen sitzend.
    Schl. dicht wollhaarig; Deckblttch. breit zuge-
    spitzt. glattrandig . . . **tomentosa** L. 1629
    Schl. oben behaart; Deckblättchen breit abge-
    rundet. wimperig-randig **ericetorum** Poll. 1630
    †† *Stock ohne Ausläufer* (faserig bewurzelt).
    Unteres Aehrchen gestielt; Schl. flaumhaarig
    . . . . **polyrrhiza** Wallr. 1631
    Unteres Aehrchen sitzend.
    allgem. Deckbltt. ganz häutig; Schlauch raub-
    flaumig; Deckblättchen dunkelbraun, breit
    abgerundet-eingedrückt; Blttscheiden roth
    . . . . **montana** L. 1632
    allgem. Deckbltt. ganz krautig; Schl. flaumh.;
    Deckblättchen hellbraun, schmal . . . .
    . . . . **pilulifera** L. 1633

1626. ♃. 6—7. Felsige feuchte
Abhänge der Alp. u. Voralpen.
1627. = C. Agastachys Ehrh.
♃. 6. Tchrd., Grb. (hie u. da).
1628. = C. montana Poll. C.
filiformis Leers. ♃. 3—4. Abhänge, trockene Ws., Triften.
1629. = C. montana in Schrk.
nach Schrb. Handschrift. ♃.
5—6. Fcht. Trft., Ws. u. Abhg.

1630. = C. montana Leers. ♃.
4—5. Trockene Sandhaiden u.
Abhänge (der Ki.-Form.).
1631. C. umbrosa Hpp. ♃. 5.
Waldplätze (hie u. da).
1632. C. triceps in Schrk. nach
Schrb. handschr. Dem. ♃. 4—5.
Wälder u. schatt. Gebüsch.
1633. = C. filiformis Poll. ♃.
4—5. Wldrd. (hie u. da Ki.-F.).

b) Allgem. Deckblatt scheidig (Stock rasig).

† *Stengel viel kürzer als die Blätter.*
Aehrch. gestielt, weibl. 3—4 blüthig; Scheide und Deckblättchen breit-weisshautrandig
. . . . **humilis** Leyss. 1634

†† *Stengel länger als die Blätter.*
Schlauch birnförmig,
so lang als d. breite stumpfe Deckblättchen
. . . . **digitata** L. 1635
länger als d. Deckblttch. (Wuchs kleiner)
. . . . . . **ornithopoda** Willd. 1636

2. Schlauch lang vorgestreckt in einen gerandeten nach hinten gewölbten Schnabel (dessen Zähne gerade vorgestreckt sind; männl. Aehre meist einzeln).

A. Schläuche vorwärts gerichtet.
a) Deckblättchen grünlich od. gelbl.
Stengel kürzer als d. Blätter; Schl. 2spitzig, am Rand gesägt, schlaff stehend . . . .
. . . . **hordeistichos** Vill. 1637
Stengel länger als d. Blätter; Schl. abgestutzt, glatt, dicht stehend . . **sylvatica** Huds. 1638
b) Deckblättchen braun.
† *Untere Aehre nickend.*
* Stock Ausläufer treibend.
Aehren dichtblüthig, oberste sitzend; Schlauch am Rand grün; Deckblättchen zugespitzt, schmal . . . . **frigida** All. 1639
Aehren lockerblüthig, alle gestielt; Schl. el-lipt.-längl., 3kantig; Deckbltch. breit, zu-gespitzt . . . . . **ferruginea** Scop. 1640
** Stock ohne Ausläufer.

1634. = C. clandestina Good ♃. 4—5. Sonnige Hügelabhg. (d. Ka.-F.).
1635. ♃. 4—5. Schatt. Wälder
1636. ♃. 4—5. Waldschatten (hie u. da).
1637. = C. secalina. ♃. 4. Sumpf. Gräben (Rheinpfalz).
1638. = C. Drymeia Ehrh. = C

capillaris Leers. ♃. 6. Wald-schatten.

1639. ♃. 6—7. Bewässerte Fel-senabhg. u. Schluchten d. Alp.

1640 = C. Mielichhoferi Schk. C. alpina Schrank? ♃. 6—7. Fcht. sumpf. Stellen der Al-pengegenden u. Voralpen.

Aehren alle gestielt; Schlauch lanzettf. glatt,
Schnabel mit weissem Rande übrigens wie
d. zugesp. Deckblttch. russbraun; Bltt. kurz
. . . . **fuliginosa** Schk. 1641
†† *Unteres Aehrchen wie die oberen gestreckt
aufrecht* (Stock nicht oder nur kurze Ausläufer treibend).
* Schläuche gestreckt-elliptisch.
Aehren locker, reichblth.; Schl. mit hautigem
2lappigen Schnabel; Deckblättchen zugesp.
. . . . **sempervirens** Vill. 1642
Aehren dicht, armblth., genähert; Schl. mit abgestutztem Schnabel; Blätter kurz, starr
. . . . **firma** Host. 1643
** Schläuche bauchig, zugespitzt.
Deckblttch. eyf.-abgerundet, krautspitzig; alle
Aehren gleichweit von einander stehend;
Stock rasig (Schnbl. innerseits zahnig, ohne
2 grössere Kanten od. Riefen) **distans** L. 1644
Deckblttch. breit.-eyf., zugespitzt,
die unterste Aehre sehr entfernt und alle
stumpf; Schl. von der Frucht ausgefüllt;
Stock mit kurzen Ausläufern . . . .
. . . . . **Hornschuchiana** Hpp. 1645
die weibliche Achre an der Spitze meist
männl. u. daher zugesp.; untere Schl. ab-
stehend; Schl. von der Fr. nicht ausge-
füllt; Stock mit kurzen Auslf. **fulva** Good. 1646
B. Schläuche sparrig abstehend;
Deckblättchen abstehend oder zurückgebogen,
Schl. mit zurückgekrümmtem Schnbl. **flava** L. 1647

1641. = C. frigida Whlbg. ♃.
7—8. Bewachsene Geröllabhg.
der höchsten Alpenregionen.
1642. = C. ferruginea Schk.
C. rigida u. = C. Watzmanni?
Schrk. ♃. 6—7. Trockene Abhänge der Alpengegenden.
1643. ♃. 6—8. Feuchte Felsen-
ablig. d. Alpen u. Voralpen.
1644. ♃. 5—6. Feuchte Wiesen
u. Triften (hie u. da).

1645. = C. binervis Whlbg. =
C. biformis α fertilis Schltz.
♃. 5—6. Fcht. Trft. (hie u. da).
1646. = C. biformis β sterilis
Schltz. ♃. Fcht. Ws. (hie u. da),
1647. ♃. 5. Sumpfstellen, fcht.
Wiesen. — Die Varietät an
Teichrändern u. ausgetrock-
neten Gräben. 5—7. (hie u. da).

Schl. mit geradem Schnabel (Wuchs klein)
. . . . **Oederi** Ehrh.
3. Schlauch mit rundem od. zusammenge-
drücktem Schnabel, dessen Spitzen
weit abstehen; männl. Aehren meist
mehrere.
A. Schlauch haarig.
*a) allgem. Deckblatt kurz- od. nicht
scheidig.*
  Weibl. Aehren 2—3; Bltt. flach, breiter als
    der Stengel . . . . **evoluta** Hartm. 1648
  Weibl. Aehren 1, selten 2; Bltt rinnig, so
    breit als der Stengel, diese u. die Schei-
    den kahl . . . . **filiformis** L. 1649
b) allgem. Deckblatt langscheidig.
  Blätter und Scheiden rauhhaarig; Stock mit
    Ausläufern . . . . **hirta** L. 1650
B. Schlauch kahl.
*a) Deckblättchen der männl. Aehren
gelblich oder grünlich.*
† *Schlauch blasig, gelblich.*
* Stengel glatt, stumpf-kantig,
  Bltt. rinnig, mattgrün **ampullacea** Good. 1651
** Stengel scharf u. kantig.
  Weibl. Aehren kurz-gestielt; Blätter flach.
    hellgrün . . . . **vesicaria** L. 1652
  Weibl. Aehren lang-gestielt, hängend; Schl.
    rückwärts gerichtet **Pseudocyperus** L. 1653
*b) Deckblättchen der männl. Aehren
braun oder schwärzlich.*
  Schl. mit gewölbten Seiten; Deckblätter der
    (3—5) männl. Aehren alle krautspitzig
    und hellbraun . . . **riparia** Curt. 1654
  Schl. zusammengedrückt; untere Schuppen

1648. = C. Kochiana Schbl. et
Mert. ♃. 5. Fluss-Uf. (Ulm.).
1649. ♃. 5—6. Teichränder und
tiefe Sümpfe.
1650. ♃. 5—6. Feuchte Triften
u. Waldstellen (der Ki.-F.).
1651. = C. vesicaria Huds. ♃.
5—6. Sümpfe, Teichufer.

1652. C. inflata Huds. ♃. Fluss-
u. Teich-Ufer, Sümpfe.

1653. ♃. 6—7. Waldsümpfe u.
Teichufer (hie u. da).

1654. ♃. 5—6. Gräben, Fluss-
u. Teich-Ufer.

der (2—3) männl. Aehren stumpf, dunkelbraun . . . . **paludosa** Good. 1655

111. Familie GRAMINEAE.

a) ZEA L. Mays.

Bltt. bandf.-lanzettl., breit, am Rd. rauh **Mays** L. C

516. ANDROPÓGON L. Bartgras.

Allgem. Blthstd. büschelf., aus 5—10 Aehren, endständig; untere Spelze des Zwitterährchens von
unten bis zur Hälfte behaart; männl. Aehrch. kahl
. . . . **Ischaemum** L. 1656

517. PÁNICUM L. Fennich.

A. Allgem. Blüthenstand ährenf., zweizeilig, strahlenförmig beisammen.
a) *Blätter und Scheiden haarig.*
Spelze der neutralen Blmch. kahl, an d. Seitenrippe ohne Wimpern **sanguinale** L. 1657
Spelze der neutralen Blmch. an d. Seitenrippe
steifwimperig . . . . . **ciliare** Rtz. 1658
b) *Blätter und Scheiden kahl.*
Aehrchen flaumig, auf Rippen kahl . - . .
. . . . **glabrum** Gaud. 1659
B. Allgem. Blüthenstand rispenförmig.
Rispe aus linealen straffen Aehren zusammengesetzt; Spindel am Grund 5eckig; Balg mit
1 rauhen mehr oder weniger langen Granne
. . . . **crus galli** L. 1660
Rispe vielästig, schlaff, nickend, Balgklappen
mit sehr kurzer oder keiner Granne; Blätter
und Scheiden haarig . . **miliaceum** L. C

1655. = C acuta Curt. ♃. ♭.
Teich- u. Fluss-Ufer.
C. ⊙ 7. Hie und da cultivirt
„Türkisch Korn".
1656. ♃. 6—8. Sonnige Hügel-
abhänge (hie u. da, Ka.-F.).
1657. = Syntherisma vulg. Schrd.
⊙ Aecker, Trft. (der Ki.-F.).
1658. ⊙ 7.. Sandige Felder
(Rheinthal)

1659. = P. Ischaemum Schrb.
in fl. Erlg. = P. sanguinale
Pollt. ⊙ Aecker u. sand. Felder.
1660. = Echinochloa... Beauv
⊙ 7—8. Feuchte Aecker und
Felder, Gräben der Sandgegenden (Ki.-F.).
C. ⊙ Hie u. da in den Sandgegenden cultivirt: „Hirse, in
Ober-Bayern „Brey".

518. SETARIA P. Beauv. Borstengras.

A. Zähne der Hüllstielchen von oben
nach unten gerichtet **verticillata** Bv.1661
B. Zähne der Hüllstielchen von unten
nach oben gerichtet.
Hüllstielchen purpurröthl.; Spelzen der Zwitterblth. kahl, so lang als die der neutralen
. . . . , **viridis** Bv.1662
Hüllstielchen gelb-fuchsroth; Spelzen der Zwitterblth. querrunzlich, noch 1mal so lang als
die neutralen . . . . . . **glauca** Bv.1663

519. PHÁLARIS L. Glanzgras

Klappen am Rücken geflügelt; Rispe ellipt.-ährenf.;
Flügel der Klappe ganzrandig; neutrale Aehrch.
so lang als die fruchtbaren, angedrückt-haarig
. . . . **canariensis** L. C
Klappen ohne Rückenflügel; Rispe abstehend-ästig;
Aehrchen büschelig-gestellt **arundinacea** L.1664
var. mit weiss-gestreiften Blättern.

520. HIËRÓCHLOA Gml. Darrgras.

Blüthenstielchen kahl; Spelze der männl. Blümch.
unter der Spitze sehr kurz begrannt . . . .
. . . . **odorata** Whlbg.1665
Blüthenstielch. am Grund haarig; Spelze der oberen männl. Blmch. aus dem Rücken mit einer
geknieten Graune . . . **australis** R. u. S.'1666

521. ANTHOXÁNTHUM L. Ruchgras.

Rispe ährenf. schlaff, zugespitzt **odoratum** L.1667

1661.=Panicum... L. ⊙ Aeck.,
Kiesbänke d. Flüsse (hie a. da).
1662. = Panicum... L. ⊙ 7—S.
Felder u. sandige Triften.
1663. = Panicum... L. ⊙ 7—8.
Brachäcker, sandige Triften
u. Haiden.
C. ⊙ 7—8. In Gärten hie u. da
„Canariengras".
1664. = Baldingera... fl. Wett.
♃. Fluss- u. Teich-Ufer. Die

Varietät besonders in Gärten
„Bandgras"
1665. = Holcus borealis Schrad.
= Savastana hirta Schrk? ♃.
5—6. Kiesbänke u. Haine der
Flussufer (München).
1666. = Holcus . . . Schrd. ♃.
4—5. Schattige Hügelwälder
(Nürnberg).
1667. ♃. 5—6. Feld- u. Wald-
Wiesen.

522. ALOPECÚRUS L. Fuchsschwanz.

**A. Balgklappen nur am Grund verwach-
sen; Stengel niederliegend, gekniet.**
Granne aus d. unt. $^1/_1$ der Klappe und viel länger
als d. Aehrchen; Staubbeutel bleichgelb, später
dunkler (Scheiden blaugrün) **geniculatus** L. 1668
Granne aus d. Mitte der Klappe u. kürzer oder
kaum länger als d. Aehrchen; Staubbeutel rothgelb; Scheiden seegrün . . . **fulvus** Sm. 1669
**B. Balgklappen an d. untern Hälfte ver-
wachsen; Stengel aufrecht od. aufsteigend.**
Stock ausdauernd; Aehrch. sammethaarig, Aestchen 4—6ährig . . . . **pratensis** L. 1670
NB. A. nigricans hat lange Ausläufer.
Stock einjähr.; Aehrch. fast kahl, Aestch. 1-2ährig.
Blthstd. walzlich, lang, beiderseits verschmälert, Blttscheiden walzenf. (Stengel oberwärts rauh) . . . . . . **agrestis** L. 1671
Blthstd. ellipt.-eyf., oberste Blattscheiden spin-
delförmig-aufgeblasen **utriculatus** Pers. 1672

523. PHLEUM L. Lieschgras.

**A. Blüthenstielchen am Grund der obern
Spelze mit einem rudimentären Blümchen.**
a) Griffel äusserst kurz.
Klappen lanzettf.; Stock ohne besondere aus-
dauernde Laubtriebe. . **arenarium** L. 1673
b) Griffel deutlich, lang.
† *Klappen lanzettförmig.*
sanftzugespitzt, am Kiel borstig-wimperig;
Blthstd. meist lappig-ährenf. **Michelii** All. 1674
schnell-zugespitzt, am Kiel meist nur rauh-
zähn.; Blthstd. gleichmässig **Böhmeri** Wibl. 1675

1668. ☉ 5—8. Gräben, Sümpfe.
1669. = A. geniculatus Poll. ☉
5—8. Sümpfe u. Gräben.
1670. ♃. 5—6. Fruchtbare Ws.
1671. ☉ 6—7. Aecker (bes.
Thonboden).
1672. ☉ 5—6. Fruchtbare Triften (westliche Rheingegenden).

1673. ☉ 6—7. Sandhaiden (Rheinthal; hie u. da).
1674. = Phalaris alpina Hke.
♃. 7—8. Alpentriften.
1675. = Phalaris phleoides L.
♃. 6—7. Steinige Abhänge,
trockne Wiesen (hie u. da, besonders der Ka.-F.)

†† *Klappen keilf. abgestutzt*, an der Spitze aufgeblasen, eckig, rauh . . **asperum** Vill.1676
B. Ohne Ansatz zum 2ten Blüthch.; Klappen abgestutzt.
Granne 3mal so lang als die Klappen; Scheiden alle walzlich; Blüthenstand lang-walz-
lich . . . . **pratense** L.1677
var. mit am Grund verdicktem Stgl.: P. nodosum L.
Granne so lang als die Klappe od. kaum um
die Hälfte kürzer; obere Blttscheiden aufgeblasen; Blthstand elliptisch **alpinum** L.1678

524. CHAMAGROSTIS Borkh.

Stgl. gewunden (1 – 3" hoch); Scheiden geschlossen; Bltt. lineal-fadenförmig; Zünglein umfassend . . . . **minima** Brkh.1679

525. CYNODON Kunth. Hundsgras.

Aehren zu 3—5strahlig gestellt; Spelzen kahl,
etwas wimperig; Bltt. unterseits haarig; Ausläufer
niederliegend . . . . . . **Dactylon** Pers.1680

526. LEERSIA Sol.

Rispe abstehend (oft in d. Scheide eingeschlossen
bleibend) gebogenästig; Bltt. hellgrün, am Rand
rückw. rauh, Scheiden kahl . **oryzoides** Sw.1681

527. AGROSTIS L. Straussgras.

A. Blätter alle flach; obere Spelze vorhanden.
Zünglein länglichrund; Rispe schmal kegel-

1676. Chilochloa... Beauv. ⊙.
5—6. Aecker, Weinberge, kahle
Abhänge (hie u. da).
1677. ♃. 6 — 7. Fruchtbare Ws.
1678. ♃. 6-S. Triften d. Alpen
und Voralpen.
1679. = Agrostis ... L. = Mi-
bora verna Bv. ⊙ 3—4. Sand-

Haiden (hie u. da: Rhein- u.
Mainthal).
1680 = Panicum... L. = Digitaria stolonifera Schrd. ♃.
7—8. Sandhaiden, Wegränder
(hie u. da: Rhein- u. Mainthal).
1681. = Phalaris... L. ♃.8—9.
Gräben, Flussufer (hie u. da).

21

förmig, nach der Blüthenzeit zusammenge-
zogen . . . . **stolonifera** L.|1682
var. a) etwas begrannt.; b) mit grünl. Rispe:
A. alba Schrd.; c) mit röthl. Rispe: A. varia Host.; d) sehr gross u. vielblüthig, mit
od. ohne Grannen: A. gigantea Gaud.;
e) niedrig, weit kriechend, lappig-rispig,
röthlich: A. stolonifera Sm.
Zünglein abgestutzt, kurz; Rispe (auch nach
der Blüthenzeit) mehr od. weniger ausgebreitet; Stock meist ohne Ausläufer u. Blm.
ohne Grannen . . . . **vulgaris** With. 1683
var. a) mit sprossend. Blthch.: A. sylvatica Poll.

B. Blätter des Stocks zusammengefaltet,
borstenförmig; obere Spelze meist
fehlend (Zünglein elliptisch).
　a) *Rispenästchen rauh.*
　Untere Spelze unterhalb der Mitte des Rückens
　(knief.) begrannt, an der Spitze gekerbt,
　obere meist fehlend . . . . **canina** L.1684
　var. a) mit grösseren Blth.: A. hybrida Gaud.;
　b) kleinwüchsig u. armblüthig: A. alpina
　Leyss.; c) blass od. farbig, auch sprossen-
　blumig u. s. w.
　Untere Spelze am Grund begrannt, an der
　Spitze kurz 2borstig, obere sehr klein . .
　. . . . . **alpina** Scop.1685
　b) *Rispenästchen kahl;* untere Spelze gekerbt, Granne unterhalb der Mitte . . . .
　. . . . . **rupestris** All.1686

523. APERA P. Beauv. Windgras.
Rispe ausgebreitet; Spelze unterhalb der Spitze

1682. = A. alba Schrd. = A.
capillaris Poll. ⅔. Ende Juni —
Anfang Juli. Wiesen, Triften,
lichte Wälder, Kiesbänke der
Flüsse, Wegränder.
1683. = A. stolonifera Poll. ⅔.
Blüthezeit und Standort wie
vorige.

1684. ⅔. 6—8. Wiesen und
feuchte Triften.
1685. ⅔. 7—8. Wiesen u. Triften
der Voralpen u. Alpen.
1686. = A. setacea Vill. = A.
alpina in Schrk. nach Schreber's handschr. Bem. ⅔. 7—8.
Wiesen u. Triften der Alpen.

begrannt; Granne 2—3 mal so lang als d. Spelze;
Staubbeutel lineal, längl. . **Spica venti** Bv.1687

529. CALAMAGROSTIS Rth. Reithgras.

A. Granne aus der Spitze oder dem Winkel der Spelze; Aehrchen ohne Ansatz zu
einem 2ten Blümch.; Rispe offenstehend; Haare
länger als die Spelze.
Granne sehr kurz, aus dem Winkel und kaum
länger als d. seitl. Zipfel **lanceolata** Rth.1688
Granne halb so lang oder länger als d. Spelze
. . . . **littorea** DC.1689
B. Granne unterhalb der Spitze od. tiefer aus dem Rücken der Spelze;
*a) die Haare am Grund der Blmch. länger
od. so lang als die Spelze mit ihrer Granne;*
Granne oberhalb d. Mitte; Bälge zahnig-kie-
lig: Rispe knäuelig-lappig **Epigejos** Rth.1690
var. a) nur am Rand der Klpp. roth : Arundo
intermedia Gml. = C. Huebneriana
Rchb.; b) Klpp. ganz grün: C. glauca
Rchb.
Granne unterhalb der Mitte; Bälge glatt
(violett) glänzend; Rispe gleichmässig,
abstehend . . . . **Halleriana** DC.1691
*b) die Haare am Grund der Blmch. kürzer
als die Spelzen (Rudim. einer Blth. vorhd.).*
Aehrchen der Rippe lang-gestielt; Granne
kaum länger als d. Klpp. **montana** Host.1692
var. gross, mit längeren schmaleren
Klappen: C. acutiflora Rchb.
Aehrchen der Rippe fast sitzend (daher
letztere gedrängt-blüthig); Granne deutl.

1687. = Agrostis...L. ☉6—7. Liehte Waldstellen, Sandhai-
Aecker, Kiessbänke, Sandhd. den, Fluss-Ufer
1688. Arundo Calamagrostis L. 1691. = C. Pseudophragmites
♃.7—8. Feht. Ws. (hie u. da)- Rehbch. = C. varia Hst. ♃.
7—8. Feuchte Waldplätze der
1689. = C. laxa Hst. ♃. 7—8. Alpen u. Gebirgsgegenden.
Kiessbänke u. Ufer der Flösse 1692. = Arundo varia Schrd.♃.
der Alpengegenden. 7—8. Wälder der Berggegen-
1690. = Arundo...L. ♃. 7—8. den u. Voralpen (hie u. da).

21*

länger als die Klappen; Haare sehr kurz
. . . . **sylvatica** DC. 1693

530. MILIUM L. Hirsegras.

Rispenäste abstehend, zart, nickend; Aehrchen
eyf., stumpf; Bltt. breit-lineal . **effusum** L. 1694

531. STIPA L. Pfriemengras.

Graune oberwärts langhaarig . . **pennata** L. 1695
Granne ganz unbehaart . . . . **capillata** L. 1696

532. LASIAGROSTIS Lk. Rauhgras.

Rispenäste abstehend; Granne 3mal so lang als d.
Aehrchen . . . . . **Calamagrostis** Lk. 1697

533. PHRAGMITES L. Schilfgras.

Bltt. lanzettf.-lineal, graugrün; Aehrchen meist
5blüthig . . . . **communis** Trin. 1698

531. SESLERIA Ard.

A. Allgemeiner Blüthenstand spiralig-
ästig, ährenförmig.
 a) länglichrund.
 Neben- u. Mittelgranne zahnf., kaum halb so
 lang als die Klappe; Blätter breit, rinnenf.,
 mit 1 Stachelspitze . . **coerulea** Ard. 1699
 Neben- u. Mittelgranne fadenf., über d. Klappe
 hinausragend; Blätter schmal-lineal, stumpf
 . . . . **microcephala** DC. 1700
 b) kugelig; untere Spelze an d. Spitze ausgerandet, hier kurz begrannt . . . . .
 . . . . . . **sphaerocephala** Ard. *

1693. C. arundinarea Rth. Agrostis arundinacea L. ♃. 7—8.
Lichte Waldstellen (hie u. da).
1694. ♃. 5—6. Schatt. Wälder.
1695. ♃. 5—6. Trockene Hügelabhänge, Sandhaiden, F. u. M.
(hie u. da).
1696. ♃. Kahle Hügelabhänge
(hie u. da).
1697. = Agrostis … L. ♃. 7—8.
Feuchte Abhänge der Alpen:
„Calvarienberg bei Füssen".

1698. Arundo Phragmites L. ♃.
8—9. Sümpfe, Tchrd., Fl.-Uf.
1699. = Cynosurus … L. ♃.
4—5. Felsen, Hügelabhänge,
Sumpfhaiden d. bayr. H.-Ebene.

1700. = Cynosurus ovatus Hppe.
♃. 6—7. Felsen der höheren
Alpengegenden (Watzmann).

* = Cynosurus … Wlf. ♃. 7—8.
Felsen der Alpen.

B. Allgemeiner Blüthenstand einfach,
zweizeilig, eyf.; Spelze sehr kurz- oder
gar nicht begrannt; Bltt. fadenf. **disticha** Pers.1701

535. KOELERIA Pers.

Rispe kegelig ährenförmig;
Untere Spelze zugespitzt; untere Bltt. gewimpert
. . . . **cristata** Pers.1702
var. a) in Behaarung; b) sehr schmalblätterig; c) sehr grosswüchsig: K. pyrami-
data Lam.
Untere Spelze stumpf; alle Bltt. kahl **glauca** DC.1703

536. AIRA L. Schmele.

Blätter breit, oberseits sehr rauh, gefältelt; Rispe
lang- u. rauhästig; Stock dicht rasig; Granne fast
gerade, meist so lg. als die Spelze **caespitosa** L.1704
var. a) mit blassen Bälgen: v. altissima; b)
sehr schmalblätterig; c) mit mehr od. wen.
grossen oder z. Thl. unvollkm. Blüthen eines Aehrchens; d) blumensprossend.
Blätter borstenf.-schmal; Zünglein abgestutzt; Rispe
ausgebreitet, nickend, zart; Granne gekniet,
lang . . . . **flexuosa** L.1705
var. mit mehr oder weniger farbigen Bälgen.

537. CORYNÉPHORUS Beauv. Sandschmele.

Rispe abstehend, nach der Blüthenzeit zusammengezogen; Spelze kürzer als die Bälge; Blätter
borstenf., hellgraugrün . . **canescens** Bv.1706

538. HOLCUS L. Honiggras.

Bltt. u. Scheiden weichhaarig; Rispe weich.
Granne der männl. Blmch. zurückgebogen in den

1701. = Cynosurus... Hoffm. 4. 6—7. Felsen der höchsten Alpenregionen.
1702. = Aira...L. sp. 4. 6—7.
Hügelabhg., trockene Wiesen.
1703. = Aira...Schrd.4. 6—7.
Sandhaiden (Rheinpfalz).

1704. 4. 6—7. Fruchtbare Ws.,
lichte Waldstellen.
1705. = Avena... Leers. 4. 7—8.
W. Haidegegenden, Sandhaiden (Kl.-Form.).
1706. = Aira...L. 4. 7—8.
Kahle Sandhaiden (Ki.-F.)

Balg eingeschlossen; Stock büschelig-bewurzelt
. . . . **lanatus** L. 1707
Granne der männl. Blmch. gekniet, über d. Balg
hinausragend; Stock kurz, kriechend **mollis** L. 1708

539. ARRHENATHERUM P. Beauv. Glatthaber.

Blätter flach; Stengel am Grund knotig; Granne
des männl. Blmch. nochmal so lang als d. Spelze
. . . . **elatius** M. u. K. 1709
var. mit 2—3 knoll. Stockgliedern: A. bulbosum

540. AVENA L. Haber.

A. **Aehrchen nickend** (wenigstens nach der
Blüthezeit), **ziemlich gross.**
 *a) Spelzen an der untern Hälfte mit
  langen borstigen (fuchsfrb.) Haaren; Aehrch. meist 3blth.* **fatua** L. 1710
 b) Spelzen kahl.
 † *Rispenäste allseitig;* Aehrch. meist 2blth.;
  Spelze an d. Sp. 2spaltig, gezähnelt **sativa** L. C1
  var. a) mit 3 Blümchen: A. trisperma Schbl.;
  b) mit unbegrannten Aehrchen, mit weissen und bräunlichen Spelzen.
 †† *Rispenäste mehr od. w. einseitig gerichtet.*
  ° Aehrchen 2blüthig.
  Spelzen an der Spitze 2spaltig; Bälge länger
  als die Spelzen . . . . **orientalis** L. C2
  Spelzen an der Spitze 2spaltig, mit begrannten Zipfeln; Bälge so lang als die Spelzen
  . . . . **strigosa** Schrb. C3
  °° Aehrchen 3blüthig.
  Spelzen von unten bis oben stark rippig, an
  der Spitze 2spaltig . . . . . **nuda** L. C4

1707. = Avena...Koehl. 4. 6—8.
Ws., Trft, lichte Waldstellen.
1708. Avena...Koehl. 4. 7—8.
Wälder, Feldgebüsch.
1709. = Avena...L. 4. 6—7.
Ws., Triften, Gbsch.. Waldränder „französ. Ray Gras".
1710. ☉ 7—8. Saatfelder „Wind-
haber".
C1. ☉ 7—8. Futterpflanze „gemeiner glatter Haber". Die

Var. a. in einigen Gegenden
„Gabelhaber".
C2. ☉ 7—8. Futterpflanze „Fah-
nenhaber".
C3. ☉ 7—8. Futterpflanze (hie
u. da) „Rauchhaber, Sand-
haber".
C4. ☉ 7—8. Futterpflanze (hie
u. da) „Nackthaber, Grütz-
Haber".

**B. Aehrchen aufrecht oder wenigstens
nicht hängend.**
*a) Fruchtknoten oben haarig; Gran-
nen aus der Mitte des Rückens.*
† *Aestchen mit 3—5 Aehrchen.*
Bltt. flach, lineal-lanzettl., beiderseits zottig;
Blüthenäste unten zu 4—5 **pubescens** L.1711
†† *Blüthenästchen meist zu 2—4; Blätter fa-
denförmig-lineal.*
* Blätter weich; Aestchen meist zu 2,
oberseits sehr rauh . . . **pratensis** L.1712
oberseits zieml. glatt, seegrün **versicolor** L. 1713
** Blätter starr; Blüthenästchen zu 3—4.
Zünglein der Scheide länglrd.; hintere Spelze
rauh punctirt . . **sempervirens** Vill.1714
b) Fruchtknoten kahl.
† *Grannen aus der Spitze;* Bälge 7—9rippig;
Stock einfach; Blthstd. wenig ästig **tenuis** L.1715
†† *Granne aus oder über d. Mitte d. Spelze;
Bälge 1—3rippig.*
* Rispenäste lang.
α Haare am Grund der Blume mehrf. kürzer
als die Spelzen . . . **flavescens** L.1716
β Haare ⅓ bis halb so lang als d. Spelzen,
Blüthenäste meist 3ährig (Blätter kurz) .
. . . . **distichophylla** Vill.1717
Blüthenäste meist 5—8ährig; Stengel zart;
Aehrchen halb so gross als bei voriger,
gelbl.; Bltt. sehr lang **argentea** Willd.1718
** Rispenäste kurz (Blthstd. dadurch ährenf.).

1711. ♃. 5—6. Wiesen.

1712. ♃.6—7. Trockene Wiesen,
steinige Abhg., Wldrd. (hie
u. da). Die Varietät = A.
bromoides M. u. K.

1713. = Av. Scheuchzeri All.♃.
7—8. Triften der höh. Alpen.

1714. ♃. 7—8. Felsen-Abhänge
der Alpen.

1715. = Av. dubia Leers. =
Bromus triflorus Poll. ☉ ♂.

Kahle Berg- u. Hügelabhänge
(Rheinpfalz, Unterfranken).

1716. = Trisetum pratense Pers.
♃. 6—7. Wiesen, Gebüsch.

1717. = Av. brevifolia Host. Gebirgsschluchten u. Giessbäche
der höheren Alpengegenden.

1718. = Av. distichophylla var.
K. syn. ed. l. u. Schrd. ♃.
7—8. Felsenabhg. der Alpen.

Stengel u. Aeste oben rauhh.; Aehrch. zwei-
blth.; Spelzen pfrieml. **subspieata** Clairv. 1719
††† *Granne unterhalb der Mitte der Spelze eingefügt; Bälge 1—3rippig; Blätter einge-
rollt-borstig.*
Rispe ausgebreitet, langästig: Aehrch. 2blth.,
am Ende der Aestchen gedrängt . . . .
. . . . **earyophyllea** Wigg. 1720
Rispe ährenf. lang, gedrungen **praecox** Bv. 1721

541. TRIODIA R. Brw.

Rispe traubig, mit 1 bis 2 Aesten; Aehrch. längl.-
eyf., 3—5blüthig; Blätter flach; Scheiden haarig
. . . . **decumbens** Bv. 1722

542. MÉLICA L. Perlgras.

Allgem. Blthstd. gedrungen-ährenf., gleichseitig;
untere Spelze wimper-zottig; neutrale Blümchen
länglich-rund . . . . **ciliata** L. 1723
Allgem. Blthstd. locker, einseitig; Spelzen kahl,
Aehrchen lang-gestielt, eines der Blmch. zwitt.;
Zünglein zugespitzt . . . **uniflora** Rtz. 1724
Aehrchen kurz gestielt, zwei der Blmch. zwitt.;
Zünglein abgestutzt . . . . **nutans** L. 1725

543. BRIZA L. Zittergras.

Rispenäste abstehend, ausgebreitet; Aehrch. herzf.,
5—9blth.; Zünglein abgestutzt . . **media** L. 1726
var. in Farbe d. Spelzen u. Grösse d. Wuchses.

544. ERAGRÓSTIS Beauv.

Untere Rispenäste einzeln oder paarweise; Aehr-

1719. ⸔ Aira spicata L. spec.
Avena airoides Köhl. ♃.7—8.
Geröllabhänge der höchsten
Alpenregion u. an Gletschern.

1720. = Aira...L. ⊙ 6. Sandhaiden, Haidewälder, Waldränder (Ki.-F.).

1721. = Aira . . . L. ⊙ 4—5.
Haidewälder, etwas feuchte
Sandhaiden (hie u. da).

1722. = Festuca...L. ♃. 6—7.
Wiesen, Triften, lichte Waldstellen (bes. Ki.-F.).

1723. ♃. 5—6. Steinige Bergabhänge u. Felsen (hie und da:
fränk. Jura).

1724. ♃. 6—7. Schattige Wälder
(hie u. da).

1725. ♃.5—6. Schattige Wälder.

1726. ♃. 6—7. Wiesen, Triften,
Waldränder.

chen lineal - ellipt., 15 — 20 blth., kurz gestielt;
Spelzen abgerundet, ausgerandet, kurz krautsp.;
Blattscheiden glatt . . **megastachya** Lk.1727
Aehrchen lanzett-lineal, 8—20 blth., langgestielt
(grünl.); Spelzen stumpf; Blattscheiden haarig
. . . . - **poaeoides** Bv.1728
Untere Rispenäste halbquirlig, zu 4—5, am Grund
haarig; Aehrchen lineal, 5—12blth. **pilosa** Bv.*

545. POA L. Rispengras, Heugras.

A. Stock büschelig, bewurzelt, ohne
 lange Ausläufer.
 *a) Aehrchen auf kurzem dicken Stiel
 in einseitigem allgem. Blüthenstd.;*
 Rispenstiel starr; . . . . . **dura** Scop.1729
 *b) Aehrchen auf zarten mehr oder
 weniger langen Stielchen.*
 † *Aestchen der Rispe einzeln oder paarweise.*
 * Blümchen (ausser der Wolle am Grund) kahl.
 Rispe etwas einseitig, sparrig, mit glatten
 Aestchen, welche sich nach dem Verblühen
 herabbiegen . . . . **annua** L.1730
 ** Blümchen (ausser der Wolle am Grund) noch
 mit Streifen von Seidenhaaren auf jeder Seite.
 α am Grund ohne Büschel von Stockblättern;
 Rispe nickend.
 Rispenäste zieml. dick; Aehrch. klein, breit,
 oberstes Stengelblatt meist so lang als des-
 sen Scheide . . . . **laxa** Hk.1731
 Rispenäste haarfein (zitternd); Aehrchen
 gross, ellipt.-cyf.; oberstes Stengelblatt meist
 viel länger als d. Scheide **minor** Gaud.1732

1727. = Briza Eragrostis L. ⊙
7—8. Sandbd. (Regensburg).
1728. = Poa Eragrostis L. ⊙
7—8. Felder, Sandhaiden (hie
u. da: Rheinfläche, Franken).
* = Poa...L. ⊙ 7—8. Felder,
Sandhd., Wegrd. (Ob.Rhein).
1729. = Cynosurus...L. = Sele-
rochloa...Bv. ⊙ 5—6. Trft.,
und Wegrd. (hie u. da: Rhein-

pfalz, Franken: Windsheim,
Roth).
1730. ⊙ 2—11. Wegrd., Strassen, Haiden.
1731. = P. elegans DC. ♃.7—8.
Trft. der Alpen u. Voralpen.
1732. ♃. 7 — 8. Steinige Abhg.
u. Felsspalten der Alpen, mit
den Flüssen in die Ebene.

β **am** Grund mit einem Büschel von Stockbltt.
und Scheiden.

Stengel am Grund nicht knollig verdickt;
Züngl. kurz, abgestutzt; Rispe aufr., breit-
eyf., gedrung.; Bälge sehr convex **alpina** L.1733
Stengel am Grund knollig verdickt; Züngl.
längl., spitz . . . . . . **bulbosa** L.1734
var. a) blumensprossend: P. alp. vivipara;
b) klein, 3″ hoch, mit ziemlich langen
Bltt. oder eben so aber mit kurzen Bltt.
u. hellgrün: P. alp. brevifolia; c) starr
u. graublätterig: P. badensis Hk.

†† *Aestchen der Rispe zu 5 (nur bei kümmerl.*
Individuen 2—3), rauh.

• Spelzen ausser der Wolle am Grund noch
mit 1 Seidenhaarreihe am Rücken u. zu beiden Seiten.

α Zünglein äusserst kurz oder fehlend; Stock
bisweilen mit kurzen Ausläufern; Rispe etwas
einseitig; Bltt. am Grund etwas gefaltet; Blm.
meist spitz . . . . **nemoralis** L.1735
var. a) gewöhnlich, lebhaft grün, zartsteng-
lich; b) stark stenglich; Aehrch. 3—5blth.;
Scheiden glatt: P. coarctata Gaud; c) dun-
kel- oder bisw. graugrün, steifstenglich;
Scheiden rauh: P. palustris DC.; d) graugrün, steifstgl.: P. glauca M.u.K.; e) zartsteng-
lich, wenig- aber grossährig: P. montana Gaud.

β Zünglein lang; Stock ohne alle Ausläufer;
Rispe gleichseitig; Aehrchen ey-lanzettlich
. . . . **fertilis** Host.1736

•• Spelzen ohne seitliche Haarleisten, deutlich
5rippig.

α Zünglein kurz; Scheiden glatt.
Rispenäste abstehend; Bltt. breit, lineal-lanzettl., an der Spitze plötzlich kappenf. zu-

---

1733. ⁊. 5—6. Triften d. Voralpen u. Alpengegenden, mit
Flüssen in die Vorthäler.
1734. ⁊. 5—6. Kahle Haiden u.
Abhänge (hie u. da).

1735. ⁊. 6—7. W., Fls., M.
1736. = P. palustris Roth. P.
angustifolia L. spec. ⁊. 6—7.
Feuchte Wiesen, Fluss-Ufer.

sammengezogen, (zur Blüthenzeit sind die
Scheiden noch grün) . . **sudetica** Hk.1737
Rispenäste ziemlich aufrecht, weitschweifig;
Bltt. breit-lineal, lang, verschmälert-zuge-
spitzt; (Scheiden zur Blüthenzeit verwelkt)
. . . . **hybrida** Gaud. *
β Zünglein lang, zugespitzt; Aehrch. cyf., meist
3blüthig; Blüthenstand am Grund gar nicht
oder sehr wenig haarig; Scheiden rauh . .
. . . . **trivialis** L.1738
B. Stock mit langen kriechenden Ausläufern; Zünglein abgestutzt.
a) *Stengel walzenrund.*
Blüthenästchen rauh, die untern zu 5 stehend;
Rispe eyf.; Spelze wollhaarig mit hervor-
tretenden Rippen; Bltt. lang **pratensis** L.1739
var. a) breitblätterig und bisw. graugrün:
P. humilis Ehrh.; b) schmal, falzblätterig:
P. augustifolia L.; c) gross, Stengel zusammengedrückt: P. pr. anceps Gaud.
Blüthenäste kahl oder sehr wenig rauh, die
unteren zu 2 stehend; Rispe länglrd.; Spelzen mit unmerkl. Rippen; Bltt. kurz, deutlich 2zeilig . . . . . **cenisia** All.1740
b) *Stengel stark zusammengedrückt;*
Rispe etwas einseitig, rauhästig; Aehrchen
eyförmig-länglich, 5 — 9blüthig; Blümchen
sehr wenig wollig . . . **compressa** L.1741

546. GLYCERIA R. Brw. Süssgras.
A. Aehrchen 4 — 11blüthig.

1737. = P. trinervata DC. ♃.
6—7. Bewässerte Waldplätze
der Berggegenden (hie u. da:
ausser den Alpen auch in den
Vogesen u. in einem Sumpf-
wald bei Erlangen, von Koch
früh. fürP.hybrida angegeben).
* = Festuca montana Stbg. u.
Hppe. ♃. 6—7. Fcht. Wälder,
schwb. Jura, Alpengegenden.
1738. = Poa dubia Leers. =

Poa scabra Ehrh. ♃. 6—7.
Feuchte Wiesen u. Triften.
1739. = P. glabra Ehrh. = P.
angustifolia Pall. ♃. 5—6.
Wiesen, Triften, Sandhaiden.
1740. = P. distichophylla Gaud.
♃. 7—9. Geröllabhänge der
Alpen, Giessbäche.
1741. ♃. 6—7. Trft., Hglabhg.,
(hie u. da).

a) Pflanze mit kriechendemErdstock.
⁜ *Rispenäste allseitig*,
  sehr zahlreich; Aehrchen 5 — 9 blth.; Blmch.
  abgerundet stumpf **spectabilis** M. u. K. 1742
  wirtelig; Aehrchen 7 — 11 blth.; Blmch. eyf.
  länglichrund, sehr stumpf; junge Bltt. gefältelt . . . . **plicata** Fr. *
†† *Rispenäste einseitig, wenig-öhrig, bei*
  d. Blüthezeit wagerecht abstehend; Aehrchen
  angedrückt; Blmch. lanzettf., junge Bltt. ein-
  fach-gefaltet (7rippig) . **fluitans** R. Brw. 1743
b) Stock büschelig bewurzelt: Rispen-
  penäste allseitig, sparrig, bei der Reife herabgebogen; Aehrchen 4 — 6 blüthig; Blmch.
  eyförmig-länglich, abgestutzt, schwach stumpf
  5rippig . . . . **distans** Whlb. 1744
B. Aehrchen meist 2blüthig, die oberen
  lang gestielt.
Rispenäste gleichseitig, zahlreich; Aehrch. lineal;
  Blmch. längl.-rund, stumpf, deutlich 3rippig;
  Erdstock kriechend . . . **aquatica** Prsl. 1745

547. MOLINIA Schrk. Blauschmele.

Spelzen ohne Granne; Rispe gedrungen; Aehrchen
  aufrecht; Stengel nur am Grund beblättert und
  mit einem Knoten . . . . **coerulea** Mnch. 1746
  var. a) hochwüchsig: M. arundinacea Schrk.
  u. b) klein; auch in der Farbe der Spelzen,
  je nach dem Lichteinfluss.

548. DÁCTYLIS L. Knaulgras.

Untere Spelze 5rippig; Rispe knäuelig, Aeste wag-

1742. = P. aquatica L. ♃. 7—8.
  Stehende Wasser u. Fl.-Ufer.
* ♃. 6—7. Stehende u. langsam
  fliessende Wasser (hie u. da).
1743. = Festuca... L. ♃. 6—7.
  Sümpfe, Bächlein, Gräben.
1744. = Poa... L. = Poa salina
  Pall. ♃. 5—6. Feuchte Triften
  u. Gräben (hie u. da).

1745. = Aira... L. = Glyc.
  airoides Rchbch. ♃. 6—7. Stehende Wässer, Gräben, feuchte
  Sandhaiden (hie u. da).
1746. = Aira... L. = Molinia
  arundinacea Schrk. = Eno-
  dium ... Gaud. ♃. 8—9.
  Feuchte Wälder, smpf. Haiden
  (bes. d. Ki.-Form.)

: ' recht-abstehend, nach u. vor d. Blthzeit angedr.,
rauh; Zünglein lang; Stgl. rauh **glomerata** L.1747
var. a) bleichgrün; b) graugrün in den Bltt.

549. CYNOSÚRUS L. Kammgras.
Stgl. glatt; *l* Bltt. schmal, flach, am Rand u. Kiel
scharf, Zünglein kurz abgestutzt **cristatus** L.1748

550. FESTUCA L. Schwingel.

A. Stock ohne Büschel von grundständigen Blättern, faserwurzelig; Aestch.
der Rispe dick; Achrchen lanzettlich-
pfriemlich, lang begrannt.
Rispe einseitig,
  gedrungen, bogig nickend, unterste Aeste viel
  kürzer als der Gipfel; Stgl. meist bis zur
  Rispe umscheidet . . . **Myurus** Ehrh.1749
offen stehend, zur Blthzeit straff aufr., d. untersten Aeste bis zur Hälfte hinanreichend;
  Stengel oberwärts lang herab ohne Scheiden
  . . . . **bromoides** L.1750
B. Stock ausdauernd mit einem Büschel
von Blättern; Rispenäste zart.
 a) Zünglein 2öhrig, sehr kurz; Bltt.
   alle od. nur die grundstd. zusam-
   mengefaltet, fadenf., die stengel-
   ständigen flach.
 † *Stock büschelwurzelig, ohne Ausläufer.*
 ° Alle Blätter fadenförmig.
 Untere Spelze deutl. 5rippig, die obere lanz.-
   pfrieml., an d. Spitze 2spaltig **Halleri** All.1751
 Untere Spelze schwach 5rippig, d. obere längl.-
   lanzettl., an der Spitze 2zähnig (Achrchen
   meist 4blüthig, mit od. ohne Graune); Stgl.
   4kantig . . . . **ovina** L.1752

1747. ♃. 6—7. Ws., Wälder.
1748. ♃. 6—7. Feuchte Wiesen.
1749. = F. Pseudomyurus Rchb.
  ☉ 5—6. Triften. Hügelabhänge,
  Sandhaiden (hie u. da).
1750. = F. sciuroides Rth. ☉
  5—6. Trft., Abbge, Haiden.

1751. ⚋ F. alpina Sturm. ♃.
  7—8. Abhänge der höchsten
  Alpengegenden.
1752. ♃. 5—6. Trockne Wiesen,
  Triften bis in die höchsten
  Alpen. Die Varietät e) im Ver-
  kommen alle andern weit über-
  treffend, die übrigen hie u. da.

Varirt sehr mannigfaltig, Hauptformen sind:
a) Bltt. mehr od. weniger rauh, sehr dünn
grau- od. bläulich-grün: vulgaris (= tenuifolia Sibth.). — b) Bltt. glatt, Wuchs
niedrig, arm- aber grösser-ährig, lang begrannt: alpina Gaud. — c) Eben so aber
lebhaft violett, gelb u. grün gezeichnete
Aehrchen: violacea Gaud. — d) Hoch,
grossährig; Bltt. graugrün, lang, sehr rauh:
F. valesiaca Schl. — e) Hoch, stark
stengelig, grossährig begrannt, steifblätterig:
F. duriuscula. — f) Wie vorige, aber
niedriger, Bltt. blaugrün zurückgebogen: F.
curvula Gaud. — g) Bltt. seegrün, gross,
starr: F. glauca Schrd. — h) Bltt. grün
oder graulich, starr, stechend, Aehrchen
stumpf: F. amethystea Host. (= vagi-
nata Willd.).
** Die Stengelbltt. flach, d. grundständigen borstenförmig, sehr lang; Rispe gross, schlaff;
Aehrchen begrannt —**heterophylla** Lam. 1753
†† *Stock mit langen Ausläufern*; Rispenäste
zur Blthzeit abstehend; Spelzen lanzettlich,
begrannt; Stockbltt. zusammengefaltet borstenförmig; Stengelbltt. flach . **rubra** L. 1754
var. a) zottighaarig: F. dumetorum L., barbata Schrk.; b) mit grossen u. wollhaari-
gen Aehrchen: F. cinerea DC.
*b) Zünglein abgestutzt od. hervorste-
hend, aber nicht zweiöhrig.*
† *Blätter stets sehr schmal, eingerollt, borstlich od. fadenförmig hohlkehlig.*
Rispe länglrd.; Aehrch. 5—8blth., theils gran-
nenlos, theils begrannt; Bltt. starr (1—1½' lg.);
Spelzen allmählig verschmälert . **varia** Hk. *
var. mit blassen Aehrchen, schlaff zartblttr.:
F. flavescens Bell.

1753. = F. duriuscula L. syst. * = Festuca acuminata DC. fl.
naturae. ♃. 5—6. Wälder der fr. ♃ 7—8. Felsige Triften
Berg-Gegenden bis in d. Alpen. der Alpen u. Voralpen.
1754. ♃. 5—6. Wiesen, Triften,
Sandhd., Wldränder, Dämme.

Rispe eyrund; Aehrchen 3—4blüthig begrannt;
Blthäste schlaff; Spelze schnell zugesp. (Wuchs
niedrig 3—6" dünn) . . . **pumila** Vill.[1755]
‡‡ *Blätter alle breitlich, lineal od. lanzett-
lineal.*
• Züuglein abgestutzt, stets sehr kurz.
α Aehrchen ohne od. mit sehr kurzer Granne
(gross, 5'").
Rispenäste gleichseitig, nickend, zahlreich u.
reichblth.; Aehrchen ey-lanzettf., 4—5 blth.;
Stengel stark . . . **arundinacea** Schrb.[1756]
Rispenäste einseitig, aufrecht; Aehrchen lineal
5—10 blüthig . . . . . . **elatior** L.[1757]
Rispenäste sehr kurz, zweizeilig; Rispe nickend;
Aehrchen lineal-länglichrund, die oberen völlig
sitzend . . . . **loliacea** Huds.[1758]
β Aehrchen lang-begrannt; Rispenäste schlaff,
abstehend; Aehrchen lanzettförmig, 5—8 blüthig mit gebogenen Grannen; Blätter kahl . .
. . . . **gigantea** Vill.[1759]
** Züuglein länglich, stumpf (Aehrchen klein,
2—3'" ohne Granne).
Bltt. lanzett-lineal, bläulich-hellgrün; Schei-
denbltt. am Grund gross; Rispe weitschweifig
sehr ästig: Aehrchen 3—5blüth.; Frkn. an der
Spitze haarig . . . . **sylvatica** Vill.[1760]
Bltt. lineal; Rispe abstehend, nickend; Aehrchen 5blüthig, eyrund; Frkn. an der Spitze
kahl . . . . . **Scheuchzeri** Gaud.[1761]

551. BRACHYPÓDIUM Beauv.

Blätter flach.
Stock büschelwurzelig, allgem. Blthstd. nickend;

1755. ♃. 7—8. Felsige Triften
der Alpenregion.
1756. = Bromus... Rth. = Festuca elatior Sm. ♃. 6—7.
Hecken, an Wiesen u. Fluss-
Ufern.
1757. = F. pratensis Huds. ♃.
6—7. Fruchtbare Wiesen.
1758. = F. elongata Ehrh. ♃.

5—6. Fruchtbare Wiesen (hie
u. da).
1759. = Bromus... L. = B. triflorus Sehrk. ♃. 6—7. Wald-
schatten.
1760. = F. Calamaria Sm. =
Poa trinervata Sehrd.♃. 6—7.
Schattige Wälder (hie u. da).
1761 = F. pulchella Sehrd. ♃.
7—8. Alpentriften.

Granne der ob. Blm. länger als d. Spelze; Bltt.
schlaff . . . . . . **sylvaticum** R. u. S.¹⁷⁶²
Stock kriechend; allgem. Blthstd. aufrecht od. wenig nickend; Granne der oberen Blm. kürzer als
die Spelze; Bltt. steif, lineal **pinnatum** Bv.¹⁷⁶³
var. a) Aehrchen rauh u. zottig, gerade und
gebogen: vulgare. — b) Aehrchen kahl:
B. rupestre R. u. S. — c) Aehrchen sehr
klein; Bltt. schmal: B. caespitosum R.
u. S. (= B. gracile DC.)

552. BROMUS L. Trespe.

A. Aehrchen auch nach dem Verblühen
gegen die Spitze hin verschmälert.
*a) Unterer Balg 3—5 oberer 5-mehr-
rippig; obere Spelze mit steifen
Borsten rückw. kammf. wimperig.*
† *Aehrchen schmal-lanzettf., walzl.;* Rispenäste zart, sehr verlängert; Granne gerade .
. . . . **arvensis** L.¹⁷⁶⁴
†† *Aehrchen längl.-eyf.;* Rispenäste kurz oder
die unteren kaum 3—4mal länger als das Aehrch.
* Obere Spelze so lang als die untere; Scheiden
kahl; Aehrchen nach dem Verblühen nicht
deckend . . . . **secalinus** L.¹⁷⁶⁵
var. mit noch 1mal so breiten Aehrchen als
gewöhnlich, u. die Granne lang, fast gerade: B. grossus Dsf.
** Obere Spelze kürzer als die untere; Scheiden
haarig.
α Rispe aufrecht nach dem Verblühen zusammengezogen; Spelzen deckend.
Aehrchen ey-länglichrund, kahl, unterer Spel-
zenrand bogig (Aeste steif) **racemosus** L.¹⁷⁶⁶

1762. = Bromus gracilis u. Br. 1764. = Br. versicolor Poll. ☉.
fragilis? Schrk. = F... L. = 6 — 7. Getraidfelder.
Bromus pinnatus β. L. ♃. 1765. = Br. vitiosus Schrk. ☉
7—8. Lichte Wälder u. Gbsch. 6 — 7. Getraidfelder.
1763. = Bromus... L. ♃. 6—7.
Sonnige Hügel, Haiden, stei- 1766. = Br. multiflorus Rth. ☉
nige Gebüschabhänge. 5—6. Wiesen u. Triften.

Aehrchen ey-lanzettf. zottig, Rand der unt.
Spelzen winkelf.-zusammengeneigt **mollis** L. 1767
β Rispe nickend (d. h. feinästig).
Reife Blümchen sich deckend.
Blmch. elliptisch; Aehrchen länglich-rund,
lanzettlich kahl; Granne gerade . . . .
. . . . . . **commutatus** Schrd. 1768
Blm. breit-ellipt.; Aehrchen gross länglich-
rund, 10—12blumig; Rispe sehr schlaff;
Granne (wenn trocken) gedreht, abgebogen . . . . . . **squarrosus** L. *
Reife Blümchen sich nicht deckend.
Rispenäste einseitig; Aehrchen anfgl. stielrund, kahl; Rand der unteren Spelze
stumpfwinkelig; Granne (beim Trocknen)
zurückgebogen . . **patulus** M. u. K. 1769
*b) Unterer Balg 1-oberer 3rippig,
obere Spelze am Rand von äusserst
kurzen Haaren flaumig; Aehrch.
lineal.*
† *Rispe nickend, schlaff;* untere Spelze aus
der Spitze 2grannig; untere Blätterscheiden
rauhhaarig . . . . . . **asper** Murr. 1770
†† *Rispe aufrecht.*
Blätter des Stocks schmäler, am Rand wimperig: untere Spelze begrant u. länger als
die Granne (Rispe ziemlich reichblüthig) .
. . . . **erectus** Huds. 1771
Blätter kahl, breit; untere Spelzen krautsp.
od. sehr kurz begrannt (Rispe sehr reichblüthig) . . . . . **inermis** Leyss. 1772
B. Aehrchen nach d. Spitze hin breiter.
Rispe schlaff, nach dem Blühen ausgebreitet

1767. ☉ 5—6. Wiesen, Weg-
Ränder, Haiden, Mauern.
1768. ☉ 5—6. Saatfelder u.
Triften (hie u. da).
* ☉ 5—6. Triften u. Weinberge
(Oberbaden).
1769. = Br. multiflorus Host. ☉
5... In Wintersaatfeldern.
1770. = Br. montanus Poll. ♃.

6—7. Berg-Wälder (bes. der
Ka.-F.)
1771. = Br. angustifolius Schrk.
= Br. arvensis Poll. ♃. 5—6.
Kahle Hügelabhänge, Ackerränder, Triften.
1772. = Festuca ... DC. ♃.
6—7. Kahle Hügel, Wiesen
u. Wegränder (hie u. da).
22

mit sehr rauhen Aesten; Aehrchen kahl; Stgl.
kahl (Gr. länger als die Spelze) **sterilis** L.1773
Rispe einseitig hängend; Stgl. oben flaumhaarig;
Aehrchen flaumh., sehr selten kahl (Gr. so
lg. als d. Spelze; kleinwüchsig) **tectorum** L.
1774

553. TRITICUM L. Waizen.

A. Aehrchen mehr od. weniger gewölbt;
Bälge eyförmig-länglich.

*a) Allgemeine Aehre gleichmüssig
4kantig; Spindel nicht brückig; Frucht
aus den Spelzen ausfallend; Aehrchen
4blüthig.*

° Aehrchen eyförmig.
Bälge auf dem Rücken abgerundet, gewölbt
. . . . **vulgare** Vill.c
Bälge flügelförmig-gekielt . **turgidum** L.ci
°° Aehrchen länglichrund;
Bälge gekielt, mit gebog. Spitze **durum** Dsf. c*

*b) Allgemeine Aehre ungleichmüssig
4kantig.*

† *Spindel nicht brückig; Aehrchen meist 3blüthig; Frucht frei.*
Bälge etwas gewölbt, lang lanzettf, krautig,
papierartig, vielrippig, gekielt . . . . .
. . . . **polonicum** L.c**
†† *Spindel brückig; Aehrchen 4blüthig; Bälge
breit-eyf, abgestutzt, 2zahnig; Kielzahn gerade, der andere unmerklich; Frucht von den
Spelzen umhüllt bleibend . . .* **Spelta** L.c2

1773. = B. grandiflorus Schrk?
⊙ 5—8. Felder, Schuttstellen,
Wegränder.
1774. ⊙ 5—6. Aecker, Felder,
Mauern.
C. = T. aestivum L. et T. hybernum L. ⊙ u. ⊙ 6—7. Getraidpflanze, vorzugsweise des
Ki.- u. Thonbodens, „gemeiner Waizen".

C1 ⊙ u. ⊙ 5—6. Hie und da:
„englischer Waizen".
C*. ⊙ u. ⊙ 6—7. Hie und da,
kaum als Getraide: „harter
oder Bart-Waizen".
C** ⊙ u. ⊙ 7—8. „Gommer
Aegyptisch Korn".
C2 ⊙ 6—7. Getraidpfl., vorzugsweise des Kalkbodens:
„Dinkel, Speltz"

c) allgemeine Aehre seitlich zusammengedrückt; Spindelbrüchig; Fr. von den Spelzen umhüllt bleibend.

Aehrchen meist 4blüthig; Kiel u. Bälge hervorragend u. dessen Zahn einwärts gebogen
. . . . **dicoccum** Schrk. C1

Aehrchen meist 3blüthig; Bälge 2zahnig; Kielzahn gerade . , . . **monococcum** L. C2

B. Bälge lanzettf. oder lineal-länglrd., nicht gewölbt; Frucht auf der einen Seite mit einer breiten Rinne.

Stock kriechend; allgemeine Aehre aufrecht; Granne fehlend oder kürzer als d. Spelzen; Blätter nur oberseits rauh . **repens** L. 1775
var. mit mehr oder weniger stumpfen spitzigen und begrannten Aehrchen und grünen oder graugrünen Blättern.

Stock büschelig bewurzelt; allgem. Aehre überhängend; Granne länger als die Spelze; Bltt. beiderseits rauh . . **caninum** L. 1776

a) SECÁLE L. Roggen, Korn.

Bälge kürzer als die Aehrchen; Spindel nicht brüchig . . . . **cereale** L. C3

554. ÉLYMUS L.

Aehrchen 2blüthig oder 1blüthig mit d. Rudiment der 2ten Blume zu 3en; untere Spelze mit einer rauhen doppelt so lg. Granne **europaeus** L. 1777

555. HORDEUM L. Gerste.

A. Alle Blüthen zwitterig.

C1. = Tr. amyaleum Ser. ☉ u. ☉ 6—7. Hie u. da, am besten auf Kalkboden gebaut, „Emmer Jerusalems Korn".

C2. ☉ u. ☉ 6—7. Hie und da, vorzugsweise im Thonboden gebaut,„Einkorn,Peterskorn".

1775. = Elymus caninus Leers. = Agropyrum ... L. ♃. 6—7.

Felder u. Gebüsch, besonders der Sandgegenden.
1776. = Elymus ... L. ♃. 6—7. Wälder und feuchte schattige Gebüsche.

C3. ☉ u. ☉ 5. Ueberall.
1777. = Hordeum montanum Schrk. ♃. 6—7. Wälder der Berggegenden und Voralpen (Ka.-F.).

22 *

Zwei der Seitenreihen d. Aehre sind mehr hervorragend als die 4 andern . **vulgare** L.C1
Alle 6 Reihen der Aehrchen gleich hervorragend
. . . . **hexastichum** L.C*
B. Die seitlichen Blüthen männlich,
  a) *ohne Granne;*
    Grannen der Zwitterblüthen aufrecht . . .
    . . . . **distichum** L.C2
    Grannen der Zwitterblüthen fächerf. abstehend
    . . . . **Zeocriton** C3
  b) *die seitlichen Blüthen begrannt.*
    Bälge der mittleren Aehrchen lineal-lanzettl.,
    rauh, zu beiden Seiten gewimpert . . . .
    . . . . **murinum** L.1778
    Bälge aller Aehrchen borstenförmig, rauh und
    ungewimpert . . . **secalinum** Schrb.1779

556. LOLIUM L. Lolch.

A. Stock ausdauernd, mit Laub- und Blüthenstengeln; Blüthen lanzettförmig;
untere Spelze häutig breiter als die
obere;
  die jungen Blätter einfach gefaltet; Aehrchen
  ohne oder mit kurzer Granne **perenne** L.1780
    var mit reich- u. armblüthigen (L. tenue
    Sm.) Aehrchen, einf. u. zusammengesetz-
    tem Blüthenstand.
  die jungen Blätter zusammengerollt; Aehrchen
  meist begrannt . . . . **italicum** A.Br.*
B. Stock einjährig, nur mit Blüthenstengeln; Blümchen bei der Reife ellipt.;
untere Spelze am Grund dick, schmäler als die obere.

C1. ☉ u. ☉ 5—6. Ueberall:
„gemeine od. vierzell. Gerste".
C*. ☉ 5. Hie u. da unter den
andern, „Rollgerste".
C2. ☉ 6—7. „Grosse Gerste",
auf etwas kalkhaltigem Boden
besonders als Bierpflanze gebaut.
C3. ☉ 6—7. „Reisgerste", hie
und da.

1778. ☉ 7—8. Schuttstellen,
Wegränder, Mauern.
1779. = H. nodosum M.B. ♃.
6—7. Wiesen (hie und da).
1780. ♃. 6 ... Wiesen, Trft.,
Wegränder „Engl. RayGras"
* ♃. 6... = Lolium multiflo-
rum DC. Triften und Wiesen
(hie und da)

Balg halb so lang als die Aehrchen, diese
länglich-eyf.; Blume ohne oder mit kurzer
Granne . . . . . . **arvense** Schrd.1781
var. mit breiteren Aehrchen und bei der
Reife abstehenden Blümchen: L. compla-
natum Schrd.
Balg so lang oder länger als die Aehrchen,
diese länglich-rund; Spelze mehr oder weniger begrannt . . . **temulentum**L.1782

557. NARDUS L.

Blattscheiden schopfförmig beisammen; Blätter fadenf., graugrün, auswärts stehend, **stricta** L.1793

1781. = Lolium remotum Hffm. 1782. = Craepalia temulenta
u. L. linicola Sonder. ⊙6—7. Schrk. ⊙ 6—7. Saatfelder.
In Leinäckern. 1783. ♃. 5—6. Feuchte Triften
mit Torfgrund bis in d. Alpen.

Nachträge und Berichtigungen.

a) Vor dem Gebrauch bittet man einzutragen:

Seite   IX. Zeile 19 v. u. nach und, setze: sie.
- XIII. - 18 v. u. lies Gattung, statt Art.
- XX. - 18 v. u. nach Fraxinus setze an den Rand 318.
- XX. - 12 v. u. nach Blitum sete (1.2).
- XXIII. - 11 v. u. setze nach Zwitterblüthe ein) und streiche dasselbe nach begleitet u. Blüthen weg.
- XXVI. - 16 v. u. nach Granne setze ein „.
- XXVI. - 7 v. u. l. Spelze, statt Spitze.
- XXVIII. - 7 v. o. l. Spelze, statt Spitze.
- XXXI. - 6 v. o. setze nach Radiola, 93 an den Rand.
- XLIII. - 7 v. u. soll ALSINE stehen u. gehört (8.2) am Rd. weg.
- XLV. - 3 am Rand setze (15.1), statt (15.2).
- XLVIII. - 10 v. o. setze am Rand (11.4), statt (12.2).
- XLVIII. - 12 v. u. setze nach Polygonum (8.1).
- LI. - 12 v. u. soll CHRYSOSPLE-NIUM stehen, (8.2) gehört dann weg.
- LXIII - 18 v. u. setze zahlreich nach Hautrand,.

Seite　　LXV. Zeile 16 v. o. l. Keims statt Kelchs.

- LXXVI.　-　19 v. o. gehört ein * an den
Rand, worauf die Anmer-
kung sich bezieht.

-　§ XCII.　-　17 stehen die Merkmale der
Unterabtheilung (der Dicotyledoneae) oberhalb;
statt unterhalb ihrer Ueberschrift. „Keim …
vorhanden".
Den Stern, welcher bedeutet, dass die Blumenkrone bisweilen fehlt, erhalten auch die Ra-
nunculaceae p. XCV., die Acerineae p. XCVI.
und die Cruciferae p. XCVII.

Seite　3 Zeile 18 v. o. setze blätterig statt blätterich.

-　6　-　3 v. o. lies kegelig, statt gekel.

-　8　-　3 v. u. im Text setze Trollius,
statt Trolluis.

- 11　-　21 v. o. l. Myoctonum, statt Mycoctonum.

- 13　-　15 v. o. setze Scop statt L. u. füge
bei: siehe Nachträge.

obere Blätter
am Grund tief herzf.-lappig, fiedertheilig, im
Umriss rundl.-herzf.; Frucht warzig rauh　.
.　.　.　.　.　.　.　.　luteum Scop. 74
am Grund abgestutzt, fiedertheilig, im Umriss
elliptisch; Frucht borstig-rauh　.　.　.　.　.
.　.　.　.　.　.　.　.　corniculatum 74.a
Die Note für 74.a heisst dann:
74.a = Ch. glaucium L. hochgelb, ⊙ 6 — 7.
Sandhaiden u. Bergabhänge, hie u. da (Nürnberg, Willibaldberg bei Eichstädt etc.).

-　15 nach Nasturtium officinale setze bei:
var. im Wuchs sehr gross u. mit herzf.-
ellipt. Blttch.: N. süfolium Rchb. (habe
ich gefunden bei Wiesenthau unweit
Forchheim).

-　27 Nr. 168 der Noten setze zu: auch auf d.
Gyps des Aischthals.

-　30 Zeile 7 v. o. setze Desv., statt L.

- 36　-　9 v. o. setze K.-Bltt., statt K.-Fl.

23

Seite **42** Zeile   9 v. o. nach B. setze: s. Nachträge.
Die Unterschiede sind so zu stellen:
a) Blumenblätter noch einmal so lang
als der Kelch;
Blthstielch. stets aufrecht 3mal so lg. als
der Kelch   . . . **nodosa** E. Mey.
b) Blumenblätter so lang als der Kelch
oder kaum kürzer; Blüthenstielchen 10
—15 mal so lang als der Kelch.
Blüthenstielchen kahl, bei der Fr. Reife
aufrecht; Blätter kurz stachelspitzig;
Kelch angedrückt   . **saxatilis** W.
Blüthenstielchen u. Blätter am Grund
drüsenhaarig; Blätter lang stachelspitzig; Kelch an der Kapsel locker
anliegend . . . . **subulata** W.
- **43** Zeile   6 v. o. nach Alsine setze L.
- **48**   -   15 v. o. nach Linum setze L.
- **49** Die Art Nr. 296 gehört nach 293 unter
die Abtheilung A. als c., Blmbltt. weiss.
- **61** Zeile   6 v. u. des Textes lies langröhrig.
- **63** nach 351 setze bei: s. Nachträge, varirt
a) mit grünl.-gelben Blm.: M. hybrida
Gaud.; b) grosswüchsig mit niederliegenden Stengeln: M. intermedia Schultes.
- **68** Zeile   7 v. u. im Text lies Blättchen.
- **74**   -   2 v. o. lies Aphaca.
- **76** Note 426. Der Wohnort bei Beilngries
wurde aufgenommen aus Walther's to-
pischer Geographie von Bayern; durch
genaue Erkundigung ergab es sich aber,
dass auf jenem angegebenen Felsen nur
eine kleine Föhre wächst, welche be-
kanntlich in manchen Gegenden Mandel-
oder Mantelbaum genannt wird, wodurch
wahrscheinl. ein Irrthum veranlasst wurde.
- **85**   -   1 v. o. l. länglich-rund.
- **86**   -   8 v. o. l. 2', statt 2''.
- **88**   -   12 v. o. l. Kelchzipfel, statt. Knoten.
- **102**   -   9 v. o. l. dicht-6reihig.
- **103**   -   10 v. o. l. Frkn., statt Fr.

Seite 110 Zeile 3 v. u. d. Textes l. Helosciadium.
-   121   -   11 v. o. setze Hoffm., statt L.
-   131 Nach 697. am Rand setze bei : s. Nachtr.
      c) Kelch glockig, tief 6spaltig mit eyf.,
         hackig begrannten Zipfeln; Fr. eyf.,
         zottigh., vorderseits mit 1 Rinne . .
         . . . . coronata DC.
         (Ist am Donnersberg in der Rhein-
         pfalz gefunden worden.)
-   144 Zeile 2 v. u. des Textes setze nach
         Köpfchen ein Komma.
-   158   -   6 v. u. 1ste Reihe der Noten
         setze Lam., statt L., eben so
         auf der folgenden Seite Zeile
         5 v. o. nach anglicum.
-   161   -   1 v. o. setze Blüthenköpfe.
-   161   -   2 v. u. des Textes setze Tournef,
         statt L
-   169   -   18 v. o. setze Hüllbltt., statt Bltt.
-   172   -   1 v. o. lies Fruchtkrone.
-   173 nach 879 setze bei: s. Nachtr. — var.:
         Bltt. schrotsägef., an der Spitze zieml.
         ganz; Zähne gegen d. Grund hin klei-
         ner werdend: C. lodomiriensis Bess. =
         C. Gmelini Schult.
-   186   -   4 v. u. lies albo hortul.
-   191   -   6 v. u. d. Textes lies Blattstiel.
-   206   -   8 v. o. setze 9''', statt 9''.
-   207 Die Numerirung der Familien 71, 72, 73
         ist irrig, indem die Veroniceae noch
         zu Antirrhineae gehören, ihre Nummer
         u. Ueberschrift also wegfällt; Familie
         74 hat wiederum die richtige Zahl.
-   218   -   13 v. u. des Textes setze Sol.,
         statt Sch.
-   219   -   4 lies austriaca.
-   222   Salvia sylvestris ist am Ho-
         henlandsberg bei Uffenheim ge-
         funden worden.
-   224   -   14 v. o. setze herz-eyf.

23 *

Seite 240 Salicornia ist irrig hereingezogen worden, verliert also seine Nummer, dafür erhält aber Kochia arenaria eine solche als Bewohner der bayerischen Rhein-Pfalz.

- 244 Zeile 15 v. o. setze der, nach und-
- 245 - 2 v. u. N. 1259 setze bei: Franken.
- 251 - 10 v. u. 2te Reihe der Noten lies Schrk. statt Schck.
- 250 - 5 v. u. im Text l. 84, statt 80.
- 258 statt 100. Familie setze 91; von hier an sind auch alle Familien-Nummern falsch bis zur letzten, welche recht ist. Hydrocharideae, pag. 272, erhalten 94 und Alismaceae 95.
- 259 gehört der Standort in Note 1338 zu 1337 und diese letztere zu 1338 des Textes.
- 262 Zeile 6 v. u. d. Textes l. ebenso, statt eben.
- 264 - 11 v. o. l. mollissima.
- 270 - 5 v. o. l. weich, theils ...
- 278 - 9 v. u. im Text setze Kth., statt L., ebenso nach aethiopica.
- 279 - 7 v. u. im Text setze Lam., statt L.
- 282 - 1 v. o. streiche das zweite H. in Himanthoglossum.
- 283 - 7 v. Note 1449 l. Satyrium Epipogium L.
- 284 Nr. 1452 setze nach rubra, Rich.
- 285 Note 1462 lies Ophrys Corallorrhiza L.
- 292 Note 1493 setze bei, Mainthal (Ochsenfurth).
- 299 Zeile 1 v. u. im Text setze Hostii Tsch. statt triglumis L.; die Note 1528 muss heissen = J. monanthos Jacq. 2l 7—8. bewässerte Felsen der Alpen.
- 306 Zeile 3 v. o. nach °, setze Stgl.
- 307 Note 1582 setze Kobresia scirpina.
- 310 Nr. 1600 setze Schrk, statt L.
- 312 Nr. 1613 lies Gaudiniana.

Seite 313 Note 1624 lies C. flacca.
- 316 unter die letzte Zeile des Textes ist zu
  setzen, varirt: (da als Varietät d. C.
  Oederi keine Nummer hat).
- 324 Zeile 12 v. o. nach Phragmites setze
  Trin., statt L.
- 327 nach Nr. 1712 füge bei, var. hochwüchsig u. grossährig; in der Note: im locke-
  ren Boden schatt. W.
- 327 Note 1717 nach Host setze bei, $\mathcal{Z}$. 7—8.
- 331 Note 1739 lies Poll. statt Pall., eben so
  Note 1744.

b) Minder wichtige Fehler.

- VII. Zeile 11 v. o. lies Schultz, statt
      Fchultz.
- VII. - 13 v. u. l. entstanden, statt
      enthalten.
- X. - 8 v. u. l. höchste, statt
      höchte.
- XVI. - 18 v. o. in der 2ten Reihe
      l. Lightfoot.
- XXII. - 10 v. o. setze vor Blu-
      menkr., ††.
- XXIII. - 3 v. o. setze ††, statt †.
- XXIX. - 7 v. u. l. Rhamnus.
- XXXII. - 5 v. u. l. Rand, st. Band.
- LI. - 9 v. u. l. dem Rand, statt
      den Rand.
- LXI. - 3 v. u. setze 2), statt 1).
- LXIX. - 1 u. 2 v. u. sind zu strei-
      chen, da im Text die
      Gattung nicht aufge-
      nommen ist.
- LXXXVIII. - 12 v. u. soll Mercurialis
      (22.8.) stehen.
- CXV. - 13 v. o. l. zu den Blumen-
      theilen.
- CXV. - 7 v. u. lies: mit der Aus-
      senschichte.

Seite 1 Zeile 1 v. u. bei Vitalba setze an den
Rand 3.
- 2 - 9 v. u. des Textes setze nach
grösser, ein „.
- 4 - 8 v. u. d. 2ten Reihe der Noten
setze Südeuropa, st. Ostindien.
- 5 - 4 v. u. Nr. 24 in den Noten setze
Iller statt Ilm.
- 6 - 4 v. u. Note 30 setze capillaceus K.
- 9 - 1 v. u. im Text setze an den
Rand 57.
- 10 - 3 v. o. setze nach verwachsen einen ., u. schreibe Einjährig.
- 11 - 6 v. o. nach Neubergense Clus
setze an den Rand a.; Napellus ist die Hauptart, welche
die Nummer trägt, zugleich
aber als Form c hat.
- 12 - 11 v. o. l. genähert, statt genährt.
- 12 - 1 v. u. in der 1sten Reihe d. Noten setze Crtz. nach Burseri.
- 17 - 3 v. u. im Text setze Stengelbltt.,
· statt Stengebltt.
- 19 - bei Hesperis matronalis fehlt das
h. am Rand.
- 20 - 12 v. o. setze $\frac{\div}{1}$, statt a; Z. 15 v.
o. setze $\frac{\div\div}{1\cdot1}$, statt b.
- 27 zu Nr. 170 d Noten setze bei (Ki.-F.).
- 29 zu 182 am Rand setze Poir.
- 39 Zeile 12 v. o. vor alpina setze ein S.,
eben so bei der folgenden Varietät.
- 39 zu Nr. 237 in den Noten setze bei: Monheim und im Ries.
- 43 Note 259 lies saxatilis.
- 51 Zeile 18 v. o. nach vorgestreckt, setze
bei: 4—6bltb., u. streiche dies
am Ende des Satzes weg.
- 51 - 1 v. u. 2. Reihe d. Noten, lies Po-
meranze, ebenso auf d. folgen-
den Seite bei h2 in d. Noten.

Seite 54 bei h2 am Rand setze Spr., statt Sp.
- 62 Zeile 1 v. o. lies tief-zweilippig.
- 64 - 8 v. u. im Text, setze vor Blüthenstand ein °.
- 68 - 11 v o. setze das A, welches vor
. Z. 10 steht, vor Aeste.
- 74 - 12 v. u. im Text, lies 2½, statt 4.
- 76 der Gleditschia triacanthos gebe ein h1,
u. dem Cercis Siliquastrum h2.
- 76 bei C1 am Rand setze nach vulgaris
Mill., statt L.
- 76 Zeile 3 v. u. in den Noten l. Obstbaum,
statt Obsbaum.
- 80 Zeile 1 v. u. in der 2ten Reihe d. Noten
setze nach sylvaticus ein ‚.
- 81 am Rand setze statt 244, 444.
- 82 bei 447 in den Noten setze Gelblich
(näml. die Blume).
- 83 Zeile 12 v. o. l. abstehend-behaart.
- 83 Nr. 457 setze Sibth. statt L.
- 83 bei * in den Noten setze = Tormentilla
reptans L.
- 89 Zeile 1 v. u. im Text setze Scop., statt
L.; der A. pubescens gehört ein *.
- 92 Zeile 7 v. o. l. Gartenvarietäten.
- 101 - 2 v. u. in Note 546 streiche der.
- 104 - 1 v. o. l. borstigem.
- 106 - 9 v. o. setze °° statt ***.
- 107 Zeile 18 v. o. lies Wulf. statt Wollf.
- — - 22 lies (3—9).
- 111 In Note 590 setze Sium... L. f.
- 115 Z. 12 v. o. lies den Stengel, st. der Stengel.
- 120 Z. 5 v. o. streiche das L.
- 122 Z. 5 v. u. im Text lies Blättchen.
- 126 zu Note 670 setze bei: hie u. da.
- 127 Z. 3 in d. Noten 2te Reihe setze Valantia.
- 128 Z. 17 v. o. setze DC. nach Vaillantii u.
Z. 19 L. nach spurium
- 129 Z. 6 v. o. nach ochroleucum setze Wolf.

Seite 130 Z. 2 v. u.' setze tripteris statt Tripteris, zu
der Note 692 hiezu setze bei: der höhe-
ren Gebirge.

- 132 Note 703 der Beisatz: (hie u. da ' München) gehört zur vorhergehenden Art.
- 140 In Note 737 setze: (der Thon- u. Kalk-F.).
- 142 In Note h2 setze Chrysostemma.
- 150 In Note h2 setze Tournef. statt Truft.
- 153 In d. Ueberschrift l. Compositae.
- 155 Z. 4 v. u. im Text setze nach Gml. = S.
Fuchsii Gml. in Koch Syn. ed. l.
- 156 Z. 7 v. u. lies Kugeldistel.
- — Z. 3 v. u. in Note h1 lies: Cap d. guten H...
- 160 Note d. lies C. Lachenalii.
- 164 In Note * lies Centaurea.
- 173 Z. 2 v. o. setze nach gezahnt ein ,.
- 174 am Rand setze 882 statt 382.
- 175 Z. 2 v. o. l. äussere statt äusseren.
- 177 Z. 12 v. u. im Text setze Tsch. nach
H. Vaillantii.
- 181 Z. 4 v. u. im Text lies ganzrandig.
- 182 Z. 8 v. o. nach littoralis setze Fr.
- 185 Z. 1 v. o. l. Horum.
- 191 Z. 1 v. u. im Text streiche das letzte
Wort u. das vorangehende ; weg.
- 193 Z. 13 v. u. im Text lies Blüthstd.
- — in Note 988 setze nach ☉ 8—9.
- 196 In der Ueberschrift lies Boragineae.
- 199 Z. 6 v. o. setze c) vor Stengelhaare.
- 205 Z. 8 v. u. im Text setze ein , statt:.
- — In Note 1042 l. Wald statt Waldungen.
- 212 Z. 11 v. u. in Note 1085 l. comosa.
214 Nach Lathraea setze bei: Schuppenwurz.
- 215 Z. 4 v. o. setze * vor Kelch, u. Z. 7. **
- 219 Z. 2 v. o. lies Mnch. statt Mch.
- 221 Z. 2 v. o. l. Schlund.
- 234 Z. 4 v. u. in Note 1203 streiche den .
nach Chamaejasme.
- 236 Z. 3 v. o. setze nach Hottonia, Wasser-
feder.

Seite 238 In Note 1230 streiche: die Var. . . . bis
Ende weg.
- 241 Z. 15 v. o. setze nach und, der.
- 250 N. 1288 l. Wickstr.
- 259 Z. 1 in Note 1340 lies Pforz a/R. statt
Pforzheim.
- 261 In Note 1353 lies corruscans.
- 266 Z. 1 nach 1349 streiche das zweite
herzf. weg.
- 267 In Var. von 1360 setze Kitaibeliana Willd.
- 269 Z. 6 in Note 1370 setze statt Cadolzburg,
Mittelfranken.
- 290 bei Note 1480, 1483, 1484, 1485 setze
$2\!\!\!\downarrow$ statt $\flat$.
- 294 Z. 10 v. u. im Text setze statt des , ein.
- 295 Note 1509 setze nach L. fl. suec.
- 297 Z. 5 v. u. im Text setze nach Lobelianum Bernh.
- 310 Note 1597 setze nach contigua Hpp.
- 311 Note 1606 setze nach C. Lachenalii Schk.
- 313 Z. 5 v. o. setze Aehre statt Aehrchen.
- 315 Note 1637 setze C. secalina Whlbg.
- 317 Note 1652 nach $2\!\!\!\downarrow$ setze 6.
- 318 Z. 10 v. u. im Text lies auf den Rippen.
- 324 Note 1693 setze C. arundinacea.
- 336 Note 1762 streiche Z. 2 v. o. das F...L.
weg.

Register

über

die lateinischen Familien- und Gattungs-Namen
sowie über die Varietäten und Synonymen
der Arten.

Bei den Gattungsnamen zeigt die in Klammern beigesetzte Zahl
die Klasse und Ordnung des Systems von Linne, die andere
die Seitenzahl an.

Bei den Artennamen zeigt die Zahl die Nummer des Randes oder
der Noten an, wenn nicht besonders „pagina" dabei steht.

*) Weil diess die an Arten zahlreichste Gattung ist, sind der Bequemlichkeit wegen, auch die Namen der angenommenen Arten selbst aufgeführt u. durch die *Schrift* bemerklich gemacht.

21

21'

25

25 ·

Gedruckt in der Joh. Paul Adolph Junge'schen
Universitäts-Buchdruckerei zu Erlangen.

Von demselben Verfasser sind erschienen:

Iconographia

familiarum naturalium

regni vegetabilis

oder

Abbildungen

aller natürlichen Familien des Gewächsreichs.

Band I.

Kryptogamen und Monocotyledonen,

oder

Heft I—V, jedes mit 20 Tafeln u. Text in Quart;
(wird ununterbrochen fortgesetzt.)

Bonn

bei *Henry* und *Cohen.*

1843 — 46.

Die

natürliche Pflanzenfamilie

der

Typhaceen.

Gr. Quart mit 2 Tafeln Abbildungen.

Nördlingen bei *C. H. Beck.*

1845.

479

Druck:
Customized Business Services GmbH
im Auftrag der KNV-Gruppe
Ferdinand-Jühlke-Str. 7
99095 Erfurt